KANE Y ABEL

Título original:
Kane and Abel

Edición original:
Hodder and Stoughton, Ltd., Londres, 1979

Traducción:
Eduardo Goligorsky

Jeffrey Archer

Kane y Abel

EDITORIAL POMAIRE
Argentina - Colombia - Costa Rica - Chile
Ecuador - España - México
Uruguay - Venezuela

ISBN: 950-0002-04-3

Hecho el depósito que marca la Ley 11.723.

Impreso y hecho en Argentina

Printed and made in Argentina

A Michael y Jane

Agradecimientos

El autor desea manifestar su gratitud a los dos hombres
que hicieron posible este libro. Ambos desean permanecer en el anonimato: uno porque está preparando su
autobiografía, y el otro porque sigue siendo una figura
pública en los Estados Unidos.

PRIMER LIBRO

PRIMER
LIBRO

1

18 de abril de 1906
Slonim, Polonia

La mujer no dejó de gritar hasta que murió. Fue entonces cuando empezó a gritar él.

El niño que cazaba conejos en el bosque no supo con certeza si lo que lo alertó fue el último grito de la mujer o el primero que emitió la criatura. Se volvió bruscamente, intuyendo el peligro posible, buscando con la mirada al animal cuyos sufrimientos eran tan obvios. Nunca había sabido que existiera un animal que chillara de ese modo. Se encaminó cautelosamente hacia el lugar de donde había partido el ruido. Entonces el grito se trocó en lamento, pero igualmente no se trataba de un animal conocido. Deseó que fuera pequeño, para así poder matarlo. Por lo menos entonces comería algo que no fuera el conejo de siempre.

Corriendo de un árbol a otro, el niño se desplazó sigilosamente hacia el río, de donde provenía el ruido. Sentía el contacto protector de la corteza contra sus omóplatos: algo tangible. Nunca te quedes al descubierto, le había enseñado su padre. Cuando llegó al límite del bosque, su campo visual abarcó nítidamente todo el valle, hasta el río, y aun entonces tardó un rato en darse cuenta de que el extraño berrido no procedía de un animal común. Siguió deslizándose hacia el vagido, pero ahora estaba librado a sus fuerzas, en terreno descubierto. Y de pronto vio a la mujer, con la falda recogida sobre la cintura y las piernas desnudas muy separadas. Nunca había visto a una mujer en esas condiciones. Corrió velozmente hacia ella y le miró el vientre, sin atreverse a tocarla porque lo paralizaba el miedo. Allí, entre las piernas de la mujer, yacía el cuerpo de un animalito rosado, húmedo, sujeto por algo semejante a una cuerda. El joven cazador dejó caer los conejos recién desollados y se hincó de rodillas junto a la criatura diminuta.

La miró un largo rato, alelado, y después volvió los ojos hacia la mujer. Inmediatamente lamentó haberlo hecho. Ya estaba amoratada por el frío y sus facciones cansadas, de veintitrés años, le parecieron maduras. No necesitó que le dijeran que estaba muerta. Levantó el cuerpecito resbaloso —si le hubieran preguntado por qué, cosa que no sucedió nunca, habría respondido que las minúsculas uñas que arañaban el rostro surcado de arrugas lo habían inquietado— y comprendió que el cordón viscoso impedía separar al niño de la madre.

Pocos días antes había asistido al alumbramiento de un cordero y procuró recordar. Sí, eso era lo que había hecho el pastor, ¿pero se atrevería a hacerlo él con una criatura? El gemido había cesado e intuyó que era urgente que tomara una decisión. Desenvainó el cuchillo, el mismo que había empleado para desollar los conejos, lo limpió contra su manga y, después de un fugaz titubeo, cortó el cordón cerca del cuerpo de la criatura. La sangre fluía abundantemente de los extremos cercenados. ¿Qué había hecho después el pastor, al nacer el cordero? Había atado el cordón, para interrumpir el flujo de sangre. Eso mismo, eso mismo. Arrancó un puñado de hierba y confeccionó apresuradamente un nudo tosco alrededor del cordón. Después alzó al pequeño en brazos. Se puso en pie lentamente, y dejó atrás tres conejos muertos y una mujer difunta que había parido a ese niño. Antes de volverle definitivamente la espalda a la madre, le juntó las piernas y le bajó el vestido sobre las rodillas. Le pareció que eso era lo que correspondía hacer.

—Santo Dios —exclamó en voz alta. Era lo primero que decía siempre cuando acababa de hacer algo muy bueno o muy malo. Aún no sabía con certeza en cuál de las dos categorías se inscribía su última acción.

Luego el joven cazador echó a correr hacia la cabaña donde sabía que su madre debía de estar preparando la cena. Sólo esperaba los conejos, y todo lo demás lo encontraría listo. Se estaría preguntando cuántos había cazado ese día: con ocho bocas para alimentar necesitaba por lo menos tres. A veces él se las ingeniaba para llevar un pato, una oca o incluso un faisán que se había escapado de la hacienda del barón, donde trabajaba su padre. Esa noche había atrapado un animal distinto, y cuando el joven cazador llegó a la cabaña no se atrevió a apartar de su presa ni siquiera una mano, de modo que pateó la puerta con el pie descalzo hasta que su madre la abrió. Le tendió la ofrenda en silencio. Ella no atinó a coger la criatura inmediatamente, sino que se quedó inmóvil, con una mano sobre el pecho, contemplando el lastimoso espectáculo.

—Santo Dios —murmuró, y se persignó.

Escrutó el rostro de su madre, buscando una señal de complacencia o ira. Sus ojos reflejaban una ternura que el niño nunca había visto en ellos. Comprendió que lo que había hecho debía de ser algo bueno.

—¿Es un bebé, Matka?

—Es un niñito —respondió su madre, asintiendo tristemente con la cabeza—. ¿Dónde lo encontraste?

—A la vera del río, Matka —dijo él.

—¿Y la madre?

—Muerta.

Ella se persignó nuevamente.

—Pronto, corre y cuéntale a tu padre lo que ha sucedido. Él encontrará a Urszula Wojnak en la finca y tú los guiarás a los dos hasta donde está la madre. Cuida que después vengan aquí.

El joven cazador le entregó la criatura a su madre, satisfecho de no haber dejado caer el resbaloso cuerpecito. Ahora, libre de su presa, se frotó las manos contra los pantalones y corrió en busca de su padre.

La madre cerró la puerta con el hombro y llamó a su hija mayor para que pusiera la olla en el fuego. Se sentó sobre un taburete de madera, se desabrochó la blusa y tendió un pezón extenuado hacia la boquita fruncida. Sophia, su hija menor, de sólo seis meses, tendría que privarse de la cena. Pensándolo mejor, toda la familia tendría que privarse de ella.

—¿Y para qué? —preguntó la mujer en voz alta, desplegando un chal alrededor de su brazo y del bebé, al mismo tiempo—. Pobrecillo, mañana estarás muerto.

Pero no le comunicó estos sentimientos a la anciana Urszula Wojnak cuando la comadrona lavó el cuerpecillo y se ocupó del cordón umbilical retorcido, a última hora de esa noche. Su marido observaba la escena en silencio.

—Cuando en la casa entra un huésped, entra Dios —dictaminó la mujer, repitiendo el viejo proverbio polaco.

Su marido escupió.

—Que se lo lleve el cólera. Ya tenemos suficientes hijos propios.

La mujer fingió no oírlo mientras acariciaba los ralos cabellos oscuros que cubrían la cabeza de la criatura.

—¿Cómo lo llamaremos? —preguntó la mujer, mirando a su marido.

Él se encogió de hombros.

—¿Qué importa? No necesitará nombre cuando lo entierren.

2

El médico alzó al recién nacido por los tobillos y le dio una palmada en las nalgas. El bebé rompió a llorar.

En Boston, Massachusetts, hay un hospital en el que se atiende sobre todo a quienes sufren las enfermedades propias de los pudientes, y en algunas circunstancias especiales se condesciende a atender el parto de los nuevos ricos. En el Massachusetts General Hospital las madres no gritan, y ciertamente no dan a luz completamente vestidas. Eso no es lo correcto.

Un hombre joven se paseaba de un lado a otro frente a la sala de partos. Dentro, dos obstetras y el médico de la familia estaban en plena faena. Este padre no era partidario de correr riesgos con su primogénito. Los dos obstetras cobrarían altos honorarios sólo por asistir como testigos. Uno de ellos, que tenía puesto el smoking bajo la bata blanca, debería asistir más tarde a una fiesta, pero no podía darse el lujo de ausentarse de ese alumbramiento. Previamente los tres habían echado suertes para determinar cuál de ellos asistiría a la parturienta, y le había correspondido hacerlo al doctor MacKenzie, médico de cabecera de la familia. Un hombre confiable, seguro, pensó el padre mientras se paseaba por el corredor. Aunque en verdad no tenía motivos para estar ansioso. Esa mañana, Roberts había conducido a su esposa Anne hasta el hospital, en el coche de punto. Ella calculaba que era el vigesimoctavo día de su noveno mes. Los dolores del parto habían empezado poco después del desayuno, y a él le habían asegurado que el alumbramiento no se produciría hasta que acabara la jornada en el banco. El padre era un hombre disciplinado y no creía que existiera ningún motivo para que un parto alterara su vida ordenada. Sin embargo, seguía paseándose. Las enfermeras y los médicos jóvenes pasaban apresuradamente a su lado, conscientes de su presencia, bajando la voz cuando estaban cerca de él, para volver a alzarla cuando se hallaban fuera del alcance de sus oídos. Él no lo notaba porque siempre todos lo trataban así. La mayoría de ellos nunca lo habían visto personalmente, pero todos sabían quién era.

Si era un hijo, un varón, probablemente él construiría el nuevo pabellón de pediatría que el hospital tanto necesitaba. Ya había levantado una biblioteca y una escuela. El futuro padre trató de concentrarse en la lectura del periódico vespertino, deslizando la vista sobre las palabras pero sin asimilar su significado. Estaba nervioso, incluso preocupado. «Ellos» (a casi todos los catalogaba como «ellos») nunca entenderían que tenía que ser un varón, un varón que algún día lo sustituiría a él como presidente del banco. Hojeó el *Evening Transcript*. Los Red Sox de Boston habían derrotado a los Highlanders de Nueva York... otros debían de estar celebrándolo. Entonces recordó el titular de la primera página y volvió a ella. El peor terremoto de la historia de los Estados Unidos. San Francisco devastada, por lo menos cuatrocientos muertos... otros debían de estar desolados. Eso lo sublevó. Le restaba méritos al nacimiento de su hijo. La gente recordaría que ese día había sucedido otra cosa. Nunca se le ocurrió pensar, ni siquiera fugazmente, que podría tratarse de una niña. Pasó a las páginas financieras y estudió las cotizaciones de Bolsa, que habían bajado bruscamente. El maldito terremoto había restado cien mil dólares al valor de sus propias acciones del banco, pero puesto que su fortuna personal seguía estando cómodamente por encima de los dieciséis millones de dólares, se necesitaría algo más que un seísmo en California para conmoverlo. Ahora podía vivir de los intereses de sus intereses, de modo que el capital de dieciséis millones quedaría intacto, a disposición de su hijo aún nonato. Siguió paseándose y fingiendo leer el *Transcript*.

El obstetra vestido con el smoking salió por la puerta de vaivén de la sala de partos para comunicarle la noticia. Le parecía que debía hacer algo a cambio de los suculentos honorarios que no se había ganado, y era el que estaba más apropiadamente vestido para la ocasión. Los dos hombres se miraron por un momento. El médico también se sentía un poco nervioso, pero no lo demostraría delante del padre.

—Lo felicito, señor. Tiene un hijo, un hermoso pequeño.

Qué comentarios tontos hace la gente cuando nace un niño, pensó el padre. ¿Qué otra cosa podía ser, sino pequeño? Aún no había asimilado la noticia: un hijo. Casi le dio las gracias a Dios. El obstetra aventuró una pregunta para romper el silencio.

—¿Ha resuelto cómo lo llamará?

El padre respondió sin vacilar.

—William Lowell Kane.

3

CUANDO YA HACÍA UN LARGO RATO que había pasado la excitación por la llegada del niño y que el resto de la familia se había ido a la cama, la madre seguía despierta con el pequeño en brazos. Helena Koskiewicz creía en la vida, y para demostrarlo había dado a luz nueve hijos. Aunque tres habían muerto en la infancia, no había renunciado a ninguno de ellos sin resistirse.

Ahora, a los treinta y cinco años, sabía que su otrora lozano Jasio no le daría más hijos ni hijas. Dios le había concedido éste, que seguramente estaba destinado a vivir. Afortunadamente la fe de Helena era sencilla, porque la suerte no le depararía nada más que una vida sencilla. Ella era gris y escuálida, no por su propia voluntad, sino porque comía poco, trabajaba mucho y no le sobraba el dinero. Nunca se le ocurría quejarse, pero en el mundo actual las arrugas de su cara habrían sido más apropiadas para una abuela que para una madre. Ni una sola vez en su vida había usado ropas nuevas.

Helena apretó con tanta fuerza sus pechos cansados que alrededor de los pezones aparecieron unas desvaídas marcas rojas. Brotaron unas gotitas de leche. A los treinta y cinco años, cuando hemos completado la mitad del contrato vital, todos estamos en condiciones de trasmitir una experiencia útil, y ahora Helena Koskiewicz se hallaba en el momento ideal.

—El más pequeñín de Matka —le susurró tiernamente al bebé, y frotó el pezón lechoso sobre la boca fruncida. Los ojos azules se abrieron y unas gotitas de sudor perlaron la nariz de la criatura cuando ésta trató de succionar. Por fin, la madre se sumió involuntariamente en un sueño profundo.

Jasio Koskiewicz, un hombre corpulento, embotado, cuyo espeso bigote era su único rasgo de personalidad en una existencia por demás servil, se levantó a las cinco y encontró a su esposa y el bebé dormidos en la mecedora. Esa noche no había notado que ella estaba ausente del lecho. Miró al bastardo que, gracias a Dios, por lo menos había dejado de berrear. ¿Estaba muerto? Jasio pensó que la mejor forma de zafarse del dilema consistía en ir a trabajar y no complicarse con el intruso. Que la mujer se desvelara por la vida y la muerte; de lo que él debía preocuparse era de estar en la hacienda del barón al despuntar el alba. Bebió varios tragos generosos de leche de cabra y se frotó el abundante bigote con la manga. Después cogió una hogaza de pan con una mano y las trampas con la otra, y se deslizó silenciosamente fuera de la cabaña, porque temía despertar a la mujer y verse involucrado. Se encaminó a

18

grandes zancadas hacia el bosque, y el único pensamiento que le dedicó al pequeño intruso fue para presumir que lo había visto por última vez.

Florentyna, la hija mayor, entró a continuación en la cocina, justo antes de que el viejo reloj, que durante muchos años se había ceñido a su propio horario, proclamara que eran las seis de la mañana. Sólo prestaba una pequeña ayuda a quienes deseaban saber si era hora de levantarse o de acostarse. Entre las tareas cotidianas de Florentyna se contaba la preparación del desayuno, ocupación menor que se reducía tan sólo a dividir un odre de leche de cabra y un trozo de pan de centeno entre los ocho miembros de la familia. Sin embargo, se necesitaba la sabiduría de Salomón para realizar ese trabajo de manera tal que nadie protestara por el tamaño de las raciones de los demás.

Quienes veían a Florentyna por primera vez recibían la impresión de que era bonita, frágil y desharrapada. Era injusto que durante los últimos tres años únicamente hubiese tenido un solo vestido, pero quienes estaban en condiciones de discriminar la opinión que les inspiraba la criatura de aquella otra que les inspiraba su entorno comprendían por qué Jasio se había enamorado de la madre de Florentyna. La larga cabellera rubia de la niña refulgía en tanto que sus ojos castaños chisporroteaban desafiando la influencia de su cuna y su dieta.

Se acercó de puntillas a la mecedora y miró a su madre y al pequeño al que había adorado a primera vista. En sus ocho años de vida nunca había tenido una muñeca. En verdad solamente había visto una en una oportunidad, cuando la familia había sido invitada al castillo del barón para celebrar la festividad de San Nicolás. Ni siquiera había llegado a tocar el bello objeto, pero ahora experimentaba un ansia inexplicable de tomar en brazos a este bebé. Se agachó y desprendió a la criatura de los brazos de su madre y, escudriñando sus ojillos azules —muy azules—, empezó a tararear. El cambio de temperatura, al pasar de la tibieza del seno de la madre al frío de las manos

19

de la chiquilla, indignó al crío. Éste se echó a llorar inmediatamente, lo cual despertó a la madre, cuya única reacción fue de remordimiento por haberse quedado dormida.

—Santo Dios, aún vive —le dijo a Florentyna—. Prepara el desayuno para los chicos mientras yo trato de amamantarlo nuevamente.

Florentyna le devolvió el bebé de mala gana y observó cómo su madre volvía a exprimir sus pechos doloridos. La chiquilla estaba hipnotizada.

—Date prisa, Florcia —la urgió su madre—. El resto de la familia también debe comer.

Florentyna obedeció, y cuando sus hermanos bajaron del desván donde dormían todos, le besaron las manos a su madre, a modo de saludo, y contemplaron admirados al nuevo huésped. Sabían que éste no provenía del vientre de la madre. Esa mañana Florentyna estaba demasiado emocionada para tomar su desayuno, así que los chicos se repartieron la porción de su hermana, sin pensarlo dos veces, y dejaron sobre la mesa la ración de su madre. Ninguno notó, al emprender las faenas cotidianas, que su madre no había comido nada desde el arribo del bebé.

Helena Koskiewicz estaba satisfecha de que sus hijos hubieran aprendido desde pequeños a desenvolverse. Sabían echar el pienso a las bestias, ordeñar las cabras y las vacas, cuidar la huerta y ejecutar sus tareas habituales sin ayuda ni acicate. Cuando Jasio volvió a casa por la noche, se dio cuenta súbitamente de que no le había preparado la cena, pero Florentyna había cogido los conejos de Franck, su hermano cazador, y había empezado a guisarlos. Florentyna estaba orgullosa de haberse ocupado de la cena, responsabilidad ésta que sólo le confiaban cuando su madre estaba enferma, aunque Helena Koskiewicz pocas veces se concedía este lujo. El joven cazador había traído a casa cuatro conejos, y el padre seis setas y tres patatas: esa noche se darían un verdadero festín.

Después de cenar, Jasio Koskiewicz se sentó en su silla

junto al fuego y por primera vez estudió detenidamente al niño. Alzó al bebé por las axilas, le sostuvo el cuello indefenso con los dos pulgares, y lo escudriñó con ojos de trampero. La cara, arrugada y desdentada, sólo era redimida por los hermosos ojos azules, desenfocados. Cuando dirigió la mirada hacia el cuerpecito esmirriado, algo atrajo inmediatamente su atención. Hizo una mueca y frotó con los pulgares el pecho delicado.

—¿Has observado esto, Helena? —preguntó el trampero, mientras palpaba las costillas de la criatura—. Este feo bastardo tiene una sola tetilla.

Ella frunció el ceño cuando masajeó a su vez la piel con el pulgar, como si esta maniobra pudiera regenerar el elemento faltante. Su marido tenía razón: la diminuta y descolorida tetilla izquierda estaba en su lugar, pero allí donde su imagen gemela debería haber aparecido sobre el lado derecho, el pecho escuálido estaba completamente liso y presentaba un uniforme tono rosado.

Las tendencias supersticiosas de la mujer se avivaron de inmediato.

—¡Dios me lo ha enviado! —exclamó—. Mira, ostenta Su señal.

El hombre le devolvió la criatura, encolerizado.

—Eres una tonta, Helena. Este niño fue engendrado por un hombre de sangre enferma. —Escupió en el fuego, para expresar con más rigor su opinión sobre la ascendencia de la criatura—. De todas maneras, no apostaría un rábano por la supervivencia del pequeño bastardo.

La supervivencia del niño le interesaba menos que un rábano a Jasio Koskiewicz. No era por naturaleza un hombre insensible, pero el niño no era suyo, y una boca más para alimentar sólo contribuiría a multiplicar sus problemas. Aunque si así debía ser, él no era quién para contradecir al Todopoderoso, y sin volver a pensar en el pequeño se sumió en un sueño profundo junto al fuego.

A medida que pasaban los días, incluso Jasio Koskiewicz empezó a sospechar que la criatura podría sobrevivir, y si hubiera sido aficionado a las apuestas habría perdido el rábano. El hijo mayor, el cazador, ayudado por sus hermanos, le fabricó al bebé una cuna con la madera que habían recolectado en el bosque del barón. Florentyna le confeccionó las ropas, para lo cual recortaba pequeños retazos de sus propios vestidos y luego los cosía entre sí. Lo habrían llamado Arlequín, si hubieran sabido lo que significaba esa palabra. En verdad, la búsqueda de un nombre provocó más desavenencias domésticas que cualquier otro problema aislado en el curso de los últimos meses. Sólo el padre se abstuvo de emitir opinión. Por fin, acordaron llamarlo Wladek. El domingo siguiente, el niño fue bautizado con el nombre de Wladek Koskiewicz, en la capilla de la hacienda del barón, y la madre le agradeció a Dios que le hubiera salvado la vida, en tanto que el padre se resignaba a lo que dictara el destino. Esa noche hubo una pequeña fiesta para celebrar el bautismo, enriquecida por el obsequio de una oca de la hacienda del barón. Todos comieron ávidamente.

A partir de ese día, Florentyna aprendió a dividir por nueve.

4

ANNE KANE había dormido plácidamente durante toda la noche. Cuando su hijo William volvió después del desayuno en brazos de una de las enfermeras del hospital, estaba ansiosa por recibirlo en los suyos.

—¿Qué le parece si también le damos el desayuno al bebé, señora Kane? —preguntó vivamente la enfermera de uniforme blanco.

Sentó en el lecho a Anne, que de pronto tomó conciencia de sus pechos hinchados, y guió a los dos novicios a lo largo de la operación. Anne, segura de que le negarían instinto maternal si parecía ofuscada, miró fijamente los ojos azules de William, más azules que los de su padre, y asimiló su nueva condición, con lo que habría sido ilógico que no se sintiera complacida. A los veintiún años, no creía que le faltara nada. Había nacido con el apellido Cabot, se había casado con una rama de la familia Lowell, y ahora tenía un primogénito que continuaría la tradición sucintamente resumida en la tarjeta que le había enviado una antigua condiscípula:

> Brindo por la ciudad de Boston,
> patria de la alubia y el bacalao,
> donde los Cabot sólo platican con los Lowell,
> y los Lowell sólo platican con Dios.

Anne pasó media hora hablándole a William, pero casi no obtuvo respuesta. Después se lo llevaron a dormir en las mismas condiciones en que lo habían traído. Anne se resistió heroicamente a las frutas y las golosinas apiladas junto a su lecho. Estaba resuelta a volver a enfundarse en todos sus vestidos cuando llegara la temporada de verano y a retomar el lugar que le correspondía por derecho propio en todas las revistas de la alta sociedad. ¿Acaso el príncipe de Garonne no había dicho que ella era el único objeto bello de Boston? Sus largos cabellos rubios, sus rasgos delicados y su silueta esbelta habían despertado una admiración entusiasta en otras ciudades que ella ni siquiera había visitado. Se miró en el espejo. No vio arrugas delatoras en su rostro y la gente no podría creer que era la madre de un niño retozón. Gracias a Dios que había sido un niño retozón, pensó Anne.

Saboreó un almuerzo liviano y se preparó para acoger a los visitantes que desfilarían por la tarde, y que ya habían sido seleccionados por su secretaria privada. Durante los primeros días sólo estarían autorizados a verla parientes suyos o miembros de las mejores familias. A los demás les dirían que aún no estaba en condiciones de recibirlos. Pero como Boston era la última ciudad de los Estados Unidos donde todo el mundo sabía cuál era su lugar, ateniéndose a los más refinados matices de la escala social, era poco probable que se presentara un intruso inesperado.

La habitación que ocupaba ella sola podría haber albergado fácilmente otras cinco camas si no hubiera estado ya atestada de flores. Un observador desprevenido podría haberla confundido con una pequeña exposición de horticultura, sin hacerse acreedor a ningún reproche, si no hubiera sido por la presencia de la joven madre rígidamente sentada en su lecho. Anne encendió la luz eléctrica, que seguía siendo una novedad para ella. Richard y su esposa habían esperado que los Cabot la hicieran instalar, circunstancia que todo Boston había interpretado como un signo magistral de que a partir de ese momento la inducción electromagnética era socialmente aceptable.

La primera visitante fue la suegra de Anne, la esposa de Thomas Lowell Kane, cabeza de la familia desde que su marido había fallecido el año anterior. Elegante y madura, había perfeccionado la técnica de irrumpir en un aposento a su total satisfacción y en medio del indudable desconcierto de sus ocupantes. Usaba un vestido largo que le ocultaba los tobillos. El único hombre que se los había visto había muerto. Siempre había sido delgada. A su juicio, las mujeres gordas eran un testimonio de mala alimentación y peor crianza. Ahora era la Lowell viviente de mayor edad, y en verdad la mayor de los Kane. Por consiguiente pretendía ser la primera en ver a su flamante nieto, y todos aprobaban dicha pretensión. Al fin y al cabo, ¿acaso no había sido ella quien había preparado el encuentro de Anne con Richard? Para la señora Kane, el amor ocupaba un lugar secundario. Ella siempre se avenía a la riqueza, la alcurnia y el prestigio. El amor estaba muy bien, pero pocas veces resultaba ser perdurable. Las otras tres cualidades sí lo eran. Besó a su nuera en la frente con un gesto de aprobación. Anne pulsó un botón instalado en la pared y se oyó un leve zumbido. El ruido tomó por sorpresa a la señora Kane. No podía creer que la electricidad se impusiese. La enfermera reapareció con el heredero. La señora Kane lo inspeccionó, resopló de satisfacción y lo despidió con un ademán.

—Te felicito, Anne —manifestó la anciana dama, como si su nuera hubiese ganado un premio modesto en un concurso de equitación—. Todos estamos muy orgullosos de ti.

La madre de Anne, la esposa de Edward Cabot, llegó pocos minutos después. Ella, como la señora Kane, había enviudado hacía escasos años, y difería tan poco de su consuegra, por su aspecto, que quienes sólo las veían desde lejos solían confundirlas. Pero para hacerle justicia, había que admitir que dedicó considerablemente más interés a su nuevo nieto y a su hija. La inspección se desplazó hacia las flores.

—Qué amables han sido los Jackson al acordarse —murmuró la señora Cabot.

La señora Kane optó por una técnica más sumaria. Sus ojos revolotearon superficialmente sobre los delicados capullos y luego se posaron sobre las tarjetas de los remitentes. Susurró para sus adentros los apellidos reconfortantes: Adams, Lawrence, Lodge, Higginson. Ninguna de las abuelas mencionó los apellidos desconocidos: ambas habían superado la edad en que uno desea aprender algo sobre cosas o personas nuevas. Partieron juntas, muy conformes: había nacido un heredero que, a primera vista, parecía apropiado. Ambas consideraban que su último deber familiar había sido cumplido con éxito, aunque por interpósita persona, y que ahora ellas mismas podrían asumir el papel del coro.

Las dos se equivocaban.

25

Los amigos íntimos de Anne y Richard acudieron en tropel durante la tarde, con regalos y buenos deseos, los primeros de oro o plata, y los segundos enunciados con el tono agudo típico de la alta sociedad bostoniana.

Cuando su marido llegó después de la hora de cierre de los bancos, Anne estaba un poco agotada. Por primera vez en su vida, Richard había bebido champán en el almuerzo: el viejo Amos Kerbes había insistido y, bajo la mirada de todo el Somerset Club, Richard no habría podido negarse. A su esposa le pareció ligeramente menos envarado que de costumbre. Muy compuesto con su larga levita negra y sus pantalones a rayas, medía exactamente un metro ochenta y cinco, y su cabello negro con raya al medio refulgía bajo la luz de la gran bombilla eléctrica. Pocos habrían adivinado que tenía sólo treinta y tres años: la juventud nunca le había importado; lo único que valía era la fortuna. Una vez más hicieron traer e inspeccionaron a William Lowell Kane, como si el padre estuviera verificando el balance al concluir la jornada bancaria. Todo parecía estar en orden. El pequeño tenía dos piernas, dos brazos, diez dedos en las manos y otros tantos en los pies, y Richard no vio nada que pudiera avergonzarlo más tarde, de modo que despachó a William de vuelta a su aposento.

—Anoche le envié un cable al rector de St. Paul's. William está inscrito para septiembre de 1918.

Anne no dijo nada. Obviamente Richard había empezado a planear la carrera de William.

—Bueno, querida, ¿estás totalmente recuperada? —preguntó él a continuación. Nunca había pasado un día en el hospital durante sus treinta y tres años de vida.

—Sí... no... eso creo —contestó su esposa tímidamente, reprimiendo un creciente deseo de llorar que, lo sabía bien, sólo serviría para disgustarlo. Esa respuesta no era de las que Richard podía entender. Besó a su esposa en la mejilla y volvió en el coche de punto a la Red House de Louisburg Square, la mansión familiar. Contando al personal, la servidumbre, la nueva criatura y su institutriz, ahora habría nueve bocas para alimentar. Richard no pensó dos veces en este problema.

William Lowell Kane recibió la bendición de la Iglesia, y los nombres que su padre le había asignado antes de nacer, en la iglesia protestante episcopal de St. Paul's, en presencia de todas las personas importantes de Boston y de unas pocas que no reunían esa condición. Ofició el venerable obispo Lawrence, y actuaron como padrinos J. P. Morgan y Alan Lloyd, banqueros de impecable reputación, junto con Milly Preston, la amiga más íntima de Anne. El obispo roció el agua bendita sobre la cabeza de William y el niño ni siquiera murmuró. Ya estaba aprendiendo a comportarse en la vida como un aristócratà. Anne dio las gracias a Dios por el feliz nacimiento de su hijo, y Richard dio las gracias a Dios —al que veía como un tenedor de libros distante cuya función consistía en documentar las proezas de la familia Kane de generación en generación— por el hecho de tener un hijo al que podría legarle su fortuna. De cualquier modo, pensó, quizá sería mejor asegurarse y concebir un segundo hijo. Desde el lugar que ocupaba, de hinojos, miró de soslayo a su esposa, con la que estaba muy complacido.

En el coche de punto a la Real Iglesia de Longchamp Square,
la mansión familiar. Charlando el personal di personal in servil nuncir, la
nueva Christian y su inspección ahora habría nueve bocas para
alimentar. Richard no pensó dos veces en este problema.
William Lowell Kane era capaz la bendición de la Iglesia y
tow...bres que su padre la había agregado unas fotos más
algunos princesa episcopal de St. Paul's en... sociedad de
todas las cosas importantes de... Ana toy que venía cerca que
no reunían esa condición. Ohio el venerable obispo Lawrence... reunieron como padrino. La... Abogado y Alan Lloyd, miembros de sociedad regular son junto con Milly Preston, la
amiga más íntima de Anne. El cuerpo recibirá su ceca bendita
sobre la cabeza de William y el niño al aguante mantuvo... y a
quien aprendiendo a comportarse... en la vida sobre su quinto
cumpleaños dio las gracias a Dios por el otro nacimiento de su
hijo. Richard dio las gracias a Dios —al que veía como su
tenedor de libros disfrutaba y función constante en documentar las proezas de la familia Kane de generación en generación— por el hecho de tener un hijo al que podía legarle su
fortuna. De cualquier modo, pensó, quizá sería mejor esperar
antes de concebir un segundo hijo. De hecho el llegar que ocupaba,
de hincha... niño descaba y su esposa, con la que estaba muy
complacido...

SEGUNDO
LIBRO

5

WLADEK KOSKIEWICZ creció lentamente. Su madre adoptiva comprendió que el niño siempre tendría problemas de salud. Le afectaron todas las dolencias y enfermedades que normalmente aquejan a los niños en la etapa del crecimiento, y muchas más, y las contagió al resto de la familia Koskiewicz. Helena lo trataba como si fuera uno más de su prole y siempre lo defendía vigorosamente cuando Jasio empezaba a atribuir al diablo, más que a Dios, la presencia de Wladek en la pequeña cabaña. En cambio, Florentyna cuidaba de Wladek como si se tratara de su propio hijo. Desde que lo vio por primera vez lo quiso con una vehemencia cuyo origen estaba en el temor de que nunca nadie deseara casarse con ella, la hija indigente de un trampero. En consecuencia, no tendría hijos. Su hijo era Wladek.

El hermano mayor, el cazador, el que lo había hallado, lo trataba como si fuera un juguete, pero el miedo a su padre le impedía confesar que estimaba a la frágil criatura que se estaba convirtiendo en un robusto párvulo. Fuera como fuere, en el próximo mes de enero el cazador debería dejar la escuela para ponerse a trabajar en la hacienda del barón y, como le había dicho su padre, los niños eran un problema que concernía a la mujer. Los tres hermanos menores —Stefan, Josef y Jan— manifestaban poco interés por Wladek, y el restante miembro de la familia, Sophia, se conformaba con hacerle algunos mimos.

Ninguno de los progenitores estaba preparado para hacer frente a un carácter y una mente tan distintos de los de sus propios hijos. Nadie podía desechar la diferencia física o intelectual. Todos los Koskiewicz eran altos, huesudos, rubios y de ojos grises. Wladek era bajo y regordete, de cabello oscuro, y tenía unos vivaces ojos azules. Los Koskiewicz manifestaban poco interés por el estudio y abandonaban la escuela de la aldea tan pronto como la edad o el buen gusto lo permitían. En cambio Wladek, si bien tardó en caminar, hablaba ya a los dieciocho meses. Empezó a leer a los tres años, aunque todavía no era capaz de vestirse solo. A los cinco ya escribía, pero seguía orinándose en la cama. Se convirtió en la desesperación de su padre y el orgullo de su madre. Sus cuatro primeros años en el mundo sólo se destacaron por un tenaz esfuerzo físico encaminado a abandonarlo mediante la enfermedad, y por los constantes afanes de Helena y Florentyna encaminados a frustrar ese propósito. Corría descalzo por la pequeña cabaña de madera, vestido con su uniforme de arlequín, más o menos un metro detrás de su madre. Cuando Florentyna regresaba de la escuela, Wladek le dedicaba a ella sus atenciones y no se apartaba de su lado hasta que ella lo metía en la cama. Al dividir los alimentos en nueve porciones, Florentyna sacrificaba a menudo la mitad de su parte para dársela a Wladek, y cuando éste se hallaba enfermo le daba su ración íntegra. Wladek usaba las ropas que ella le confeccionaba, entonaba las canciones que ella le enseñaba, y compartía con ella los pocos juguetes y regalos que había recibido.

Como Florentyna pasaba la mayor parte del día en la escuela, Wladek manifestó desde muy pequeño el deseo de acompañarla. Apenas se lo permitieron, echó a andar (fuertemente aferrado a la mano de Florentyna hasta que llegaban a la escuela de la aldea) las dieciocho *wiorsta,* o sea aproximadamente doce kilómetros, a través de bosques y abedules y cipreses cubiertos de musgo y entre huertos de limas y cerezos, rumbo a Slonim, para comenzar su educación.

A Wladek le gustó la escuela desde el primer día. Significaba la evasión de la minúscula cabaña que hasta entonces había sido todo su mundo. La escuela también lo enfrentó por primera vez en su vida con las brutales consecuencias que llevaba aparejada la ocupación rusa en Polonia oriental. Intuía en los niños que lo rodeaban un feroz orgullo por la lengua y la cultura maternas, en ese momento sojuzgadas. Él también experimentaba el mismo sentimiento. Wladek descubrió sorprendido que el señor Kotowski, su maestro, no lo menospreciaba, como lo hacía su padre en casa. Aunque seguía siendo el más pequeño, como en su hogar, no pasó mucho tiempo antes de que descollara sobre sus condiscípulos en todo menos en la altura. Su reducida estatura los inducía a subestimar continuamente sus verdaderas aptitudes: los niños siempre imaginan que lo más grande es lo mejor. A los cinco años, Wladek era el primero en todas las disciplinas de su curso, excepto el trabajo de la forja.

Por la noche, de regreso en la pequeña cabaña de madera, mientras los otros niños se ocupaban de las violetas y los álamos que florecían en el fragante jardín primaveral, y mientras recogían bayas, cortaban leña, cazaban conejos o confeccionaban vestidos, Wladek leía y leía, sin perdonar siquiera los libros vírgenes de su hermano mayor y después los de su hermana mayor. Helena Koskiewicz empezó a vislumbrar lentamente que cuando el joven cazador había traído a la cabaña ese animalito en lugar de tres conejos, ella había abarcado más de lo que podía apretar: Wladek ya le formulaba preguntas que no estaba en condiciones de responder. Pronto comprendió que no podría con él, y no sabía muy bien qué hacer al respecto. Pero como tenía una fe inconmovible en el destino, no se sorprendió cuando le arrebataron la decisión de las manos.

El primer momento crucial de la vida de Wladek se presentó en una tarde del otoño de 1911. Toda la familia había terminado su cena sencilla compuesta de sopa de remolacha y albóndigas. Jasio Koskiewicz roncaba sentado junto al fuego, Helena cosía y los otros niños jugaban. Wladek estaba sentado a los pies de su madre, leyendo, cuando por encima del ruido que producían Stefan y Josef al disputarse unas piñas recién pintadas, oyeron un fuerte golpe en la puerta. Todos se callaron. Una llamada siempre provocaba sorpresa en la familia Koskiewicz, porque la pequeña cabaña estaba a dieciocho *wiorsta* de Slonim y a más de seis de la hacienda del barón. Casi no tenían visitantes, a los que sólo podían ofrecerles un trago de zumo de bayas y la compañía de unos niños bulliciosos. Toda la familia miró en torno con aprensión. Esperaron que se repitiera el golpe, como si éste no se hubiera producido. Y se repitió, con más fuerza aún. Jasio se levantó de su silla, somnoliento, se encaminó hacia la puerta y la abrió cautelosamente. Cuando vieron al hombre recortado en el hueco todos hicieron una reverencia, excepto Wladek, que miraba a la ancha, bella y aristocrática figura enfundada en un pesado abrigo de piel de oso, cuya presencia dominó la reducida habitación e hizo aflorar el miedo en los ojos del padre. Una sonrisa cordial disipó este miedo, y el trampero invitó al barón Rosnovski a entrar en su vivienda. Nadie habló. El barón nunca los había visitado antes y nadie sabía muy bien qué decir.

Wladek dejó su libro, se levantó y se acercó al extraño, tendiéndole la mano antes de que su padre pudiera detenerlo.

—Buenas noches, señor —saludó Wladek.

El barón le cogió la mano y se miraron a los ojos. Cuando el barón lo soltó, la mirada de Wladek se posó sobre una magnífica pulsera de plata que le rodeaba la muñeca, cuya inscripción no logró discernir claramente.

34

—Tú debes de ser Wladek.

—Sí, señor —respondió el niño, sin que el hecho de que el barón supiese su nombre pareciera sorprenderlo.

—Es por ti que he venido a ver a tu padre —prosiguió el barón.

Wladek permaneció frente al barón, contemplándolo. El trampero les indicó a sus hijos, con un ademán de alarma, que debían dejarlo a solas con su amo, de modo que dos de ellos hicieron una genuflexión, cuatro hicieron una reverencia, y los seis se replegaron en silencio al desván. Wladek se quedó porque nadie le sugirió que se marchara.

—Koskiewicz —empezó a decir el barón, aún en pie porque nadie lo había invitado a sentarse. El trampero no le había ofrecido una silla por dos razones: en primer lugar porque era demasiado tímido, y en segundo lugar porque suponía que el barón estaba allí para reprenderlo—. He venido a pedirte un favor.

—Lo que usted quiera, señor, lo que usted quiera —contestó el padre, preguntándose qué podía darle al barón que éste no tuviera multiplicado por cien.

El barón continuó:

—Mi hijo, Leon, tiene actualmente seis años y estudia en el castillo con dos preceptores particulares, uno de los cuales es polaco como nosotros, en tanto que el otro es alemán. Me dicen que es un niño inteligente, pero que le faltan estímulos porque no ha de competir con nadie. El señor Kotowski, el maestro de la escuela de Slonim, me informa que Wladek es el único niño capaz de suministrar el estímulo competitivo que tanto necesita Leon. En consecuencia me pregunto si permitirás que tu hijo deje la escuela de la aldea y estudie junto con Leon y sus preceptores en el castillo.

Wladek seguía en pie frente al barón, escudriñándolo, mientras se abría ante él un prodigioso panorama de manjares y bebidas, de libros y maestros mucho más sabios que el señor Kotowski. Volvió la mirada hacia su madre. Ella también contemplaba al barón, con una expresión de asombro y pena. Su padre giró hacia su madre, y al niño le pareció que el instante de comunicación silenciosa entre ambos duraba una eternidad.

El trampero habló con voz ronca, dirigiéndose a los pies del barón.

—Será un honor para nosotros, señor.

El barón miró inquisitivamente a Helena Koskiewicz.

—Que la Santa Virgen no me permita obstaculizar el camino del niño —murmuró en voz baja—, aunque sólo Ella sabe cuánto me costará esto.

—Pero, señora Koskiewicz, su hijo podrá venir periódicamente para visitarla.

—Sí, señor. Espero que lo haga, al principio. —Se disponía a agregar una súplica, pero desistió de ella.

El barón sonrió.

—Excelente. Entonces está acordado. Por favor, traed al niño al castillo mañana a las siete de la mañana. Durante el período escolar Wladek vivirá con nosotros, y cuando llegue Navidad podrá volver aquí.

Wladek prorrumpió en llanto.

—Tranquilo, chico —dijo el trampero.

—No iré —exclamó categóricamente Wladek, que sí deseaba ir.

—Tranquilo, chico —repitió el trampero, esta vez con voz un poco más potente.

—¿Por qué no? —preguntó el barón, con tono compasivo.

—Nunca me separaré de Florcia... nunca.

—¿Florcia? —inquirió el barón.

—Mi hija mayor, señor —explicó el trampero—. No se preocupe por ella, señor. El chico hará lo que le ordenemos.

Todos se quedaron callados. El barón reflexionó un momento. Wladek siguió derramando lágrimas controladas.

—¿Qué edad tiene la chica? —preguntó el barón.

—Catorce —contestó el trampero.

—¿Podría trabajar en las cocinas? —indagó el barón, aliviado al comprobar que Helena Koskiewicz no parecía tener la intención de echarse también a llorar.

—Oh, sí, barón —exclamó la mujer—. Florcia sabe cocinar y coser y...

—Bueno, bueno, entonces ella también puede venir. Espero verlos a los dos, mañana a las siete.

El barón se encaminó hacia la puerta, miró hacia atrás y le sonrió a Wladek, que le devolvió la sonrisa. Wladek había salido victorioso en su primera negociación, y aceptó el fuerte abrazo de su madre mientras miraba la puerta cerrada y la oía susurrar:

—Ah, ¿qué será ahora de ti, el más pequeño de Matka?

Wladek estaba ansioso por averiguarlo.

Helena Koskiewicz preparó durante la noche los bártulos de Wladek y Florentyna, aunque no habría necesitado mucho tiempo para preparar los de toda la familia. Por la mañana, el resto de la familia se congregó en la puerta para verlos partir rumbo al castillo, con sendos envoltorios bajo el brazo. Florentyna, alta y garbosa, miraba constantemente hacia atrás, llorando y agitando el brazo. Pero Wladek, bajo y desgarbado, no volvió la cabeza ni una sola vez. Florentyna aferró fuertemente la mano de Wladek durante todo el trayecto hasta el castillo del barón. Ahora sus papeles se habían invertido: a partir de ese día ella dependería de él.

Les resultó evidente que el hombre deslumbrante vestido con una librea verde bordada, que salió a recibirlos cuando golpearon tímidamente la enorme puerta de roble, los estaba esperando. Los dos niños habían contemplado con admiración los uniformes grises de los soldados del pueblo que custodiaban la cercana frontera ruso-polaca, pero nunca habían visto nada tan espectacular como este criado de librea, que se alzaba como una torre sobre ellos y obviamente tenía una importancia abrumadora. En el vestíbulo había una mullida alfombra y Wladek observó su diseño verde y rojo, alelado por su belleza, preguntándose si debía quitarse los zapatos, y se sorprendió cuando, al atravesarla, sus pisadas no produjeron ningún ruido. El rutilante criado los guió hasta sus aposentos, en el ala occidental. Habitaciones independientes... ¿es que alguna vez podrían conciliar el sueño? Por lo menos había una puerta de comunicación, de modo que nunca deberían estar muy separados, y en verdad muchas noches durmieron juntos en la misma cama.

Cuando ambos hubieron guardado todas sus cosas, a Florentyna la condujeron a la cocina, y a Wladek a un salón de juegos situado en el ala meridional del castillo, para que conociera al hijo del barón, Leon. Éste era un chico alto, apuesto, que se mostró inmediatamente cautivante y acogedor, de modo que Wladek abandonó con asombro y alivio la actitud beligerante que había decidido adoptar. Leon había sido un niño solitario, que no había tenido a nadie con quien jugar excepto su nodriza, la leal lituana que lo había amamantado y que había satisfecho todas sus necesidades desde la muerte prematura de su madre. El niño robusto que salía del bosque implicaba una promesa de compañía. Sabían que por lo menos en algo los consideraban iguales.

Leon se ofreció en seguida para mostrarle el castillo a Wladek, y en ello ocuparon el resto de la mañana. Wladek quedó maravillado por sus dimensiones, por la riqueza de los muebles y las telas, y por esas alfombras desplegadas en todas las habitaciones. A Leon sólo le confesó que estaba agradablemente impresionado: al fin y al cabo se había ganado su puesto en el castillo merced a sus méritos. La parte principal del edificio es de estilo gótico, le explicó el hijo del barón, como si Wladek no pudiera ignorar lo que significaba la palabra gótico. Wladek asintió con un movimiento de cabeza. A continuación, Leon llevó a su nuevo amigo a las inmensas bodegas, donde se superponían las sucesivas hileras de botellas de vino cubiertas de polvo y telas de araña. La habitación favorita de Wladek fue el amplio comedor, con sus enormes bóvedas sostenidas por columnas y su piso de lajas de piedra. Todas las paredes estaban ocupadas por trofeos de caza. Leon le informó que se trataba de bisontes, osos, alces, jabalíes y una especie de comadreja americana. En el extremo del salón refulgía el escudo de armas del barón, bajo una cornamenta de ciervo. El lema de la familia Rosnovski era «La fortuna sonríe a los valientes.» Después del almuerzo, en el que Wladek apenas comió porque no sabía dominar el cuchillo y el tenedor, conoció a sus dos preceptores, que no le tributaron la misma bienvenida calurosa, y por la noche trepó a la cama más larga que había visto en su vida y le contó sus aventuras a Florentyna. Los ojos excitados de ella no se apartaron ni una vez de su rostro, y tampoco cerró la boca, desencajada por el asombro, sobre todo cuando Wladek le habló del cuchillo y el tenedor y se los describió con los dedos de la mano derecha fuertemente unidos y los de la izquierda desplegados al máximo.

Las clases particulares empezaban a las siete en punto, antes del desayuno, y continuaban durante todo el día, con breves pausas para las comidas. Al principio, Leon le llevaba a Wladek una ventaja notoria, pero éste porfió obstinadamente con sus libros de modo que a medida que trascurrían las semanas empezó a acortarse la brecha que los separaba, en tanto que la amistad y la rivalidad entre los dos chicos se desarrollaban simultáneamente. A los preceptores alemán y polaco les resultaba difícil dispensar un trato equitativo a sus dos discípulos, el hijo del barón y el hijo del trampero, a pesar de que cuando el barón los interrogaba le confesaban a regañadientes que el señor Kotowski había hecho una buena elección desde el punto de vista académico. La actitud de los preceptores nunca preocupaba a Wladek, porque Leon siempre lo trataba como un igual.

El barón demostró que estaba satisfecho con los progresos que hacían los dos chicos, y de vez en cuando recompensaba a Wladek con ropas y juguetes. La admiración inicial de Wladek por el barón, distante e impersonal, se trasformó en respeto, y cuando llegó la hora de que el chico volviera a la pequeña cabaña del bosque para pasar la Navidad con su padre y su madre, lo acongojó la idea de separarse de Leon.

Su aflicción era justificada. No obstante la dicha que experimentó al principio cuando vio a su madre, el breve lapso de los tres meses transcurridos en el castillo del barón le había revelado deficiencias de su propio hogar que antes le habían pasado inadvertidas. Las vacaciones transcurrían lentamente. Wladek se sentía asfixiado por la diminuta cabaña con su única habitación y su desván, y estaba disconforme con la comida que le servían en magras raciones y que debía coger con la mano: en el castillo nadie dividía por nueve. Al cabo de dos semanas Wladek estaba ansioso por reencontrarse con Leon y el barón. Todas las tardes caminaba las seis *wiorsta* que lo separaban del castillo y se sentaba a contemplar las grandes murallas que rodeaban la hacienda. Florentyna, que sólo había vivido entre la servidumbre de la cocina, soportó el regreso mucho mejor, y no entendió que la cabaña ya nunca volvería a ser un hogar para Wladek. El trampero no sabía muy bien cómo debía tratar al niño, que ahora estaba bien vestido y hablaba correctamente, y que a los seis años abordaba temas que él no atinaba a entender y que tampoco le interesaban. Aparentemente el niño no hacía otra cosa que derrochar todas las horas del día leyendo. El trampero se preguntaba qué sería de él. Si no sabía blandir un hacha ni cazar una liebre, ¿cómo podría ganarse honestamente la vida? Él también rogaba que las vacaciones pasaran pronto.

Helena estaba orgullosa de Wladek, y al principio no quiso confesarse que se había implantado una cuña entre él y los otros niños. Pero finalmente debió tomar conciencia de este hecho. Una tarde, mientras jugaban a los soldados, Stefan y Franck, generales de bandos opuestos, se negaron a incluir a Wladek en sus ejércitos.

—¿Por qué siempre me dejáis de lado? —gritó Wladek—. Yo también quiero aprender a combatir.

Se produjo una larga pausa antes de que Franck respondiera:

—Ojciec nunca quiso acogerte, desde el comienzo. Sólo Matka tomó partido por ti.

Wladek se quedó inmóvil y paseó la mirada sobre todos los niños, buscando a Florentyna.

—¿Qué dice Franck? ¿Acaso no soy vuestro hermano? —inquirió.

Así fue como Wladek descubrió las circunstancias de su nacimiento y comprendió por qué siempre había vivido escindido de sus hermanos y hermanas. Aunque su madre experimentó una pena opresiva al asistir a la autonomía total de Wladek, éste se sintió secretamente complacido por la noticia de que procedía de un linaje desconocido, incontaminado por la mezquindad de la sangre del trampero, y enriquecido por una simiente espiritual en virtud de la cual ahora todas las cosas le parecían posibles.

Cuando las desdichadas vacaciones terminaron al fin, Wladek volvió alegremente al castillo. Leon le recibió con los brazos abiertos. Para él, tan aislado por la fortuna de su padre como Wladek por la pobreza del trampero, ésa también había sido una Navidad con pocos motivos de regocijo. A partir de entonces los dos chicos crecieron muy unidos y pronto se hicieron inseparables. Cuando llegaron las vacaciones de verano, Leon suplicó a su padre que dejara permanecer a Wladek en el castillo. El barón accedió porque él también había empezado a cobrarle afecto a Wladek. Éste se sintió eufórico y sólo volvió a pisar una vez en su vida la cabaña del trampero.

Cuando Wladek y Leon terminaban sus deberes, pasaban horas y horas jugando. Su favorito era el *chowanego,* una especie de juego del escondite. Como el castillo tenía setenta y dos habitaciones, había pocas probabilidades de repetirse. El escondite predilecto de Wladek estaba en las mazmorras situadas debajo del castillo, donde la única luz que permitía descubrir al adversario era la que se filtraba por una pequeña reja de piedra implantada en lo alto de la pared, y aun así era necesaria una vela para encontrar el camino. Wladek no sabía con exactitud para qué servían las mazmorras, y ninguno de los sirvientes las mencionaba porque nunca habían sido usadas desde que ellos tenían memoria.

Wladek comprendía que era el igual de Leon sólo en el aula, y no podía competir con su amigo en ningún juego, excepto el del ajedrez. El río Strchara que bordeaba la propiedad se convirtió en la prolongación de su campo de juegos. En primavera pescaban, en verano nadaban, y en invierno, cuando se congelaban las aguas, se calzaban los patines de madera y se perseguían sobre el hielo, en tanto Florentyna permanecía sentada en la orilla, advirtiéndoles con voz llena de ansiedad que la superficie era delgada. Pero Wladek nunca le hacía caso y siempre era él quien se hundía. Leon se desarrolló rápida y vigorosamente. Era un buen corredor y nadador y nunca parecía cansarse ni enfermar. Wladek descubrió por primera vez lo que significaba ser apuesto y atlético, y comprendió que cuando nadaba, corría y patinaba nunca podía alimentar la esperanza de colocarse a la altura de Leon. Peor aún, aquello que Leon llamaba ombligo era, en él, casi invisible, en tanto que el de Wladek era nudoso y feo y sobresalía groseramente del centro de su cuerpo rechoncho. Wladek pasaba largas horas en el silencio de su cuarto, estudiando su figura en el espejo, formulándose siempre preguntas, entre las que se destacaba una: por qué él tenía una sola tetilla, cuando todos los chicos que había visto con el tórax desnudo tenían las dos que parecía exigir la simetría del cuerpo humano. A veces, mientras yacía en el lecho sin poder conciliar el sueño, se palpaba el pecho descubierto y las lágrimas de autocompasión fluían sobre la almohada. Finalmente se dormía rogando que cuando se despertara por la mañana las cosas fueran distintas. Sus plegarias quedaron sin respuesta.

Todas las noches, Wladek reservaba un rato para hacer ejercicios físicos que nadie podía presenciar, ni siquiera Florentyna. Con un despliegue de fuerza de voluntad aprendió a mantenerse empinado de manera tal que parecía más alto. Desarrolló sus brazos y sus piernas y se colgaba por las puntas de los dedos de una viga del dormitorio con la esperanza de que esto lo hiciera crecer, pero era Leon quien se estiraba incluso mientras dormía. Wladek debió resignarse a aceptar que siempre sería una cabeza más bajo que el hijo del barón, y de que nada, absolutamente nada, le haría brotar la tetilla que le faltaba. El disgusto de Wladek por su propio cuerpo era injustificado, Leon nunca hacía comentarios sobre el aspecto de su amigo. Su conocimiento acerca de los otros niños se limitaba tan sólo a Wladek, a quien adoraba sin ningún sentido crítico.

El barón Rosnovski tomó cada vez más afecto a ese bravo chico moreno que había sustituido al hermano menor de Leon, perdido en circunstancias harto trágicas cuando su esposa había muerto durante el parto.

Los dos niños cenaban con él todas las noches en el gran salón de muros de piedra, mientras las velas titilantes proyectaban contra la pared las sombras ominosas de las cabezas de animales disecados, y los sirvientes iban y venían silenciosamente transportando las grandes bandejas de plata y las fuentes de oro, cargadas de ocas, jamones, cangrejos, vinos finos y frutas, y a veces los *mazureks* que se habían convertido en los favoritos de Wladek. Después, cuando las tinieblas se espesaban en torno de la mesa, el barón despedía a la servidumbre y les contaba a los niños fragmentos de la historia polaca y les permitía sorber el vodka de Danzig, en el cual las hojuelas de oro refulgían temerariamente a la luz de las velas. Wladek rogaba siempre que se atrevía que le narrara la historia de Tadeusz Kosciuszko.

—Un gran patriota y héroe —respondía el barón—. El símbolo mismo de nuestra lucha por la independencia, adiestrado en Francia...

—Cuyo pueblo admiramos y amamos así como hemos aprendido a odiar a todos los rusos y austríacos —completaba Wladek, cuyo disfrute del relato era mayor si cabe por el hecho de que lo sabía palabra por palabra.

—¿Quién le cuenta la historia a quién, Wladek? —reía el barón—. ...Y después combatió en América por la libertad y la democracia, junto a George Washington. En 1792 comandó a los polacos en la batalla de Dubienka. Cuando nuestro malhadado rey, Stanislas Augustus, nos abandonó para unirse a los rusos, Kosciuszko volvió a la patria que amaba para liberarla del yugo zarista. ¿Dónde ganó la batalla, Leon?

—En Raclawice, señor, y a continuación liberó Varsovia.

—Bien, hijo. Después, ay, los rusos congregaron un gran ejército en Maciejowice y finalmente lo derrotaron y lo tomaron prisionero. El padre de mi tatarabuelo combatió junto a Kosciuszko en esa jornada, y más tarde con las legiones de Dabrowski junto al poderoso emperador Napoleón Bonaparte.

—Y por los servicios prestados a Polonia le confirieron el título de barón Rosnovski, que nuestra familia siempre ostentará en homenaje a aquellos tiempos gloriosos —decía Wladek, tan solemnemente como si fuera el heredero del título.

—Aquellos tiempos gloriosos volverán —afirmaba el barón serenamente—. Sólo deseo vivir para verlos.

Al llegar la Navidad, los campesinos de la propiedad llevaban sus familias al castillo para celebrar la vigilia. Durante toda la Nochebuena ayunaban, y los niños miraban por las ventanas en busca del lucero, cuya aparición marcaría el comienzo del festejo. El barón recitaba la jaculatoria con su hermosa voz de bajo: *«Bendicte nobis, Domine Deus, et his donis quae ex liberalitate tua sumpturi sumus»*, y una vez que se sentaban Wladek se avergonzaba de la capacidad desmesurada de Jasio Koskiewicz, que engullía los trece platos, desde la sopa de *barsasz* hasta las tartas y las ciruelas, y que como todos los años anteriores se descomponía en el bosque al volver a casa.

Después del festín, Wladek distribuía jubilosamente los regalos del árbol de Navidad, cargado de velas y frutos, entre los atónitos niños campesinos: una muñeca para Sophia, un cuchillo de campo para Josef, un vestido nuevo para Florentyna. Éste era el primer obsequio que Wladek le había pedido en su vida al barón.

—Es cierto que no es nuestro hermano, Matka —le dijo Josef a su madre, cuando Wladek le entregó su regalo.

—Sí —respondió ella—, pero siempre será mi hijo.

Durantè el invierno y la primavera de 1914, Wladek adquirió más fuerzas y conocimientos. Hasta que en julio el preceptor alemán abandonó el castillo súbitamente, sin siquiera despedirse: ninguno de los niños supo muy bien por qué. Nunca se les ocurrió asociar su partida con el asesinato del archiduque Francisco Fernando en Sarajevo, a mano de un estudiante anarquista, hecho que el otro preceptor les describió con tono extrañamente solemne. El barón se retrajo: ninguno de los niños supo muy bien por qué. Los sirvientes más jóvenes, los predilectos de los niños, empezaron a desaparecer uno por uno: ninguno de los niños supo muy bien a qué se debía. A medida que transcurría el año Leon siguió creciendo y Wladek siguió acumulando fuerza, y ambos se fueron espabilando.

Una mañana del verano de 1915, cuando los días eran apacibles y despreocupados, el barón emprendió un largo viaje rumbo a Varsovia para poner sus asuntos en orden, según sus propias palabras. Estuvo ausente durante tres semanas y media, veinticinco días que Wladek tachaba cada mañana en el almanaque de su aposento: le parecieron una eternidad. En el día estipulado para el regreso, los dos chicos fueron a la estación de ferrocarril de Slonim para esperar el tren semanal de un solo vagón, y dar la bienvenida al barón. Los tres volvieron a casa en silencio.

Wladek pensó que ese hombre ejemplar parecía cansado y avejentado, otra circunstancia inexplicable, y durante la semana siguiente el barón habría de entablar a menudo un diálogo rápido y ansioso con los jefes de la servidumbre, diálogo que se interrumpía cada vez que Leon o Wladek entraban en la habitación. Este insólito sigilo inquietó a los niños y les hizo temer que ellos fueran los culpables involuntarios de lo que pasaba. A Wladek lo espantaba la posibilidad de que el barón lo enviara de vuelta a la cabaña del trampero, pues siempre tenía conciencia de que era un extraño en casa ajena.

Una tarde, pocos días después de su regreso, el barón convocó a los dos niños al salón. Éstos entraron furtivamente, asustados. Sin ninguna explicación previa, les comunicó que iban a realizar un largo viaje. La breve conversación, que en ese momento le pareció intranscendente a Wladek, habría de acompañarlo durante el resto de su vida.

—Queridos niños —dijo el barón con voz queda, insegura—, los traficantes de guerra de Alemania y el Imperio Austro-Húngaro se han encarnizado con Varsovia y no tardarán en caer sobre nosotros.

Wladek recordó una frase extraña que el preceptor polaco le había espetado al preceptor alemán durante los últimos días de tensión que habían pasado juntos.

—¿Esto significa que por fin ha sonado la hora de los pueblos sumergidos de Europa? —preguntó.

El barón miró con ternura el rostro inocente de Wladek.

—Nuestro espíritu nacional no ha muerto durante ciento cincuenta años de erosión y represión —respondió—. Es posible que el destino de Polonia esté tan en juego como el de Servia, pero somos impotentes para influir en el curso de la historia. Estamos a merced de los tres grandes imperios que nos rodean.

—Somos fuertes, podemos luchar —exclamó Leon—. Tene-

46

mos espadas y escudos de madera. No les tememos a los alemanes ni a los rusos.

—Hijo mío, vosotros sólo habéis jugado a la guerra. Esta batalla no se librará entre niños. Ahora buscaremos un lugar tranquilo donde vivir hasta que la historia decida nuestra suerte, y deberemos partir lo antes posible. Sólo me cabe pedir a Dios que éste no sea el fin de vuestra infancia.

Leon y Wladek se sintieron al mismo tiempo desconcertados e irritados por las palabras del barón. La guerra se les antojaba una aventura emocionante que seguramente habrían de perderse si debían abandonar el castillo. Los sirvientes tardaron varios días en embalar los bienes del barón, y les informaron a Wladek y Leon que el lunes siguiente partirían rumbo a la pequeña casa de verano situada al norte de Grodno. Los dos niños prosiguieron con sus estudios y sus juegos, casi siempre librados a su propia iniciativa, pero ahora no podían encontrar en el castillo a nadie con ganas o tiempo de contestar sus múltiples preguntas.

Los sábados, sólo recibían clases por la mañana. Estaban traduciendo al latín el *Pan Tadeusz* de Adam Mickiewicz cuando oyeron los disparos. Al principio, Wladek pensó que esos ruidos con los que estaba familiarizado sólo significaban que otro trampero estaba cazando en la propiedad. Los chicos volvieron a la poesía. Una segunda descarga, mucho más próxima, les hizo levantar la vista, y entonces oyeron los gritos que provenían de la planta baja. Cambiaron una mirada de perplejidad. No temían nada porque nunca en sus cortas vidas habían experimentado algo que pudiera causarles miedo. El preceptor huyó, dejándolos solos, y entonces sonó otro estampido, esta vez en el corredor contiguo a la habitación donde se encontraban ellos. Los dos niños se quedaron inmóviles en sus asientos, aterrados y conteniendo la respiración.

De pronto la puerta se abrió violentamente y un hombre no mayor que su preceptor, con un uniforme militar gris y un casco de acero, se empinó sobre ellos. Leon se abrazó a Wladek, en tanto que éste miraba fijamente al intruso. El soldado les gritó en alemán, preguntándoles quiénes eran, pero ninguno de los niños respondió, a pesar de que habían aprendido ese idioma y podían hablarlo tan correctamente como su lengua materna. Otro soldado apareció detrás de su compatriota en el momento en que el primero avanzaba hacia los dos niños, los cogía por el cuello, casi como si fueran gallinas, y los empujaba por el corredor, por el vestíbulo que conducía al frente del castillo, y luego los sacaba al jardín, donde encontraron a Florentyna que chillaba histéricamente con la vista fija en el césped. Leon no se atrevió a mirar y ocultó su cabeza contra el hombro de Wladek. Éste contempló con tanta sorpresa como horror la hilera de cadáveres, casi todos de sirvientes, que eran depositados boca abajo. Lo hipnotizó la imagen de un bigote recortado contra un charco de sangre. Era el trampero. Wladek no sintió nada mientras Florentyna seguía lanzando alaridos.

—¿Papá está ahí? —preguntó Leon—. ¿Papá está ahí? Wladek volvió a recorrer con la mirada la hilera de cadáveres. Agradeció a Dios que no hubiera señales del barón Rosnovski. Se disponía a comunicarle la buena noticia a Leon cuando un soldado se aproximó a ellos.

—¿*Wer hat gesprochen?* —preguntó ferozmente.

—*Ich* —contestó Wladek con tono desafiante.

El soldado levantó su fusil y descargó violentamente la culata contra la cabeza de Wladek. Éste se desplomó al suelo, con la cara bañada en sangre. ¿Dónde estaba el barón? ¿Qué sucedía? ¿Por qué los trataban así en su propia casa? Leon saltó rápidamente sobre Wladek, tratando de proteger a su amigo del segundo golpe que el soldado pretendía asestarle en el abdomen, pero cuando el fusil llegó al fin de su trayectoria toda la fuerza del impacto se estrelló contra la nuca de Leon.

Ambos chicos se quedaron inmóviles. Wladek porque aún estaba aturdido por el golpe y por el súbito peso del cuerpo de Leon sobre el suyo. Y Leon porque estaba muerto.

Wladek oyó que otro soldado imprecaba a su agresor por el acto que había perpetrado. Alzaron a Leon, pero Wladek se aferró a él. Fue necesario que dos soldados sumaran sus fuerzas para desprenderlo del cuerpo de su amigo, que arrojaron sin ninguna ceremonia junto a los otros, boca abajo sobre el césped. Los ojos de Wladek no se apartaron en ningún momento del cuerpo inmóvil de su amigo más querido hasta que finalmente lo introdujeron de nuevo en el castillo y lo condujeron a las celdas, junto con un puñado de sobrevivientes azorados. Hasta que se corrieron los cerrojos de las puertas de las mazmorras y los murmullos de los soldados se perdieron a lo lejos, nadie habló, por miedo a ir a formar parte del montón de cadáveres alineados sobre la hierba.

—Santo Dios —exclamó entonces Wladek. Porque el barón estaba en un rincón, postrado contra la pared, ileso pero aturdido, con la vista perdida en el espacio, vivo sólo porque los conquistadores necesitaban que alguien se hiciera responsable de los prisioneros. Wladek se acercó a él, mientras los otros permanecían a la mayor distancia posible de su amo. Los dos se miraron, como en el día de su primer encuentro. Wladek tendió la mano, y el barón la tomó, como en aquel primer día. Wladek observó cómo las lágrimas corrían por el rostro orgulloso del barón. Ninguno de los dos habló. Ambos habían perdido a la persona que más amaban en el mundo.

6

WILLIAM KANE creció deprisa y todos los que lo conocían lo consideraban un niño adorable. En los primeros años de su vida, quienes se hallaban en estas condiciones eran casi siempre parientes embelesados y sirvientes exageradamente cariñosos.

El último piso de la casa dieciochesca de los Kane, en Louisburg Square de Beacon Hill, había sido transformado en una *nursery* atestada de juguetes. También habían habilitado un dormitorio adicional y una sala de estar para la flamante institutriz. Ese piso estaba suficientemente alejado de la persona de Richard Kane como para que éste pudiera permanecer ajeno a los problemas de la dentición, los pañales mojados y los gritos irregulares e indisciplinados en demanda de más comida. La madre de William documentó el primer sonido, el primer diente, el primer paso y la primera palabra en un álbum de familia, junto con los progresos en la estatura y el peso. Anne descubrió sorprendida que estas estadísticas vitales diferían poco de las de todos los otros niños con los que ella entraba en contacto en Beacon Hill.

La institutriz, importada de Inglaterra, crió al niño según un régimen que habría llenado de regocijo a un oficial de caballería prusiano. El padre de William lo visitaba todas las tardes a las seis. Como se negaba a dirigirse a él con un lenguaje infantil, terminó por no hablarle en absoluto. Los dos se limitaban a mirarse el uno al otro. William tomaba el dedo índice de su padre, el mismo con que éste verificaba los balances, y se aferraba fuertemente a él. Richard se permitía una sonrisa. Al terminar el primer año la rutina se modificó ligeramente y el niño fue autorizado a bajar para ver a su padre. Richard acostumbraba a quedarse sentado en su sillón de cuero màrrón, de respaldo alto, observando cómo su primogénito gateaba entre las patas de los muebles, desapareciendo y apareciendo cuando menos se lo esperaba, en razón de lo cual Richard comentó que indudablemente su hijo llegaría a senador. William dio sus primeros pasos a los trece meses, colgado de los faldones del gabán de su padre. Su primera palabra fue «Dada», lo cual satisfizo a todos, incluidas las abuelas Kane y Cabot, que lo visitaban con regularidad. Ellas no empujaban literalmente el cochecito en el que lo paseaban por Boston, pero se dignaban seguirlo un paso más atrás por el parque, en las tardes de los jueves, fulminando con la mirada a los niños cuya comitiva era menos disciplinada. En tanto que las otras criaturas arrojaban comida a los patos de los jardines públicos, William consiguió seducir a los cisnes que nadaban por el estanque del extravagante Palacio Veneciano del señor Jack Gardner.

Cuando hubieron transcurrido dos años, las abuelas insinuaron mediante indirectas que había llegado la hora de engendrar otro prodigio, un hermano que estuviera a la altura de William. Anne las complació con un embarazo, y tuvo una gran desazón cuando al entrar en el cuarto mes empezó a sentirse y verse cada vez más decaída.

El doctor MacKenzie dejó de sonreír al examinar el vientre abultado y la madre esperanzada, y cuando Anne sufrió un aborto a las dieciséis semanas no quedó demasiado sorprendido, pero tampoco permitió que ella se afligiera. En sus anotaciones escribió «¿pre-eclampsia?», y después le dijo:

—Anne, querida, si no te sentías muy bien era porque tu tensión sanguínea era excesivamente alta, y quizás habría aumentado mucho más a medida que progresaba tu embarazo. Temo que los médicos aún no hemos hallado un remedio para la hipertensión, y en verdad sabemos muy poco acerca de ella, excepto que es peligrosa para quienes la padecen, y sobre todo para las mujeres embarazadas.

Anne contuvo las lágrimas mientras analizaba las connotaciones de un futuro sin otros hijos.

—¿Seguramente no volverá a suceder en mi próximo embarazo? —inquirió ella, enunciando la pregunta en los términos más adecuados para predisponer al médico a una respuesta favorable.

—Me sorprendería mucho que no sucediera, querida. Lamento tener que decirlo, pero te exhorto vehementemente a evitar un nuevo embarazo.

—Es que no me molestaría sentirme decaída durante unos pocos meses si ello implicara...

—No hablo de tu decaimiento, Anne. Hablo de no correr riesgos innecesarios con tu vida.

Ése fue un duro golpe para Richard y Anne, que a su vez habían sido hijos únicos, sobre todo como consecuencia de las defunciones prematuras de sus respectivos padres. Ambos habían imaginado que engendrarían una prole acorde con las dimensiones imponentes de su casa y con sus responsabilidades para con la próxima generación.

—¿Qué otra cosa puede hacer una mujer joven? —le preguntó la abuela Cabot a la abuela Kane. Nadie volvió a mencionar el tema, y William se convirtió en el centro de la atención general.

Richard, que había asumido la presidencia del Kane and Cabot Bank and Trust Company cuando su padre había fallecido en 1904, siempre se había consagrado a las tareas del banco. Éste, que se levantaba en State Street, como un bastión de solidez arquitectónica y fiscal, tenía sucursales en Nueva York, Londres y San Francisco. Esta última filial le había creado un problema a Richard poco después del nacimiento de William cuando, junto con el Crocker National Bank, la Wells Fargo y el California Bank, se había venido abajo, no financiera sino literalmente, durante el gran terremoto de 1906. Richard, que era por naturaleza un hombre cauteloso, tenía contratada una importante póliza de seguros en el Lloyd's de Londres. Caballeros sin tacha, le habían pagado hasta el último centavo, y le habían permitido reconstruir el edificio. Sin embargo, Richard pasó un año incómodo, pues debió viajar constantemente a través de los Estados Unidos para supervisar los trabajos, en un tren que tardaba cuatro días para unir Boston con San Francisco. En octubre de 1907 inauguró las nuevas oficinas de Union Square, justo a tiempo para volver su atención hacia otros problemas surgidos en la costa oriental. En los bancos de Nueva York se produjo una pequeña corrida, y varios de los de menor envergadura no pudieron hacer frente a los grandes reembolsos y empezaron a sucumbir. J. P. Morgan, el legendario presidente del poderoso banco que ostentaba su nombre, invitó a Richard a ingresar en un consorcio formado para capear la crisis. Richard accedió, la valerosa maniobra fue coronada por el éxito, y el problema empezó a disiparse, pero no sin que Richard hubiera pasado algunas noches de insomnio.

En cambio, William dormía profundamente, ajeno a los terremotos y las bancarrotas bancarias. Al fin y al cabo, debía alimentar los cisnes y realizar interminables viajes hacia y desde Milton, Brooklyn y Beverly, donde lo exhibían a sus distinguidos parientes.

A comienzos de la primavera del año siguiente, Richard adquirió un juguete nuevo a cambio de una prudente inversión de capital en un hombre llamado Henry Ford, que alegaba estar en condiciones de producir un automóvil para el pueblo. El banco invitó a cenar al señor Ford, y Richard cedió a la tentación y compró un Modelo T por la cuantiosa suma de ochocientos cincuenta dólares. Henry Ford le aseguró a Richard que si el banco lo respaldaba, el coste bajaría en pocos años a trescientos cincuenta dólares. Entonces todo el mundo compraría coches y sus patrocinadores obtendrían grandes utilidades. Richard le dio apoyo financiero, y ésa fue la primera vez que invirtió dinero contante y sonante en la empresa de alguien que deseaba reducir a la mitad el precio de su producto.

Inicialmente Richard temió que la gente considerara que su automóvil, no obstante su austera negrura, no era un medio de transporte serio para el presidente de un banco, pero lo tranquilizaron las miradas de admiración que el artefacto atraía en las calles. A quince kilómetros por hora era más bullicioso que un caballo, pero tenía la virtud de no sembrar de inmundicias la calzada de Mount Vernon Street. Su único altercado con el señor Ford se produjo porque éste no quiso aceptar la sugerencia de ofrecer el Modelo T en varios colores. El señor Ford insistía en que el auto debía ser negro para poder reducir el precio. Anne, más sensible que su marido a la aprobación de la buena sociedad, se negó a montar en el vehículo mientras los Cabot no hubieran adquirido uno.

En cambio, William adoraba el «automóvil», como lo llamaba la prensa, y supuso inmediatamente que se lo habían comprado a él para reemplazar su cochecito ahora redundante y no motorizado. También prefería al chófer —con sus gafas de seguridad y su gorra— en lugar de la institutriz. La abuela Kane y la abuela Cabot afirmaron que nunca viajarían en ese espantoso armatoste, y nunca lo hicieron, aunque conviene acotar que la abuela Kane viajó a su funeral en un vehículo motorizado, de lo que nunca se enteró.

Durante los dos años siguientes el banco ganó fuerza y envergadura, lo mismo que William. Los norteamericanos habían vuelto a invertir en la expansión, y grandes sumas de dinero entraron en el Kane and Cabot, que las reinvirtió en proyectos tales como la ampliación de la curtiduría Lowell, en Lowell, Massachusetts. Richard asistía con una satisfacción desprovista de sorpresa al crecimiento de su banco y su hijo. Cuando William cumplió cinco años, Richard contrató por cuatrocientos cincuenta dólares anuales un preceptor particular, el señor Munro, que él escogió personalmente entre ocho candidatos que habían sido seleccionados previamente por su secretario privado, y así fue como sacó a su hijo de las manos de las mujeres. Al señor Munro le correspondía garantizar que William estuviera en condiciones de ingresar en St. Paul's cuando cumpliese doce años. William se encariñó inmediatamente con el señor Munro, que le parecía muy viejo y muy inteligente. En verdad tenía veintitrés años y se había hecho acreedor a un título con honores de segunda clase, en lengua inglesa, en la Universidad de Edimburgo.

William aprendió rápidamente a leer y escribir con fluidez, pero reservó su auténtico entusiasmo para los números. Su único disgusto consistía en que, de las ocho clases que recibía cada día de la semana, una sola era de aritmética. William se apresuró a señalarle a su padre que una octava parte de la jornada de estudio era una inversión de tiempo demasiado pequeña para alguien que algún día sería presidente de un banco.

Para compensar la falta de previsión de su preceptor, William asediaba a sus parientes accesibles solicitándoles que le plantearan cálculos que él ejecutaba mentalmente. La abuela Cabot, que nunca se había convencido de que la división de un número entero por cuatro debía producir necesariamente el mismo resultado que su multiplicación por un cuarto (y en verdad las dos operaciones producían a menudo, en sus manos, resultados distintos), pronto se vio superada por su nieto, pero la abuela Kane, con alguna propensión a la inteligencia, se enfrentaba valerosamente con los quebrados, el interés compuesto y la división de ocho pasteles entre nueve niños.

—Abuela —le dijo William, amable pero enérgicamente, cuando ella no encontró la solución a su último acertijo—, si me compras una regla de cálculo no tendré que volver a fastidiarte.

La precocidad de su nieto la dejó atónita, pero a pesar de todo le compró el instrumento, mientras se preguntaba si realmente sabría usarlo. Ésa fue la primera vez en su vida que la abuela Kane eligió la vía más fácil para salir de un aprieto.

Los problemas de Richard empezaron a gravitar hacia el Este. El presidente de la filial de Londres murió cuando estaba sentado ante su escritorio, y Richard sintió que lo necesitaban en Lombard Street. Le sugirió a Anne que ella y William lo acompañaran a Europa, con la certeza de que esta educación no perjudicaría al chico: así podría visitar todos los lugares acerca de los cuales el señor Munro le había hablado con tanta frecuencia. Anne, que no había estado nunca en Europa, se sintió muy ilusionada por el proyecto, y llenó tres baúles con ropas nuevas, elegantes y costosas, que le servirían para enfrentarse con el Viejo Mundo. William consideró que su madre era injusta al no permitirle llevar consigo ese auxiliar igualmente esencial para los viajes que era su bicicleta.

Los Kane viajaron en tren hasta Nueva York para embarcarse en el *Aquitania,* que zarpaba rumbo a Southampton. A Anne la horrorizó el espectáculo de los inmigrantes buhoneros al ofrecer sus mercancías, y se sintió satisfecha cuando estuvo sana y salva a bordo, descansando en su camarote. A William, en cambio, lo maravillaron las dimensiones de Nueva York. Hasta ese momento siempre había imaginado que el edificio del banco de su padre era el más colosal de los Estados Unidos, si no del mundo. Quiso comprarle un helado rosado y amarillo a un hombre totalmente vestido de blanco y tocado con un sombrero de paja, pero su padre no quiso ni oír hablar de eso. Además, Richard nunca llevaba calderilla.

William se enamoró a primera vista de la monumental nave, y en seguida trabó amistad con el capitán, que le mostró todos los secretos de la *prima donna* de la Cunard Steamships. Cuando aún no hacía mucho tiempo que el barco había dejado atrás los Estados Unidos, Richard y Anne, que naturalmente comían en la mesa del capitán, juzgaron necesario disculparse por el tiempo que su hijo le quitaba a la tripulación.

—De ninguna manera —respondió el capitán de barba blanca—. William y yo ya somos buenos amigos. Ojalá pudiera contestar todas sus preguntas sobre el tiempo, la velocidad y la distancia. Todas las noches debo pedir el asesoramiento del jefe de máquinas con la esperanza de anticiparme y sobrevivir después al día siguiente.

Después de seis días de navegación, el *Aquitania* entró en el canal de Solent y amarró en Southampton. William se resistía a abandonar el barco, y habría llorado si no hubiese sido por la magnífica imagen del Rolls-Royce Silver Ghost que los esperaba en el muelle, con su chófer al volante, listo para llevarlos velozmente a Londres. Richard resolvió impulsivamente que al terminar el viaje haría transportar el auto a Nueva York, y ésa fue la decisión más extravagante que tomó durante el resto de su vida. La explicación bastante poco convincente que le dio a Anne consistió en que deseaba mostrarle el vehículo a Henry Ford.

Cuando la familia Kane visitaba Londres siempre se alojaba en el Ritz de Piccadilly, desde el cual era fácil llegar a la oficina de Richard en la City. Mientras Richard estaba ocupado en el banco, Anne empleaba su tiempo mostrándole a William la Torre de Londres, el palacio de Buckingham y el cambio de guardia. A William le parecía todo «estupendo», menos el acento inglés que le resultaba difícil entender.

—¿Por qué ellos no hablan como nosotros, mamaíta? —inquirió, y le sorprendió oír que la misma pregunta la formulaban más a menudo invirtiendo los términos, porque «ellos» tenían prioridad.

El pasatiempo favorito de William consistía en contemplar a los soldados que montaban guardia frente al palacio de Buckingham, enfundados en sus coloridos uniformes rojos con grandes botones de bronce refulgente. Trató de entablar conversación con ellos, pero mantenían en todo momento la mirada perdida en el espacio, sin pestañear siquiera.

—¿Podemos llevarnos uno a casa? —le preguntó a su madre.

—No, querido. Deben quedarse aquí custodiando al rey.

—Pero es que tiene tantos... ¿no podría llevarme sólo uno?

A manera de «concesión especial» —tales fueron las palabras de Anne— Richard se tomó una tarde de asueto para llevar a su esposa y su hijo al West End, donde asistieron a una pantomima tradicional inglesa titulada *Jack and the Beanstalk* que se representaba en el Hippodrome de Londres. Jack fascinó a William, que inmediatamente quiso talar todos los árboles que veía, pues imaginaba que cada uno de ellos albergaba a un monstruo. Después de la función tomaron el té en Fortnum and Mason, en Piccadilly, y Anne dejó que William se sirviera dos bollos con crema y un producto novedoso denominado rosquilla. A partir de entonces fue necesario escoltar diariamente a William hasta el salón de té de Fortnum's para que pudiera consumir otro «rosbollo», como él los llamaba.

Las vacaciones pasaron con demasiada rapidez para William y su madre, en tanto que Richard, complacido con los progresos que había hecho en Lombard Street y satisfecho con el nuevo presidente de la filial, empezó a soñar con el regreso. Todos los días recibía cables de Boston que le hacían sentir vehementes deseos de volver a su propia sala de directorio. Finalmente, cuando una de estas misivas le informó de que dos mil quinientos trabajadores de una fábrica textil algodonera de Lawrence, Massachusetts, donde su banco tenía grandes inversiones, se habían declarado en huelga, lo alivió saber que sólo faltaban tres días para la fecha en que estaba prevista la partida.

William estaba ansioso por regresar y contarle al señor Munro todas las cosas emocionantes que había hecho en Inglaterra, y por reunirse nuevamente con sus dos abuelas. Estaba seguro de que ellas nunca habían hecho algo tan emocionante como visitar un auténtico teatro de actores con el público plebeyo. Anne también se sentía dichosa de volver, a pesar de que había disfrutado del viaje casi tanto como William porque los habitualmente circunspectos habitantes de las Islas del Mar del Norte habían manifestado gran admiración por sus ropas y su belleza. A modo de último agasajo, en la víspera de la partida Anne llevó a William a un té organizado en Eaton Square por la esposa del nuevo presidente de la filial londinense del banco de Richard. Ella también tenía un hijo, Stuart, de ocho años, y durante las dos semanas que habían jugado juntos William había aprendido a considerarlo como un indispensable amigo mayor. Sin embargo, la reunión fue poco animada porque Stuart no se sentía bien y William, solidario con su nuevo camarada, le anunció a su madre que él también se iba a enfermar. Anne y William volvieron al Ritz Hotel antes de lo planeado. Ella no lo lamentó mucho porque asi tendria un poco más de tiempo para supervisar el embalaje de los grandes baúles, a pesar de que estaba convencida de que lo que hacía William no era más que fingir para conformar a Stuart. Cuando lo metió esa noche en cama, descubrió que había cumplido su palabra y que tenía una febrícula. Se lo comentó a Richard mientras cenaban.

—Probablemente se trata de la excitación ante la vuelta a casa —comentó él, sin manifestar inquietud.

—Ojalá —respondió Anne—. No quiero que haga enfermo un viaje de seis días por mar.

—Mañana estará bien —insistió Richard, dando una orden que habría de caer en el vacío.

Cuando Anne fue a despertar a William a la mañana siguiente, lo encontró cubierto de manchas rojas y con una temperatura de cuarenta grados. El médico del hotel diagnosticó sarampión y dictaminó con cortés insistencia que William no debía emprender de ninguna manera un viaje por mar, no sólo por su propio bien sino asimismo por el de los otros pasajeros. No había otra alternativa que dejarlo en cama con su bolsa de agua caliente y esperar la partida del próximo barco. Richard no pudo resignarse a una demora de tres semanas y resolvió zarpar en la fecha estipulada. Anne aceptó a regañadientes el apresurado cambio de reservas. William le rogó a su padre que le permitiera acompañarlo: los veintiún días que pasarían hasta que el barco volviese a Southampton se le antojaban una eternidad. Richard fue inflexible, y contrató a una enfermera para que atendiese a William y lo convenciera de su mal estado de salud.

Anne viajó hasta Southampton con Richard en el Rolls-Royce nuevo.

—Me sentiré sola en Londres sin ti, Richard —aventuró tímidamente a la hora de la partida, arriesgándose a que él manifestara la desaprobación que le inspiraban las mujeres emotivas.

—Bueno, querida, me atrevo a decir que yo estaré bastante solo en Boston sin ti —respondió Richard, mientras pensaba en los obreros en huelga.

Anne volvió a Londres en tren, preguntándose cómo ocuparía su tiempo durante las tres semanas siguientes. William pasó mejor la noche y por la mañana las manchas parecieron menos virulentas. Sin embargo, el médico y la enfermera recalcaron, unánimemente, que debía quedarse en cama. Anne dedicó el tiempo libre a escribir largas cartas a la familia, mientras William permanecía en el lecho, protestando. Pero el jueves por la mañana se levantó temprano y fue a la habitación de su madre, en su estado casi normal. Se metió en la cama junto a ella y sus manos frías le despertaron inmediatamente. A Anne la tranquilizó verlo tan recuperado. Pidió que les sirvieran el desayuno a ambos en la cama, exceso que el padre de William jamás habría tolerado.

Golpearon discretamente la puerta y un hombre vestido con una librea dorada y roja entró con una gran bandeja de plata. Huevos, tocino, tomate, tostadas y mermelada... un auténtico festín. William devoró las fuentes con los ojos, como si no recordara cuando había ingerido por última vez una comida completa. Anne miró despreocupadamente el diario de la mañana. Richard siempre leía *The Times* cuando estaba en Londres, y la conserjería había supuesto que a ella también le interesaba.

—Oh, fíjate —exclamó William, observando la fotografía reproducida en una página interior—. Una foto del barco de papá. ¿Qué es una ca-tás-tro-fe, mamá?

La foto del *Titanic* ocupaba todo el ancho de la página.

Anne, olvidando el deber de comportarse como una Lowell o una Cabot, prorrumpió en un llanto frenético, y se abrazó a su único hijo. Permanecieron varios minutos sentados en la cama, aferrados el uno al otro, sin que William supiera muy bien por qué. Anne comprendió que ambos habían perdido a la persona que más habían amado en el mundo.

Sir Piers Campbell, el padre del joven Stuart, llegó casi inmediatamente a la suite 107 del Ritz Hotel. Esperó en la sala mientras la viuda se ponía un traje sastre, su única indumentaria de color oscuro. William se vistió solo, sin saber aún con certeza qué era una «catástrofe». Anne le pidió a Sir Piers que le explicara a su hijo el cabal significado de la noticia. William se limitó a responder:

—Yo quise ir en el barco con él, pero mis padres no me lo permitieron.

No lloró porque se resistía a creer que algo pudiera matar a su padre. Éste se contaría entre los sobrevivientes.

En toda su carrera como político, diplomático y ahora presidente de la filial londinense de Kane and Cabot, Sir Piers nunca había visto tanta presencia de ánimo en alguien tan joven. El aplomo es privilegio de unos pocos, habría de comentar algunos años más tarde. Le había sido dado a Richard Kane y éste se lo había transmitido a su único hijo.

Anne verificó una y otra vez las listas de sobrevivientes, que llegaban intermitentemente de los Estados Unidos. Todas confirmaban que Richard Lowell Kane seguía perdido en el mar, presuntamente ahogado. Al cabo de otra semana incluso William casi abandonó la esperanza de que su padre se hubiera salvado.

A Anne le resultó difícil subir a bordo del *Aquitania,* pero William estaba extrañamente ansioso por hacerse a la mar. Habría de pasar horas y horas sentado en la cubierta de observación, oteando las aguas monótonas.

—Mañana lo encontraré —le prometía a su madre, al principio con tono confiado, y después con una voz que apenas disimulaba su propia incredulidad.

—William, nadie puede sobrevivir tres semanas en el Atlántico.

—¿Ni siquiera mi padre?

—Ni siquiera tu padre.

Cuando Anne llegó de regreso a Boston, las dos abuelas la

estaban esperando en la Red House, conscientes del deber que había recaído sobre ellas.

La responsabilidad se había retrotraído a las abuelas. Anne aceptó pasivamente el papel dominante de éstas. Ahora a su vida le quedaban pocos alicientes, si se exceptuaba a William, cuyo destino ellas parecían resueltas a controlar. William se mostraba cortés pero renuente. Durante el día asistía en silencio a las clases del señor Munro y por la noche lloraba en el regazo de su madre.

—Lo que necesita es la compañía de otros niños —sentenciaron categóricamente las abuelas, y despidieron al señor Munro y a la institutriz y enviaron a William a la Academia Sayre, con la esperanza de que la entrada en el mundo real y el contacto permanente con otros chicos le devolviera su antigua personalidad.

Richard había dejado el grueso de sus bienes a William, si bien deberían permanecer en el fideicomiso de la familia hasta que el muchacho cumpliera veintiún años. El testamento tenía un codicilo adicional. Richard esperaba que su hijo se ganara la presidencia de Kane and Cabot merced a sus méritos. Éste fue el único pasaje del testamento de su padre que estimuló a William, porque el resto le correspondía por derecho de nacimiento. Anne heredó un capital de quinientos mil dólares y una renta vitalicia de cien mil dólares anuales, descontados los impuestos, renta ésta que se cancelaría si volvía a casarse. También heredó la casa de Beacon Hill, la mansión de verano de la costa septentrional, la casa de Maine y un islote próximo a Cape Cod, todos los cuales pasarían a poder de William cuando falleciera su madre. Ambas abuelas recibieron doscientos cincuenta mil dólares, y cartas que no dejaban ninguna duda acerca de la responsabilidad que deberían asumir si Richard moría antes que ellas. El fideicomiso de la familia sería administrado por el banco, y los padrinos de William serían los albaceas asociados. Las utilidades del fideicomiso serían reinvertidas todos los años en empresas sólidas.

Las abuelas tardaron un año en quitarse el luto, y si bien Anne aún no tenía más de veintiocho años, por primera vez en su vida representaba su edad verdadera.

Las abuelas, a diferencia de Anne, le ocultaron su pena a William, hasta que finalmente él les reprochó su conducta.

—¿No echas de menos a mi padre? —preguntó, mirando a la abuela Kane con ojos azules que le trajeron a ésta recuerdos de su propio hijo.

—Sí, mi niño, pero a él no le habría gustado que nos quedáramos inactivas, compadeciéndonos a nosotras mismas.

—Quiero que lo recordemos siempre... siempre —dijo William, con voz quebrada.

—William, te hablaré por primera vez como se habla a un adulto. Siempre veneraremos su memoria, y tú cumplirás tu misión si estás a la altura de lo que tu padre hubiera esperado de ti. Ahora eres el jefe de la familia y el heredero de una gran fortuna. Por tanto, debes prepararte, a fuerza de trabajo, para ser digno de esa herencia, con el mismo afán con que tu padre trabajó para engrosarla.

William no contestó. Así fue como su vida adquirió una motivación que no había tenido antes, y desde ese momento se guió, en su comportamiento, por el consejo de su abuela. Aprendió a soportar su aflicción sin quejarse y se consagró resueltamente al estudio, satisfecho sólo cuando la abuela Kane parecía impresionada. Sobresalió en todas las disciplinas, y en matemáticas no sólo era el primero de su curso sino que se hallaba muy adelantado en relación con su edad. Estaba decidido a superar todos los logros de su padre. Estrechó aun más sus relaciones con su madre y empezó a desconfiar de todos los que no pertenecían a la familia, de modo que a menudo lo definían como un niño solitario, como un misántropo e, injustamente, como un esnob.

Cuando William cumplió siete años, sus abuelas acordaron que había llegado el momento de inculcarle el valor del dinero. En consecuencia le asignaron un estipendio de un dólar

63

semanal, aunque insistieron en que debía llevar la contabilidad de cada céntimo que gastaba. Con este fin, le entregaron un libro mayor encuadernado en cuero verde que había costado noventa y cinco céntimos, suma que descontaron del primer estipendio de un dólar. A partir de la segunda semana las abuelas empezaron a dividir el dólar todos los sábados por la mañana. William invertía cincuenta céntimos, gastaba veinte, donaba diez a su obra de beneficencia predilecta, y guardaba veinte. Al finalizar cada trimestre las abuelas inspeccionaban el libro mayor y la reseña escrita de todas las transacciones. Al cabo del primer trimestre, William estaba en condiciones de llevar sus propias cuentas. Había donado un dólar con veinte céntimos a los recientemente creados Boy Scouts of America y había economizado cuatro dólares, que le pidió a la abuela Kane que invirtiera en una cuenta de ahorros del banco de su padrino, J. P. Morgan. Había gastado otros tres dólares con ocho céntimos por los que no debía rendir cuentas, y se había reservado un dólar. El libro mayor era una fuente de grandes satisfacciones para las abuelas: no había ninguna duda de que William era el digno hijo de Richard Kane.

En la escuela, William anudó pocas amistades, en parte porque era renuente a codearse con quienes no fueran Cabot, Lowell, o hijos de familias más ricas que la suya. Esto reducía mucho sus posibilidades de elección, de modo que se convirtió en un niño introvertido, lo cual inquietaba a su madre. En su fuero interno, Anne no estaba de acuerdo con los libros mayores ni con los programas de inversiones. Habría preferido que William tuviera muchos amigos jóvenes en lugar de viejas asesoras, que se ensuciara y se magullara en lugar de mantenerse impecable, que coleccionara sapos y tortugas en lugar de acciones y balances de empresas. En síntesis, que fuera como los otros niños. Pero nunca se atrevió a confesarles sus dudas a las abuelas, y de todas maneras a éstas no les interesaba ningún otro niño.

Cuando cumplió nueve años, William les presentó el libro

mayor a sus abuelas para la segunda inspección anual. El volumen encuadernado en cuero verde revelaba que durante esos dos años había ahorrado más de cincuenta dólares. Les mostró a sus abuelas, con especial orgullo, un asiento titulado B6, el cual probaba que inmediatamente después de enterarse del fallecimiento del gran financiero había retirado sus fondos del J. P. Morgan Bank, pues había observado que las acciones del banco de su padre también habían bajado al divulgarse la noticia de su muerte. Había reinvertido la misma suma tres meses más tarde, antes de que el público se diera cuenta de que la empresa no se reducía a un solo hombre.

Las abuelas quedaron justamente impresionadas y permitieron que William vendiera su vieja bicicleta y comprara otra nueva, después de lo cual siguió teniendo un capital de más de cien dólares, que su abuela había invertido por él en la Standard Oil Company of New Jersey. El petróleo, comentó William como un experto, sólo puede aumentar de precio. Mantuvo el libro mayor escrupulosamente actualizado hasta que cumplió veintiún años. Sus abuelas habrían tenido motivos para sentirse orgullosas si hubieran visto el último asiento que figuraba al pie de la columna de la derecha, el del activo.

7

WLADEK ERA EL ÚNICO DE LOS SOBREVIVIENTES que conocía bien las mazmorras. En el tiempo en que jugaba al escondite con Leon había pasado muchas horas felices en la inmunidad de las pequeñas celdas de piedra, despreocupado merced a la certeza de que podría retornar al castillo cuando se le antojara.

En total había cuatro mazmorras, en dos niveles. Dos de las celdas, una más grande y otra más pequeña, estaban a nivel del suelo. La más pequeña era adyacente al muro del castillo, que dejaba filtrar un fino rayo de sol por una reja implantada en lo alto de la pared. Cinco escalones más abajo había otras dos celdas de piedra sumidas en una oscuridad perpetua y con muy escasa ventilación. Wladek condujo al barón hasta la pequeña celda superior donde permaneció sentado en un rincón, silencioso e inmóvil, con la vista clavada en el espacio. Después le asignó a Florentyna como criada personal.

Puesto que Wladek era el único que se atrevía a permanecer en el mismo recinto que el barón, los sirvientes no cuestionaron en ningún momento su autoridad. Por tanto, a los nueve años, asumió la responsabilidad de la vida cotidiana de sus compañeros de prisión. Y en la mazmorra se convirtió en el amo de éstos. Dividió a los veinticuatro criados sobrevivientes en tres grupos de ocho, procurando mantener unidas a las familias siempre que ello era posible. Los desplazaba regularmente, según un sistema de relevos. Las primeras ocho horas las pasaban en las mazmorras de arriba donde podían tener luz, aire, alimentos y ejercicios. El segundo turno, y el que más gustaba a todos, correspondía a las ocho horas dedicadas a trabajar para los captores en el castillo. Y las últimas ocho horas las pasaban durmiendo en una de las mazmorras de abajo. Nadie, excepto el barón y Florentyna, podía saber en qué momento dormía Wladek, porque siempre estaba presente cuando terminaba cada turno para supervisar el movimiento de criados. Cada doce horas se distribuían los víveres. Los guardias les pasaban un odre con leche de cabra, pan negro, mijo, y de vez en cuando algunas nueces que Wladek dividía en veintiocho raciones, de las cuales siempre le daba dos al barón sin que éste se enterara. Los nuevos ocupantes de las mazmorras, cuya placidez había sido transformada por el encierro en un miserable embotamiento, no encontraban nada de raro en una situación que había puesto sus vidas bajo el control de un chico de nueve años.

Cuando Wladek terminaba de organizar cada turno, iba a reunirse con el barón en la celda pequeña. Al principio esperó que éste lo guiara, pero la mirada fija en su amo era tan inclemente e incómoda, a su manera, como lo eran los ojos de los guardias alemanes que se sucedían constantemente. El barón no había vuelto a pronunciar una palabra desde el momento en que lo habían sometido al cautiverio en su propio castillo. La barba le había crecido y se había enredado sobre el pecho, y su cuerpo robusto empezaba a declinar y tornarse frágil. La mirada antaño altiva había dejado paso a otra de resignación. Wladek apenas recordaba la amada voz de su protector, y se acostumbró a la idea de que jamás volvería a oírla. Después de un tiempo, se plegó a los deseos tácitos del barón, y permaneció callado en su presencia.

Cuando vivía al amparo del castillo, Wladek tenía siempre la mente tan ocupada, que nunca pensaba en el día anterior. Ahora ni siquiera podía recordar la hora previa porque nada cambiaba nunca. Los minutos angustiosos se trocaban en horas, las horas en días, y después en meses de los que pronto perdió la cuenta. Sólo la llegada de los víveres, la oscuridad o la luz indicaban que habían pasado otras doce horas, en tanto que la intensidad de esa luz, y su posterior sustitución por tormentas, y más tarde por el hielo formado sobre los muros de la mazmorra, hielo que sólo se derretía cuando asomaba un nuevo sol, indicaban la rotación de las estaciones de una forma que Wladek nunca podría haber aprendido en una lección de historia natural. Durante las largas noches Wladek tomó aún más conciencia del hedor de muerte que impregnaba incluso los rincones más remotos de las cuatro celdas, mitigado ocasionalmente por el brillo del sol matutino, por una brisa fresca, o por el bálsamo más bienaventurado de todos, el retorno de la lluvia.

Al terminar una jornada de tormentas implacables, Wladek y Florentyna aprovecharon la lluvia para lavarse en un charco de agua que se había formado en el piso de piedra de la celda de arriba. Ninguno de ellos notó que los ojos del barón seguían con interés a Wladek cuando éste se quitó la andrajosa camisa y se revolcó como un perro en el agua relativamente limpia, frotándose continuamente hasta que en su cuerpo aparecieron vetas blancas. De pronto el barón habló.

—Wladek... —su voz fue casi inaudible—. No te veo bien —agregó, con voz crepitante—. Acércate.

Wladek quedó estupefacto al oír la voz de su protector después de tan prolongado silencio y ni siquiera miró en dirección a él. Se sintió inmediatamente seguro de que eso presagiaba la locura que ya se había apoderado de dos de los sirvientes más viejos.

—Ven aquí, muchacho.

Wladek obedeció, atemorizado, y se detuvo frente al barón, que entrecerró sus débiles ojos con un gesto de intensa concentración mientras tanteaba en dirección al chico. Deslizó su dedo sobre el pecho de Wladek y después lo escrutó con expresión incrédula.

—Wladek, ¿puedes explicarme esta deformidad?

—No, señor —respondió Wladek, sintiéndose abochornado—. Me acompaña desde que nací. Mi madre adoptiva acostumbraba a decir que era la señal del Dios Padre.

—Qué mujer estúpida. Es la señal de tu propio padre —murmuró el barón quedamente, y volvió a permanecer en silencio durante unos minutos.

Wladek siguió en pie frente a él, sin mover un músculo.

Cuando por fin el barón habló nuevamente, lo hizo con tono perentorio.

—Siéntate, muchacho.

Wladek obedeció sin demora. Al sentarse, volvió a observar la maciza pulsera de plata que ahora colgaba flojamente de la muñeca del barón. Un rayo de luz que se filtraba por una grieta de la pared hizo refulgir en la penumbra de la celda el magnífico grabado del escudo de armas de los Rosnovski.

—No sé hasta cuándo los alemanes se proponen mantenernos encerrados aquí. Al principio pensé que esta guerra terminaría en cuestión de semanas. Me equivoqué, y ahora debemos contemplar la posibilidad de que dure mucho. Siendo así las cosas, debemos aprovechar mejor nuestro tiempo, porque sé que se aproxima el fin de mi vida.

—No, no —empezó a protestar Wladek.

Pero el barón siguió hablando como si no lo hubiera oído.

—La tuya, hijo mío, aún debe empezar. En consecuencia, me ocuparé de continuar tu educación.

Ese día el barón no volvió a hablar. Fue como si estuviera analizando las consecuencias de su afirmación. Así Wladek adquirió un nuevo preceptor, y como no tenían material de lectura ni de escritura, debía repetir todo lo que decía el barón. Éste le enseñó largos pasajes de los poemas de Adam Mickiewicz y Jan Kochanowski y extensos fragmentos de *La Eneida*. En ese aula austera Wladek aprendió geografía, matemáticas y cuatro idiomas: ruso, alemán, francés e inglés. Pero los momentos más dichosos volvió a vivirlos cuando le enseñaban historia. La historia de su nación a lo largo de cien años de división, las frustradas esperanzas de una Polonia unida, la angustia renovada de los polacos cuando Napoleón sufrió una derrota aplastante en Rusia, en 1812. Descubrió las heroicas epopeyas de tiempos más remotos y felices, cuando el rey Jan Casimir había consagrado Polonia a la Santa Virgen después de rechazar a los suecos en Chestojowa, y cuando el poderoso príncipe Radziwill, gran terrateniente y enamorado de la caza, había instalado su corte en el gran castillo próximo a Varsovia. Cada día, la última lección de Wladek estaba dedicada a la historia familiar de los Rosnovski. Le contaban una y otra vez —sin que se cansara nunca de oírlo— cómo el ilustre antepasado del barón, que había servido en 1794 a las órdenes del general Dabrowski y después en 1809 bajo el mando del mismo Napoleón, había sido recompensado por el gran emperador con tierras y una baronía. También se enteró de que el abuelo del barón había formado parte del consejo de Varsovia, y de que su padre había intervenido también en la construcción de la nueva Polonia. Wladek era muy feliz cuando el barón transformaba su pequeña celda en una aula.

Los guardias apostados en la puerta de la mazmorra se rotaban cada cuatro horas, y la conversación entre ellos y los prisioneros estaba «*strengst verboten*». Wladek tuvo noticias fragmentarias del desarrollo de la guerra, de las acciones militares de Hindenburg y Ludendorff, del estallido de la revolución en Rusia y de la firma posterior del tratado de Brest-Litovsk en virtud del cual este último país dejó de contarse entre los beligerantes.

Wladek empezó a pensar que la única escapatoria para los prisioneros de las mazmorras era la muerte. Durante los dos años siguientes las puertas se abrieron nueve veces y Wladek ya se preguntaba si estaba condenado a pasar el resto de sus días en ese infierno inmundo, librando una batalla inútil contra la desesperación, mientras reunía un acervo de conocimientos inútiles que nunca conocerían la libertad.

El barón seguía instruyéndolo a pesar de que su vista y su oído declinaban gradualmente. Wladek debía sentarse cada día más y más cerca de él.

Florentyna —su hermana, madre y amiga más íntima— libraba una batalla más concreta contra la pestilencia de su prisión. De vez en cuando los guardias le suministraban un cubo de arena limpia o de paja para cubrir el suelo mugriento, y durante los días siguientes la fetidez amainaba un poco. Las ratas correteaban por la oscuridad en busca de trozos de pan o patata y traían consigo enfermedades y aún más inmundicia. El hedor agrio de la orina y los excrementos descompuestos, humanos y animales, les impregnaba las fosas nasales y hacía que Wladek se hallara siempre en un estado de descompostura y náusea. Sobre todo anhelaba estar nuevamente aseado, y se pasaba horas sentado, mirando el techo de la mazmorra y recordando las tinas humeantes de agua caliente y el grato y áspero. jabón con que la nodriza había lavado, tan cerca en el espacio y tan lejos en el tiempo, los rastros que Leon y él habían acumulado durante una sola jornada de juegos, mascullando y rezongando entre tanto contra las rodillas mugrientas o una uña sucia.

En la primavera de 1918, sólo quince de los veintiséis cautivos que habían sido encerrados en las mazmorras junto con Wladek seguían vivos. Todos trataban siempre al barón como si fuera el amo, en tanto que Wladek se había transformado en su lugarteniente reconocido. Wladek se sentía especialmente afligido por su amada Florentyna, que ya tenía veinte años. Hacía mucho tiempo que ella desesperaba de la vida y que se había convencido de que pasaría en las mazmorras el resto de su existencia. Wladek nunca confesaba en su presencia que había perdido la esperanza, pero aunque sólo tenía doce años también empezaba a preguntarse si era razonable creer en la existencia de un futuro.

Una tarde, a comienzos de otoño, Florentyna se acercó a Wladek en la mazmorra más grande.

—El barón te llama.

Wladek se levantó rápidamente, delegó el reparto de víveres en un criado veterano, y fue en busca del anciano. El barón estaba muy dolorido, y Wladek vio con sobrecogedora claridad —como si ésa fuera la primera vez— hasta qué punto la enfermedad había consumido zonas íntegras de la carne del barón, dejando el rostro ahora esquelético cubierto por la piel salpicada de motas verdosas. El barón pidió agua y Florentyna la extrajo de la jarra parcialmente llena que oscilaba de una estaca frente a la reja de piedra. Cuando el gran hombre terminó de beber, habló lentamente y con considerable dificultad.

—Has asistido a tantas muertes, Wladek, que una más

71

no te afectará mucho. Confieso que ya no temo dejar este mundo.

—No, no, no es posible —exclamó Wladek, abrazándose al anciano por primera vez en su vida—. Ya casi hemos triunfado. No se rinda, barón. Los guardias me han asegurado que la guerra se acerca a su fin y que después nos dejarán muy pronto en libertad.

—Hace meses que nos prometen lo mismo, Wladek. Ya no podemos creerles, y de todos modos temo no alimentar deseos de vivir en el nuevo mundo que están creando.

Hizo una pausa mientras escuchaba el llanto del niño. El barón sólo atinó a pensar en la posibilidad de recoger las lágrimas para beberlas, pero después recordó que eran saladas y se rió para sus adentros.

—Llama a mi mayordomo y a mi primer lacayo, Wladek.

Wladek obedeció inmediatamente, sin saber muy bien para qué los necesitaban.

Los dos sirvientes, arrancados de un sueño profundo, se acercaron y se detuvieron frente al barón. Después de tres años de cautiverio, el sueño era la fortuna más asequible. Aún usaban sus libreas bordadas, pero ya era imposible discernir que en otro tiempo habían lucido los orgullosos colores de los Rosnovski: el verde y el dorado. Aguardaban en silencio la palabra de su amo.

—¿Están aquí, Wladek? —preguntó el barón.

—Sí, señor. ¿Es que no los ve? —Wladek comprendió por primera vez que el barón ya estaba totalmente ciego.

—Diles que se adelanten, para que pueda tocarlos.

Wladek hizo avanzar a los dos hombres y el barón tanteó sus facciones.

—Siéntense —ordenó—. ¿Me oís los dos, Ludwik y Alfons?

—Sí, señor.

—Soy el barón Rosnovski.

—Lo sabemos, señor —respondió inocentemente el mayordomo.

72

—No me interrumpan —dijo el barón—. Estoy a punto de morir.

La muerte se había convertido en algo tan común que los dos hombres no protestaron.

—No estoy en condiciones de redactar un nuevo testamento porque no tengo papel, ni pluma, ni tinta. En consecuencia lo recito en presencia de ustedes, que así podrán actuar como testigos tal como lo admite la antigua ley polaca. ¿Entienden lo que les digo?

—Sí, señor —contestaron los dos hombres al unísono.

—Mi primogénito, Leon, ha muerto. —El barón hizo una pausa—. Y en consecuencia dejo toda mi hacienda y mis bienes al niño que lleva el nombre de Wladek Koskiewicz.

Hacía muchos años que Wladek no oía su apellido y no comprendió inmediatamente el significado de las palabras del barón.

—Y como prueba de mi decisión —prosiguió el barón—, le entrego la pulsera de la familia.

El anciano levantó despacio el brazo derecho, se quitó de la muñeca la pulsera de plata y la tendió en dirección al enmudecido Wladek, al que aferró fuertemente, mientras le deslizaba los dedos sobre el pecho como si quisiera asegurarse de que se trataba efectivamente de él.

—Hijo mío —murmuró, en tanto ceñía la pulsera sobre la muñeca del chico.

Wladek lloraba, y descansó toda la noche en los brazos del barón hasta que dejó de oír los latidos de su corazón y sintió que sus dedos se agarrotaban alrededor de él. Los guardias retiraron el cadáver del barón por la mañana y permitieron que Wladek lo sepultara al lado de su hijo, Leon, en el cementerio de la'familia, que quedaba junto a la capilla. Cuando el cuerpo fue bajado a la fosa poco profunda que Wladek había excavado con las manos, la camisa andrajosa del barón se abrió. Wladek miró el pecho del muerto.

Tenía una sola tetilla.

Así fue como Wladek Koskiewicz, de doce años, heredó veintitrés mil hectáreas de tierra, un castillo, dos casas solariegas, veintisiete cabañas, y una valiosa colección de cuadros, muebles y joyas, en tanto que él mismo vivía en una pequeña celda de piedra, bajo tierra. A partir de ese día los cautivos lo aceptaron como amo por derecho propio, y su imperio consistió en cuatro celdas y su corte en trece sirvientes maltrechos. Florentyna era su único amor.

Volvió a lo que ya consideraba una rutina interminable, hasta que estuvo muy avanzado el invierno de 1918. En un día apacible, seco, los prisioneros oyeron una descarga de armas de fuego y el ruido de una breve refriega. Wladek estaba seguro de que el ejército polaco había acudido a rescatarlo y de que ahora podría reclamar su legítima herencia. Cuando los guardias alemanes abandonaron la puerta de hierro de las mazmorras, los cautivos se quedaron acurrucados en las celdas inferiores, en medio de un aterrorizado silencio. Wladek permaneció solo en la entrada, haciendo girar la pulsera de plata alrededor de la muñeca, triunfante, aguardando a sus salvadores. Finalmente, quienes habían derrotado a los alemanes llegaron y hablaron en una tosca lengua eslava, que él recordaba de sus tiempos de estudio y que había aprendido a temer aún más que el alemán. Wladek fue brutalmente arrastrado al pasillo junto con su séquito. Los prisioneros esperaron, y después fueron sometidos a una inspección sumaria y arrojados nuevamente a las mazmorras. Los nuevos conquistadores no sabían que ese chico de doce años era el amo de todo lo que abarcaban sus ojos. No hablaban su lengua. Las órdenes que tenían eran explícitas y no admitían discusión: matar al enemigo si éste se resistía al tratado de Brest-Litovsk, que les había concedido esa porción de Polonia, y enviar a quienes no se resistieran al campo 201 por el resto de sus días. Los alemanes habían partido mansamente para retirarse detrás de su nueva frontera, mientras Wladek y sus seguidores esperaban, soñando con una nueva vida e ignorando la suerte que les aguardaba.

Después de pasar otras dos noches en las mazmorras, Wladek se resignó a la idea de que los tendrían encarcelados durante otra larga temporada. Los nuevos guardias no le dirigían la palabra, y esto le recordó cómo había sido la vida tres años atrás. Empezó a darse cuenta de que por lo menos el infierno se había relajado durante la dominación alemana. Ahora había vuelto a endurecerse.

En la mañana del tercer día, para gran sorpresa de Wladek, fueron arrastrados todos sobre la hierba del frente del castillo: quince cuerpos escuálidos y sucios. Dos de los sirvientes se desplomaron a la luz del sol, por falta de costumbre. El mismo Wladek comprobó que el intenso brillo era su mayor problema, y debía protegerse los ojos constantemente con la mano a modo de pantalla. Los prisioneros permanecieron callados sobre la hierba y esperaron la próxima decisión de los soldados. Los guardias los obligaron a desvestirse y les ordenaron que fueran a lavarse en el río. Wladek escondió la pulsera de plata entre sus ropas y corrió hasta la margen del río, con las piernas flojas. Se zambulló, resollando al entrar en contacto con el agua fría, a pesar de que ésta le produjo una sensación maravillosa en la piel. Los otros prisioneros lo siguieron y trataron en vano de quitarse de sus cuerpos tres años de cochambre.

Cuando Wladek salió del río, exhausto, observó que algunos de los guardias contemplaban con expresión extraña a Florentyna mientras ésta se lavaba. Se reían y la señalaban. Las otras mujeres no parecían despertar el mismo grado de interés. Uno de los guardias, un hombre corpulento y feo, cuyos ojos no se habían apartado ni un momento de Florentyna, la aferró por el brazo cuando ella pasó a su lado, de vuelta del río, y la tumbó. Después empezó a quitarse las ropas rápida y ansiosamente, sin dejar por ello de doblarlas con pulcritud sobre la hierba. Wladek miró atónito el pene turgente y erecto del soldado, que ahora sujetaba a Florentyna contra el suelo, y se abalanzó hacia él y le pegó un cabezazo en el vientre con todas las fuerzas que pudo reunir. El hombre se balanceó hacia atrás y otro soldado dio un brinco e inmovilizó a Wladek, sujetándole las manos detrás de la espalda. El revuelo atrajo la atención de los otros guardias, que se acercaron para contemplar la escena. El captor de Wladek estaba riendo, con unas carcajadas estentóreas totalmente desprovistas de humor. Las palabras de los restantes soldados no hicieron más que aumentar la angustia de Wladek.

—Interviene el gran protector —comentó el primero.

—Viene a defender el honor de su nación —acotó el segundo.

—Dejémosle por lo menos una butaca en la primera fila —exclamó el que lo retenía.

Otras risas se intercalaron con los comentarios que Wladek no siempre entendía. Vio cómo el soldado desnudo adelantaba su cuerpo nervudo, bien alimentado, hacia Florentyna, que empezó a chillar. Wladek volvió a forcejear, debatiéndose frenéticamente para zafarse de esa presión semejante a la de una tenaza, pero estaba indefenso en brazos de su guardián. El hombre desnudo cayó torpemente encima de Florentyna y empezó a besarla y a abofetearla cada vez que ella intentaba defenderse o volverse. Finalmente la penetró. Wladek nunca había oído un alarido como el que lanzó Florentyna en ese momento. Los guardias siguieron conversando y riendo entre ellos, algunos sin siquiera mirar.

—Maldita virgen —masculló el primer soldado, mientras se apartaba de ella.

Rieron todos.

—Me has facilitado un poco la faena —dijo el segundo guardia.

Más risas. Cuando Florentyna clavó sus ojos en los de Wladek, éste empezó a basquear. El soldado que lo retenía no demostró más interés que el necesario para evitar que el vómito del niño le ensuciara el uniforme o las botas. El primer soldado, con el pene ahora cubierto de sangre, corrió hasta el río y vociferó al zambullirse en el agua. El segundo hombre se desvistió, mientras un tercero sujetaba a Florentyna. El segundo guardia prolongó un poco más su placer, y pareció encontrar una satisfacción considerable en el hecho de pegarle a Florentyna. Cuando por fin la penetró, ella volvió a gritar pero esta vez con menos fuerza.

—Vamos, Valdi, ya has disfrutado bastante.

En ese momento el hombre se retiró bruscamente y fue a reunirse con su compañero de armas en el río. Wladek hizo un esfuerzo para mirar a Florentyna. Estaba magullada y sangraba entre las piernas. El soldado que lo retenía volvió a hablar.

—Ven a sujetar a este pequeño hijo de puta, Boris. Es mi turno.

El primer soldado salió del río y aferró con fuerza a Wladek. Éste trató de embestir nuevamente, lo cual los hizo reír con más ganas aún.

—He aquí todo el poderío del ejército polaco.

Las risas insoportables continuaron cuando otro guardia empezó a desvestirse para tomar su turno con Florentyna, que ahora yacía indiferente a los encantos del hombre. Cuando este soldado hubo concluido, y hubo ido al río, el segundo volvió y comenzó a vestirse.

—Creo que empieza a disfrutar —comentó, mientras se sentaba al sol para contemplar a su compañero.

El cuarto soldado empezó a avanzar hacia Florentyna. Cuando llegó hasta ella, la volteó, le separó las piernas cuanto pudo y le recorrió rápidamente el frágil cuerpo con sus manazas. Cuando la penetró, el grito ya se había reducido a un gemido. Wladek contó a los soldados que violaron a su hermana: dieciséis. Al terminar, el último blasfemó y agregó:

—Creo que le he hecho el amor a una muerta. —Y la dejó inmóvil sobre la hierba.

Todos se rieron con fuerza mientras el guardia enfadado se

encaminaba hacia el río. Por fin el que sujetaba a Wladek lo soltó. Éste corrió junto a Florentyna, en tanto los soldados descansaban sobre la hierba bebiendo el vino y el vodka de la bodega del barón y comiendo el pan de sus cocinas.

Con la ayuda de dos de los criados, Wladek transportó el cuerpo ligero de Florentyna hasta la orilla del río, sollozando mientras trataba de lavarle la sangre y los hematomas. Fue inútil, porque estaba negra y roja de pies a cabeza, insensible a la ayuda y sin poder hablar. Cuando Wladek hubo hecho todo lo que pudo, la cubrió con su chaqueta y la tomó en sus brazos. La besó delicadamente en la boca, y ésa fue la primera mujer que besó en su vida. Ella yacía en sus brazos, pero Wladek sabía que no lo reconocía, y mientras las lágrimas que le chorreaban por las mejillas goteaban sobre su cuerpo amoratado, sintió que éste se ponía fláccido. Se llevó el cadáver de la orilla del río, llorando. Los guardias se callaron cuando lo vieron encaminarse hacia la capilla. La depositó sobre la hierba, junto a la tumba del barón, y empezó a excavar con las manos. Cuando el sol poniente proyectó sobre el cementerio la larga sombra del castillo, ya había terminado de cavar. Sepultó a Florentyna junto a Leon y con dos ramas confeccionó una pequeña cruz que clavó en la cabecera. Wladek se desplomó sobre el suelo entre Leon y Florentyna y se durmió. No le habría importado no volver a despertar.

8

WILLIAM VOLVIÓ EN SETIEMBRE A LA ACADEMIA SAYRE e inmediatamente empezó a buscar competidores entre los mayores que él. Cualquiera que fuese la empresa que acometía nunca quedaba satisfecho si no sobresalía en ella, y los niños de su edad casi siempre eran adversarios demasiado débiles. William empezó a comprender que la mayoría de los que procedían de familias tan privilegiadas como la suya carecían de incentivos para competir, y los rivales más enconados resultaban ser aquellos chicos que, comparados con él, eran menos pudientes.

En 1915 se impuso en la academia Sayre la manía de coleccionar etiquetas de cajas de fósforos. William observó este frenesí durante una semana con mucho interés, pero no intervino directamente. Al cabo de pocos días, las etiquetas comunes cambiaban de mano por diez céntimos, en tanto que las rarezas se cotizaban hasta a cincuenta céntimos. William estudió la situación y resolvió convertirse en traficante, y no en coleccionista.

El sábado siguiente fue a Leavitt y Pearce, una de las mayores tiendas de tabaco de Boston, y pasó la tarde copiando los nombres y direcciones de todos los grandes fabricantes de cajas de fósforos del mundo, con especial atención hacia aquellos cuyos países no estaban en guerra. Invirtió cinco dólares en papel de carta, sobres y sellos, y escribió a los presidentes de todas las empresas que figuraban en su lista. Su carta era sencilla, a pesar de que la había corregido siete veces.

Estimado señor presidente:

Soy un afanoso coleccionista de etiquetas de cajas de fósforos, pero no tengo fondos para comprarlas todas. Sólo recibo un dólar por semana, pero le adjunto un sello de tres céntimos para franqueo, para demostrar que encaro mi hobby con seriedad. Siento tener que molestarlo personalmente, pero su nombre es el único que encontré para dirigir mis cartas.

Su amigo,

William Kane (9 años)

P.S.: Las suyas se cuentan entre mis favoritas.

79

Al cabo de tres semanas, William tuvo un promedio de respuestas del cincuenta y cinco por ciento, que le rindió ciento setenta y ocho etiquetas distintas. Casi todos los fabricantes también le devolvieron el sello de tres céntimos, tal como William había previsto.

Durante los siete días siguientes, William montó dentro de la escuela un mercado de etiquetas, y antes de hacer una compra siempre se aseguraba de que la mercancía era vendible. Observó que algunos chicos no demostraban interés por la rareza de la etiqueta, sino sólo por su diseño, y con ellos realizaba trueques rápidos para obtener trofeos singulares que ofrecía a los coleccionistas más exigentes. Después de otras dos semanas de compras y ventas intuyó que el mercado se estaba saturando y que si no era prudente, ahora que se aproximaban rápidamente las vacaciones, podría empezar a decaer el interés. Con una clamorosa publicidad previa, en forma de una octavilla impresa que le costó medio céntimo por hoja, y que distribuyó por los pupitres de todos los alumnos, William anunció que subastaría sus doscientas once etiquetas. La subasta se celebró en la lavandería de la escuela a la hora del almuerzo y estuvo más concurrida que la mayoría de los torneos escolares de hockey.

El resultado fue que William recaudó un total de cincuenta y siete dólares con treinta y dos céntimos, o sea una utilidad de cincuenta y dos dólares con treinta y dos céntimos sobre la inversión original. William depositó veinticinco dólares en el banco al dos y medio por ciento, se compró una cámara fotográfica por once dólares, donó cinco dólares a la Asociación Cristiana de Jóvenes —que había ampliado sus actividades para ayudar a una nueva avalancha de inmigrantes—, le compró unas flores a su madre, y se guardó en el bolsillo los pocos dólares restantes. El mercado de etiquetas de cajas de fósforos se derrumbó aun antes de que terminara el año lectivo. Esa fue una de las muchas oportunidades en las que William de-

80

mostró que sabía retirarse a tiempo. Las abuelas habrían estado orgullosas de él: el sistema no había sido muy distinto del que habían seguido sus maridos para enriquecerse durante el pánico de 1873.

Cuando empezaron las vacaciones, William no pudo resistir el deseo de averiguar si era posible obtener por su capital invertido un interés mayor que el del dos y medio por ciento que le rendía la cuenta de ahorro. Durante los tres meses invirtió —nuevamente por intermedio de la abuela Kane— en acciones muy recomendadas por el *Wall Street Journal.* En el siguiente período escolar perdió más de la mitad del dinero que había ganado con las etiquetas de las cajas de fósforos. Ésa fue la única vez en su vida que confió en el *Wall Street Journal* o en la información que se podía recoger en cualquier esquina de la ciudad.

Encolerizado por la pérdida de más de veinte dólares, William resolvió que debería recuperarlos durante las vacaciones de Pascua. Al volver a casa calculó a qué fiestas y reuniones debería asistir para complacer a su madre, y comprobó que le quedaban sólo catorce días libres, el tiempo justo para su nueva empresa. Vendió todas las acciones restantes de la lista del *Wall Street Journal,* que sumaban sólo doce dólares. Con este dinero se compró una tabla de madera lisa, dos juegos de ruedas, ejes y un trozo de cuerda, que le costaron, después de algunos regateos, cinco dólares. A continuación se encasquetó una gorra de paño, se puso un traje viejo que le quedaba ceñido al cuerpo, y fue a la estación local de ferrocarril. Se apostó junto a la salida, con aspecto hambriento y cansado, y les iba informando a viajeros escogidos que los principales hoteles de Boston se hallaban cerca de la estación, de modo que no necesitaban coger un taxi o uno de los pocos coches de punto sobrevivientes, porque él podía transportarles el equipaje en su plataforma rodante por el veinte por ciento de la tarifa de los taxis. Añadía que, además, la caminata también les resultaría saludable.

Descubrió que podía ganar aproximadamente cuatro dólares trabajando seis horas por día.

Cinco días antes de que empezara el nuevo curso lectivo, no sólo había recuperado el dinero perdido sino que contaba con una ganancia de diez dólares. Entonces tropezó con un problema. Los taxistas empezaban a tomarle inquina. William les aseguró que se jubilaría, a los nueve años de edad, si cada uno de ellos le daba cincuenta céntimos para amortizar el coste de su carretilla casera. Accedieron, y así recaudó otros ocho dólares con cincuenta céntimos. En el trayecto de regreso a Beacon Hill, William le vendió la carreterilla por cinco dólares a un compañero de escuela dos años más aventajado, quien pronto habría de descubrir que el mercado ya no era el de antes. Para colmo, durante la semana siguiente llovió todos los días.

En el último día de vacaciones, William volvió a depositar su dinero en el banco, al dos y medio por ciento. Y durante el curso lectivo siguiente no lamentó su decisión, porque vio crecer sistemáticamente sus ahorros. El hundimiento del *Lusitania* y el hecho de que Wilson le declarara la guerra a Alemania en abril de 1917 no inquietaron a William. Nunca nadie podría derrotar a los Estados Unidos, le aseguró a su madre. William incluso invirtió diez dólares en Bonos de la Libertad para ratificar su aserto.

Cuando William cumplió once años, el activo de su libro mayor reflejaba una ganancia de cuatrocientos doce dólares. Le había regalado una estilográfica a su madre y sendos broches comprados en una joyería local a sus dos abuelas. La estilográfica era una Parker, y las alhajas llegaron a las casas de sus abuelas en estuches de Shreve, Crump and Low, que él había hallado después de mucho rebuscar en los cubos de basura de los fondos de la famosa tienda. Para hacerle justicia al niño, éste no había pretendido embaucar a sus abuelas, pero ya había aprendido, merced a su experiencia con las etiquetas de las cajas de fósforos, que la buena presentación vende la mercancía. Las abuelas, que notaron la falta del sello de Shreve, Crump and Low, igualmente lucieron los broches con considerable orgullo.

Las dos ancianas no habían dejado de vigilar las actividades de William, y habían resuelto que al cumplir doce años éste debería ingresar, como estaba previsto, en la escuela St. Paul's, de Concord, New Hampshire. Para mayor satisfacción, el niño las recompensó con la primera beca de matemáticas, y así le ahorró innecesariamente a la familia unos trescientos dólares anuales. William aceptó la beca y las abuelas devolvieron el dinero para que fuera destinado a «un niño menos afortunado», según sus propias palabras. Anne aborrecía la idea de que William se separara de ella para concurrir a una escuela con internado, pero las abuelas se empecinaron y, sobre todo, ella sabía que eso era lo que habría deseado Richard. Cosió las etiquetas con el nombre de William, marcó sus zapatos, verificó sus ropas y finalmente le preparó la maleta, sin aceptar la ayuda de la servidumbre. Cuando llegó la hora de que William partiese, su madre le preguntó cuánto dinero le gustaría recibir como estipendio durante el año lectivo que le aguardaba.

—Nada —respondió él, sin más comentarios.

William besó a su madre en la mejilla, sin sospechar cuánto lo echaría ella de menos. Marchó por el camino particular en dirección a Roberts, el chófer, con sus primeros pantalones largos, con el cabello muy corto, llevando una pequeña maleta. Montó en el asiento posterior del Rolls-Royce y éste partió. No miró atrás. Su madre agitó la mano durante largo rato y después se echó a llorar. William también sentía deseos de llorar, pero sabía que a su padre no le habría gustado.

Lo primero que le llamó la atención a William Kane en su nueva escuela secundaria fue que a los otros chicos no les impresionaba su posición familiar. Le faltaban las miradas de admiración, el silencioso reconocimiento de su presencia. Un chico mayor incluso le preguntó su nombre, y lo peor fue que cuando William se lo dijo su interlocutor no se manifestó visiblemente impresionado. Algunos incluso lo llamaban Bill, y él se apresuró a corregir esta falta explicando que nunca nadie había apodado Dick a su padre.

El nuevo dominio de William era una pequeña habitación con anaqueles de madera, dos mesas, dos sillas, dos camas y un viejo y confortable sofá de cuero. La segunda silla, la segunda mesa y la segunda cama eran ocupadas por un chico de Nueva York llamado Matthew Lester, cuyo padre también era banquero.

William no tardó en acostumbrarse a la rutina de la escuela. Levantarse a las siete y media, lavarse, desayunar en el refectorio principal con toda la escuela: doscientos veinte chicos que devoraban sus huevos, su tocino y sus gachas. Después del desayuno, la capilla, tres clases de cincuenta minutos antes del almuerzo y dos después de éste, seguidas por una clase de música que William detestaba porque no podía cantar una sola nota sin desafinar y tenía aún menos deseos de aprender a tocar algún instrumento musical. Fútbol en otoño, hockey y *squash* en invierno, y remo y tenis en primavera, lo cual le dejaba muy poco tiempo libre. En su condición de becario de matemáticas, William recibía tres clases especiales por semana de esa materia, a cargo de su jefe de grupo, G. Raglan, Esquire, al que los chicos conocían por el apodo de Gruñón.

Durante el primer año, William demostró que era más que digno de su beca: se situó entre los pocos sobresalientes en casi todas las disciplinas y descolló por encima de todos en matemáticas. Sólo su nuevo amigo, Matthew Lester, podía competir realmente con él, y esto se debía casi con certeza al hecho de que compartían la misma habitación. Al mismo tiempo que se afianzaba en el campo académico, William también ganó fama como financiero. Aunque su primera inversión en la Bolsa había sido desastrosa, no renunció a la convicción de que para reunir una suma apreciable de dinero era indispensable obtener grandes ganancias en el mercado de valores. Vigilaba atentamente el *Wall Street Journal* y los balances de las compañías, y a los doce años empezó a experimentar con una cartera imaginaria de acciones. Documentaba cada una de sus compras y ventas ficticias, las buenas y las no tan buenas, en un libro mayor recién adquirido, de color distinto, y al terminar el mes comparaba su comportamiento con el resto del mercado. No prestaba atención a ninguna de las acciones de primera línea, y en cambio se concentraba en las firmas menos conocidas, algunas de las cuales no cotizaban sus valores en Bolsa, en razón de lo cual únicamente se podían adquirir unos pocos por vez. Las inversiones de William estaban gobernadas por cuatro premisas: un bajo múltiplo de utilidades, una elevada tasa de crecimiento, un fuerte respaldo de capital y una buena perspectiva comercial. Encontraba pocas acciones que cumplieran estas cuatro condiciones rigurosas, pero cuando las hallaba, casi siempre daban beneficios.

Apenas comprobó que con su programa de inversiones imaginarias se adelantaba sistemáticamente al índice Dow-Jones, William llegó a la conclusión de que estaba en condiciones de volver a invertir su propio dinero. Empezó con cien dólares y nunca dejó de refinar su método. Siempre se ceñía a las ganancias y recortaba las pérdidas. Cuando se duplicaba el valor de una acción vendía la mitad de la cartera pero conservaba intacta la otra mitad, comerciando como plusvalía las acciones que le quedaban. Algunos de sus primeros hallazgos, como Eastman Kodak e I.B.M. se convirtieron en compañías líderes. También invirtió en la primera firma de ventas por correo, convencido de que ése era un sistema que se impondría.

Al terminar el primer año ya era el asesor de la mitad del personal docente y de algunos padres. William Kane era feliz en la escuela.

Anne Kane se sentía desdichada y sola en su hogar desde que William se había ido a St. Paul's y desde que el círculo familiar se había reducido a las dos abuelas, ya próximas a la vejez. Tenía la dolorosa conciencia de que había pasado la treintena y de que su tersa y juvenil belleza había desaparecido sin dejar mucho en su lugar. Empezó a retomar los contactos, truncados por la muerte de Richard, con algunos de sus viejos amigos. John y Milly Preston, la madrina de William, a quien conocía de toda la vida, empezaron a invitarla a cenar y a ir al teatro, y siempre incluían a otro hombre con la intención de buscarle compañero. Los candidatos de los Preston eran habitualmente atroces, y Anne acostumbraba a reírse a solas de los planes casamenteros de Milly hasta que un día de enero de 1919, cuando William acababa de volver a la escuela para el semestre de invierno, Anne fue invitada a otra cena de cuatro. Milly confesó que no conocía al nuevo huésped, Henry Osborne, pero creía que había concurrido a Harvard en la misma época que John.

—En verdad —admitió Milly por teléfono—, John no sabe mucho acerca de él, cariño, excepto que es bastante apuesto.

En este contexto, Anne y Milly pudieron ratificar la opinión de John. Cuando llegó Anne, Henry Osborne se estaba calentando frente a la chimenea, y se levantó inmediatamente para que Milly los presentara. Medía un poco más de un metro ochenta, tenía ojos oscuros, casi negros, y cabellos negros y lacios, y era esbelto y atlético. Anne experimentó un ramalazo de placer por el hecho de que le hubieran asignado para esa velada un compañero tan enérgico y juvenil, en tanto que Milly debía conformarse con un marido que ya daba señales de haber llegado a la mediana edad, cuando se lo comparaba con su brioso condiscípulo de la universidad. Henry Osborne tenía el brazo montado en un cabestrillo que cubría casi por completo su corbata, en la cual lucía los colores de Harvard.

—¿Una herida de guerra? —preguntó Anne, compasivamente.

—No, me caí por la escalera una semana después de haber vuelto del frente occidental —respondió él, riendo.

Fue una de esas cenas, tan raras para Anne en los últimos años, en que el tiempo pasado en la mesa se deslizaba feliz e insensiblemente. Henry Osborne contestó todas las preguntas inquisitivas de Anne. Después de regresar de Harvard había trabajado para una agencia inmobiliaria de Chicago, su ciudad natal, pero cuando estalló la guerra no pudo resistir la tentación de medirse con los alemanes. Tenía un cúmulo de maravillosas historias sobre Europa y sobre la vida que había vivido allí en su condición de joven teniente encargado de preservar el honor norteamericano en el Marne. Milly y John nunca la habían visto reír tanto desde la muerte de Richard, y cuando Henry le preguntó si podía acompañarla en auto hasta su casa intercambiaron una sonrisa astuta.

—¿Qué hará ahora que ha regresado a un país ideal para héroes? —le preguntó Anne, mientras Henry Osborne salía con su Stutz a Charles Street.

—Aún no lo he resuelto —respondió—. Afortunadamente tengo algunos fondos propios, de modo que no me veré obligado a tomar decisiones apresuradas. Incluso es posible que monte mi propia agencia inmobiliaria aquí mismo, en Boston. Siempre me he sentido cómodo en esta ciudad, desde mis tiempos de Harvard.

—¿Entonces no volverá a Chicago?

—No, no hay nada que me atraiga allí. Mis padres han muerto, y soy hijo único, de modo que puedo empezar de nuevo donde se me antoje. ¿Dónde debo doblar?

—Oh, en la primera a la derecha.

—¿Vive en Beacon Hill?

—Sí. Unos ciento cincuenta metros calle arriba, a la derecha, en Chestnut. Es la casa roja, en la intersección con Louisburg Square.

Henry Osborne estacionó el automóvil y acompañó a Anne hasta la puerta de su casa. Se despidió y se fue casi antes de que ella tuviera tiempo de darle las gracias. Vio cómo su auto se deslizaba lentamente calle abajo, por Beacon Hill, segura de que deseaba volver a verlo. Se sintió encantada, aunque no del todo sorprendida, cuando él la telefoneó a la mañana siguiente.

—La Orquesta Sinfónica de Boston, Mozart, y ese nuevo fulano extravagante, Mahler, el próximo lunes... ¿Puedo persuadirla?

A Anne la desconcertó un poco la ansiedad con que esperaba el lunes. Le pareció que había transcurrido mucho tiempo desde que la había asediado un hombre que le resultaba atractivo. Henry Osborne llegó puntualmente, intercambiaron un apretón de manos un poco ofuscado, y él aceptó un scotch.

—Debe de ser agradable vivir en Louisburg Square. Usted es una mujer afortunada.

—Sí, supongo que sí. Nunca lo he pensado mucho. Nací y me crié en Commonwealth Avenue. En todo caso, esto me resulta un poco reducido.

—Es posible que yo también compre una casa en Beacon Hill si decido quedarme en Boston.

—No se ponen en venta con mucha frecuencia —comentó Anne—, pero quizá tenga suerte. ¿No será mejor que nos vayamos? Odio llegar tarde a los conciertos y tener que pisar los pies de los demás en el trayecto hasta mi butaca.

Henry consultó su reloj.

—Sí, estoy de acuerdo. No estaría bien perderse la entrada del director, pero no debe preocuparse por otros pies que no sean los míos. Nuestras localidades quedan junto al pasillo.

Las cascadas de música suntuosa determinaron que fuera natural que Henry tomara el brazo de Anne mientras caminaban hacia el Ritz. La única otra persona que había tenido ese privilegio desde la muerte de Richard había sido William, y ello sólo después de considerable insistencia pues a él le parecía que ése era un comportamiento afeminado. También ahora las horas volaron para Anne: ¿en razón de la excelente comida o de la compañía de Henry? Esta vez la hizo reír con sus anécdotas de Harvard y llorar con sus recuerdos de la guerra. Aunque Anne tenía cabal conciencia de que Henry parecía más joven que ella, había hecho tantas cosas en su vida que siempre la hacía sentirse deliciosamente joven e inexperta. Anne le describió la muerte de su marido y lloró otro poco. Él le tomó la mano y Anne le habló de su hijo con orgullo y afecto desbordantes. Henry confesó que siempre había querido tener un hijo. Apenas se refirió a Chicago o a su propia vida doméstica, pero Anne se sintió segura de que debía de añorar a su familia. Cuando él la acompañó esa noche hasta su casa, se quedó a tomar un trago y al partir la besó ligeramente en la mejilla. Anne repasó mentalmente cada minuto de la velada antes de conciliar el sueño.

El martes fueron al teatro, el miércoles visitaron el chalet de Anne en Cape Cod, el jueves danzaron al son del Grizzly Bear y el Temptation Rag, el viernes compraron antigüedades y el sábado se hicieron el amor. Después del domingo casi no volvieron a separarse. Milly y John Preston estaban «encantados» de que por fin sus afanes de casamenteros hubieran sido coronados por el éxito. Milly recorrió Boston contándole a todo el mundo que ella había sido responsable de ese encuentro.

Ese verano, el anuncio del compromiso no tomó por sorpresa a nadie, excepto a William. Éste le había tomado una vehemente inquina a Henry desde el día en que Anne los había presentado, con un fundado temor. Durante su primera conversación, Henry formuló largas preguntas, tratando de demostrarle que quería convertirse en su amigo, y William contestó con monosílabos, dejando en claro que él no compartía ese deseo. Y nunca cambió de idea. Anne atribuyó la hostilidad de su hijo a un comprensible sentimiento de celos: toda su vida había girado alrededor de William desde la muerte de Richard. Además, era muy justo que nadie pudiera reemplazar a Richard en la estima de su hijo. Anne convenció a Henry de que, con el tiempo, William superaría el sentimiento de haber sido ultrajado.

Anne Kane se convirtió en la esposa de Henry Osborne en octubre de ese año, en la iglesia Old North, precisamente cuando empezaban a caer las hojas doradas y rojas, poco más de diez meses después de su primer encuentro. William fingió hallarse enfermo para no asistir a la boda y permaneció tercamente en la escuela. Las abuelas sí concurrieron, pero no pudieron disimular que desaprobaban el segundo matrimonio de Anne, sobre todo con alguien que parecía mucho más joven que ella.

—Esto sólo puede terminar en un desastre —sentenció la abuela Kane.

Los recién casados zarparon al día siguiente rumbo a Grecia, y no volvieron a la Red House de Beacon Hill hasta la segunda semana de diciembre, justo a tiempo para dar la bienvenida a William que iba a pasar allí las vacaciones de Navidad. A William le produjo un fuerte impacto descubrir que la casa había sido decorada de nuevo, casi sin dejar rastros de su padre. En Navidad, la actitud de William respecto a su padrastro no dio señales de ablandarse, a pesar de que Henry le ofreció una bicicleta nueva que él interpretó como un regalo y William como un soborno. Henry Osborne aceptó este rechazo con fastidiada resignación. A Anne le entristecía que su maravilloso flamante marido hiciera tan pocos esfuerzos para conquistar el afecto de su hijo.

William se sentía incómodo en su hogar invadido y a menudo desaparecía por largos períodos durante el día. Cuando Anne le preguntaba a dónde iba, recibía una respuesta lacónica o no recibía absolutamente ninguna. Por cierto no era a casa de sus abuelas. Cuando terminaron las vacaciones de Navidad, William regresó muy contento a la escuela y Henry no

lamentó verlo partir. Sólo Anne estaba inquieta por los dos
hombres que había en su vida.

9

—ARRIBA, CHICO. Arriba, chico.

Uno de los soldados clavaba la culata del fusil en las costillas de Wladek. Éste se sentó sobresaltado y miró la tumba de
su hermana y las de Leon y el barón. No derramó una sola
lágrima al volverse hacia el soldado.

—Viviré y no me matarás —dijo en polaco—. Éste es mi hogar y tú estás en mi tierra.

El soldado le escupió y lo empujó hacia el jardín donde
esperaban los sirvientes: todos vestían unas prendas parecidas
a pijamas grises, con números a la espalda. Wladek se horrorizó al verlos, porque comprendió qué destino le aguardaba. Un
soldado le llevó al extremo norte del castillo y lo obligó a arro-
dillarse en el suelo. Sintió que un cuchillo le raspaba la cabeza
y su espeso cabello negro cayó sobre la hierba. El soldado
completó la faena con diez cortes cruentos, como si estuviera
esquilando una oveja. Una vez la cabeza afeitada, recibió la
orden de ponerse su nuevo uniforme: una camisa y unos pantalones de tela basta y gris. Wladek se las ingenió para mantener oculta la pulsera de plata y fue a reunirse con los sirvientes
frente al castillo.

Mientras esperaban en el prado —numerados y anónimos—
Wladek tomó conciencia de un ruido lejano que nunca había
oído antes. Volvió los ojos hacia el fragor amenazante. Por las
grandes puertas de hierro entró un vehículo que se desplazaba
sobre cuatro ruedas, pero que no era tirado por caballos ni

bueyes. Todos los prisioneros miraron con incredulidad el armatoste que avanzaba. Cuando se hubo detenido, los soldados arrastraron a los prisioneros renuentes y los obligaron a montar en él. Después, el carro sin caballos dio media vuelta, avanzó por el camino particular y salió por las puertas de hierro. Nadie se atrevía a hablar. Wladek permaneció sentado en la parte posterior del camión mirando hacia el castillo hasta que las torrecillas góticas se perdieron de vista.

El carro sin caballos llegó de alguna manera a Slonim. Wladek se habría interesado por el sistema de propulsión del vehículo si no lo hubiera inquietado aún más el deseo de saber hacia dónde los llevaban. Empezó a reconocer los caminos de la época en que acudía a la escuela, pero los tres años pasados en las mazmorras le habían embotado la memoria y no recordaba a dónde conducía finalmente la ruta. Al cabo de pocos kilómetros el camión se detuvo y los bajaron a empellones. Estaban en la estación del ferrocarril. Wladek la había visto una sola vez en la vida, cuando él y Leon habían ido a recibir al barón que regresaba de Varsovia. Recordó que al subir por primera vez al andén los había saludado el guardia. Esta vez no los saludó nadie. Allí alimentaron a los prisioneros con leche de cabra, sopa de coles y pan negro, y Wladek volvió a asumir la dirección, repartiendo escrupulosamente las raciones entre los catorce sobrevivientes. Se sentó en un banco de madera, con la sospecha de que esperaban un tren. Esa noche durmieron en el suelo, bajo las estrellas, y eso resultó ser el paraíso comparado con las mazmorras. Le agradeció a Dios que el invierno no fuera crudo.

Amaneció y siguieron esperando. Wladek ordenó a los sirvientes que hicieran algunos ejercicios, pero la mayoría de ellos se desplomaron al cabo de pocos minutos. Empezó a tomar nota, mentalmente, de los nombres de los que habían sobrevivido hasta ese momento. Se habían salvado doce hombres y dos mujeres, sobre veintisiete que habían entrado originariamente en las mazmorras. ¿Para qué se habían salvado?, pensó. Pasaron el resto de la jornada esperando un tren que no llegaba nunca. En una oportunidad arribó un tren del que se apearon más soldados hablando en su lengua aborrecida, pero volvió a partir sin el lamentable contingente de Wladek. Durmieron otra vez en el andén.

Wladek se quedó despierto bajo las estrellas, estudiando la forma de escapar, pero durante la noche uno de sus catorce hombres se disparó a través de la vía del ferrocarril y un guardia le pegó un tiro aun antes de que consiguiera llegar al otro lado. Wladek miró hacia el lugar donde había caído su compatriota, y no se atrevió a ir en su ayuda por miedo a correr la misma suerte. Por la mañana, los guardias dejaron el cuerpo donde había caído, a modo de advertencia para los que hubieran planeado imitarlo.

Nadie comentó el episodio, aunque los ojos de Wladek rara vez se apartaban del cadáver. El muerto era el mayordomo del barón, Ludwik, uno de los testigos del testamento de su amo, y de su herencia.

En la tarde del tercer día otro tren entró resoplando en la estación: una gran locomotora de vapor que arrastraba vagones de mercancías abiertos, con sus pisos alfombrados de paja y la palabra «ganado» pintada en los costados. Varios vagones ya estaban llenos, llenos de seres humanos, pero tenían un aspecto tan espantosamente parecido al de Wladek que éste no pudo determinar de dónde procedían. A él y los suyos los arrojaron juntos al interior de uno de los vagones para iniciar el viaje.

Después de varias horas más de espera el tren empezó a alejarse de la estación, rumbo al Este, según dedujo Wladek de la situación del sol poniente.

Cada tres vagones había un guardia sentado con las piernas cruzadas sobre un vagón techado.

Durante el resto del viaje interminable, las descargas ocasionales desde arriba le demostraron a Wladek que toda tentativa de fuga era inútil.

Cuando el tren se detuvo en Minsk les sirvieron la primera comida digna de ese nombre: pan negro, agua, nueces y más mijo, y después siguió el viaje. A veces pasaban tres días sin ver otra estación. Muchos de los viajeros obligados morían de inanición y eran arrojados del tren en movimiento. Y cuando éste se detenía, a menudo esperaban dos días para permitir que otro tren que se dirigía hacia el Oeste usara la vía. Los trenes que los demoraban iban siempre repletos de soldados, y Wladek se dio cuenta de que los transportes de tropas tenían prioridad sobre todos los otros. La idea primordial de Wladek seguía consistiendo en fugarse, pero tres razones lo disuadían de materializar su ambición. En primer término, aún no lo había logrado nadie; en segundo término, a ambos lados de la vía no había nada más que eriales; y en tercer término, quienes habían sobrevivido de las mazmorras dependían totalmente de su protección. Era Wladek quien organizaba la distribución de los víveres y el agua y quien trataba de inculcarles la voluntad de vivir. Era el más joven y el último que aún creía en la vida.

Por la noche el frío era terrible, a menudo con una temperatura de treinta grados bajo cero, y todos se acostaban apretujados y alineados a lo largo del piso del vagón para que cada cuerpo comunicara calor al de su vecino. Wladek acostumbraba a recitar *La Eneida* para sus adentros mientras trataba de conciliar el sueño. Era imposible volverse si no estaban todos de acuerdo, de modo que Wladek se acostaba en el extremo de la hilera y cada hora, guiándose con la mayor aproximación posible por el cambio de guardia, daba una palmada en el costado del vagón y todos se daban vuelta hacia la dirección contraria. Los cuerpos giraban uno tras otro, como si fueran fichas de dominó cayendo en forma sucesiva. A veces alguien no se movía —porque ya no estaba en condiciones de hacerlo— y se lo comunicaban a Wladek. Éste a su vez le transmitía la información al guardia, y cuatro de ellos lo levantaban y lo arrojaban por el costado del tren en movimiento. Los guardias le acribillaban la cabeza para asegurarse de que no se trataba de una tentativa de fuga.

Trescientos kilómetros después de Minsk llegaron a la pequeña ciudad de Smolensk, donde les distribuyeron sopa caliente de coles y pan negro. Al vagón de Wladek subieron nuevos prisioneros que hablaban la lengua de los guardias. Su jefe parecía tener la misma edad que Wladek. Éste y sus once compañeros sobrevivientes —diez hombres y una mujer— desconfiaron inmediatamente de los recién llegados, y dividieron el vagón por la mitad, de modo que los dos grupos permanecieron distanciados durante varios días.

Una noche, mientras Wladek estaba despierto mirando las estrellas y tratando de entrar en calor, vio cómo el cabecilla de los *smolenskis* se arrastraba hacia el último hombre de la hilera de los polacos con un pequeño trozo de cuerda en la mano. Vio cómo lo deslizaba alrededor del cuello de Alfons, el primer lacayo del barón, que estaba durmiendo. Wladek comprendió que si se movía con demasiada prisa el chico lo oiría y volvería a refugiarse en su propia mitad del vagón, bajo la protección de sus camaradas, de modo que avanzó reptando muy despacio sobre su abdomen a lo largo de la fila de polacos. Sintió que lo miraban al pasar, pero nadie dijo nada. Cuando llegó al final de la fila se abalanzó sobre el agresor, despertando inmediatamente a todos los ocupantes del vagón. Cada bando se replegó a su propio extremo del vagón, menos Alfons, que se quedó inmóvil delante de ellos.

El líder de los *smolenskis* era más alto y ágil que Wladek, pero esto no influyó mucho cuando los dos se revolcaron por el suelo. La lucha duró varios minutos, en tanto los guardias reían y hacían apuestas sin dejar de mirar a los dos contendientes. Un guardia, que empezaba a aburrirse por la falta de sangre, arrojó una bayoneta al centro del vagón. Ambos chicos se atropellaron para apoderarse de la hoja refulgente y el líder de los *smolenskis* la cogió antes que su rival. El grupo *smolenski* aclamó a su jefe cuando éste clavó la bayoneta en la pierna de Wladek, desprendió el acero bañado en sangre y volvió a embestir. En la segunda arremetida la hoja se clavó firmemente en el piso de madera del vagón bamboleante, junto a la oreja de Wladek. Mientras el líder *smolenski* tironeaba para zafarla, Wladek le pegó un puntapié en la entrepierna con sus últimos vestigios de fuerza, y al despedir a su rival hacia atrás, desprendió la bayoneta. Wladek saltó, manoteó la empuñadura y se encaramó sobre el *smolenski,* introduciéndole la hoja en la boca. El chico lanzó un alarido de dolor que despertó a todo el tren. Wladek sacó la hoja, imprimiéndole simultáneamente un giro lateral, y volvió a clavarla una y otra vez en el *smolenski,* mucho después de que éste hubiera cesado de moverse. Wladek se arrodilló encima de él, resollando agitadamente, y después alzó el cuerpo y lo arrojó fuera del vagón. Oyó el ruido sordo que produjo al estrellarse contra el terraplén, y los disparos de los guardias que lo acribillaron innecesariamente.

Wladek cojeó hacia Alfons, que seguía inmóvil sobre las tablas de madera, y se hincó de rodillas junto a él, sacudiendo su cuerpo sin vida. Su segundo testigo había muerto. ¿Quién creería ahora que él, Wladek, era el heredero legítimo de la fortuna del barón? ¿Qué objeto tenía seguir viviendo? Cogió la bayoneta con ambas manos, con la hoja apuntando hacia su vientre. Un guardia se apresuró a saltar al interior del vagón y le arrebató el arma.

—Oh, no, eso no —gruñó—. Necesitamos a los más briosos para los campos. No pretenderás que nosotros ejecutemos todo el trabajo.

Wladek ocultó su cabeza entre las manos, y sintió por primera vez el dolor palpitante de la pierna herida. Había perdido la herencia y la había trocado por el mando de una banda de *smolenskis* indigentes.

Todo el vagón volvió a quedar bajo su control y ahora debía cuidar de veinte prisioneros.

Los dividió de modo tal que un polaco dormiría siempre

junto a un *smolenski,* para impedir así nuevas reyertas entre los dos grupos.

Wladek dedicó una parte considerable de su tiempo a aprender la extraña lengua de los *smolenskis,* y tardó varios días en darse cuenta de que se trataba del ruso, aunque difería mucho del ruso clásico que le había enseñado el barón. Cuando comprendió hacia dónde se dirigía el tren captó por primera vez la auténtica magnitud de su descubrimiento.

Durante el día Wladek se servía de dos *smolenskis* por vez para que le dieran lecciones, y apenas éstos se cansaban reclutaba otros dos, y así sucesivamente hasta que todos quedaban exhaustos.

Gradualmente estuvo en condiciones de conversar con fluidez con sus nuevos subordinados. Algunos eran soldados rusos, exiliados después de la repatriación por el crimen de haber sido capturados por los alemanes. Los restantes eran rusos blancos, granjeros, mineros, trabajadores, todos ellos encarnizadamente hostiles a la Revolución.

El tren traqueteaba por parajes más áridos que cualesquiera otros que Wladek hubiese visto en su vida, y por ciudades de las que nunca había oído hablar —Omsk, Novo Sibirsk, Krasnoiarsk— cuyos nombres le producían una sensación ominosa. Finalmente, después de viajar tres meses y de haber recorrido más de cuatro mil quinientos kilómetros, llegaron a Irkutsk, donde la vía se interrumpía bruscamente.

Los hicieron bajar del tren, les dieron de comer, y les repartieron botas de fieltro, chaquetas y gruesos gabanes. Y aunque hubo disputas para apoderarse de las ropas más abrigadas, lo cierto era que todas suministraban poca protección contra el frío cada vez más intenso.

Aparecieron carros sin caballos, no muy distintos del que había transportado a Wladek fuera de su castillo, y desde el interior arrojaron largas cadenas. Entonces Wladek vio, incrédulo y horrorizado, que a los prisioneros los sujetaban a la cadena por una mano, alineándolos a ambos lados de ella en veinticinco parejas. Los camiones tironearon de la masa de cautivos, en tanto que los guardias viajaban en la caja. Marcharon así durante doce horas, al cabo de las cuales les concedieron dos horas de descanso, para después reanudar la peregrinación. Al cabo de tres días, Wladek pensó que moriría de frío y extenuación, pero una vez fuera de las zonas pobladas empezaron a marchar sólo durante el día para descansar por la noche. Una cocina de campaña atendida por los prisioneros del campo suministraba sopa de nabos y pan al amanecer, y también por la noche. Estos prisioneros le informaron a Wladek que las condiciones de vida en el campo eran aún peores que allí.

Durante la primera semana no les quitaron ni una vez las cadenas, pero más tarde, cuando ya nadie podría haber alimentado intenciones de huir, empezaron a soltarlos por la noche para que durmieran en agujeros excavados en la nieve, donde encontraban calor. En los días de suerte a veces encontraban un bosque para acampar: el lujo empezó a asumir características extrañas. Avanzaban sin cesar, entre lagos inmensos y a través de ríos helados, siempre hacia el Norte, azotados por vientos inclementes y nevadas cada vez más copiosas. La pierna herida de Wladek le producía un dolor sordo permanente, cuya intensidad pronto fue superada por el suplicio de los dedos y las orejas helados. En medio de esa inmensidad blanca no se veían señales de vida o alimento, y Wladek sabía que cualquier tentativa de escapar durante la noche sólo podía culminar en una muerte lenta por inanición. Los viejos y los enfermos empezaron a morir. Los más afortunados se extinguían plácidamente por la noche. Cuando eso no sucedía y no podían seguir el ritmo de la caravana, les quitaban las cadenas y los abandonaban en medio de la infinita extensión de nieve. Los sobrevivientes marchaban y marchaban, siempre hacia el Norte, hasta que Wladek perdió la noción del tiempo y sólo tuvo conciencia del tirón inexorable de la cadena. Cuando excavaba su hoyo en la nieve para dormir por la noche, ni siquiera sabía con certeza si se despertaría a la mañana siguiente: quienes no despertaban habían cavado su propia tumba.

Después de una marcha de mil trescientos kilómetros, los sobrevivientes fueron recibidos por los ostiakos, nómadas de las estepas rusas, montados en trineos tirados por renos. Los camiones descargaron lo que transportaban y emprendieron el regreso. Los prisioneros, encadenados ahora a los trineos, siguieron adelante. Una fuerte ventisca los obligó a detenerse durante casi dos días íntegros, y Wladek aprovechó la oportunidad para comunicarse con el joven ostiako a cuyo trineo estaba encadenado. Utilizando el ruso clásico, con acento polaco, apenas consiguió hacerse entender, pero descubrió que los ostiakos odiaban a los rusos del Sur, quienes los trataban casi tan mal como a los cautivos. Los ostiakos no dejaban de compadecer a los pobres prisioneros sin futuro, los «infortunados», como ellos los llamaban.

Nueve días más tarde, en la media luz de la temprana noche invernal ártica, llegaron al campo 201. Wladek nunca habría creído que se alegraría de ver semejante lugar: hileras tras hileras de cabañas de madera en la desolada estepa. Las cabañas estaban numeradas, como los cautivos. A Wladek le correspondió la 33. En el centro de la habitación había una pequeña estufa negra, y de las paredes se proyectaban literas superpuestas de madera, con duros colchones de paja y una manta delgada. Pocos de ellos consiguieron dormir esa noche, y los gemidos y gritos que procedían de la cabaña 33 eran a menudo más potentes que los aullidos de los lobos del exterior.

A la mañana siguiente, antes de que asomara el sol, los despertó el repique de un martillo contra un triángulo de hierro. A ambos lados de la ventana había una gruesa capa de escarcha, y Wladek pensó que seguramente moriría de frío. El desayuno en el gélido refectorio duró diez minutos y consistió en un cuenco de guiso tibio, en el que flotaban trozos de pescado podrido y una hoja de col. Los recién llegados escupieron las espinas de pescado sobre la mesa, en tanto que los prisioneros más veteranos las comían e incluso hacían lo mismo con los ojos de los pescados.

Después del desayuno les asignaron las tareas. Wladek se convirtió en leñador. Lo llevaron por las monótonas estepas hasta un bosque situado a diez kilómetros y le ordenaron que cortara una cantidad determinada de árboles por día. El guardia los dejaba solos a él y a su grupito de seis, con su ración de comida que consistía en unas insípidas gachas amarillas y pan. Los guardias no temían que los cautivos intentaran huir, porque la ciudad más próxima estaba a más de mil quinientos kilómetros. Esto, suponiendo que supieran hacia dónde debían dirigirse.

Al terminar la jornada, el guardia volvía y contaba los troncos que habían cortado. Antes les había informado a los prisioneros que si no cumplían con la cuota estipulada, al día siguiente los privaría de comida. Pero cuando llegaba a las siete de la tarde para recoger a los obligados leñadores ya estaba oscuro, y no siempre veía cuántos nuevos árboles habían talado. Wladek instruyó a los otros miembros de su equipo para que pasaran la última parte de la tarde quitando la nieve de la madera cortada el día anterior y alineándola con la de ese día. El plan siempre surtía efecto y el grupo de Wladek no dejó de comer ni una vez. A veces conseguían volver al campamento con un trozo pequeño de madera atado a la parte interior de la pierna, para alimentar la estufa de carbón durante la noche. Había que proceder con cautela, porque cada vez que salían y entraban del campo registraban por lo menos a uno de ellos, que a menudo debía quitarse una o ambas botas y permanecer descalzo en la nieve entumecedora. Si le encontraban algo encima, lo dejaban tres días sin comer.

A medida que trascurrían las semanas, la pierna de Wladek empezó a ponerse muy rígida y dolorida. Anhelaba los días más fríos, cuando la temperatura era inferior a los cuarenta bajo cero y se suspendía el trabajo en el bosque, aunque la jornada perdida había que compensarla después con un domingo, cuando normalmente les permitían pasar todo el día tumbados en las literas.

Una tarde en que Wladek había estado arrastrando troncos por la estepa, su pierna empezó a palpitar despiadadamente. Cuando miró la cicatriz producida por el *smolenski* descubrió que estaba tumefacta y brillante. Esa noche le mostró la herida a un guardia, quien le ordenó presentarse al médico del campo antes del amanecer. Wladek pasó la noche sentado con la pierna casi yuxtapuesta a la estufa, rodeado de botas húmedas, pero el calor era tan débil que no bastó para mitigar el dolor.

A la mañana siguiente se levantó una hora antes de lo acostumbrado. Si no veía al médico antes del comienzo de la jornada de trabajo, no podría hacerse examinar hasta el día siguiente. Wladek no podría soportar más tiempo ese fuerte dolor. Se presentó ante el médico y le dio su nombre y su número. Pierre Dubien era un anciano comprensivo, calvo, con una pronunciada inclinación de hombros, y a Wladek le pareció aún más viejo que el barón. Inspeccionó la pierna de Wladek en silencio.

—¿La herida se curará, doctor? —preguntó Wladek.

—¿Hablas ruso?

—Sí, señor.

—Aunque te quedará una cojera crónica, muchacho, la pierna sanará. ¿Pero para qué te ha de servir, para pasar tu vida aquí arrastrando madera?

—No, doctor. Pienso largarme y volver a Polonia —afirmó Wladek.

El médico lo miró fijamente.

—Baja la voz, estúpido. Ya deberías haberte dado cuenta de que es imposible evadirse. Hace quince años que estoy cautivo, y no ha pasado un día en el que no pensara en huir. Es irrealizable. Nadie que haya escapado ha sobrevivido, e incluso hablar de ello se paga con diez días en la celda de castigo. Allí te dan de comer cada tres días y encienden la estufa sólo para derretir el hielo de las paredes. Si sales vivo de ese lugar puedes considerarte afortunado.

—Escaparé, vaya si escaparé —insistió Wladek, clavando la mirada en el anciano.

El médico escudriñó los ojos de Wladek y sonrió.

—Amigo mío, nunca vuelvas a mencionar la fuga si no quieres que te maten. Vuelve al trabajo, ejercita la pierna y ven a verme todas las mañanas a primera hora.

Wladek retornó al bosque y a la tala de árboles, pero comprobó que no podía arrastrar los troncos más que unos pocos metros: el dolor era tan agudo como si su pierna estuviera a punto de descoyuntarse. Cuando volvió a la enfermería a la mañana siguiente, el médico le examinó la herida con más detenimiento.

—En todo caso ha empeorado —comentó—. ¿Cuántos años tienes, muchacho?

—Creo que trece —respondió Wladek—. ¿En qué año estamos?

—En 1919.

—Sí, trece. ¿Y cuántos tiene usted? —inquirió Wladek.

El anciano miró los ojos azules del chico, sorprendido por la pregunta.

—Treinta y ocho —manifestó parsimoniosamente.

—Que Dios me ayude —exclamó Wladek.

—Tú también estarás así cuando hayas pasado quince años en cautiverio —manifestó el médico categóricamente.

—¿Por qué está aquí? —insistió Wladek—. ¿Por qué no lo han liberado después de tanto tiempo?

—Me tomaron prisionero en Moscú, en 1904, cuando hacía poco que había obtenido el título de médico y trabajaba en la embajada francesa. Dijeron que era espía y me encerraron en una cárcel de Moscú. Eso me pareció duro hasta que estalló la

Revolución y me enviaron a este infierno. Incluso los franceses han olvidado ya que existo. Se conocen pocas personas que hayan completado su sentencia en el campo Dos-Cero-Uno, de modo que deberé morir aquí, como todos los demás, y nunca será demasiado pronto.

—No, no debe renunciar a la esperanza, doctor.

—¿La esperanza? Hace mucho tiempo que renuncié a la esperanza en mi salvación. Quizá no renunciaré a la esperanza en la tuya, pero recuerda siempre que esto es algo que no deberás mencionarle a nadie. Aquí hay prisioneros que negocian sus delaciones, a pesar de que la recompensa no puede ser más que un trozo adicional de pan o quizás una manta. Ahora, Wladek, te destinaré durante un mes a los trabajos de cocina, y deberás seguir viniendo a verme todas las mañanas. Ésta es tu única oportunidad de salvar la pierna, y no me gusta la idea de tener que ser el encargado de amputártela. Aquí no contamos precisamente con los instrumentos quirúrgicos más modernos —añadió, mirando un enorme cuchillo de matarife.

Wladek se estremeció.

El doctor Dubien escribió el nombre de Wladek sobre una hoja de papel. A la mañana siguiente, Wladek se presentó en la cocina, donde lavó platos con agua helada y ayudó a preparar alimentos que no necesitaban refrigeración. Después de haber transportado troncos durante toda la jornada, ése fue un cambio reconfortante: más sopa de pescado, gruesas rebanadas de pan negro con ortigas maceradas, y la oportunidad de permanecer bajo techo y mantenerse caliente. Una vez incluso compartió medio huevo con el cocinero, aunque ninguno de los dos sabía con certeza qué ave lo había puesto. La pierna de Wladek cicatrizó lentamente y el muchacho quedó con una marcada cojera. Era poco lo que el doctor Dubien podía hacer en ausencia de verdaderos medicamentos, excepto vigilar atentamente el desarrollo del proceso. A medida que pasaban los días, el médico empezó a intimar con Wladek e incluso a aceptar sus juveniles esperanzas respecto del futuro. Cada mañana hablaban en un idioma distinto, pero el médico prefería conversar en francés, su lengua nativa.

—Dentro de siete días, Wladek, deberás volver al bosque. Los guardias inspeccionarán tu pierna y no podré retenerte más tiempo en la cocina. De modo que escucha con mucha atención, porque he elaborado un plan para tu huida.

—Juntos, doctor —exclamó Wladek—. Juntos.

—No, tú solo. Yo estoy demasiado viejo para una expedición tan larga, y aunque he soñado con la evasión durante quince años, sólo sería un lastre para ti. Me conformaré con saber que otro lo ha logrado, y tú eres la primera persona que me ha convencido de que es posible fugarse con éxito.

Wladek, sentado en el suelo, escuchó en silencio el plan del médico.

—Durante los últimos quince años he ahorrado doscientos rublos... porque cuando eres prisionero en Rusia no te pagan las horas extraordinarias. —Wladek trató de reír al oír el chiste más viejo del campo—. Tengo el dinero oculto en un frasco de drogas: son cuatro billetes de cincuenta rublos. Cuando te marches deberás llevar el dinero cosido en tus ropas. Yo me ocuparé de eso.

—¿Qué ropas? —preguntó Wladek.

—Hace doce años, cuando aún creía en la evasión, soborné a un guardia para que me vendiera un traje y una camisa. No son de última moda, por cierto, pero te servirán.

Quince años para reunir trabajosamente doscientos rublos, una camisa y un traje, y el médico estaba dispuesto a sacrificarlos sin más por Wladek. Éste jamás en su vida volvió a asistir a un acto análogo de desprendimiento.

—El próximo jueves se presentará tu única oportunidad —continuó el médico—. Un nuevo contingente de prisioneros llegará en tren a Irkutsk, y los guardias siempre reclutan a cuatro pinches de cocina para organizar el rancho de los nuevos cautivos. Ya he convenido con el jefe de cocina —se rió al enunciar este título—, que a cambio de ciertas drogas tú serás destinado al rancho. No fue demasiado difícil. Nadie quiere hacer ese viaje de ida y vuelta... pero tú sólo harás el de ida.

Wladek seguía escuchándolo con toda atención.

—Cuando llegues a la estación, espera el arribo del tren de prisioneros. Una vez que estén todos en el andén, cruza los raíles y monta en el tren para Moscú, el cual no puede partir hasta después de la entrada del convoy de prisioneros, pues fuera de la estación hay una sola vía de salida. Ruega que con centenares de nuevos prisioneros arremolinándose allí los guardias no noten tu desaparición. A partir de entonces deberás apañarte solo. Recuerda que si te descubren, te matarán en el acto y sin pensarlo dos veces. Sólo puedo hacer otra cosa por ti. Cuando me detuvieron, hace quince años, dibujé de memoria un mapa de la ruta que une Moscú con Turquía. Quizá ya no es muy preciso, pero será útil para tus propósitos. Verifica si los rusos no han ocupado también Turquía. Sólo Dios sabe qué es lo que han hecho últimamente. Incluso es posible que controlen Francia sin que yo me haya enterado.

El médico se acercó al botiquín y extrajo un frasco grande que parecía lleno de una substancia marrón. Desenroscó la tapa y sacó un viejo pergamino. La tinta negra se había decolorado con el transcurso de los años. Estaba fechado en octubre de 1904 y mostraba la ruta de Moscú a Odesa y de Odesa a Turquía. Dos mil quinientos kilómetros para alcanzar la libertad.

—Esta semana ven a verme todas las mañanas, y repasaremos el plan una y otra vez. Si fracasas, no será por falta de preparación.

Wladek pasaba todas las noches despierto, mirando por la ventana el sol de los lobos, ensayando lo que haría en cualquier situación que se le planteara, preparándose para todas las eventualidades. Por la mañana verificaba una y otra vez el plan con el doctor. El miércoles por la noche, en la víspera del día en que Wladek intentaría fugarse, el médico dobló el mapa en ocho, lo colocó en un paquetito junto con los cuatro billetes de cincuenta rublos, y cosió el envoltorio a la manga del traje. Wladek se desvistió, se puso el traje y después volvió a enfundarse en el uniforme del campo. Mientras se ponía el uniforme, el doctor vislumbró la pulsera de plata del barón que Wladek siempre se había ceñido por encima del codo desde que le habían asignado dicho uniforme, por miedo a que los guardias descubrieran su único tesoro y se lo robaran.

—¿Qué es eso? —preguntó el médico—. Es muy hermoso.

—Un regalo de mi padre —respondió Wladek—. ¿Puedo dárselo como prueba de gratitud? —Deslizó la pulsera fuera de la muñeca y se la entregó al médico.

El médico miró largamente la alhaja e hizo un movimiento negativo con la cabeza.

—Nunca —dijo—. Esto sólo puede pertenecer a una persona. —Miró silenciosamente al chico—. Tu padre debió de ser un gran hombre.

Volvió a ensartar la pulsera en la muñeca de Wladek y le estrechó afectuosamente la mano.

—Buena suerte, Wladek. Espero que no volvamos a vernos nunca.

Se abrazaron y Wladek partió dispuesto a pasar lo que rogaba que fuera su última noche en el campo. No pudo dormir ni un momento porque temía que uno de los guardias descubriera el traje bajo las ropas de la prisión. Cuando sonó el repique de la mañana, ya estaba vestido y cuidó de no llegar tarde a la cocina. Apenas aparecieron los guardias para buscar el grupo que viajaría en el camión, el prisionero que estaba al frente de la cocina empujó a Wladek hacia adelante. El grupo estaba compuesto por cuatro hombres y Wladek era con mucho el más joven.

—¿Por qué éste? —preguntó un guardia, señalando a Wladek—. Hace menos de un año que está en el campo.

Wladek sintió que se le detenía el corazón y se heló de pies a cabeza. El plan del médico iba a fallar, y pasarían por lo

106

menos tres meses hasta que llegara otro contingente de prisioneros al campo. Entonces él ya no estaría en la cocina.

—Es un excelente cocinero —explicó el interpelado—. Lo adiestraron en el castillo de un barón. Sólo lo mejor para los guardias.

—Ah —asintió el guardia, cuya gula triunfó sobre la desconfianza—. Deprisa, entonces.

Los cuatro corrieron hacia el camión y el convoy se puso en marcha. El viaje fue también esta vez lento y arduo, pero por lo menos esta vez no iba a pie, y como era verano no hacía un frío insoportable. Wladek trabajaba afanosamente en la preparación de la comida, y puesto que no deseaba llamar la atención, apenas habló en todo el trayecto con otro que no fuera Stanislaw, el jefe de cocina.

Cuando por fin llegaron a Irkutsk, el viaje había durado casi dieciséis días. El tren que debía partir rumbo a Moscú ya se hallaba en la estación. Estaba allí desde hacía varias horas, pero no podría arrancar hasta que llegara el que traía a los nuevos cautivos. Wladek se sentó sobre el borde del andén junto con los otros miembros del equipo que atendía la cocina de campaña, tres de los cuales permanecían totalmente distraídos e indiferentes a todo lo que los rodeaba, alelados por la experiencia, en tanto que el cuarto estaba atento a cada movimiento y estudiaba con gran dedicación el tren detenido del otro lado del andén. Había varias entradas abiertas y Wladek escogió rápidamente la que utilizaría cuando llegara su oportunidad.

—¿Intentarás escapar? —preguntó de pronto Stanislaw.

Wladek empezó a sudar pero no contestó.

Stanislaw lo miraba fijamente.

—¿Lo *intentarás*?

Wladek siguió callado.

El viejo cocinero miró al chico de trece años. Hizo con la cabeza un ademán de asentimiento. Si hubiera tenido cola la habría meneado.

—Buena suerte. Cuidaré que no noten tu desaparición por lo menos hasta dentro de dos días.

Stanislaw le tocó el brazo y Wladek divisó a lo lejos el tren de los prisioneros, que avanzaba lentamente hacia ellos. Se puso tenso, expectante. Le palpitaba el corazón y sus ojos seguían los movimientos de todos los soldados. Esperó que el tren se detuviera y observó cómo los cautivos exhaustos se volcaban sobre el andén, agolpándose. Cientos de hombres anónimos que sólo conservaban su pasado. Cuando la estación se convirtió en un pandemónium y los guardias estuvieron más ocupados, Wladek se escabulló por debajo del vagón y montó de un salto en el otro tren. Nadie manifestó interés cuando entró en el lavabo del final del vagón. Se encerró y esperó y rezó, temiendo que en cualquier momento alguien golpeara la puerta. A Wladek le pareció que transcurría una eternidad hasta que el tren se puso en marcha y empezó a alejarse de la estación. En verdad habían pasado diecisiete minutos.

—Por fin, por fin —dijo en voz alta. Miró por la ventanilla y vio cómo la estación parecía condensarse cada vez más en lontananza. Los guardias se reían mientras encadenaban a la multitud de nuevos prisioneros, listos para viajar al campo 201. ¿Cuántos llegarían vivos a destino? ¿Cuántos serían pasto de los lobos? ¿Cuánto tiempo pasaría hasta que lo echaran de menos?

Wladek se quedó varios minutos más sentado en el lavabo. Tenía pánico de moverse y no sabía muy bien qué debía hacer a continuación. De pronto golpearon la puerta. Wladek pensó atropelladamente: un guardia, el revisor, un soldado... una sucesión de imágenes desfiló fugazmente por su cerebro, y cada una de ellas era más aterradora que la anterior. Necesitó usar el lavabo por primera vez. Los golpes no cesaban.

—Vamos, vamos —exclamó un hombre en un ruso basto.

Wladek tenía pocas alternativas. Si era un soldado, no tenía cómo escapar: ni un enano podría haberse escabullido por la minúscula ventanilla. Si no era un soldado, lo único que conseguiría al quedarse allí sería llamar la atención. Se quitó el uniforme de la prisión, lo comprimió en un bulto lo más pequeño posible, y lo arrojó por la ventanilla. Después extrajo un sombrero del bolsillo de su traje para cubrirse la cabeza rapada, y abrió la puerta. Un hombre agitado entró precipitadamente, bajándose los pantalones aun antes de que Wladek hubiera terminado de salir.

Una vez en el pasillo, Wladek se sintió aislado y espantosamente conspicuo con su traje anacrónico, como una manzana sobre una pila de naranjas. Se dirigió de inmediato en busca de otro lavabo. Encontró uno desocupado, se encerró y desprendió rápidamente las puntadas del traje, para sacar uno de los cuatro billetes de cincuenta rublos. Volvió a guardar los otros tres y regresó al pasillo. Buscó el vagón más concurrido y se acurrucó en un rincón. Algunos hombres jugaban a las monedas en medio del vagón por unos pocos rublos, para pasar el rato. Wladek siempre le había ganado a Leon cuando jugaban en el castillo, y le habría gustado participar, pero temía ganar y llamar la atención. El juego se prolongó durante largo rato y Wladek empezó a recordar las estratagemas. La tentación de arriesgar sus doscientos rublos era casi irresistible.

Uno de los jugadores, que había perdido una suma considerable, se retiró disgustado y fue a sentarse junto a Wladek, blasfemando.

—No te acompañó la suerte —comentó Wladek, que deseaba oír el sonido de su propia voz.

—Ah, no se trata de la suerte —respondió el jugador—. Casi siempre les gano a ese hatajo de palurdos, pero se me han agotado los rublos.

—¿Quieres vender el abrigo? —preguntó Wladek.

El jugador era uno de los pocos pasajeros del vagón que usaba un buen abrigo de piel de oso, viejo y grueso. Miró al chico.

—A juzgar por tu vestimenta, no estás en condiciones de comprarlo, muchacho. —La voz del hombre le reveló a Wladek que le habría gustado que sí estuviera en condiciones—. Te pediría setenta y cinco rublos.

—Te daré cuarenta —dijo Wladek.

—Sesenta —espetó el jugador.

—Cincuenta —regateó Wladek.

—No, sesenta es lo menos que puedo pedir por él. Costó más de cien.

—Hace mucho tiempo —arguyó Wladek, mientras pensaba en el peligro que implicaría sacar el resto del dinero del forro de su traje para reunir la suma que necesitaba. Desistió de hacerlo porque esto atraería aún más la atención hacia él. Tendría que esperar otra oportunidad. Wladek tampoco quería demostrar que no disponía de fondos para comprar el abrigo, y mientras tocaba el cuello de la prenda agregó, con considerable desdén—: Has pagado demasiado por él, amigo. Cincuenta rublos, y ni un kopeck más. —Se levantó, haciendo ademán de irse.

—Espera, espera —exclamó el jugador—. Te lo vendo por cincuenta.

Wladek extrajo el dinero del bolsillo y el jugador se quitó el abrigo y lo trocó por el mugriento billete rojo. El abrigo era demasiado holgado para Wladek, y casi tocaba el suelo, pero eso era precisamente lo que necesitaba para ocultar su conspicuo traje. Le echó una breve mirada al hombre que había vuelto a jugar y que seguía perdiendo. Su último preceptor le había enseñado dos cosas: que nunca jugara si las probabilidades no estaban netamente en su favor por el mayor conocimiento o la mayor pericia, y que siempre estuviera preparado para desentenderse de una transacción cuando había llegado a su límite.

Wladek salió del vagón, sintiéndose más seguro bajo su nuevo abrigo viejo. Empezó a estudiar la distribución del tren con un poco más de confianza. Los vagones parecían ser de dos clases: los de categoría general, donde los pasajeros viajaban de pie o sentados en las tablas de madera, y los de categoría especial donde podían ocupar asientos mullidos y tapizados. Wladek comprobó que todos estaban atestados, con una sola excepción: un vagón con asientos en el que viajaba una mujer sola. A Wladek le pareció que de mediana edad, y vestía con un poco más de elegancia y estaba un poco más entrada en carnes que la mayoría de los restantes pasajeros del tren. Llevaba un vestido azul oscuro y se cubría la cabeza con un chal. Le sonrió a Wladek, que se había quedado mirándola, y esta actitud le inspiró confianza para entrar en el vagón.

—¿Puedo sentarme?

—Sí, por favor —respondió la mujer, observándolo atentamente.

Wladek no volvió a hablar, y en cambio estudió a la mujer y el contenido del vagón. Su tez era cetrina y estaba surcada por arrugas de cansancio, y era un poco rolliza: ese poco que se podía atribuir a la comida rusa. Sus cortos cabellos negros y sus ojos castaños sugerían que tal vez en otra época había sido bastante atractiva. Llevaba dos grandes bolsos de tela que descansaban sobre la redecilla para el equipaje y un maletín a su lado. No obstante lo difícil de su situación, Wladek descubrió, de pronto, que estaba tremendamente cansado. Se preguntaba si podía arriesgarse a dormir, cuando la mujer le habló.

—¿A dónde viajas?

La pregunta lo tomó por sorpresa y trató de reflexionar rápidamente.

—A Moscú —respondió, conteniendo el aliento.

—Yo también —asintió ella.

Wladek ya lamentaba el aislamiento del vagón y la información que había suministrado. No hables con nadie, le había advertido el médico; recuerda, no confíes en nadie.

Lo tranquilizó que la mujer no formulara más preguntas. Ya había empezado a recuperar la confianza perdida cuando llegó el revisor. Wladek comenzó a transpirar, a pesar de que la temperatura era de veinte grados bajo cero. El revisor tomó el billete de la mujer, lo desgarró, se lo devolvió y después giró hacia Wladek.

—El billete, camarada —fue todo lo que dijo, con voz lenta y monótona.

Wladek se quedó mudo, y sólo atinó a hurgar en el bolsillo de su abrigo.

—Es mi hijo —afirmó la mujer con tono categórico.

El revisor volvió a mirarla, escudriñó una vez más a Wladek, y por fin la saludó con una inclinación de cabeza y salió del vagón sin pronunciar otra palabra.

Wladek la contemplaba atónito.

—Gracias —murmuró, sin saber qué otra cosa decir.

—Te vi salir de debajo del tren de los prisioneros —explicó la mujer parsimoniosamente. Wladek se sintió descompuesto—. Pero no te denunciaré. Tengo un joven primo en uno de esos espantosos campos y todos tememos terminar un día en uno de ellos. ¿Qué llevas debajo del abrigo?

Wladek se preguntó qué le convenía más: salir corriendo del vagón o desabrocharse el abrigo. Si huía no tendría escapatoria. Optó por lo segundo.

—No es tan grave como me figuraba —comentó ella—. ¿Qué hiciste con el uniforme de la prisión?

—Lo arrojé por la ventanilla.

—Esperemos que no lo encuentren antes de que lleguemos a Moscú.

Wladek no contestó.

—¿Tienes dónde vivir en Moscú?

Él recapacitó sobre lo que le había aconsejado el médico. No debía fiarse de nadie, pero tampoco podía dejar de confiar en ella.

—No.

—Entonces podrás quedarte conmigo hasta que encuentres otro alojamiento. Mi marido —explicó—, es el jefe de estación de Moscú, y este vagón está reservado exclusivamente para funcionarios públicos. Si vuelves a cometer un error como este te embarcarán en el tren de regreso a Irkutsk.

Wladek tragó saliva.

—¿Ahora debo irme?

—No. El revisor ya te ha visto. Por ahora estarás a salvo conmigo. ¿Tienes documentos de identidad?

—No. ¿Qué son?

—Desde la Revolución, cada ciudadano ruso debe llevar consigo su documento de identidad para probar quién es, dónde vive y dónde trabaja. De lo contrario lo mandan a la cárcel hasta que pueda exhibirlo, y como una vez en la cárcel jamás puede mostrarlos, se queda eternamente allí —añadió con voz grave—. Cuando lleguemos a Moscú no deberás separarte de mí ni abrir la boca.

—Es muy buena conmigo —murmuró Wladek, con suspicacia.

—Ahora que el zar ha muerto ninguno de nosotros se siente seguro. Afortunadamente estoy casada con el hombre ideal —agregó—, pero en Rusia no hay ningún ciudadano, incluyendo a los funcionarios oficiales, que no viva con el temor constante al arresto y a los campos. ¿Cómo te llamas?

—Wladek.

—Bueno, ahora duerme, Wladek, porque pareces exhausto. El viaje es largo y aún no estás a salvo.

Wladek durmió.

Cuando se despertó habían pasado varias horas, y ya se había hecho de noche. Miró a su protectora y ésta le sonrió. Wladek le devolvió la sonrisa, rogando que pudiera fiarse de que no lo delataría a los funcionarios... si no lo había hecho ya. La mujer sacó algunas provisiones de uno de sus bultos y Wladek comió en silencio. Cuando llegaron a la estación siguiente casi todos los pasajeros se apearon, algunos porque era el fin de su viaje, pero la mayoría para comprar los escasos refrigerios disponibles o para estirar las piernas entumecidas.

La mujer de mediana edad se levantó y miró a Wladek.

—Sígueme —dijo.

Él se puso en pie y bajó detrás de ella al andén. ¿Acaso lo iba a entregar? La mujer le tendió la mano y él se la tomó como lo habría hecho cualquier chico de trece años que acompañara a su madre. Ella se encaminó hacia un lavabo reservado para mujeres. Wladek titubeó. La mujer insistió y una vez dentro le ordenó que se desvistiera. Wladek obedeció sin chistar, como nunca lo había hecho desde la muerte del barón. Mientras él se desnudaba, ella abrió el único grifo, que soltó de mala gana un hilillo de agua fría y marrón. La mujer hizo una mueca de repugnancia. Pero para Wladek ése era un gran progreso respecto del agua del campo. Ella empezó a higienizarle las heridas con un trapo húmedo e intentó lavarlo, infructuosamente. Respingó cuando vio la cicatriz de su pierna. Wladek no dejaba traslucir el dolor que le producía cada contacto, a pesar de los esfuerzos que ella hacía por tratarlo con delicadeza.

—Cuando te lleve a casa, les dedicaré más cuidados a estas heridas —prometió la mujer—. Pero por ahora deberemos conformarnos con esto.

Entonces vio la pulsera de plata, estudió la inscripción y miró detenidamente a Wladek.

—¿Es tuya? —inquirió—. ¿A quién se la robaste?

Wladek reaccionó con talante ofendido.

—No la robé. Mi padre me la dio antes de morir.

Ella volvió a mirarlo y en sus ojos apareció una expresión distinta. ¿De miedo o de respeto? Inclinó la cabeza.

—Ándate con cuidado, Wladek. Podrían matarte por un botín tan valioso.

Él hizo un ademán de asentimiento y empezó a vestirse deprisa. Volvieron a su vagón. Los retrasos de una hora en una estación no eran raros, y cuando el tren arrancó con un zarandeo a Wladek le complació sentir que las ruedas volvían a traquetear debajo de él. El viaje a Moscú duraba doce días y medio. Cada vez que aparecía un nuevo revisor, repetían la

114

misma comedia, y Wladek se esforzaba por parecer inocente y joven, aunque no desempeñaba muy bien su papel. La mujer, en cambio, sí era una madre convincente. Los revisores siempre saludaban con una reverencia respetuosa a esa mujer de mediana edad, y Wladek empezó a pensar que los jefes de estación debían de ser muy importantes en Rusia.

Cuando finalizó el trayecto de mil quinientos kilómetros a Moscú, Wladek ya había depositado toda su confianza en la mujer y estaba ansioso por ver su casa. El tren se detuvo por última vez en las primeras horas de la tarde. No obstante todas las tribulaciones por las que había pasado, Wladek nunca había visitado una gran ciudad, y menos la capital·de todas las Rusias. Estaba aterrado, y volvía a saborear el miedo de lo desconocido. Demasiada gente se apresuraba en distintas direcciones. La mujer de mediana edad intuyó su aprensión.

—Sígueme en silencio, y no te quites en ningún momento la gorra.

Wladek bajó los bolsos de la redecilla del equipaje, se encasquetó la gorra hasta las orejas, cubriendo la cabeza que ahora estaba erizada de una pelusa negra, y bajó tras ella al andén. En la barrera, una multitud se apretujaba esperando el momento de pasar por una estrecha abertura, y esto provocaba un atasco porque todos debían mostrar sus documentos de identidad al guardia. Al acercarse a la barrera, Wladek sintió que el corazón redoblaba dentro de su pecho como un tambor militar, pero cuando les llegó el turno su miedo se disipó instantáneamente. El guardia se limitó a echar un vistazo a los documentos de la mujer.

—Camarada —dijo, y saludó. Miró a Wladek.

—Mi hijo —explicó ella.

—Por supuesto, camarada. —Volvió a saludar.

Wladek estaba en Moscú.

A pesar de la confianza que había depositado en su flamante compañera, lo primero que le aconsejó su instinto fue huir, pero como difícilmente podría haber sobrevivido con ciento cincuenta rublos optó por esperar un tiempo. Siempre estaría a tiempo de escapar. En la estación los aguardaba un carruaje tirado por un caballo que llevó a la mujer y a su nuevo hijo a casa. El jefe de estación no estaba allí cuando llegaron, de modo que la mujer se dedicó enseguida a preparar la cama suplementaria para Wladek. Después vertió en una gran bañera de hojalata el agua que había calentado sobre la estufa, y le dijo que se metiera en ella. Era el primer baño que tomaba desde hacía más de cuatro años, a menos que contara como tal el remojón en el río. Calentó un poco más de agua y volvió a ponerlo en contacto con el jabón, fregándole la espalda, que era la única zona de su cuerpo que tenía la piel intacta. El agua empezó a cambiar de color y al cabo de unos minutos se había teñido de negro. Cuando Wladek estuvo seco, la mujer le untó los brazos y las piernas con un ungüento, y le vendó las laceraciones más aparatosas. Contempló su tetilla solitaria. Él se vistió rápidamente y fue a reunirse con la mujer en la cocina. Ella ya había preparado un cuenco de sopa caliente y algunas judías. Wladek engulló vorazmente ese auténtico banquete. Ninguno de los dos hablaba. Cuando Wladek terminó de comer, ella le sugirió que le convenía meterse en cama y descansar.

—No quiero que mi marido te vea antes de que le haya explicado por qué estás aquí —manifestó—. Si él accediera, ¿te gustaría quedarte a vivir con nosotros?

Wladek asintió con un movimiento de cabeza, agradecido.

—Entonces vete a la cama —repitió ella.

Wladek obedeció y rogó que el marido de la mujer le permitiera permanecer allí. Se desvistió lentamente y se introdujo entre las sábanas. Él estaba demasiado limpio, las sábanas estaban demasiado limpias, el colchón era demasiado mullido, y Wladek arrojó la almohada al piso, pero se sentía tan extenuado que durmió a pesar de la comodidad de la cama. Algunas horas más tarde, el ruido de fuertes voces que procedían de la cocina lo arrancó de su sueño profundo. No sabía cuántas horas había dormido. Ya estaba oscuro en el exterior cuando se deslizó fuera de la cama, caminó hasta la puerta, la entreabrió sigilosamente y escuchó la conversación que se desarrollaba abajo, en la cocina.

—¡Qué mujer tan estúpida! —oyó que decía una voz sibilante—. ¿No entiendes lo que habría ocurrido si te hubieran descubierto? Habría sido a ti a quien habrían enviado a los campos.

—Pero si lo hubieras visto, Piotr... parecía un animal acosado.

—De modo que resolviste que también nosotros nos convirtiéramos en animales acosados —exclamó la voz masculina—. ¿Lo ha visto alguien más?

—No —respondió la mujer—. No lo creo.

—Gracias a Dios. Debe marcharse sin demora, antes de que alguien se entere de que está aquí. Es nuestra única esperanza.

—¿Pero a dónde irá, Piotr? Está perdido y no tiene a nadie —argumentó la protectora de Wladek—. Y yo siempre he deseado un hijo.

—No me interesa saber lo que tú deseas ni a dónde irá él. No somos responsables de su suerte y debemos librarnos inmediatamente de ese chico.

—Pero Piotr, creo que es de estirpe real, que su padre era un barón. Lleva una pulsera de plata en la muñeca con la inscripción...

—Eso sólo empeora las cosas. Ya sabes cuáles son los designios de nuestros nuevos amos. Nada de zares, ni de títulos de nobleza, ni de privilegios. Ni siquiera debería preocuparnos la idea de ir al campo: las autoridades se limitarían a fusilarnos.

—Siempre hemos deseado un hijo, Piotr. ¿No podemos arriesgar nuestras vidas?

—Quizá puedas arriesgar la tuya, pero no la mía. Digo que se debe ir, y que debe hacerlo ahora mismo.

Wladek no necesitó seguir escuchando la conversación.

Resolvió que lo mejor que podría hacer para ayudar a su benefactora sería perderse en la noche sin dejar rastro, en razón de lo cual se vistió rápidamente y miró la cama usada, con la esperanza de que no pasaran cuatro años más antes de que viera otra. Estaba descorriendo el cerrojo de la ventana cuando la puerta se abrió violentamente y el jefe de estación entró en el aposento. Era un hombre menudo, no más alto que Wladek, con un vientre abultado y una cabeza casi calva cubierta por largos mechones de cabello gris. Usaba gafas sin armadura, que le habían marcado pequeños semicírculos rojos debajo de cada ojo. Llevaba en la mano una lámpara de petróleo. Se detuvo, mirando a Wladek. Éste le devolvió la mirada con expresión desafiante.

—Baja conmigo —ordenó.

Wladek lo siguió de mala gana hasta la cocina. La mujer lloraba, sentada frente a la mesa.

—Ahora escucha, muchacho —dijo el jefe de estación.

—Se llama Wladek —lo interrumpió la mujer.

—Ahora escucha, muchacho —repitió el marido—. Estás en un aprieto, y yo quiero que salgas de aquí y que te vayas lo más lejos posible. Te diré qué es lo que haré para ayudarte.

¿Ayudarlo? Wladek lo escrutó implacablemente.

—Te daré un billete de tren. ¿A dónde quieres ir?

—A Odesa —respondió Wladek, que no sabía dónde estaba esa ciudad ni cuánto costaba el viaje. Lo que sí sabía era que ésa era la etapa siguiente en el itinerario que le había trazado el doctor para alcanzar la libertad.

—Odesa, la madre del crimen... un lugar apropiado —comentó el jefe de estación con tono sarcástico—. Allí sólo estarás entre tus pares y terminarás mal.

—Entonces deja que se quede con nosotros, Piotr. Yo lo cuidaré, lo...

—No, nunca. Antes prefiero darle dinero al bastardo.

—¿Pero cómo crees que podrá eludir a las autoridades? —suplicó la mujer.

118

—Tendré que extenderle un salvoconducto de trabajo para Odesa. —Volvió la cabeza hacia Wladek—. Después de que hayas embarcado en ese tren, muchacho, si vuelvo a verte o a tener noticias tuyas en Moscú, te haré arrestar y serás conducido al instante a la cárcel más próxima. Entonces volverás a ese campo de prisioneros tan rápidamente como pueda llevarte el tren... si no te fusilan antes.

Miró el reloj que descansaba sobre la repisa de la cocina. Las once y cinco. Se volvió hacia su esposa.

—Hay un tren que parte rumbo a Odesa a la medianoche. Yo mismo lo llevaré a la estación. Quiero estar seguro de que abandona Moscú. ¿Tienes equipaje, muchacho?

Wladek se disponía a contestar que no, cuando intervino la mujer.

—Sí. Iré a buscarlo.

Wladek y el jefe de estación se quedaron en la cocina, mirándose con desprecio recíproco. La mujer tardó mucho en volver. El reloj de péndulo dio una campanada. Ambos siguieron callados, sin que los ojos del jefe de estación se apartaran en ningún momento de Wladek. Cuando volvió su esposa, llevaba consigo un gran envoltorio de papel marrón sujeto con un cordel. Wladek lo observó y quiso protestar, pero cuando sus miradas se cruzaron vio tanto miedo en la de ella que sólo atinó a articular:

—Muchas gracias.

—Come esto —dijo ella, acercándose al cuenco de sopa fría.

Wladek obedeció, aunque su estómago encogido ya estaba casi repleto. Engulló la sopa todo lo deprisa que pudo, porque no quería que ella sufriera más contratiempos.

—Animal —murmuró el hombre.

Wladek lo enfocó con sus pupilas cargadas de odio. Compadeció a la mujer, unida para siempre a semejante individuo.

—Vamos, muchacho, es hora de partir —dictaminó el jefe de estación—. No queremos que pierdas el tren, ¿verdad?

Wladek salió de la cocina detrás de él. Al pasar junto a la

mujer vaciló, le tocó la mano, y sintió la respuesta. No dijeron nada: no había palabras que pudieran expresar sus sentimientos. El jefe de estación y el fugitivo avanzaron sigilosamente por las calles de Moscú, ocultándose en las sombras, hasta que llegaron a destino. El hombre consiguió un billete de ida a Odesa y le entregó a Wladek la pequeña tira de papel rojo.

—¿Mi salvoconducto? —preguntó Wladek con tono desafiante.

El hombre sacó del bolsillo interior un impreso oficial, lo firmó deprisa y se lo entregó furtivamente a Wladek. Sus ojos no dejaban de mirar en torno, alertas al peligro. Durante los últimos cuatro años Wladek había tropezado incontables veces con esos ojos: los de un cobarde.

—No quiero volver a verte ni oír de ti —espetó, con voz autoritaria.

Wladek también había oído esa voz muchas veces durante los últimos cuatro años. Levantó la vista, dispuesto a contestarle, pero el jefe de estación ya se había replegado hacia las sombras de la noche donde estaba su mundo. Miró los ojos de las personas que pasaban apresuradamente junto a él. Los mismos ojos, el mismo miedo. ¿Existía algún ser libre en el mundo? Wladek apretó bajo el brazo el envoltorio marrón, verificó la posición de su gorra y se encaminó hacia la barrera. Esta vez se sentía más confiado cuando le mostró el salvoconducto al guardia. Lo dejaron pasar sin ningún comentario. Subió al tren. La visita a Moscú había sido breve y nunca en su vida volvería a ver esa ciudad, a pesar de que siempre recordaría la generosidad de la mujer, la esposa del jefe de estación, la camarada... Ni siquiera sabía su nombre.

Wladek hizo el viaje en uno de los vagones para pasajeros en pie. Odesa parecía menos lejana de Moscú que Irkutsk, aproximadamente a un pulgar de distancia en el mapa del doctor, y a mil trescientos kilómetros de distancia real. Mientras

Wladek estudiaba su mapa rudimentario, lo distrajo otro juego con monedas que se desarrollaba en el vagón. Plegó el pergamino, volvió a guardarlo en el forro de su traje y empezó a prestar más interés a la partida. Observó que uno de los jugadores ganaba sistemáticamente, aun cuando tenía todas las posibilidades en contra. Wladek estudió al hombre con más detenimiento y no tardó en descubrir que hacía trampa.

Se desplazó hasta el otro lado del vagón para asegurarse de que seguía viendo al fullero cuando estaba frente a él, pero no lo logró. Se adentró y se hizo un lugar en el círculo de jugadores. Cada vez que el tramposo perdía dos veces seguidas, Wladek apostaba un rublo a su favor, y doblaba la apuesta hasta que ganaba. El fullero se sintió halagado o pensó que lo más prudente sería no formular comentarios acerca de la suerte de Wladek, porque no lo miró ni una vez. Cuando llegaron a la estación siguiente Wladek había ganado catorce rublos, de los cuales empleó dos para comprar una manzana y una taza de sopa caliente. Lo que había ganado le duraría hasta Odesa y, satisfecho con la idea de que podría acumular aún más rublos con ese sistema invulnerable, expresó en silencio su gratitud al tahúr desconocido y volvió a subir al tren, listo para volver a poner en práctica su estrategia. Cuando posó el pie sobre el escalón superior, un golpe lo despidió hacia un rincón. Alguien le retorció brutalmente el brazo detrás de la espalda y le aplastó la cara con fuerza contra la pared del vagón. Empezó a sangrar por la nariz y sintió que la punta de un cuchillo le tocaba el lóbulo de la oreja.

—¿Me oyes, muchacho?

—Sí —respondió Wladek, petrificado.

—Si vuelves a mi vagón te rebanaré esta oreja, y entonces no podrás oírme, ¿verdad?

—No, señor.

Wladek sintió que la punta del cuchillo le cortaba la superficie de la piel detrás de la oreja y que un hilo de sangre le corría por el cuello.

—Que esto te sirva de advertencia, muchacho.

De pronto el fullero le hincó la rodilla en los riñones con toda su fuerza. Wladek cayó al suelo. Una mano le hurgó los bolsillos del abrigo y le quitó los rublos que había conseguido en la partida.

—Creo que son míos —dijo la voz.

Ahora a Wladek le chorreaba sangre de la nariz y de detrás de la oreja. Cuando pudo reunir el coraje necesario para mirar desde el ángulo del corredor, lo vio vacío, sin señales del fullero. Wladek intentó levantarse, pero su cuerpo se negó a obedecer las órdenes del cerebro, de modo que pasó varios minutos postrado en el rincón. Finalmente consiguió ponerse en pie y se encaminó sin prisas hacia el otro extremo del tren, lo más lejos posible del vagón del fullero, exagerando de forma grotesca su cojera. Se ocultó en un vagón ocupado casi exclusivamente por mujeres y niños, y se quedó profundamente dormido.

En la parada siguiente Wladek no bajó del tren. Abrió el paquete y empezó a investigar su contenido. En ese cuerno de la abundancia envuelta en papel marrón encontró manzanas, pan, nueces, dos camisas, un par de pantalones e incluso zapatos. Vaya mujer y vaya marido.

Comió y durmió. Y por fin, después de seis noches y cinco días, el tren entró resoplando en la terminal de Odesa. La misma verificación en la barrera de billetes, pero el guardia apenas le dirigió una segunda mirada a Wladek. Esta vez sus papeles estaban en orden, aunque ya no contaba con ayuda ajena. Todavía llevaba ciento cincuenta rublos en el forro del traje, y no tenía la menor intención de gastarlos.

Wladek pasó el resto del día recorriendo la ciudad y tratando de familiarizarse con su topografía. Sin embargo, lo distraían constantemente unos espectáculos que jamás había visto antes: grandes mansiones urbanas, tiendas con escaparates, buhoneros que vendían sus pintorescas mercaderías en las calles, faroles de gas, e incluso un mono montado sobre una estaca. Wladek siguió caminando hasta que llegó al puerto y se detuvo a contemplar el mar abierto que se extendía más allá. Sí, eso era... lo que el barón había denominado «océano». Oteó ávidamente la inmensidad azul: aquella era la ruta que lo llevaría a la libertad y lo sacaría de Rusia. La ciudad debía de haber sido escenario de muchos combates: por todas partes se veían casas incendiadas y cuadros de miseria, incongruentes en medio del aire marino, apacible e impregnado de aroma de flores. Wladek ignoraba si la ciudad todavía estaba en guerra. No tenía a quién preguntárselo. Cuando el sol se ocultó detrás de los altos edificios, empezó a buscar un lugar donde pasar la noche. Dobló por una calle lateral y siguió caminando. Debía de tener un aspecto extraño con el abrigo de piel que se arrastraba por el suelo y el paquete marrón bajo el brazo. Nada le parecía seguro hasta que llegó a una vía muerta donde estaba aislado un viejo vagón solitario. Lo escudriñó con todo cuidado. Oscuridad y silencio: allí no había nadie. Arrojó el envoltorio al interior del vagón, izó su cuerpo cansado hasta las tablas, se arrastró a un rincón y se tumbó a dormir. Apenas su cabeza tocó el piso de madera, un cuerpo se abalanzó sobre el suyo y dos manos le apretaron el cuello. Apenas podía respirar.

—¿Quién eres? —siseó un chico que, en la oscuridad, no parecía mayor que él.

—Wladek Koskiewicz.

—¿De dónde vienes?

—De Moscú. —Wladek había estado a punto de contestar «Slonim».

—Bueno, no dormirás en mi vagón, moscovita —dijo la voz.

—Lo siento —respondió Wladek—. No lo sabía.

—¿Tienes dinero? —Los pulgares aumentaron la presión sobre el cuello de Wladek.

—Un poco.

—¿Cuánto?

—Siete rublos.

—Dámelos.

Wladek hurgó en el bolsillo de su abrigo, mientras el chico también introducía una mano enérgicamente en el mismo lugar, aflojando la presión que ejercía sobre la garganta de Wladek.

Con un solo movimiento, Wladek clavó la rodilla en el bajo vientre del chico, empleando hasta la última pizca de fuerza. Su atacante salió despedido hacia atrás, con un dolor atroz, sujetándose los testículos. Wladek se precipitó sobre él y lo golpeó en lugares que el chico nunca habría imaginado. Las reglas habían cambiado súbitamente. No estaba en condiciones de competir con Wladek: dormir en un vagón abandonado era una opulencia de cinco estrellas por comparación con la vida en las mazmorras y en un campo de trabajo ruso.

Wladek sólo se detuvo cuando su adversario estuvo inmovilizado contra el piso del vagón, inerme. El chico le suplicó clemencia.

—Vete al otro extremo del vagón y quédate allí —ordenó Wladek—. Si mueves aunque sólo sea un músculo, te mataré.

—Sí, sí —asintió el chico, alejándose a rastras.

Wladek le oyó chocar contra la otra punta del vagón. Se quedó quieto y escuchó durante un momento. Nadie se movió. Por fin volvió a apoyar la cabeza sobre el piso y en seguida se quedó profundamente dormido.

Cuando se despertó, el sol ya se filtraba por las rendijas del vagón. Se volvió poco a poco y estudió por primera vez a su rival de la noche anterior. Éste yacía en posición fetal, durmiendo aún en el otro extremo del vagón.

—Ven aquí —le ordenó Wladek.

El golfo se despertó lentamente.

—Ven aquí —repitió Wladek, con voz un poco más fuerte.

El chico obedeció en seguida. Era la primera oportunidad que se le presentaba a Wladek para inspeccionarlo con detenimiento. Tenían más o menos la misma edad, pero el chico era treinta centímetros más alto, con un rostro de rasgos más

124

juveniles y una cabellera rubia desgreñada. Su aspecto general hacía suponer que interpretaría como un insulto cualquier referencia al agua y el jabón.

—Empecemos por el principio —dijo Wladek—. ¿Cómo se consigue algo para comer?

—Sígueme —respondió el golfo, y saltó fuera del vagón. Wladek salió cojeando detrás de él y lo siguió cuesta arriba hasta la ciudad donde ya estaban montando el mercado matutino. Nunca había vuelto a ver tantos víveres apetitosos desde aquellos opíparos banquetes con el barón. Hileras tras hileras de tenderetes con frutas, verduras, hortalizas e incluso sus nueces favoritas.

El chico advirtió que Wladek se sentía abrumado por el espectáculo.

—Ahora te explicaré lo que haremos —prosiguió el golfo, que por primera vez parecía haber recuperado la confianza—. Me acercaré al tenderete de la esquina, robaré una naranja y escaparé corriendo. Tú gritarás con todas tus fuerzas: «Detengan al ladrón». El encargado del tenderete me perseguirá y entonces habrá llegado tu turno y te llenarás los bolsillos. No seas codicioso: lo indispensable para una comida. Después volverás aquí. ¿Entiendes?

—Sí, creo que sí —contestó Wladek.

—Veamos si eres realmente listo, moscovita.

El golfo lo miró, gruñó y se alejó. Wladek contempló admirado cómo se pavoneaba hasta la esquina del primer tenderete del mercado, cogía una naranja del vértice de la pirámide, le hacía un breve comentario inaudible al cuidador y echaba a correr con toda parsimonia. Miró por encima del hombro a Wladek, que se había olvidado por completo de gritar «Detengan al ladrón», pero pese a ello el cuidador del tenderete levantó la vista y empezó a perseguirlo. Mientras todos los ojos se hallaban fijos en el cómplice de Wladek, éste se adelantó rápidamente y consiguió escamotear tres naranjas, una manzana y una patata, que guardó en los grandes bolsillos de su abrigo. Cuando el cuidador ya parecía a punto de pillar al ratero, éste le arrojó la naranja. El hombre se detuvo para recogerla y lo injurió, blandiendo el puño y vociferando protestas en dirección a los otros comerciantes mientras volvía a su tenderete.

Wladek se estremecía de hilaridad, contemplando la escena, cuando una mano lo asió con fuerza por el hombro. Se volvió aterrado por la perspectiva de que lo hubiesen descubierto.

—¿Conseguiste algo, moscovita, o estás aquí sólo como espectador?

Wladek soltó una carcajada de alivio y mostró las tres naranjas, la manzana y la patata. El golfo se sumó a sus risas.

—¿Cómo te llamas? —preguntó Wladek.

—Stefan.

—Hagámoslo de nuevo, Stefan.

—Un momento, moscovita, no te pases de listo. Si volvemos a utilizar *mi* táctica, tendremos que ir al otro extremo del mercado y esperar por lo menos una hora. Ahora trabajas con un profesional, pero no pienses que no te atraparán de vez en cuando.

Los dos chicos se encaminaron en silencio hacia el otro extremo de la plaza. Stefan caminaba con un contoneo por el que Wladek habría dado las tres naranjas, la manzana, la patata y sus ciento cincuenta rublos. Se confundieron con los compradores matutinos y cuando Stefan calculó que había llegado el momento oportuno repitieron dos veces la operación. Satisfechos con los resultados, volvieron al vagón de ferrocarril para disfrutar del botín: seis naranjas, cinco manzanas, tres patatas, una pera, distintas variedades de nueces y un melón a modo de premio especial. Antes, Stefan nunca había tenido bolsillos suficientemente grandes como para ocultar un melón. El amplio abrigo de Wladek solucionó ese problema.

—No está mal —comentó Wladek, mientras hincaba los dientes en una patata.

—¿También comes la piel? —preguntó Stefan, horrorizado.

—He estado en lugares donde las pieles son un lujo —respondió Wladek.

Stefan lo contempló con admiración.

—Ahora debemos buscar la forma de conseguir un poco de dinero —manifestó Wladek.

—Lo quieres todo en un día, ¿verdad, amo mío? —exclamó Stefan—. Si crees estar en condiciones de trabajar en serio, lo mejor será unirse a la cuadrilla del puerto, moscovita.

—Muéstramela —dijo Wladek.

Después de comer la mitad de la fruta, y de ocultar el resto bajo la paja en el ángulo del vagón, Stefan guió a Wladek por la escalinata que conducía al puerto y le mostró los barcos. Wladek no podía dar crédito a sus ojos. El barón le había hablado de las enormes naves que cruzaban los mares para transportar sus cargas a tierras extranjeras, pero éstas moles eran de dimensiones mucho más colosales de lo que había imaginado, y se alineaban hasta donde alcanzaba la vista.

Stefan interrumpió sus cavilaciones.

—¿Ves aquel barco grande y verde? Bueno, lo que debes hacer es coger un cesto al pie de la pasarela, llenarlo de grano, subir por la escalerilla y volcar el contenido en la bodega. Te darán un rublo por cada cuatro viajes. Pero cuéntalos bien, moscovita, porque si no el hijo de puta que dirige la cuadrilla te timará sin pestañear y se embolsará tu dinero.

Stefan y Wladek pasaron el resto de la tarde transportando grano por la escalerilla. Entre los dos, ganaron veintiséis rublos. Después de ingerir una cena compuesta de nueces robadas, pan y una cebolla que habían cogido involuntariamente, durmieron dichosos en su vagón.

Wladek fue el primero en despertarse a la mañana siguiente y Stefan lo encontró estudiando el mapa.

—¿Qué es eso? —inquirió Stefan.

—Es un itinerario que muestra la forma de salir de Rusia.

—¿Por qué quieres irte de Rusia cuando podrías quedarte

127

aquí y asociarte conmigo? —inquirió Stefan—. Podríamos ser compañeros.

—No, debo llegar a Turquía. Allí seré libre por primera vez. ¿Por qué no me acompañas, Stefan?

—Nunca podría abandonar Odesa. Ésta es mi patria, el ferrocarril es mi hogar y ésta es la gente que he conocido durante toda mi vida. No es gran cosa, pero el lugar que llamas Turquía podría ser peor. Sin embargo, si esto es lo que deseas, te ayudaré a evadirte, porque tengo medios para averiguar de dónde viene cada barco.

—¿Cómo sabré cuál me llevará a Turquía? —preguntó Wladek.

—Es fácil. Le sacaremos la información a Joe Un Diente, que vive en el final de la escollera. Tendrás que darle un rublo.

—Apuesto a que reparte el dinero contigo.

—Mitad y mitad —asintió Stefan—. Aprendes rápidamente, moscovita. —Dicho lo cual saltó del vagón.

Wladek siguió al golfo que corría velozmente entre los vagones, y volvió a tomar conciencia de la agilidad con que se desplazaban los otros chicos, y de la forma en que él cojeaba. Cuando llegaron al extremo del muelle, Stefan lo introdujo en una pequeña habitación llena de libros cubiertos de polvo, y de viejos horarios. Wladek no vio a nadie allí, pero entonces oyó una voz que clamaba desde atrás de una enorme pila de libros:

—¿Qué quieres, golfo? No puedo perder el tiempo contigo.

—Necesito información para mi amigo viajero, Joe. ¿Cuándo parte el próximo crucero de lujo rumbo a Turquía?

—El dinero antes que nada —exclamó el anciano cuya cabeza se asomó de atrás de los libros, con un rostro curtido y arrugado tocado por una gorra marinera. Sus ojos negros escrutaban a Wladek.

—Fue un gran lobo de mar —susurró Stefan con voz lo bastante alta como para que Joe lo oyera.

—No seas caradura, muchacho. ¿Dónde está el rublo?

—Mi amigo lleva la bolsa —respondió Stefan—. Muéstrale el rublo, Wladek.

Wladek extrajo una moneda. Joe la mordió con el único diente que le quedaba, se acercó al anaquel arrastrando los pies y sacó un gran libro de horarios encuadernado en verde. El polvo voló en todas las direcciones. Empezó a toser mientras pasaba las hojas mugrientas, deslizando a lo largo de las largas columnas de nombres su dedo corto, gordo y gastado por las cuerdas.

—El jueves próximo el *Renaska* entrará a recoger carbón, y probablemente zarpará el sábado. Si consigue cargar lo bastante deprisa, es posible que se haga a la mar el viernes por la noche para ahorrarse los derechos de fondeo. Amarrará en la dársena diecisiete.

—Gracias, Un Diente —manifestó Stefan—. Veré si más adelante puedo traerte a otros de mis socios ricos.

Joe Un Diente alzó el puño, blasfemando, mientras Stefan y Wladek salían corriendo.

Durante los tres días siguientes los dos chicos robaron víveres, cargaron grano y durmieron. Cuando el barco turco llegó el jueves, Stefan casi había convencido a Wladek de que debía quedarse en Odesa. Pero el miedo que Wladek les tenía a los rusos triunfó sobre los atractivos que presentaba su nueva vida con Stefan.

Estaban en la escollera, mirando el barco recién amarrado en la dársena diecisiete.

—¿Cómo podré subir a bordo? —preguntó Wladek.

—Es muy sencillo —respondió Stefan—. Mañana por la mañana nos incorporaremos a la cuadrilla. Yo me colocaré detrás de ti, y cuando el depósito de carbón esté casi lleno, saltarás dentro y te esconderás mientras yo recojo tu cesto y bajo por el otro lado.

—Y supongo que también cobrarás mi parte —comentó Wladek.

—Naturalmente —asintió Stefan—. Tiene que existir una recompensa para mi inteligencia superior, porque de lo contrario ¿cómo podría conservar mi fe en la libre empresa?

A primera hora de la mañana siguiente se integraron en la cuadrilla y cargaron carbón subiendo y bajando por la pasarela hasta que ambos estaban a punto de caer rendidos, pero no fue bastante. Al caer la noche la mitad de la bodega aún estaba vacía. Esa noche los dos chicos teñidos de negro durmieron como lirones. A la mañana siguiente reanudaron el trabajo, y al promediar la tarde, cuando la bodega estaba casi llena, Stefan aplicó un puntapié en el tobillo de Wladek.

—La próxima vez, moscovita —dijo.

Cuando llegaron a lo alto de la pasarela, Wladek arrojó el carbón dentro, dejó caer el cesto sobre la cubierta, saltó por la escotilla de la bodega y aterrizó sobre la carga, mientras Stefan recogía el cesto y bajaba silbando por el otro lado de la pasarela.

—Adiós, amigo, y buena suerte con los turcos infieles —exclamó.

Wladek se acurrucó contra un ángulo de la bodega y miró cómo el carbón seguía cayendo a su lado. Había polvo por todas partes: en su nariz y su boca, en sus pulmones y sus ojos. Con un doloroso esfuerzo contuvo la tos por temor a que lo oyera alguno de los tripulantes del barco. Justo cuando pensaba que no podría seguir soportando el aire viciado de la bodega y que tendría que volver a reunirse con Stefan y planear otra forma de huir, vio que las escotillas se cerraban, deslizándose sobre su cabeza. Entonces, tosió frenéticamente.

Al cabo de pocos momentos sintió que algo le mordía el tobillo. Se le heló la sangre cuando comprendió de lo que debía tratarse. Miró hacia abajo, procurando discernir de dónde había procedido el mordisco. Acababa de arrojarle un trozo de carbón a la fiera y de hacerla huir velozmente, cuando lo atacó otra. Y después otra y otra. Las más audaces se ensañaban con sus piernas. Parecían surgir de la nada. Negras, enormes y famélicas. Fue la primera vez en su vida que Wladek se dio cuenta de que las ratas tenían ojillos rojos. Montó hasta la cúspide de la montaña de carbón y abrió la escotilla. El sol entró a raudales por la abertura y las ratas desaparecieron nuevamente en los túneles que habían excavado en el carbón. Wladek empezó a salir de la bodega, pero el barco ya estaba lejos del muelle. Volvió a dejarse caer en el hueco, aterrado. Si el barco era obligado a regresar y si lo entregaban a las autoridades, emprendería un viaje sin retorno al campo 201 y al mundo de los rusos blancos. Optó por quedarse con las ratas negras. Apenas Wladek hubo cerrado la escotilla reanudaron los ataques. Con la misma rapidez con que él lanzaba trozos de carbón a una de las asquerosas bestejuelas, otra de éstas lo acometía desde un nuevo ángulo. De cuando en cuando Wladek debía abrir la escotilla para dejar entrar un poco de luz, que parecía ser el único aliado capaz de espantar a los roedores.

Durante dos días y tres noches Wladek libró una batalla sin tregua contra las ratas, sin poder disfrutar de un momento de sueño tranquilo. Cuando el barco llegó por fin al puerto de Constantinopla y un marinero abrió la escotilla, Wladek estaba teñido de negro desde la cabeza hasta las rodillas, por la mugre, y teñido de rojo, desde las rodillas hasta los dedos de los pies, por la sangre. El marinero lo sacó a rastras. Wladek trató de levantarse, pero se desplomó sobre la cubierta hecho un ovillo.

Cuando Wladek volvió en sí —sin saber dónde estaba ni cuánto tiempo había pasado— se encontró dentro de una cama, en una habitación pequeña, y tres hombres vestidos con largas batas blancas lo examinaban minuciosamente, hablando una lengua que él no entendía. ¿Cuántos idiomas se hablaban en todo el mundo? Se miró, vio que seguía estando negro y rojo, y cuando intentó sentarse, uno de los hombres de bata blanca, el mayor de los tres, que tenía un rostro enjuto y arrugado, y una perilla, volvió a empujarlo hacia atrás. Le habló a Wladek en la lengua desconocida. Wladek meneó la cabeza. Después ensayó en ruso. Wladek volvió a menearla: ésa sería la vía más rápida para hacerse devolver al lugar de donde había salido. El idioma que el médico ensayó a continuación fue el alemán, y Wladek descubrió que dominaba esa lengua mejor que quien lo interrogaba.

—¿Hablas alemán?

—Sí.

—Ah, ¿así que entonces no eres ruso?

—No.

—¿Qué hacías en Rusia?

—Trataba de escapar.

—Ah. —Después se volvió hacia sus colegas y pareció traducir la conversación a su propia lengua. Salieron de la habitación.

Entró una enfermera que lo fregó hasta dejarlo limpio, sin hacer caso de sus gritos de dolor. Le cubrió las piernas con un espeso ungüento marrón y luego lo dejó dormir. Cuando Wladek se despertó por segunda vez, estaba totalmente solo. Se quedó mirando el cielo raso blanco, mientras rumiaba sus planes para el futuro.

Como aún no sabía con certeza en qué país estaba, trepó sobre el antepecho de la ventana y miró hacia afuera. Vio un mercado no muy distinto del de Odesa, aunque en éste los hombres usaban largas túnicas blancas y su tez era más oscura. También se tocaban con pintorescos gorros que parecían pequeños tiestos invertidos, y calzaban sandalias. Todas las mujeres estaban vestidas de negro y tenían cubiertos incluso los rostros, con excepción de sus ojos igualmente negros. Wladek miró cómo la extraña raza congregada en el mercado regateaba su ración cotidiana. Por lo menos esto era algo que parecía internacional.

Observó el espectáculo durante varios minutos antes de advertir que por el costado del edificio bajaba una escalera de hierro rojo que llegaba hasta el suelo, no muy distinta de la escalera de incendios del castillo de Slonim. Su castillo. ¿Quién le creería ahora? Bajó del antepecho de la ventana, se acercó con cautela a la puerta, la abrió y espió el corredor. Vio hombres y mujeres que iban de un lado a otro, pero nadie pareció prestarle atención. Cerró la puerta suavemente, encontró sus pertenencias en un armario situado en la esquina de la habitación y se vistió deprisa. Sus ropas aún estaban ennegrecidas por el polvo de carbón y le raspaban la piel limpia. Volvió a la ventana. Ésta se abrió fácilmente. Se asió de la escalera de incendios, salió por la ventana y empezó a bajar hacia la libertad. Lo primero que lo sorprendió fue el calor. Habría preferido no tener puesto el pesado abrigo.

Apenas tocó el suelo intentó correr, pero sus piernas estaban tan débiles y doloridas que sólo pudo caminar lentamente. Cómo le habría gustado liberarse de su cojera. No miró en dirección al hospital hasta que se hubo perdido entre la multitud del mercado.

Wladek contempló los alimentos tentadores que se apilaban en los tenderetes y resolvió comprar una naranja y unas nueces. Buscó en el forro de su traje. ¿Acaso el dinero no había estado bajo el brazo izquierdo? Sí, había estado allí, pero ya no estaba y, peor aún, también había desaparecido la pulsera de plata. Los hombres de bata blanca le habían robado sus bienes. Estudió la posibilidad de volver al hospital para recuperar su herencia perdida pero optó por no hacerlo antes de haber comido algo. Quizás aún le quedaba un poco de dinero en los bolsillos. Hurgó en el inmenso bolsillo del abrigo e inmediatamente encontró tres billetes y algunas monedas. También estaban en él el mapa del médico y la pulsera de plata. Este descubrimiento lo llenó de júbilo. Volvió a ceñirse la pulsera y la empujó por encima del codo.

Wladek escogió la naranja más grande que estaba a la vista y un puñado de nueces. El encargado del tenderete le dijo algo que no entendió. Wladek pensó que el mejor sistema para vencer la barrera del lenguaje consistía en entregar un billete de cincuenta rublos. El comerciante lo miró, se rió y levantó los brazos al cielo.

—Alá —gritó, y le arrebató las nueces y la naranja a Wladek, al tiempo que le hacía señas con el dedo índice para alejarlo.

Wladek se fue desesperado. Supuso que un idioma distinto implicaba una moneda distinta. En Rusia había sido pobre, pero allí era un indigente. Tendría que robar una naranja. Si lo pillaban, se la arrojaría al comerciante. Wladek se encaminó hacia el otro extremo del mercado tal como lo había hecho Stefan, pero no pudo imitar su contoneo y tampoco sentía la misma confianza. Escogió el último tenderete, y cuando estuvo seguro de que nadie lo miraba tomó una naranja y echó a correr. De pronto oyó un vocerío. Le pareció que la mitad de la ciudad lo perseguía.

Un hombre corpulento se abalanzó sobre el cojo Wladek y lo derribó. Seis o siete personas aferraron distintas partes de su cuerpo mientras un grupo más numeroso se apiñaba para mirar cómo lo arrastraban de vuelta al tenderete. Allí los aguardaba un policía. Éste tomó notas y entabló un diálogo a gritos con el propietario del tenderete, diálogo este en el cual cada uno de los interlocutores levantaba más la voz al proferir un nuevo aserto. Por fin el policía se volvió hacia Wladek y le gritó también a él, pero el chico no entendió una palabra. El policía se encogió de hombros y se llevó a Wladek sujetándolo por la oreja. La gente seguía injuriándolo. Algunos le escupían. Cuando llegaron a la comisaría lo condujeron al sótano y lo arrojaron a una pequeña celda, que ya estaba ocupada por unos veinte o treinta delincuentes: forajidos, ladrones o quién sabe qué. Wladek no les habló y ellos no demostraron interés por hablarle a él. Se quedó con la espalda apoyada contra la pared, encogido, callado, aterrorizado. Permaneció allí por lo menos un día, sin alimentos ni luz. El olor de las deyecciones le hizo vomitar hasta que se le vació totalmente el estómago.

134

Nunca había pensado que llegaría el día en que las mazmorras de Slonim le parecerían espaciosas y apacibles.

A la mañana siguiente dos guardias lo sacaron a rastras del sótano y lo llevaron a un corredor donde lo alinearon con otros prisioneros. Los ataron unos a otros por la cintura y los sacaron de la comisaría en una larga fila. En la calle se había reunido otra multitud, cuyas aclamaciones le hicieron pensar a Wladek que ya hacía un largo rato que esperaban la salida de los prisioneros. La muchedumbre los siguió hasta la plaza del mercado —aullando, aplaudiendo y vociferando— por una razón que Wladek temía incluso imaginar. La columna se detuvo cuando llegó a la plaza del mercado. Le quitaron la cuerda al primer prisionero y lo condujeron hasta el centro de la plaza donde ya se habían congregado centenares de personas que gritaban como posesos.

Wladek contempló, incrédulo, el espectáculo. Cuando el primer prisionero llegó al centro de la plaza, el guardia lo tumbó de rodillas y después un hombre gigantesco le sujetó la mano derecha a un bloque de madera y a continuación levantó por encima de su cabeza un sable enorme que descargó con tremenda fuerza, apuntando a la muñeca del reo. Sólo les acertó a las puntas de los dedos. El prisionero lanzó un alarido de dolor mientras el gigante volvía a alzar el sable. Esta vez la hoja cayó sobre la muñeca, pero la mano quedó colgando del brazo mientras la sangre chorreaba sobre la arena. El gigante levantó el sable por tercera vez, y por tercera vez lo descargó. Al fin la mano del prisionero cayó al suelo. Los espectadores lanzaron un rugido de aprobación. El verdugo soltó al reo, que se desplomó desvanecido. Un guardia lo arrastró con aire indiferente fuera de allí y lo dejó caer a un costado de la concurrencia. Una mujer sollozante, que según supuso Wladek debía de ser su esposa, le ciñó apresuradamente un trapo mugriento, a modo de torniquete, alrededor del muñón sangrante. El segundo prisionero murió víctima del shock antes de que le aplicaran el cuarto golpe. Al colosal verdugo no le interesaba la muerte de modo que continuó con su trabajo: le pagaban por cercenar manos.

Wladek miró aterrorizado en torno y habría vomitado si le hubiera quedado algo en el estómago. Escudriñó en todas direcciones, buscando ayuda o una vía de escape. Nadie le había advertido que la ley islámica castigaba la tentativa de fuga con la amputación de un pie. Sus ojos otearon el océano de rostros hasta que vio entre la muchedumbre a un hombre vestido a la europea, con un traje oscuro. El hombre estaba a unos veinte metros de Wladek y observaba el espectáculo con obvia repugnancia. Pero no miró ni una vez en dirección a Wladek, ni oyó sus pedidos de auxilio en medio del clamor que surgía de la multitud cada vez que caía el sable. ¿Sería francés, alemán, inglés, o acaso polaco? Wladek no podía determinarlo, pero por alguna razón estaba allí para asistir a ese macabro espectáculo. Wladek lo miraba fijamente, rogando que volviera la cabeza hacia él, sin conseguirlo. Wladek agitó el brazo libre, pero tampoco así pudo atraer la atención del europeo. Desataron al hombre situado dos puestos más adelante que Wladek y lo arrastraron hacia el bloque de madera. Cuando el sable se levantó y la turba vitoreó, el hombre del traje oscuro apartó los ojos con asco y Wladek volvió a intentar atraer su atención con ademanes frenéticos.

El hombre observó a Wladek y después giró para hablarle a un acompañante que Wladek no había visto. Ahora el guardia forcejeaba con el prisionero situado inmediatamente antes que Wladek. Metió la mano del prisionero bajo la correa de sujeción. El sable se alzó y la amputó de un solo tajo. La muchedumbre pareció desilusionada. Wladek miró nuevamente a los europeos. Ahora los dos lo estaban inspeccionando. Les envió un mensaje mental para que actuaran, pero ellos continuaban escrutándolo.

El guardia se acercó, arrojó al suelo el abrigo que le había costado cincuenta rublos a Wladek, le desabrochó la camisa y le enrolló la manga. Wladek se debatió inútilmente mientras lo arrastraban a través de la plaza. Nada podía contra el guardia. Cuando llegó al bloque, recibió un puntapié en las corvas y se desplomó de rodillas. Le ciñeron la correa sobre la muñeca derecha y no le quedó más recurso que cerrar los ojos mientras el sable se levantaba sobre la cabeza del verdugo. Esperó angustiado el golpe atroz, y entonces la multitud enmudeció súbitamente cuando la pulsera de plata del barón resbaló desde el codo hasta la muñeca y más adelante aún hasta el bloque. Un silencio tétrico invadió la plaza mientras la herencia de Wladek refulgía bajo el sol. El verdugo se detuvo, bajó el sable y estudió la pulsera de plata. Wladek abrió los ojos. El gigante intentó desprenderla de la muñeca del chico, pero no consiguió hacerla pasar por la correa. Un hombre uniformado se adelantó deprisa y se unió al verdugo. Él también estudió la pulsera y la inscripción y corrió hacia otro hombre que debía de ser un funcionario superior, porque se acercó más parsimoniosamente a Wladek. El sable descansaba sobre el suelo y la multitud había empezado a protestar y abuchear. El segundo oficial también intentó desprender la pulsera de plata, pero no pudo hacerla pasar por el bloque y parecía renuente a desabrochar la correa. Le gritó a Wladek, pero éste no entendió lo que decía y respondió en polaco:

—No hablo su idioma.

El oficial pareció sorprendido y alzó las manos en el aire exclamando:

—Alá.

Eso debía de ser el equivalente de «Santo Dios», pensó Wladek. El oficial se encaminó lentamente hacia los dos espectadores vestidos con ropas occidentales, mientras agitaba los brazos en todas direcciones como un molino de viento enloquecido. Wladek invocó a Dios. En semejantes situaciones cualquier hombre invoca a cualquier dios, ya sea Alá o la Virgen María. Los europeos continuaban mirando a Wladek, quien sacudía la cabeza frenéticamente hacia arriba y abajo. Uno de los hombres de traje oscuro acompañó al oficial turco cuando éste emprendió el regreso hacia el bloque. Luego se arrodilló junto a Wladek, inspeccionó la pulsera de plata y por fin lo estudió minuciosamente a él. Wladek esperó. Sabía cinco idiomas y rogó que el caballero hablara uno de ellos. El corazón le dio un vuelco cuando el europeo se volvió hacia el oficial y le habló en turco. Ahora la turba silbaba y arrojaba frutas podridas en dirección al bloque. El oficial hacía ademanes de asentimiento, mientras el caballero escudriñaba fijamente a Wladek.

—¿Hablas inglés?

Wladek soltó un suspiro de alivio.

—Sí, señor, bastante bien. Yo ciudadano polaco.

—¿Cómo llegó a tu poder la pulsera de plata?

—Pertenecer a mi padre, señor. Él morir prisionero de los alemanes en Polonia, y yo capturado y enviado a campo de prisioneros en Rusia. Yo escapar y venir aquí en barco. No comer durante varios días. Cuando propietario tenderete no aceptar mis rublos por naranja, yo tomar una porque mucho, mucho hambre.

El inglés se levantó lentamente, se volvió y le habló con voz enérgica al oficial. Éste, a su vez, se dirigió al verdugo, que pareció dudar, pero cuando el oficial le repitió la orden con tono un poco más imperioso, se agachó y desabrochó a regañadientes la correa. Esta vez Wladek sí vomitó.

—Ven conmigo —dijo el inglés—. Y deprisa, antes de que cambien de idea.

Aún aturdido, Wladek recogió su abrigo y lo siguió. La multitud protestó y pitó, arrojándole objetos a medida que se alejaba, pero el verdugo se apresuró a sujetar la mano del prisionero siguiente sobre el bloque y con el primer tajo sólo consiguió amputarle el pulgar. Esto apaciguó a la turba.

El inglés se abrió paso rápidamente entre la multitud alborotada hasta la salida de la plaza, donde se le sumó su compañero.

—¿Qué sucede, Edward?

—El chico dice que es polaco y que huyó de Rusia. Le dije al oficial de turno que es inglés, de modo que ahora está bajo nuestra jurisdicción. Lo llevaremos a la embajada y verificaremos si su historia tiene algún atisbo de veracidad.

Wladek corrió entre los dos hombres que avanzaban con paso ligero a través del bazar y luego por la calle de los Siete Reyes. Aún oía vagamente cómo la multitud que había quedado a sus espaldas vociferaba entusiasmada cada vez que el verdugo descargaba el sable.

Los dos ingleses avanzaron por un patio cubierto de grava en dirección a un gran edificio gris, y le hicieron señas a Wladek para que los acompañara. Sobre la puerta se leía el saludo de bienvenida: Embajada Británica. Cuando se encontró dentro del edicifio, Wladek empezó a sentirse a salvo por primera vez. Siguió a los dos hombres, a un paso de distancia, por un largo corredor cuyas paredes estaban atestadas de cuadros de soldados y marinos vestidos con indumentarias extrañas. En el fondo se distinguía el magnífico retrato de un anciano vestido con un uniforme naval azul adornado por todas partes con medallas. Su hermosa barba le recordó al barón. Un soldado salió de la nada y saludó.

—Llévese a este chico, cabo Smithers, y ocúpese de que se dé un baño. Después sírvale de comer en la cocina. Cuando se haya alimentado y huela un poco menos como una pocilga ambulante, condúzcalo a mi despacho.

—Sí, señor —respondió el cabo, y saludó—. Ven conmigo, muchacho.

Smithers se alejó y Wladek lo siguió obedientemente, obligado a correr para acomodarse a su paso. Lo llevó al sótano de la embajada y lo introdujo en una pequeña habitación, que tenía una ventana. Le ordenó que se desvistiera y después lo dejó solo. Cuando volvió pocos minutos más tarde lo encontró sentado aún sobre el borde de la cama, totalmente vestido, haciendo girar distraídamente la pulsera de plata una y otra vez alrededor de su muñeca.

—Deprisa, chico. No has venido a hacer una cura de descanso.

—Lo siento, señor —respondió Wladek.

—No me llames señor, muchacho. Soy el cabo Smithers. Llámame cabo.

—Yo soy Wladek Koskiewicz. Llámeme Wladek.

—No te hagas el chistoso conmigo, muchacho. En el ejército británico tenemos suficientes humoristas y no necesitamos otro más.

Wladek no entendió lo que quería decirle el cabo. Se desvistió rápidamente.

—Sígueme a paso ligero.

Otro baño maravilloso con agua caliente y jabón, Wladek pensó en su protectora rusa, y en que podría haberse convertido en su hijo si no hubiera sido por su esposo. Ropas nuevas, extrañas pero limpias y con un olor fresco. ¿Al hijo de quién habrían pertenecido? El cabo volvió a aparecer en la puerta.

El cabo Smithers llevó a Wladek a la cocina y lo dejó en compañía de una mujer gorda, rubicunda, con el rostro más afectuoso que había visto desde su partida de Polonia. Le recordó a la nodriza de Leon. Wladek no pudo evitar preguntarse qué habría quedado de su cintura después de unas pocas semanas en el campo 201.

—Hola —saludó la mujer con una sonrisa radiante—. ¿Cómo te llamas, pues?

Wladek se lo dijo.

—Bueno, chico, me parece que te sentaría bien una buena comida inglesa. Ninguna de estas basuras turcas podría servirte. Empezaremos con una sopa caliente y carne. Necesitarás algo sustancioso para poder enfrentarte con el señor Prendergast. —Se rió—. Recuerda solamente que perro que ladra no muerde. Aunque es inglés, tiene buen corazón.

—¿Usted no es inglesa, señora cocinera? —preguntó Wladek, sorprendido.

—Dios mío, no, muchacho. Soy escocesa. Hay un mundo

140

de diferencia. Odiamos a los ingleses más que a los alemanes —añadió, riendo.

Depositó frente a Wladek un plato de sopa humeante, con un espeso contenido de carne y verduras. Wladek había olvidado por completo que la comida podía tener un aroma y un sabor tan apetitosos. La ingirió lentamente porque temía que no se le presentara otra oportunidad como ésa en mucho tiempo.

Volvió a entrar el cabo.

—¿Ya has comido bastante, muchacho?

—Sí, gracias, señor cabo.

Smithers miró a Wladek con desconfianza, pero no descubrió ni un atisbo de ironía en la expresión del chico.

—Bueno, en marcha, entonces. No podemos hacer esperar al señor Prendergast.

El cabo desapareció por la puerta de la cocina y Wladek miró a la cocinera. Siempre aborrecía tener que despedirse de alguien que acababa de conocer, sobre todo cuando esa persona había sido tan amable.

—Vete, muchacho, si sabes lo que es bueno.

—Gracias, señora cocinera —dijo Wladek—. Su comida es la mejor que recuerdo.

La cocinera le sonrió. Se vio obligado otra vez a cojear afanosamente para alcanzar al cabo, cuyo paso de marcha seguía haciendo trotar a Wladek. Smithers se detuvo bruscamente delante de una puerta con la que Wladek estuvo a punto de estrellarse.

—Mira a dónde vas, muchacho, mira a dónde vas.

El cabo golpeó la puerta con suavidad.

—Adelante —ordenó una voz.

El cabo abrió la puerta y saludó.

—El chico polaco, señor, como usted lo quería: bañado y alimentado.

—Gracias, cabo. Tenga la amabilidad de decirle al señor Grant que venga a reunirse con nosotros.

Edward Prendergast levantó la mirada de su escritorio. Le hizo un ademán silencioso a Wladek, para invitarlo a sentarse, y siguió concentrado en unos papeles. Wladek se quedó mirándolos a él y a los retratos que colgaban de la pared. Más generales y almirantes y nuevamente ese caballero anciano, barbado, esta vez con un uniforme militar de color caqui. Poco después entró el otro inglés al que Wladek recordaba haber visto en la plaza del mercado.

—Gracias por venir a hacernos compañía, Harry. Siéntate, viejo.

El señor Prendergast se volvió hacia Wladek.

—Ahora, muchacho, cuéntanos tu historia desde el principio, sin exagerar, ciñéndote a la verdad. ¿Entiendes?

—Sí, señor.

Wladek empezó la historia por sus días en Polonia. Le costó un poco de trabajo encontrar las palabras correctas en inglés. La expresión de los dos caballeros le reveló que al principio no le creían. De vez en cuando lo interrumpían y le formulaban preguntas, e intercambiaban ademanes de asentimiento al oír sus respuestas. Después de una hora de conversación, la biografía de Wladek había dejado su sello en el despacho del segundo cónsul de Su Majestad británica en Turquía.

—Creo, Harry —dijo el segundo cónsul—, que tenemos el deber de informar inmediatamente a la legación polaca, así como el de entregarles después al joven Koskiewicz, pues, sin duda, en estas circunstancias esta responsabilidad recae sobre sus compatriotas.

—De acuerdo —asintió el hombre llamado Harry—. Sabes, chico, hoy te salvaste por un pelo, en el mercado. Teóricamente, hace muchos años que se abandonó la práctica oficial del Sher, o sea la antigua ley religiosa islámica, en virtud de la cual se amputa la mano a los ladrones. En verdad, según el Código Penal otomano es un delito infligir ese castigo. Sin embargo, lo cierto es que estos bárbaros siguen aplicándolo.

—Se encogió de hombros.

—¿Por qué no en mi caso? —preguntó Wladek, tomándose la muñeca.

—Les dije que podían cortar todas las manos de musulmanes que se les antojara, pero no la de un inglés —explicó Edward Prendergast.

—Gracias a Dios —murmuró Wladek débilmente.

—A Edward Prendergast, en verdad —respondió el segundo cónsul, sonriendo por primera vez. Después continuó—: Puedes pasar la noche aquí, y mañana te llevaremos a tu propia legación. Los polacos no tienen una embajada en Constantinopla —añadió, con tono de ligero desdén—, pero mi colega es un buen tipo, si se piensa que es extranjero. —Pulsó un botón y el cabo reapareció inmediatamente.

—Sí, señor.

—Cabo, lleve al joven Koskiewicz a su habitación, y ocúpese de que por la mañana le sirvan el desayuno y lo traigan a mi despacho a las nueve en punto.

—Sí, señor. Por aquí, muchacho, a paso ligero.

El cabo se llevó consigo a Wladek. Ni siquiera le dio tiempo para dar las gracias a los dos ingleses que le habían salvado la mano... y quizá la vida. De vuelta en la habitación pequeña y limpia, con su aseada camita pulcramente abierta como si él fuera un huésped de honor, Wladek se desvistió, arrojó la almohada al suelo y durmió como un tronco hasta que la luz de la mañana entró por la ventanita.

—Arriba, muchacho. Ya es la hora.

Era el cabo, con el uniforme impecable y bien planchado, como si nunca se hubiera acostado. Por un instante, al aflorar del sueño, Wladek pensó que estaba de nuevo en el campo 201, pues los golpes que el cabo daba con su vara en los pies de la cama producían un ruido semejante a aquel al que tanto se había acostumbrado. Saltó del lecho y cogió sus ropas.

—Lávate antes, muchacho, lávate antes. No hay por qué fastidiar al señor Prendergast tan temprano con tus espantosos olores, ¿verdad?

Wladek se sentía tan inusitadamente limpio que no sabía qué parte de su cuerpo debía lavar. El cabo lo miraba.

—¿Qué tienes en la pierna, muchacho?

—Nada, nada —respondió Wladek, y se volvió a medias para·eludir la mirada inquisitiva.

—Correcto. Volveré dentro de tres minutos. Tres minutos, ¿me oyes, muchacho? Debes estar preparado para entonces.

Wladek se lavó rápidamente las manos y la cara y después se vistió. Cuando el cabo regresó para llevarlo al despacho del segundo cónsul, Wladek lo esperaba al pie de la cama, vestido con su largo abrigo de piel de oso. El señor Prendergast le dio la bienvenida y parecía haberse ablandado no poco desde el primer encuentro.

—Buenos días, Koskiewicz.

—Buenos días, señor.

—¿Te ha gustado el desayuno?

—No lo he tomado, señor.

—¿Por qué? —preguntó el segundo cónsul, mirando al cabo.

—Me temo que se quedó dormido, señor. Habría llegado tarde a la entrevista.

—Bueno, veremos qué solución le encontramos. Cabo, ¿quiere pedirle a la señora Henderson que trate de conseguir una manzana o algo parecido?

—Sí, señor.

Wladek y el segundo cónsul caminaron lentamente por el corredor hasta la puerta de entrada de la embajada, y atravesaron el patio de grava hasta el coche que aguardaba, un Austin, uno de los pocos vehículos de motor que había en Turquía. Ése sería el primer viaje en auto de Wladek. Le apenaba dejar la embajada británica, el primer lugar donde se había sentido seguro en muchos años. Se preguntó si alguna vez en lo que le quedaba de vida volvería a dormir más de una noche en la misma cama. El cabo corrió escaleras abajo y ocupó el asiento del conductor. Le pasó a Wladek una manzana y unas rebanadas de pan fresco y tibio.

—Cuida que no queden migas en el coche, muchacho. La cocinera te envía sus parabienes.

El viaje por las calles calurosas y ajetreadas tuvieron que hacerlo a paso de hombre, porque los turcos no creían que algo pudiera marchar más deprisa que un camello y no se molestaban en abrir camino al pequeño Austin. Incluso con todas las ventanillas abiertas Wladek sudaba por efecto del calor bochornoso, mientras el señor Prendergast se mantenía fresco e impasible. Wladek se acurrucó en la parte trasera del auto porque temía que alguien que hubiese presenciado los acontecimientos del día anterior lo reconociera y avivase nuevamente la cólera de la turba. Cuando el diminuto Austin negro se detuvo frente a un pequeño edificio ruinoso identificado como «Konsulat Polski», Wladek experimentó un estremecimiento de excitación mezclada con desencanto.

Los tres viajeros se apearon.

—¿Qué has hecho con el corazón de la manzana, muchacho? —preguntó el cabo.

—Me lo comí.

El cabo se rió y golpeó la puerta. Un hombrecillo de talante afectuoso, con cabello negro y una mandíbula robusta, les abrió la puerta. Estaba en mangas de camisa y muy bronceado, obviamente por el sol turco. Les habló en polaco. Sus palabras fueron las primeras que Wladek oía pronunciar en su lengua nativa desde que había huido del campo de trabajo. Wladek contestó sin vacilar, explicando su presencia. Su compatriota se volvió hacia el segundo cónsul británico.

—Por aquí, señor Prendergast —dijo en perfecto inglés—. Le agradezco que haya traído personalmente al chico.

Intercambiaron unas pocas cortesías diplomáticas antes de que Prendergast y el cabo se despidieran. Wladek los miró fijamente, buscando una expresión inglesa más apropiada que «Gracias». Prendergast palmeó la cabeza de Wladek como si éste fuera un cocker spaniel. El cabo cerró la puerta y le hizo un guiño al chico.

—Buena suerte, muchacho. Dios sabe que la mereces.

El cónsul polaco se presentó a Wladek como Pawel Zaleski. Wladek debió narrar otra vez la historia de su vida, lo cual le resultó más fácil en polaco que en inglés. Pawel Zaleski le escuchó en silencio, meneando tristemente la cabeza.

—Pobre criatura —murmuró con tono afligido—. Has soportado los padecimientos de tu patria en mayor medida de lo que te correspondía por tu edad. ¿Y qué haremos ahora contigo?

—Debo regresar a Polonia y reclamar mi castillo —afirmó Wladek.

—Polonia —repitió Pawel Zaleski—. ¿Dónde está eso? La zona donde vivías sigue en litigio y se libran encarnizados combates entre los polacos y los rusos. El general Pilsudski hace todo lo que puede por salvaguardar la integridad territorial de nuestra patria. Pero cometeríamos una tontería si fuéramos optimistas. Es poco lo que queda para ti en Polonia. No, lo mejor será que inicies una nueva vida en Inglaterra o América.

—Pero no quiero ir a Inglaterra o América. Soy polaco.

—Siempre lo serás, Wladek. Nadie podrá hacerte perder esa condición, cualquiera que sea el lugar donde resuelvas asentarte, pero debes ser realista en tu vida... que aún ni siquiera ha comenzado.

Wladek bajó la cabeza, desesperado. ¿Había pasado tantas tribulaciones sólo para que le dijeran que nunca podría volver a su país natal? Se tragó las lágrimas.

Pawel Zaleski le rodeó los hombros con el brazo.

—Nunca olvides que tú has sido uno de los afortunados que huyeron y salieron del holocausto con vida. Bastará que recuerdes a tu amigo, el doctor Dubien, para que comprendas lo que podría haber sido tu existencia.

Wladek no contestó.

—Ahora debes dejar atrás todos tus recuerdos del pasado, para pensar sólo en el futuro, Wladek, y quizás en el curso de tu vida asistirás al resurgimiento de Polonia. Lo cual es más de lo que yo me atrevo a esperar.

Wladek continuó callado.

—Bueno, no es necesario que tomes una decisión inmediata —dijo el cónsul afablemente—. Podrás quedarte aquí durante todo el tiempo que te haga falta para resolver acerca de tu futuro.

10

EL FUTURO ERA ALGO QUE INQUIETABA A ANNE. Los primeros meses de su matrimonio fueron felices, y sólo se vieron turbados por la ansiedad que le producía la creciente antipatía que William le demostraba a Henry y la aparente ineptitud de su nuevo marido para ponerse a trabajar. Henry era un poco quisquilloso al respecto, y le explicaba a Anne que todavía estaba desorientado por los efectos de la guerra y que no quería dedicarse precipitadamente a una actividad que probablemente debería seguir desarrollando durante el resto de su vida. A ella le resultaba difícil tragar semejante pretexto y finalmente ésa fue la causa de su primer altercado.

—No entiendo por qué no has montado aquella agencia inmobiliaria que te entusiasmaba tanto, Henry.

—No puedo. No es el momento oportuno. En estos momentos el mercado de propiedades no parece muy promisorio.

—Hace ya casi un año que repites lo mismo. Me pregunto si llegará el día en que te parecerá lo bastante promisorio.

—Claro que llegará. En verdad, necesito un poco más de capital para instalarme. Si tú me prestaras una parte de tu dinero, podría poner manos a la obra mañana mismo.

147

—Eso no es posible, Henry. Ya conoces los términos del testamento de Richard. El día que nos casamos dejé de recibir mi pensión, y ahora sólo me queda el capital.

—Me bastaría una mínima parte de éste para montar el negocio, y no olvides que tu preciosa criatura tiene depositados más de veinte millones en el fideicomiso de la familia.

—Pareces saber mucho acerca del fideicomiso de William —contestó Anne con recelo.

—Oh, vamos, Anne, concédeme la oportunidad de ser tu marido. No me hagas sentir como un huésped en mi propio hogar.

—¿Qué has hecho con tu patrimonio, Henry? Siempre me has dado a entender que disponías de suficiente dinero para instalarte por tu cuenta.

—Y tú has sabido siempre que yo no estaba a la altura de Richard, desde el punto de vista económico. Hubo una época, Anne, en que afirmabas que eso no importaba. «Me casaría contigo, Henry, aunque no tuvieses un céntimo» —la parodió.

Anne prorrumpió en llanto y Henry trató de consolarla. Ella pasó el resto de la tarde en sus brazos, analizando el problema. Al fin se convenció de que era una mala esposa y una tacaña. Tenía más dinero del que necesitaba: ¿no podía confiarle una mínima parte al hombre al que estaba dispuesta a confiarle el resto de su vida?

Guiada por esos pensamientos accedió a cederle cien mil dólares a Henry para que montara su propia agencia inmobiliaria en Boston. Al cabo de un mes Henry había encontrado un lujoso despacho nuevo en un barrio opulento de la ciudad, había encontrado personal y se había puesto a trabajar. No tardó en codearse con todos los políticos y agentes inmobiliarios de Boston. Hablaban del auge de las tierras para cultivos y halagaban a Henry. A Anne no le interesaba frecuentar ese medio, pero Henry era feliz y parecía tener éxito en sus actividades.

148

William, que ahora tenía catorce años, estaba en el tercer año de St. Paul's, era el sexto de su clase en el conjunto de todas las materias y el primero en matemáticas. También se había convertido en una figura destacada de la Sociedad de Debates. Le escribía una vez por semana a su madre, para comunicarle sus progresos, y siempre dirigía las cartas a nombre de la esposa de Richard Kane, negándose a reconocer tan siquiera la existencia de Henry Osborne. Anne se preguntaba si debía decírselo a su marido, y todos los lunes extraía con sigilo la carta de William del buzón para evitar que Henry viera el sobre. Seguía esperando que con el tiempo William terminara por simpatizar con Henry, pero se convenció de que esta ilusión era utópica cuando, en una carta específica a su madre, le solicitó autorización para pasar las vacaciones de verano con su amigo Matthews Lester. Tal petición fue un duro golpe para Anne, pero ésta optó por la solución más fácil y aprobó los planes de William, que también parecieron satisfacer a Henry.

William odiaba a Henry Osborne y cultivaba vehementemente ese odio, sin saber de qué manera lo llevaría a la práctica. Lo tranquilizaba que Henry nunca lo visitara en la escuela: no habría podido tolerar que los otros chicos vieran a su madre en compañía de ese hombre. Ya era bastante infortunado que tuviera que convivir con él en Boston.

Por primera vez desde la boda de su madre, William esperaba ansiosamente las vacaciones.

El Packard con chófer de los Lester transportó silenciosamente a William y Matthew hasta el campamento de verano situado en Vermont. En el trayecto, Matthew le preguntó a William qué se proponía hacer cuando llegara la hora de dejar St. Paul's.

149

—Cuando me vaya seré el primero del curso, el Presidente de la Clase, y habré ganado la Beca de Matemáticas Hamilton Memorial para concurrir a Harvard —respondió William sin titubear.

—¿Por qué te importa tanto todo eso? —preguntó Matthew inocentemente.

—Porque mi padre alcanzó esos tres objetivos.

—Cuando hayas terminado de vencer a tu padre, te presentaré al mío.

William sonrió.

Los dos chicos disfrutaron de cuatro semanas de actividad y diversión en Vermont, practicando todos los juegos, desde el ajedrez hasta el fútbol norteamericano. Cuando terminó ese período viajaron a Nueva York para pasar el último mes de vacaciones con la familia Lester. En la puerta los recibió un mayordomo que trataba a Matthew de «señor», y una chiquilla pecosa de doce años que lo llamaba Fatty, «gordito». Esto provocó la hilaridad de William porque su amigo era muy delgado y la rolliza era ella. La chiquilla sonrió y mostró sus dientes casi totalmente ocultos detrás de un aparato de ortodoncia.

—Nunca creerías que Susan es mi hermana, ¿verdad? —preguntó Matthew con desdén.

—No, supongo que no —respondió William, sonriéndole a Susan—. Es mucho más bella que tú.

A partir de ese momento Susan adoró a William.

William también adoró al padre de Matthew desde que lo conoció. Le recordaba en muchos sentidos al suyo, y le rogó a Charles Lester que le mostrara el gran banco del cual era presidente. Charles Lester analizó minuciosamente tal petición. Hasta entonces nunca había dejado entrar a un niño en los ordenados recintos de 17, Broad Street. Ni siquiera a su propio hijo. Llegó a una transacción, como lo hacen a menudo los banqueros, y un domingo por la tarde paseó al chico por el edificio de Wall Street.

A William lo fascinó ver las distintas oficinas, las bóvedas, la sala de cambio de moneda extranjera, la sala de juntas y el despacho del presidente. Comparado con el Kane and Cabot, el banco de Lester era considerablemente más vasto y, merced a su pequeña cuenta personal de inversiones, que lo hacía acreedor a un ejemplar del balance general del año, William sabía que su capital era mucho mayor que el del Kane and Cabot. Cuando los condujeron de vuelta a casa en el auto, William permaneció callado y pensativo.

—Bueno, William, ¿te gustó la visita a mi banco? —le preguntó Charles Lester cordialmente.

—Oh, sí, señor —contestó William—. He disfrutado mucho. —Hizo una pausa y después agregó—: Me propongo ser presidente de su banco algún día, señor Lester.

Charles Lester rió, y a la hora de la cena relató el efecto que el Lester and Co. le había producido al joven William Kane, lo cual también hizo reír a quienes lo escuchaban.

Pero William no lo había dicho en son de broma.

Anne se horrorizó cuando Henry fue a pedirle más dinero.

—Es una operación tan sólida como una casa —afirmó su marido—. Pregúntaselo a Alan Lloyd. En su condición de presidente del banco él no puede descuidar tus intereses.

—¿Pero doscientos cincuenta mil dólares? —insistió Anne.

—Es una oportunidad estupenda, cariño. Considéralo como una inversión que se duplicará en dos años.

Después de otra reyerta más prolongada, Anne volvió a capitular y la vida retomó su plácido cauce de rutina. Cuando Anne verificó su cartera de inversiones en el banco, descubrió que sólo le quedaban ciento cincuenta mil dólares, pero Henry parecía estar tratando con las personas apropiadas al mismo tiempo que concertaba los mejores negocios. Contempló la posibilidad de discutir el problema con Alan Lloyd, del Kane and Cabot, pero al fin desechó la idea. Eso hubiera sido tanto como demostrar que desconfiaba del marido para el que reclamaba el respeto de los demás, y ciertamente Henry no habría hecho esa sugerencia si no hubiera estado seguro de que el préstamo contaría con la aprobación de Alan.

Anne también empezó a visitar nuevamente al doctor MacKenzie para averiguar si le quedaba alguna esperanza de tener otro hijo, pero él siguió disuadiéndola de ello. Dada la hipertensión que había provocado su anterior aborto espontáneo, Andrew MacKenzie no consideraba que los treinta y cinco años fueran una buena edad para que Anne planeara repetir la experiencia de la maternidad. Anne abordó el tema con las abuelas, pero éstas coincidieron plenamente con el buen médico. Ninguna de ellas le tenía mucha simpatía a Henry, y las entusiasmaba aún menos la idea de que un vástago suyo reclamara parte de la fortuna de la familia Kane después de que ellas hubieran muerto. Anne empezó a resignarse al hecho de que William sería su único hijo. Henry reaccionó coléricamente contra lo que calificó como la traición de Anne, y le dijo que si Richard hubiera vivido ella habría repetido la tentativa. Cuán diferentes eran los dos hombres, pensó Anne, y no pudo explicarse por qué los había amado a los dos. Intentó apaciguar a Henry, rogando al cielo que sus negocios se vieran coronados por el éxito y lo tuvieran constantemente ocupado. Desde luego, Henry había tomado la costumbre de trabajar en el despacho hasta muy tarde.

Fue un lunes de octubre, después del fin de semana en el que habían celebrado el segundo aniversario de su boda, cuando Anne empezó a recibir las cartas de su «amigo» anónimo, quien le informaba que a Henry se lo veía acompañando a otras mujeres por Boston, y a una dama en particular que el corresponsal no deseaba nombrar. Anne quemó inmediatamente las primeras cartas, y aunque éstas la inquietaban nunca discutió con Henry las afirmaciones que en ellas se vertían, limitándose a rezar para que cada una de ellas fuera la última. Ni siquiera pudo reunir el valor necesario para tocar el tema con Henry cuando éste le pidió los últimos ciento cincuenta mil dólares.

—Si no dispongo en seguida de ese capital perderé toda la inversión, Anne.

—Pero es todo lo que tengo, Henry. Si te doy esa suma no me quedará nada.

—Esta casa debe de valer más de doscientos mil dólares. Podrías hipotecarla mañana.

—La casa le pertenece a William.

—William, William, William. Siempre es William quien obstaculiza mi éxito —vociferó Henry mientras salía precipitadamente.

Volvió después de medianoche, contrito, y le dijo que prefería que ella conservara el dinero mientras él se iba a la bancarrota, porque por lo menos así se tendrían el uno al otro. Anne se sintió reconfortada por sus palabras y después hicieron el amor. A la mañana siguiente ella le firmó un cheque por ciento cincuenta mil dólares, y procuró olvidar que a partir de ese momento se quedaría sin un céntimo hasta que Henry triunfara en el negocio en el que se había embarcado. No pudo dejar de preguntarse si era por una coincidencia, o por algo más, que Henry le había pedido el remanente exacto de su herencia.

Al mes siguiente Anne no tuvo el período.

El doctor MacKenzie estaba muy alarmado, pero trató de ocultarlo. Las abuelas estaban horrorizadas, y lo demostraron. En cambio Henry quedó encantado y le juró que eso era lo más maravilloso que le había sucedido en toda su vida, e incluso accedió a construir el nuevo pabellón de pediatría para el hospital, que Richard había planeado antes de morir.

Cuando William recibió la noticia en una carta de su madre, pasó toda la tarde cavilando, sin decidirse a contarle ni siquiera a Matthew qué era lo que lo preocupaba. El sábado siguiente por la mañana, después de obtener un permiso especial de su jefe de grupo, el Gruñón Raglan, tomó el tren rumbo a Boston y al llegar retiró cien dólares de su cuenta de ahorro. A continuación se dirigió al bufete de Cohen, Cohen y Yablons, en Jefferson Street. Thomas Cohen, el socio más antiguo de la firma, un hombre alto y anguloso de carrillos oscuros, quedó bastante sorprendido cuando vio entrar a William en su despacho.

—Ésta es la primera vez que un joven de dieciséis años contrata mis servicios —manifestó para empezar el señor Cohen—. Será una novedad para mí... —vaciló—, señor Kane. —Comprobó que no le resultaba fácil pronunciar el «señor Kane»—. Sobre todo porque su padre... ¿cómo diré?... no se destacaba precisamente por tenerles mucha simpatía a mis correligionarios.

—Mi padre —respondió William—, era un gran admirador de los logros de la raza hebrea, y sobre todo le tenía un respeto considerable a su firma cuando ésta actuaba en representación de sus rivales. Le oí mencionar su nombre en varias oportunidades. Por eso le he elegido a usted, señor Cohen, y no usted a mí. Esto debería darle suficientes garantías.

El señor Cohen desechó la circunstancia de que William tenía apenas dieciséis años.

—Por supuesto, por supuesto. Pienso que puedo hacer una excepción en el caso del hijo de Richard Kane. Bueno, ¿en qué podemos servirle?

—Deseo que conteste las tres preguntas que le formularé, señor Cohen. En primer término, quiero saber si en caso de que mi madre, la esposa de Henry Osborne, dé a luz una criatura, ya sea varón o mujer, dicha criatura tendrá derechos legales sobre el fideicomiso de la familia Kane. En segundo término, ¿yo tengo alguna obligación legal respecto al señor Henry Osborne por el hecho de que esté casado con mi madre? Y en tercer término, ¿a qué edad puedo exigir que el señor Henry Osborne abandone mi casa en Louisbourg Square, en Boston?

La pluma de ganso de Thomas Cohen se deslizaba febrilmente sobre la hoja de papel que tenía frente a él, rociando salpicaduras azules sobre un escritorio ya manchado de tinta.

William depositó cien dólares sobre la mesa. El abogado los miró atónito pero recogió los billetes y los contó.

—Utilice el dinero con buen tino, señor Cohen. Necesitaré un buen abogado cuando me gradúe en Harvard.

—¿Ya lo han aceptado en Harvard, señor Kane? Lo felicito. Espero que mi hijo también pueda estudiar allí.

—No, aún no me han aceptado. Eso será dentro de dos años. Volveré a Boston dentro de una semana, señor Cohen. Si alguna vez en mi vida oigo hablar de este tema a alguien que no sea usted, podrá dar por terminadas nuestras relaciones. Buenos días, señor.

Thomas Cohen también habría dicho «buenos días» si hubiera podido articular las palabras antes de que William cerrase la puerta a sus espaldas.

Siete días más tarde, William volvió a presentarse en las oficinas de Cohen, Cohen y Yablons.

—Ah, señor Kane —exclamó Thomas Cohen—. Qué placer verlo nuevamente. ¿Quiere un café?

—No, gracias.

—¿Quiere que haga pedir una Coca-Cola?

El rostro de William se mantuvo impasible.

—Al grano, al grano —murmuró el señor Cohen, un poco avergonzado—. Hemos hecho algunas averiguaciones para servirle, señor Kane, y una respetabilísima agencia de investigadores privados nos ayudó a elucidar aquellos problemas que usted nos planteó y que no eran de naturaleza puramente académica. Creo que no puedo decir sin riesgo de equivocarme que tenemos la respuesta a todas sus preguntas. Usted quería saber si los hijos concebidos por el señor Osborne con su madre, en caso de que los hubiera, tendrían derechos sobre la fortuna de los Kane, o en particular sobre el fideicomiso que

155

su padre le legó a usted. La respuesta escueta es negativa, pero por supuesto la señora Osborne podría legarle a quien se le antojara una parte de los quinientos mil dólares que ella heredó del señor Richard Kane.

El señor Cohen levantó la vista.

—Sin embargo, tal vez le interese saber, señor Kane, que su madre ha retirado durante los últimos dieciocho meses, de su cuenta particular del Kane and Cabot, hasta el último céntimo de esos quinientos mil dólares, aunque no hemos podido determinar el destino que le dio al dinero. Es posible que haya decidido depositar la suma en otro banco.

William pareció afectado por la noticia, y ése fue el primer síntoma de pérdida de su autocontrol que observó Thomas Cohen.

—No tenía ningún motivo para proceder así —comentó William—. El dinero sólo puede haber ido a manos de una persona.

El abogado permaneció mudo, esperando oír algo más, pero William se serenó y no agregó nada, de modo que su interlocutor prosiguió:

—La respuesta a su segunda pregunta es que usted no tiene absolutamente ninguna obligación personal o legal respecto al señor Henry Osborne. Según lo estipula el testamento de su padre, su madre será la albacea del patrimonio junto con el señor Alan Lloyd y la esposa de John Preston, sus padrinos supérstites, hasta que usted cumpla veintiún años.

Thomas Cohen volvió a levantar la vista. El semblante de William no tenía ninguna expresión. Cohen ya había aprendido qué significaba eso: debía continuar.

—Y en tercer lugar, señor Kane, usted no podrá hacer que el señor Osborne abandone Beacon Hill mientras él siga casado con su madre y viva con ella. Usted recuperará la propiedad por derecho natural cuando ella muera. Si él aún viviera en ese momento, usted podría ordenarle que se fuera. Creo que le he contestado todas las preguntas, señor Kane.

156

—Gracias, señor Cohen —dijo William—. Le agradezco su diligencia y discreción. ¿Puedo saber cuáles son sus honorarios profesionales?

—Cien dólares no bastan para compensar nuestro trabajo, señor Kane, pero tenemos fe en su futuro y...

—No quiero tener deudas con nadie, señor Cohen. Debe tratar conmigo como si fuera una persona a la que nunca volverá a ver. Con ese criterio, ¿cuánto le debo?

Thomas Cohen reflexionó un momento.

—En esas circunstancias le habríamos cobrado doscientos veinte dólares, señor Kane.

William sacó del bolsillo interior seis billetes de veinte dólares y se los entregó a Cohen. Esta vez el abogado no los contó.

—Le agradezco su ayuda, señor Cohen. Estoy seguro de que volveremos a encontrarnos. Buenos días, señor.

—Buenos días, señor Kane. Permítame decir que nunca tuve el privilegio de conocer a su distinguido padre, pero después de haber tratado con usted lamento que no se me presentara esa oportunidad.

William sonrió y se ablandó.

—Gracias, señor.

Los preparativos para la llegada del nuevo hijo mantuvieron muy preocupada a Anne. Se cansaba con facilidad y reposaba mucho. Cada vez que le preguntaba a Henry cómo marchaban los negocios, él tenía a mano una respuesta plausible, que bastaba para confirmarle que todo estaba en orden sin suministrar detalles concretos.

Hasta que una mañana empezaron a llegar nuevamente las cartas anónimas. Ahora daban más datos: los nombres de las mujeres implicadas y los lugares donde se las podía ver con Henry. Anne las quemaba aun antes de poder fijar en su memoria esos nombres o lugares. No quería creer que su marido

157

podía serle infiel mientras ella llevaba su hijo en las entrañas. Alguien estaba celoso y le tenía inquina a Henry, y ese hombre o mujer debía mentir.

Las cartas siguieron llegando, a veces con nuevos nombres. Anne las destruyó, aunque ahora no podía dejar de darle vueltas en la cabeza al asunto. Quería discutir el problema con alguien, pero no sabía en quién confiar. Las abuelas habrían quedado espantadas y, de todos modos, ya alimentaban prejuicios contra Henry. Era imposible pretender que Alan Lloyd, del banco, la entendiera, porque nunca se había casado, y William era demasiado joven. Nadie parecía apropiado. Anne contempló la posibilidad de consultar a un psiquiatra, después de haber escuchado una conferencia de Sigmund Freud, pero un Lowell jamás podía discutir un problema familiar con un perfecto desconocido.

La solución le llegó por una vía para la cual ni siquiera Anne estaba preparada. Un lunes por la mañana recibió tres cartas. La habitual de William, dirigida a la esposa de Richard Kane, en la que le preguntaba si podía volver a pasar sus vacaciones de verano en Nueva York, con su amigo Matthew Lester. Otra carta anónima que le atribuía a Henry un amorío con... con... Milly Preston. Y la tercera de Alan Lloyd, en su condición de presidente del banco, en la que le preguntaba si podía tener la gentileza de telefonearle y concertar una cita con él. Anne se sentó pesadamente, sin aliento y descompuesta, y se forzó a releer las tres cartas. La de William la lastimó por su desapego. Aborrecía la idea de que él prefiriera pasar sus vacaciones con Matthew Lester. Desde la boda de ella con Henry se habían distanciado cada vez más. La carta anónima donde le sugerían que Henry tenía un amorío con su amiga más íntima no podía apartarla de su mente. Anne recordaba que había sido Milly quien le había presentado a Henry, y que ella era la madrina de William. La tercera carta, de Alan Lloyd, le produjo aún más aprensión, quién sabe por qué. La única carta de Alan que había recibido anteriormente había sido aquella en la que le expresaba su condolencia por la muerte de Richard. Temía que ésta otra sólo augurara más noticias infaustas.

Llamó al banco. La telefonista la comunicó inmediatamente.

—Alan, ¿deseabas verme?

—Sí, querida. Me gustaría conversar en algún momento contigo. ¿Cuándo podríamos hacerlo?

—¿Son malas noticias? —inquirió Anne.

—No precisamente, pero prefiero no hablar de esto por teléfono. Desde luego, no se trata de nada que deba preocuparte. ¿Estás libre a la hora del almuerzo, por casualidad?

—Sí, Alan.

—Bueno, nos encontraremos en el Ritz a la una. Tendré mucho gusto en verte, Anne.

La una, dentro de sólo tres horas. Su mente saltó de Alan a William y de éste a Henry, pero se detuvo en Milly Preston. ¿Podía ser verdad? Anne resolvió darse un largo baño caliente y ponerse un vestido nuevo. Fue inútil. Se sentía abotargada, y además lo estaba. Sus tobillos y sus pantorrillas, que siempre habían sido tan elegantes y esbeltos, empezaban a cubrirse de manchas y a hincharse. Era un poco alarmante pensar que eso podría agravarse antes de que naciera la criatura. Suspiró para sus adentros delante del espejo e hizo todo lo posible por mejorar su aspecto exterior.

—Te encuentro muy bella, Anne. Si no fuera un viejo solterón que ya no está en edad para eso, flirtearía desvergonzadamente contigo —comentó el banquero de cabellos plateados, mientras la recibía con sendos besos en las mejillas, como si fuera un general francés.

La guió hasta su mesa. La tradición tácita estipulaba que el presidente del Kane and Cabot ocupaba siempre la mesa del rincón, cuando no almorzaba en el banco. Ése había sido

159

el hábito de Richard y ahora lo era también de Alan Lloyd. Era la primera vez que Anne se sentaba a esa mesa.

Los camareros revoloteaban en torno de ellos como estorninos, y parecían saber exactamente cuándo debían desaparecer y volver a presentarse sin interrumpir una conversación privada.

—¿Para cuándo esperas al niño, Anne?

—Oh, no antes de tres meses.

—Espero que no haya complicaciones. Creo recordar...

—Bueno —confesó Anne—, el médico me examina una vez por semana y pone cara larga cuando me toma la tensión sanguínea, pero yo no me preocupo demasiado.

—Me alegro mucho, querida —dijo él, y le tocó delicadamente la mano, como podría haberlo hecho su tío—. Te noto un poco cansada. Espero que no exageres.

Alan Lloyd alzó ligeramente la mano. Un camarero apareció a su lado y ambos encargaron la comida.

—Anne, deseo pedirte un consejo.

Anne captó, dolorosamente, el don de Alan Lloyd para la diplomacia. No almorzaba con ella para pedirle consejo. No le quedaba ninguna duda de que había ido allí para dispensarlo... con toda afabilidad.

—¿Sabes cómo marchan los negocios de Henry?

—No, no lo sé —respondió Anne—. Nunca me inmiscuyo en las actividades comerciales de Henry. Recordarás que tampoco lo hacía en las de Richard. ¿Por qué lo preguntas? ¿Hay algún motivo para preocuparse?

—No, no, ninguno del que tenga noticia el banco. Por el contrario, sabemos que Henry aspira a ganar una importante licitación del Ayuntamiento para construir el nuevo complejo hospitalario. Sólo te lo pregunto porque ha acudido al banco para pedir un crédito de quinientos mil dólares.

Anne quedó atónita.

—Veo que esto te sorprende —continuó Alan—. Ahora bien, sabemos, por tu cartera de acciones, que te queda una reserva de poco menos de veinte mil dólares, en tanto que en tu cuenta personal hay un pequeño descubierto de diecisiete mil dólares.

Anne bajó la cuchara de la sopa, demudada. No sospechaba que tenía un déficit de tanta magnitud. Alan notó su aflicción.

—No es por esto que quería verte, Anne —se apresuró a agregar—. El banco tendrá mucho gusto en perder dinero con tu cuenta personal por el resto de tu vida. William gana más de un millón de dólares por año con los intereses de su fideicomiso, de modo que tu descubierto apenas importa, y lo mismo puedo decirte respecto a los quinientos mil que solicita Henry, si tú le das tu aval como tutora legal de William.

—Ignoraba que tuviera alguna autoridad sobre el dinero del fideicomiso de William —manifestó Anne.

—No la tienes sobre el capital, pero desde el punto de vista legal, los intereses de su fideicomiso se pueden invertir en cualquier proyecto que parezca beneficiar a William, y están bajo el control tuyo, mío y de Milly Preston, en nuestra condición de albaceas, hasta que William cumpla veintiún años. De modo que como presidente del fideicomiso de William puedo prestar esos quinientos mil con tu aval. Milly ya me ha informado que dará gustosamente su aprobación, de modo que tu voto sería el segundo y mi opinión carecería de importancia.

—¿Milly Preston ya ha dado su aprobación, Alan?

—Sí. ¿No lo ha comentado contigo?

Anne tardó un momento en contestar.

—¿Qué opinas *tú*? —preguntó finalmente.

—Bueno, no he visto las cuentas de Henry, porque hace sólo dieciocho meses que estableció su empresa y no opera con nuestro banco, de modo que no sé cuál es la relación entre las salidas y las entradas durante el corriente año ni cuáles son las utilidades que prevé para 1923.

—¿Te das cuenta de que durante los últimos dieciocho me-

161

ses le he dado a Henry quinientos mil dólares de mi propio capital? —inquirió Anne.

—Mi jefe de tesorería me tiene al tanto de todos los desembolsos de grandes sumas de todas las cuentas. No sabía qué destino le dabas a tu dinero, y tampoco era de mi incumbencia, Anne. Richard te dejó ese capital y tú puedes utilizarlo como se te antoje.

»Ahora bien, no es lo mismo cuando están de por medio los intereses del fideicomiso familiar. Si decidieras retirar quinientos mil dólares para invertirlos en la firma de Henry, el banco debería inspeccionar sus libros, porque el dinero pasaría a formar parte de otra inversión para la cartera de William. Richard no nos confió a los albaceas autoridad para hacer préstamos, sino para invertir en representación de William. Ya le he explicado esta situación a Henry, y si aprobáramos la inversión, los albaceas deberíamos resolver qué porcentaje de la compañía de Henry quedaría como garantía de los quinientos mil dólares. Por supuesto, William siempre está enterado de lo que hacemos con los ingresos de su fideicomiso, porque no hay motivos para no acceder a su petición de que el banco le envíe un resumen trimestral del programa de inversiones, como a todos los otros albaceas. Personalmente, estoy seguro de que él tendrá sus propias ideas acerca de esta operación, que conocerá a fondo apenas reciba el próximo informe trimestral.

»Tal vez te hará gracia saber que desde que William cumplió dieciséis años me comunica sus opiniones sobre todas las inversiones que realizamos. Al principio yo las consideraba con el interés pasajero de un tutor benévolo. Últimamente las he estudiado con considerable respeto. Cuando William ocupe su puesto en la junta de dirección del Kane and Cabot es muy posible que este banco le resulte demasiado pequeño.

—Hasta ahora nunca me han pedido consejo sobre el fideicomiso de William —murmuró Anne, abatida.

—Bueno, querida, ves los informes que el banco te envía el

primer día de cada trimestre, y siempre has tenido facultades, en tu condición de albacea, para consultar sobre cualquiera de las inversiones que hemos hecho en represeptación de William.

Alan Lloyd sacó del bolsillo una tira de papel, y permaneció callado hasta que el camarero encargado de los vinos terminó de escanciar el Nuits Saint Georges. Cuando se hubo alejado, Alan prosiguió:

—William tiene más de veintiún millones de dólares invertidos en el banco, al cuatro y medio por ciento, hasta que cumpla veintiún años. Cada trimestre reinvertimos los intereses en valores y acciones. En todo este lapso nunca hemos invertido en una empresa particular. Quizá te sorprenda la noticia, Anne, de que ahora dividimos estas reinversiones en dos mitades: una mitad ateniéndonos a los consejos del banco, y otra mitad de acuerdo con las sugerencias que nos hace llegar William. Actualmente le llevamos un poco de ventaja, con gran satisfacción de Tony Simmons, nuestro director de inversiones, a quien William le prometió un Rolls-Royce por cada año en que pueda superarlo en más del diez por ciento.

—¿Pero de dónde podría sacar William los diez mil dólares necesarios para comprar el Rolls-Royce si perdiera la apuesta... cuando no tiene autorización para tocar los fondos del fideicomiso hasta los veintiún años?

—No sé qué contestar, Anne. Pero sí sé que es demasiado orgulloso para recurrir directamente a nosotros y estoy seguro de que no habría formulado el desafío si no hubiera estado en condiciones de pagar su deuda. ¿No has visto por casualidad, últimamente, su famoso libro mayor?

—¿El que le dieron sus abuelas?

Alan Lloyd hizo un ademán de asentimiento.

—No, no lo he visto desde que se fue a la escuela. Ignoraba que aún existiese.

—Sí, existe —respondió el banquero—, y daría un mes de sueldo por averiguar a cuánto asciende actualmente el haber.

Supongo que sabes que ese dinero lo tiene depositado en el Lester de Nueva York, y no en nuestro banco. El Lester no acepta cuentas particulares de menos de diez mil dólares. También estoy casi seguro de que no harían ninguna excepción, aunque se tratara del hijo de Richard Kane.

—El hijo de Richard Kane —repitió Anne.

—Lo siento, no pretendía ser grosero, Anne.

—No, no, no hay niguna duda de que es el hijo de Richard Kane. ¿Sabes que nunca me ha pedido un céntimo desde que cumplió doce años? —Hizo una pausa—. Tengo la obligación de advertirte, Alan, que no aceptará de buen grado la noticia de que debe invertir quinientos mil dólares de su fideicomiso en la empresa de Henry.

—¿No congenian? —preguntó Alan, arqueando las cejas.

—Me temo que no —contestó Anne.

—Es una pena. Si William se opusiera realmente a la operación, por supuesto, ésta sería más complicada. Aunque no tendrá potestad sobre el fideicomiso hasta que cumpla veintiún años, ya hemos descubierto por nuestros propios medios que ha llegado a consultar a un abogado particular para formularle consultas sobre su situación legal.

—¡Dios mío! —exclamó Anne—. No lo dices en serio.

—Pues sí, muy en serio. Pero no tienes por qué inquietarte. Sinceramente, en el banco quedamos bastante impresionados, y cuando comprendimos quién había ordenado esa investigación suministramos datos que normalmente nos habríamos reservado. Es obvio que por alguna razón personal no quiso abordarnos directamente.

—Santo cielo, ¿cómo será cuando cumpla treinta años?

—Eso dependerá de si tiene o no la suerte de enamorarse de una mujer tan encantadora como tú —respondió Alan—. En ello residió siempre la fuerza de Richard.

—Eres un viejo adulador, Alan. ¿Podemos postergar el problema de los quinientos mil hasta que haya tenido la oportunidad de discutirlo con Henry?

—Por supuesto, querida. Te dije que había venido a buscar consejo. —Alan pidió café y tomó suavemente la mano de Anne en la suya—. Y no dejes de cuidarte, Anne. Tú eres mucho más importante que la suerte de unos pocos miles de dólares.

Cuando Anne volvió a casa después del almuerzo, empezó a preocuparse inmediatamente por las otras dos cartas que había recibido esa mañana. Había algo de lo que estaba segura: después de todo lo que había aprendido acerca de su propio hijo en la conversación con Alan Lloyd, lo mejor sería que cediera dócilmente y que lo dejase pasar las próximas vacaciones con su amigo, Matthew Lester.

La relación entre Henry y Milly planteaba un problema para el que no era posible una solución tan fácil. Se sentó en el sillón de cuero marrón, el predilecto de Richard, mirando por el ventanal hacia un bello macizo de rosas rojas y blancas, sin ver nada, limitándose a cavilar. Anne siempre reflexionaba largamente antes de tomar una decisión, pero una vez que la tomaba, pocas veces se echaba atrás.

Esa tarde Henry volvió a casa más temprano que de costumbre, y ella no pudo dejar de preguntarse el por qué. No tardó en descubrirlo.

—Me he enterado de que hoy almorzaste con Alan Lloyd —comentó, al entrar en la habitación.

—¿Quién te lo contó, Henry?

—Tengo espías en todas partes —respondió él, riendo.

—Sí, Alan me invitó a almorzar. Quería saber si estoy de acuerdo en que el banco invierta en tus negocios quinientos mil dólares del fideicomiso de William.

—¿Y qué contestaste? —preguntó Henry, tratando de disimular su ansiedad.

—Que primero quería discutirlo contigo. Pero, en nombre del cielo, ¿por qué no me advertiste antes que le habías hecho esa propuesta al banco, Henry? Me sentí como una

165

tonta cuando lo oí todo por primera vez de labios de Alan.

—No creía que te interesaran los negocios, cariño, y sólo descubrí fortuitamente que tú, Alan Lloyd y Milly Preston sois todos albaceas, y que cada uno de vosotros dispone de un voto para el manejo de las rentas de la inversión de William.

—¿Cómo te enteraste —inquirió Anne—, cuando ni siquiera yo lo sabía?

—Tú no lees las cláusulas escritas en letra pequeña, cariño. En verdad, yo tampoco las leía, hasta hace poco tiempo. Milly Preston me describió por casualidad los detalles del fideicomiso, y parece que en su condición de madrina ella también es albacea. Fue una sorpresa. Ahora veremos si podemos sacar provecho de esta situación. Milly dice que me apoyará, si estás de acuerdo.

La sola mención del nombre de Milly ofuscó a Anne.

—No creo que debamos tocar el dinero de William —manifestó—. Nunca he pensado en tocar dinero del fideicomiso. Preferiría no tocarlo y dejar que el banco siga reinvirtiendo los intereses como lo ha hecho siempre.

—¿Por qué conformarnos con el programa de inversiones del banco cuando yo tengo tan buenas perspectivas con el contrato del hospital del Ayuntamiento? William ganaría mucho más dinero con mi compañía. Supongo que a Alan le pareció bien la idea.

—No sé con exactitud cuál es su opinión. Fue tan discreto como de costumbre, aunque ciertamente dijo que sería muy bueno ganar el contrato y que tú tienes muchas probabilidades de conseguirlo.

—Exactamente.

—Pero antes de llegar a una conclusión definitiva quiere ver tus libros, y también se preguntó qué suerte corrieron mis quinientos mil dólares.

—Nuestros quinientos mil, cariño, están dando grandes dividendos, como pronto verás. Mañana por la mañana le enviaré los libros a Alan para que pueda inspeccionarlos personalmente. Te aseguro que quedará impresionado.

—Espero que sea así, Henry, en beneficio de nosotros dos —sentenció Anne—. Ahora esperaremos hasta conocer su opinión. Sabes que siempre he confiado mucho en Alan.

—Pero no en mí —comentó Henry.

—Oh, no, Henry, no quise...

—Sólo bromeaba. Supongo que confiarás en tu propio marido.

Anne sintió que las lágrimas que siempre había reprimido delante de Richard empezaban a aflorar. Frente a Henry ni siquiera trató de contenerlas.

—Ojalá pueda. Antes nunca tuve que preocuparme por el dinero, y ahora me faltan fuerzas para hacer frente a tantos problemas. El embarazo siempre me ha hecho sentir cansada y deprimida.

Henry adoptó un talante afable.

—Lo sé, cariño. No quiero que nunca tengas que complicarte la vida con asuntos de negocios. Eso es algo que yo siempre podré manejar. Escucha, ¿por qué no te acuestas temprano, y yo te llevaré la cena en una bandeja? Así tendré tiempo de volver al despacho y recoger los papeles que deberé mostrarle a Alan por la mañana.

Anne aceptó, pero cuando Henry se fue no trató de dormir, a pesar de su extenuación, sino que quedó sentada en la cama leyendo a Sinclair Lewis. Sabía que Henry tardaría aproximadamente quince minutos en llegar al despacho, de modo que esperó veinte y después marcó su número. El teléfono sonó durante casi un minuto.

Anne probó por segunda vez veinte minutos más tarde. Esta vez tampoco atendió nadie. Siguió llamando cada veinte minutos, siempre sin obtener respuesta. El comentario de Henry acerca de la confianza empezó a reverberar en su cabeza con ecos amargos.

Cuando Henry finalmente volvió a casa después de la medianoche, pareció alarmado al encontrar a Anne sentada en la cama. Ella continuaba leyendo a Sinclair Lewis.

—No deberías haberte quedado despierta por mí.

Henry la besó cariñosamente. Anne creyó oler un aroma de perfume... ¿o acaso su suspicacia era exagerada?

—Estuve más tiempo del previsto porque no encontré inmediatamente todos los papeles que querrá inspeccionar Alan. La maldita secretaria se equivocó al clasificarlos.

—Supongo que te habrás sentido muy solo en el despacho, sin ninguna compañía, en mitad de la noche —murmuró Anne.

—Oh, no es tan grave si estás en un trabajo importante —respondió Henry, mientras se metía en la cama y se acomodaba contra la espalda de Anne—. Por lo menos tienes la ventaja de que puedes hacer mucho más cuando el teléfono no te interrumpe constantemente.

Él se durmió en pocos minutos. Anne permaneció despierta, ahora resuelta a poner en práctica el plan que había urdido esa tarde.

A la mañana siguiente, cuando Henry se fue a trabajar después del desayuno —aunque Anne ya no sabía con certeza a dónde iba a trabajar Henry— ella estudió el *Boston Globe* y practicó una pequeña investigación entre los anuncios breves. Después cogió el teléfono y concertó una cita que la llevó a la zona sur de Boston, pocos minutos antes del mediodía. Anne se sintió horrorizada ante la sordidez de los edificios. Nunca había visitado antes ese distrito, y en circunstancias normales habría pasado toda su vida sin enterarse de que existían semejantes lugares.

Una estrecha escalera de madera sembrada de cerillas, colillas y basura marcaba su propio itinerario hasta una puerta con un panel de vidrio esmerilado sobre el cual se leía en grandes letras negras «Glen Ricardo», y abajo «Detective Privado (Matriculado en la Comunidad de Massachusetts)».

Anne golpeó tímidamente.

—Adelante, la puerta está abierta —gritó una voz profunda y ronca.

Anne entró. El hombre sentado detrás del escritorio, con las piernas estiradas sobre la superficie de éste, levantó la vista de lo que podría haber sido una revista picaresca. Cuando vio a Anne la colilla de cigarro casi se le cayó de la boca. Era la primera vez que un abrigo de visón transponía el umbral de su despacho.

—Buenos días —dijo, levantándose apresuradamente—. Me llamo Glen Ricardo. —Se inclinó sobre el escritorio y le ofreció a Anne una mano peluda, amarillenta por efecto de la nicotina. Ella la tomó, felicitándose de usar guantes—. ¿Tiene una cita? —preguntó Ricardo, aunque le importaba poco que la tuviera o no. Siempre estaba disponible para una consulta con un abrigo de visón.

—Sí, la tengo.

—Ah, entonces debe de ser la señora Osborne. ¿Me permite su abrigo?

—Prefiero conservarlo puesto —respondió Anne, que no veía dónde podría haberlo dejado Ricardo, como no fuera en el suelo.

—Por supuesto, por supuesto.

Anne miró furtivamente a Ricardo mientras éste volvía a sentarse en su silla y encendía un nuevo cigarro. No le gustaron el traje de color verde claro, ni la corbata multicolor, ni el cabello untado con una abundante capa de grasa. Lo único que la retuvo en el asiento fue la duda de que en otro lugar pudiera encontrar algo mejor.

—¿Cuál es el problema, pues? —inquirió Ricardo, que ya estaba afilando un lápiz corto con una navaja. Las virutas caían en todas partes menos en la papelera—. ¿Ha extraviado su perro, sus alhajas o a su marido?

—En primer lugar, señor Ricardo, quiero que me garantice su absoluta discreción —manifestó Anne.

—Por supuesto, por supuesto. Eso lo damos por sentado —afirmó Ricardo, sin levantar la vista del lápiz que desaparecía poco a poco.

—Igualmente quiero su palabra.

—Por supuesto, por supuesto.

Anne pensó que si ese hombre repetía una vez más «por supuesto» ella se pondría a gritar. Respiró profundamente.

—He estado recibiendo cartas anónimas que acusan a mi marido de tener amoríos con una amiga mía. Una amiga íntima. Deseo saber quién envía las cartas y si las acusaciones son fundadas.

Anne experimentó una inmensa sensación de alivio ahora que por primera vez había enunciado sus temores en voz alta. Ricardo la miró impasible, como si, en cambio, no fuera la primera vez que él escuchaba semejantes temores. Se pasó la mano por el largo cabello negro que, según notó Anne, hacía juego con el color de sus uñas.

—Correcto —asintió—. Lo del marido será fácil. Identificar al autor de las cartas será mucho más difícil. ¿Las conserva, por supuesto?

—Sólo la última.

Glen Ricardo suspiró y tendió cansadamente la mano por encima del escritorio. Anne sacó con renuencia la carta del bolso y entonces vaciló un momento.

—Sé lo que siente, señora Osborne, pero no puedo ejecutar mi trabajo con una mano atada detrás de la espalda.

—Por supuesto, señor Ricardo. Disculpe.

Anne no podía creer que hubiera dicho «por supuesto».

Ricardo leyó la carta dos o tres veces antes de hablar.

—¿Todas estaban mecanografiadas en este tipo de papel y fueron enviadas en este tipo de sobre?

—Sí, creo que sí —respondió Anne—. Hasta donde yo recuerdo.

—Bueno, cuando llegue la próxima no deje de...

—¿Puede estar tan seguro de que habrá una próxima? —lo interrumpió Anne.

—Por supuesto, de modo que no deje de guardarla. Ahora déme todos los detalles acerca de su marido. ¿Tiene una fotografía?

—Sí. —Volvió a titubear.

—Sólo deseo ver su cara. De nada servirá que pierda mi tiempo siguiendo a otro hombre, ¿no le parece? —comentó Ricardo.

Anne abrió nuevamente el bolso y le pasó una foto de bordes ajados en la que se veía a Henry vestido con uniforme de teniente.

—Es un hombre apuesto el señor Osborne —manifestó el detective—. ¿Cuándo le tomaron esta foto?

—Creo que hace cinco años —murmuró Anne—. Yo no lo conocía cuando estaba en el ejército.

Ricardo interrogó a Anne durante varios minutos acerca de los desplazamientos cotidianos de Henry. A ella le sorprendió descubrir cuán poco sabía en realidad acerca de los hábitos —o el pasado— de Henry.

—No me da muchos elementos para guiarme, señora Osborne, pero haré todo lo posible. Bueno, yo cobro diez dólares diarios más los gastos. Le entregaré un informe escrito una vez por semana. Son dos semanas de honorarios adelantados, por favor. —Volvió a extender la mano sobre el escritorio, esta vez con más decisión.

Anne abrió de nuevo el bolso, sacó dos billetes de cien dólares, flamantes y crujientes, y se los pasó a Ricardo. Éste los estudió atentamente como si no supiera con certeza qué norteamericano ilustre debía estar grabado en ellos. Benjamín Franklin miró impasible a Ricardo, que obviamente no lo veía desde hacía bastante tiempo. El detective le devolvió a Anne sesenta dólares en maltrechos billetes de cinco.

—Así que también trabaja los domingos, señor Ricardo —comentó Anne, complacida con su cálculo mental.

171

—Por supuesto —asintió él—. ¿Podrá usted venir la semana próxima a la misma hora, señora Osborne?

—Por supuesto —dijo Anne, y se fue deprisa para no tener que estrechar la mano del hombre que se hallaba detrás del escritorio.

Cuando William leyó en el informe trimestral del Kane and Cabot que Henry Osborne —Henry Osborne, repitió el nombre en voz alta para convencerse de que se trataba de él— solicitaba quinientos mil dólares para una inversión personal, tuvo un mal día. Por primera vez en sus cuatro años de estudios en St. Paul's quedó el segundo en una prueba de matemáticas. Matthew Lester, que fue el primero, le preguntó si se sentía bien.

Esa tarde, William telefoneó a la casa de Alan Lloyd para hablar con éste. Al presidente del Kane and Cabot no lo sorprendió mucho recibir esa llamada, sobre todo ahora que sabía por Anne que su hijo no congeniaba con Henry.

—Willian, muchacho, ¿cómo estás y cómo marchan las cosas en St. Paul's?

—Por aquí todo está en orden, gracias, señor, pero no es por eso que le telefoneo.

Tanto tacto como un camión Mack en plena embestida, pensó Alan.

—No, tampoco lo supuse —respondió Alan secamente—. ¿Qué puedo hacer por ti?

—Me gustaría encontrarme con usted mañana por la tarde.

—¿El domingo, William?

—Sí. Puesto que es el único día en que puedo salir de la escuela, iré a verlo donde quiera y cuando quiera —William habló como si estuviera haciendo una concesión—. Y en ningún caso mi madre deberá enterarse de que nos hemos entrevistado.

—Bueno, William... —empezó a protestar Alan Lloyd.

El tono de William se hizo más enérgico.

—No necesito recordarle, señor, que la inversión del dinero del fideicomiso en la empresa personal de mi padrastro, si bien no es patentemente ilegal, se podría interpretar sin duda como contraria a la ética.

Alan Lloyd permaneció un momento en silencio, preguntándose si debía tratar de apaciguar al chico por teléfono. El chico. También contempló la posibilidad de regañarlo, pero ya había pasado la oportunidad para proceder así.

—De acuerdo, William. ¿Por qué no vienes a almorzar conmigo en el Hunt Club, digamos a la una?

—Tendré mucho gusto en verlo a esa hora, señor. —La comunicación se cortó con un chasquido seco.

Por lo menos el enfrentamiento se produciría en mi terreno, pensó Alan Lloyd un poco aliviado mientras depositaba el auricular sobre la horquilla, al tiempo que maldecía a Bell por haber inventado ese maldito artefacto.

Alan había elegido el Hunt Club porque no quería que la entrevista fuera demasiado íntima. Lo primero que pidió William cuando llegó a la sede del club fue que le permitieran jugar una partida de golf después del almuerzo.

—Encantado, muchacho —exclamó Alan, y reservó el primer *tee* para las tres.

Le sorprendió que William no discutiera la propuesta de Henry Osborne durante el almuerzo. En cambio, el muchacho habló con desenvoltura sobre las opiniones del presidente Harding acerca de la reforma arancelaria y sobre la incompetencia de Charles G. Dawes como asesor fiscal del presidente. Alan empezó a preguntarse si William no había cambiado de idea y no había renunciado a oponerse al préstamo a Henry Osborne, después de consultarlo con la almohada, a pesar de lo cual había concurrido a la reunión para no retractarse. Bueno, pensó Alan, si el chico lo quiere así, tanto mejor. Lo complacía la perspectiva de pasar una tarde apacible jugando al golf. Después de un buen almuerzo y de una botella casi ínte-

173

gra de vino —William se conformó con un vaso— se cambiaron en los vestuarios y se encaminaron hacia el primer *tee*.

—¿Todavía tiene un buen handicap, señor? —preguntó William.

—Más o menos, muchacho. ¿Por qué?

—¿Le parece bien que juguemos a razón de diez dólares por hoyo?

Alan Lloyd dudó, porque recordó que el golf era uno de los deportes que William practicaba con pericia.

—Sí, de acuerdo.

No dijeron nada en el primer hoyo, que Alan completó con cuatro golpes, en tanto que William necesitó cinco. Alan también ganó cómodamente el segundo y el tercero, y empezó a relajarse un poco, bastante satisfecho consigo mismo. Cuando llegaron al cuarto, estaban a casi un kilómetro de la sede del club. William esperó que Alan levantara el palo.

—De ninguna forma le prestará quinientos mil dólares de mi fideicomiso a una empresa o una persona asociada a Henry Osborne.

Alan erró el tiro y despidió la pelota a uno de los obstáculos. La única ventaja consistió en que esto lo alejó de William, que había hecho un buen saque, y le dio unos pocos minutos para reflexionar sobre lo que haría con el chico y con la pelota. Después de que Alan Lloyd hubo practicado otros tres tiros, se encontraron finalmente en el *green*. Alan concedió el hoyo.

—William, ya sabes que en mi condición de albacea dispongo de uno solo de los tres votos, y también debes de saber que careces de autoridad para intervenir en las decisiones de la junta de albaceas, pues no controlarás personalmente el dinero hasta que cumplas veintiún años. Comprende, además, que no deberíamos discutir este asunto en absoluto.

—Conozco perfectamente las implicaciones legales, señor, pero como las otras dos albaceas se acuestan con Henry Osborne...

Alan Lloyd pareció espantado.

—No me diga que usted es el único vecino de Boston que no sabe que Milly Preston es la amante de mi padrastro.

Alan Lloyd no contestó.

—Quiero estar seguro de que contaré con su voto —continuó William—, y de que usted hará todo lo que esté en sus manos para predisponer a mi madre contra ese préstamo, aunque para ello deba llegar al extremo de contarle la verdad acerca de Milly Preston.

El nuevo saque de Alan salió aún más desviado. William avanzó por el centro de la calle. Alan lanzó la pelota siguiente al interior de un arbusto cuya existencia ni siquiera había notado antes, y blasfemó en voz alta por primera vez en cuarenta y tres años. En aquella ocasión también había recibido una paliza.

—Pides demasiado —manifestó Alan, cuando se reunió con William en el quinto *green*.

—No es nada comparado con lo que haría si no estuviera seguro de contar con su apoyo, señor.

—Creo que tu padre no habría aprobado estas amenazas, William —dijo Alan, mientras veía cómo la pelota de William caía en el hoyo desde una distancia de más de cuatro metros.

—Lo único que no habría aprobado mi padre habría sido la presencia de Osborne —replicó William. Alan Lloyd necesitó practicar dos tiros a un metro veinte del hoyo—. Sea como fuere, señor, usted debe de saber muy bien que mi padre hizo incluir en el testamento un codicilo en virtud del cual el dinero invertido por el fideicomiso es de naturaleza privada, y el beneficiario nunca debe enterarse de que la familia Kane está personalmente implicada. Ésta es una norma que él nunca trasgredió en su vida de banquero. Así siempre podía estar seguro de que no se planteaba un conflicto de intereses entre las inversiones del banco y las del fideicomiso familiar.

—Bueno, obviamente tu madre opina que se puede vulnerar esa norma en provecho de un miembro de la familia.

175

—Henry Osborne no es miembro de mi familia, y cuando yo controle el fideicomiso jamás infringiré esa norma, como no la infringió mi padre.

—Es posible que un día lamentes haber adoptado una actitud tan rígida, William.

—No lo creo, señor.

—Bueno, trata de pensar por un momento en las consecuencias que semejante conducta podría tener para tu madre —añadió Alan.

—Mi madre ya ha perdido quinientos mil dólares de su propio capital, señor. ¿No es bastante para un solo marido? ¿Por qué yo también habría de perder quinientos mil del mío?

—No sabemos si es como tú dices, William. Aún es posible que la inversión dé excelentes utilidades. Todavía no he tenido oportunidad de estudiar minuciosamente los libros de Henry.

William dio un respingo cuando Alan Lloyd llamó Henry a su padrastro.

—Puedo asegurarle, señor, que ha dilapidado casi hasta el último céntimo del patrimonio de mi madre. Para ser exacto, le quedan treinta y tres mil cuatrocientos doce dólares de la suma original. Le sugiero que no preste mucha atención a los libros de Osborne y que investigue más a fondo su historial, sus antecedentes comerciales y la naturaleza de sus socios. Y no hablemos de su afición a jugar... grandes sumas.

Desde el octavo *tee* Alan lanzó la pelota a un estanque que tenían directamente enfrente de ellos, un estanque que incluso los jugadores novatos conseguían eludir. Concedió ese hoyo.

—¿Cómo reuniste esa información acerca de Henry? —preguntó Alan, casi seguro de que había sido por intermedio del bufete de Thomas Cohen.

—Prefiero no decírselo, señor.

Alan no dijo nada. Pensó que le convenía guardarse esa baza en la manga para jugarla en una etapa no muy lejana de la vida de William.

—Si todo lo que afirmas resulta ser cierto, William, desde

luego tendré que aconsejarle a tu madre que no invierta en la firma de Henry, y también tendré el deber de hablar francamente de esto con Henry.

—De acuerdo, señor.

Alan practicó un saque mejor, pero intuyó que no estaba ganando.

—Quizá también le interesará saber —continuó William—, que Osborne no necesita los quinientos mil dólares de mi fideicomiso para conseguir el contrato del hospital sino para saldar una vieja deuda de juego contraída en Chicago. Me parece que no estaba enterado de eso, ¿verdad, señor?

Alan permaneció en silencio. Claro que no estaba enterado. William ganó el hoyo.

Cuando llegaron al decimooctavo, Alan llevaba perdidos ocho, y estaba a punto de completar la peor partida de la que tenía memoria. Le faltaba un tiro de un metro y medio que por lo menos le permitiría repartir el último hoyo con William.

—¿Tienes más bombas reservadas para mí? —inquirió Alan.

—¿Antes o después del saque, señor?

Alan rió y resolvió no dejarse intimidar.

—Antes del saque, William —respondió, apoyándose en su palo.

—Osborne no ganará el contrato del hospital. Los peces gordos piensan que ha estado sobornando a funcionarios de segunda línea del Ayuntamiento. No habrá un escándalo público, pero para evitar posibles repercusiones han eliminado a su empresa de la lista final. El contrato lo ganará Kirkbridge and Carter. Esta última información, señor, es confidencial. Ni siquiera Kirkbridge and Carter lo sabrá hasta dentro de una semana a partir del jueves, de modo que le agradeceré que sea discreto.

Alan erró el tiro. William acertó al hoyo, entonces se acercó al presidente del banco y le estrechó cordialmente la mano.

—Gracias por la partida, señor. Creo que estará de acuerdo en que me debe noventa dólares.

Alan sacó la cartera y le entregó un billete de cien dólares.

—William, es hora de que dejes de llamarme «señor». Mi nombre, como muy bien sabes, es Alan.

—Gracias, Alan. —William le devolvió diez dólares.

Cuando Alan Lloyd llegó al banco el lunes por la mañana le aguardaba más trabajo que el que había previsto antes del fin de semana. Dispuso inmediatamente que cinco jefes de departamento se ocuparan de verificar los asertos de William. Temía saber por anticipado cuáles serían los resultados de sus investigaciones y, dada la posición que ocupaba Anne en el banco, cuidó de que en ninguno de los departamentos supieran qué hacían los otros. Las instrucciones que le dio a cada jefe fueron claras: todos los informes serían estrictamente confidenciales y sólo pasarían por las manos del presidente. El miércoles de esa misma semana tuvo cinco informes preliminares sobre su escritorio. Todos parecían confirmar lo que había dicho William, aunque los cinco jefes pidieron más tiempo para comprobar algunos de los detalles. Alan optó por no inquietar a Anne mientras no tuviera evidencias más concretas. Pensó que lo mejor que podía hacer por el momento era aprovechar una cena fría que servirían los Osborne esa noche para aconsejarle a Anne que no se precipitara a la hora de tomar una decisión respecto del préstamo.

Cuando Alan llegó a casa de los Osborne, lo asustó el rostro extenuado y macilento de Anne, lo cual le predispuso a proceder con más tacto aún. Al fin consiguió abordarla a solas durante muy poco tiempo. Si por lo menos ella no hubiera estado tan próxima a dar a luz, pensó Alan.

Anne se volvió hacia él y le sonrió.

—Has sido muy amable al venir, Alan, cuando debías de estar tan ocupado en el banco.

178

—No podía darme el lujo de no concurrir a una de tus fiestas, querida. Siguen siendo la alegría de Boston.

Anne sonrió.

—Me pregunto si alguna vez dices una inconveniencia.

—Demasiado a menudo. Anne, ¿has tenido tiempo de reflexionar sobre el préstamo? —Procuró adoptar un tono neutro.

—No, me temo que no. He tenido otros problemas que me han llevado de cabeza. ¿Qué impresión has sacado de las cuentas de Henry?

—Buena; pero sólo podemos guiarnos por las cifras de un año, de modo que creo que tendremos que hacerlas controlar por nuestros propios contables. Ésta es la política normal de los bancos cuando se trata de empresas que operan desde hace menos de tres años. Estoy seguro de que Henry entenderá nuestra posición y la aprobará.

—Anne, querida, qué hermosa fiesta —exclamó una voz potente por encima del hombro de Alan. No reconoció la cara. Debía tratarse de uno de los políticos amigos de Henry—. ¿Cómo está la futura madrecita? —prosiguió la voz efusiva.

Alan se escabulló, con la esperanza de haber ganado un poco de tiempo para el banco. En la fiesta había muchos políticos —algunos de ellos del Ayuntamiento e incluso un par del Congreso— lo cual lo llevó a preguntarse si William no estaría equivocado respecto del importante contrato. Aunque tampoco era necesario que el banco investigara ese asunto: la semana siguiente se conocería la decisión oficial del Ayuntamiento. Se despidió de sus anfitriones, retiró su abrigo negro del guardarropas y se fue.

—La semana próxima a esta hora —dijo en voz alta, como si quisiera tranquilizarse mientras caminaba por Chestnut Street en dirección a su propia casa.

Durante la fiesta, Anne se las ingenió para vigilar a Henry cada vez que éste se acercaba a Milly Preston. Ciertamente no vio ningún signo exterior de que hubiese una relación secreta entre ellos. En verdad, Henry pasaba más tiempo con John Preston. Anne empezó a preguntarse si no había juzgado mal a su marido, y contempló la posibilidad de cancelar su entrevista del día siguiente con Glen Ricardo. La fiesta terminó dos horas después de lo previsto: esperaba que eso significara que todos lo habían pasado bien.

—Ha sido una fiesta estupenda, Anne. Gracias por habernos invitado. —Era nuevamente el dueño del vozarrón, que por fin se iba. Anne no recordaba su nombre, pero se trataba de alguien relacionado con el Ayuntamiento. Desapareció por el camino particular.

Anne se tambaleó escaleras arriba, desabrochándose el vestido aun antes de haber llegado a su alcoba, prometiéndose que no organizaría más reuniones antes de dar a luz dentro de diez semanas.

Henry ya se estaba desvistiendo.

—¿Tuviste oportunidad de conversar con Alan, cariño?

—Sí —respondió Anne—. Dijo que los libros están bien, pero que como la compañía sólo puede presentar las cifras de un año él deberá encargar a sus propios contables que practiquen un segundo arqueo. Aparentemente, ésta es la política normal del banco.

—Al diablo la política normal del banco. ¿Acaso no intuyes la presencia de William detrás de todo esto? Él trata de impedir el préstamo, Anne.

—¿Cómo puedes decir eso? Alan no me habló de William.

—¿No, eh? —exclamó Henry, levantando la voz—. ¿No se molestó en mencionar que William almorzó el domingo con él en el club de golf mientras nosotros estábamos solos aquí en casa?

—¿Cómo? No lo creo. William jamás habría venido a Boston sin visitarme. Debes de estar equivocado, Henry.

—Cariño, la mitad de la ciudad estaba allí, y no creo que William haya viajado más de setenta kilómetros sólo para jugar una partida de golf con Alan Lloyd. Escúchame, Anne, necesito ese préstamo o no estaré en condiciones de optar a conseguir la licitación de ese contrato del Ayuntamiento. Algún día no muy lejano tendrás que decidir si confías más en William o en mí. Necesitaré el dinero dentro de una semana, a partir de mañana, o sea dentro de sólo ocho días, porque si no puedo demostrar al Ayuntamiento que dispongo de ese capital me descalificarán. Me descalificarán porque William no aprobó tu casamiento conmigo. Por favor, Anne, ¿le telefonearás mañana a Alan para decirle que haga la transferencia del dinero?

Su voz colérica retumbó en la cabeza de Anne y la hizo sentirse débil y mareada.

—No, mañana no, Henry. ¿No podemos dejarlo para el viernes? Mañana tendré un día muy ajetreado.

Henry se sosegó con un esfuerzo y se acercó a Anne, que estaba desnuda, mirándose en el espejo. Le deslizó la mano sobre el abdomen voluminoso.

—Quiero que este niño tenga tantas oportunidades en la vida como William.

Al día siguiente Anne se dijo un centenar de veces que no iría a ver a Glen Ricardo, pero poco antes de mediodía se encontró haciendo señas a un taxi. Subió la crujiente escalera de madera pensando con aprensión en lo que podría encontrar. Aún tenía tiempo de echarse atrás. Titubeó y después golpeó suavemente la puerta.

—Adelante.

Anne abrió la puerta.

—Ah, señora Osborne. Me alegro de volver a verla. Siéntese, por favor.

Anne se sentó y se miraron.

—Temo no tener buenas noticias —continuó Glen Ricardo, pasándose la mano por el largo cabello negro.

A Anne le dio un vuelco el corazón. Se sintió mal.

—Durante los últimos siete días no hemos visto al señor Osborne en compañía de la señora Preston ni de ninguna otra mujer.

—Pero usted dijo que las noticias no eran buenas —protestó Anne.

—Por supuesto, señora Osborne, yo supuse que usted buscaba motivos que pudieran justificar un divorcio. Generalmente las esposas despechadas no recurren a mí con la esperanza de que pruebe que sus maridos son inocentes.

—No, no —murmuró Anne, muy aliviada—. Ésta es la mejor noticia que he recibido en muchas semanas.

—Estupendo —asintió Ricardo, ligeramente perplejo—. Esperemos que en la segunda semana tampoco descubramos nada.

—Oh, ya puede suspender la investigación, señor Ricardo. Estoy segura de que en la semana próxima no descubrirá nada de interés.

—No creo que eso sea prudente, señora Osborne. Formular un juicio definitivo al cabo de una sola semana de vigilancia sería, cuanto menos, prematuro.

—Está bien, si usted piensa que así podrá probarlo mejor. Pero confío en que la semana próxima no habrá novedades.

—De todos modos —prosiguió Glen Ricardo, chupando un cigarro que a Anne le pareció más grande y menos pestilente que el de la semana anterior—, usted ya me ha pagado los honorarios de dos semanas.

—¿Qué me dice de las cartas? —preguntó Anne, que las había recordado súbitamente—. Supongo que el remitente fue alguien que estaba celoso de los logros de mi marido.

—Bueno, como le expliqué durante nuestra entrevista anterior, señora Osborne, nunca es fácil rastrear al remitente de unas cartas anónimas. Sin embargo, hemos podido localizar la tienda donde esa persona compró el papel y los sobres, porque la marca es poco común, pero por ahora no tengo nada más que informarle al respecto. También es posible que la semana

182

próxima tenga alguna pista. ¿Ha recibido más cartas en los últimos días?

—No.

—Estupendo. Entonces parece que todo se está arreglando. Esperemos, por su bien, que nuestra entrevista de la semana próxima sea la última.

—Sí —contestó Anne alegremente—, esperemos que sea así. ¿Podré pagarle sus gastos el jueves próximo?

—Por supuesto, por supuesto.

Anne casi había olvidado la muletilla, pero esta vez la hizo reír. Mientras la conducían de regreso a su casa resolvió que Henry debería contar con el préstamo de quinientos mil dólares y con la oportunidad de demostrar que William y Alan estaban errados. Aún no se había recuperado de la sorpresa que le había producido el hecho de que William hubiera viajado a Boston sin advertírselo. Quizás Henry tenía razón al afirmar que William conspiraba a espaldas de ellos dos.

Henry se sintió feliz cuando Anne le comunicó esa noche su decisión respecto del préstamo, y a la mañana siguiente él le entregó los documentos legales para que los firmara. Anne no pudo dejar de pensar que debía de tener preparados esos papeles desde hacía tiempo, sobre todo porque Milly Preston ya había estampado su firma... ¿o acaso ésa era otra muestra de su exagerada desconfianza? Desechó la idea y firmó rápidamente.

Cuando Alan Lloyd le telefoneó el lunes siguiente por la mañana, Anne ya tenía preparada la respuesta.

—Anne, déjame aplazar los trámites por lo menos hasta el jueves. Entonces sabremos a quién le han adjudicado el contrato del hospital.

—No, Alan, la decisión no puede esperar. Henry necesita el

dinero ahora. Debe demostrar al Ayuntamiento que cuenta con fondos suficientes para cumplir el contrato, y ya tienes la firma de dos albaceas, de modo que la responsabilidad ha dejado de recaer sobre ti.

—El banco siempre podría garantizar la solvencia de Henry sin llevar a cabo la transferencia del dinero. Estoy seguro de que el Ayuntamiento se conformará con eso. De todas maneras, no he tenido tiempo suficiente para verificar las cuentas de su empresa.

—Pero sí lo has tenido para almorzar con William hace una semana, el domingo, sin comunicármelo.

En el otro extremo de la línea se produjo una pausa momentánea.

—Anne, yo...

—No digas que no tuviste la oportunidad. Viniste a nuestra fiesta el miércoles y entonces podrías habérmelo dicho sin ningún problema. Optaste por no hacerlo, pero en cambio no dejaste de aconsejarme que pospusiera mi decisión sobre el préstamo a Henry.

—Lo lamento, Anne. Entiendo la sensación que te produce esto y el motivo de tu ofuscación, pero te aseguro que tuve razones fundadas para proceder así, créeme. ¿Puedo ir a explicártelo todo?

—No, Alan, no puedes. Se han confabulado tódos ustedes contra mi marido. Ninguno de ustedes quiere darle una oportunidad para que pruebe lo que vale. Bueno, se la daré yo.

Anne colgó el auricular, satisfecha consigo misma, y segura de que con su lealtad a Henry había expiado por completo las dudas que había alimentado inicialmente respecto de él.

Alan Lloyd volvió a llamarla, pero Anne le dio instrucciones a la criada para que le dijera que había salido y estaría fuera todo el día. Cuando Henry regresó esa noche a casa, le regocijó oír cómo había tratado Anne a Alan.

—Todo será para bien, cariño, ya verás. El jueves por la mañana me adjudicarán el contrato, y tú podrás darle a Alan el beso de la reconciliación. De cualquier forma, será mejor que hasta entonces te mantengas apartada de él. Si lo deseas, el jueves festejaremos el éxito con un almuerzo en el Ritz y lo saludaremos desde el otro extremo del salón.

Anne sonrió y accedió. No pudo dejar de recordar que ese día a las doce vería a Ricardo por última vez. Sin embargo, tendría tiempo para estar en el Ritz a la una, y así celebraría dos triunfos al mismo tiempo.

Alan trató en diferentes ocasiones de comunicarse con Anne, pero la doncella siempre tenía una excusa a mano. Como el documento había sido firmado por dos albaceas, él no pudo demorar el pago durante más de veinticuatro horas. El texto era típico de un compromiso legal redactado por Richard Kane: no dejaba escapatoria. Cuando un mensajero especial salió del banco el martes por la tarde con el cheque de quinientos mil dólares, Alan se sentó en su despacho y le escribió a William una larga carta en la que enumeraba las circunstancias que habían culminado con la transferencia del dinero. Sólo silenció las revelaciones no confirmadas que habían surgido en los informes de sus jefes de departamento. Le envió una copia de la carta a cada director del banco, consciente de que aunque se había comportado con el mayor decoro, podría ser acusado de encubrimiento.

William recibió la carta de Alan Lloyd en St. Paul's el jueves por la mañana, mientras desayunaba con Matthew.

El desayuno del jueves por la mañana en Beacon Hill consistió como siempre en huevos con tocino, tostadas calientes, gachas de avena frías, y una jarra de café humeante. Henry estaba tenso y eufórico a un tiempo, y regañó a la criada y bromeó con un funcionario poco importante del municipio que le telefoneó para informarle que el nombre de la empresa a la que le habían adjudicado el contrato del hospital aparecería en el tablero de noticias del Ayuntamiento alrededor de las diez de la mañana. Anne estaba casi ansiosa por celebrar su última entrevista con Glen Ricardo. Hojeaba el *Vogue,* procurando no notar que las manos de Henry, que aferraban el *Boston Globe,* temblaban.

—¿Qué harás esta mañana? —preguntó Henry, buscando tema de conversación.

—Oh, no mucho, antes de nuestro almuerzo de celebración. ¿Podrás construir el pabellón de pediatría en homenaje a Richard? —inquirió a su vez Anne.

—No en homenaje a Richard, cariño. Esto será algo mío, de modo que lo bautizaremos en homenaje a ti: «El Pabellón Anne Osborne» —añadió pomposamente.

—Qué buena idea —asintió Anne, mientras dejaba la revista sobre la mesa—. Pero deberás cuidar que no beba demasiado champán en el almuerzo, porque esta tarde el doctor MacKenzie me someterá a un examen completo, y no creo que apruebe que me embriague sólo nueve semanas antes del parto. ¿Cuándo sabrás con certeza que has conseguido el contrato?

—Ya lo sé —respondió Henry—. El funcionario con el que acabo de hablar tenía una confianza total, pero la noticia la darán oficialmente a las diez.

—Lo primero que deberás hacer entonces, Henry, será telefonearle a Alan y darle la buena nueva. Empiezo a sentir remordimientos por la forma en que lo traté durante la última semana.

—No tienes por qué sentirlos. Él no se molestó en darte cuenta de las actividades de William.

—No, pero más tarde quiso explicarse, Henry, y yo no le di una oportunidad para contar su versión de la historia.

—Está bien, está bien, como quieras. Si eso te hace feliz le telefonearé a las diez y cinco, y después podrás decirle a William que he ganado otro millón para él. —Consultó su reloj—. Será mejor que me vaya. Deséame suerte.

—Pensaba que no la necesitarías —comentó Anne.

—Claro que no, claro que no. Es sólo una frase hecha. Te veré en el Ritz a la una. —La besó en la frente—. Esta noche ya podrás reírte de Alan, de William y de los contratos, y relegar todos esos problemas al pasado, créeme. Adiós, cariño.

—Ojalá sea así, Henry.

Alan Lloyd tenía frente a sí el desayuno intacto. Leía las páginas financieras del *Boston Globe,* y vio un pequeño suelto en la columna de la derecha con la noticia de que a las diez de la mañana el Ayuntamiento anunciaría a qué empresa le habían adjudicado el contrato del hospital, por cinco millones de dólares.

Alan Lloyd ya había resuelto qué medidas tomaría si Henry no conseguía el contrato y si todo lo que William había alegado resultaba ser cierto. Haría exactamente lo que habría hecho Richard en semejante apuro, y sólo procedería en defensa de los mejores intereses del banco. Los últimos informes de los jefes de departamento sobre la situación económica personal de Henry lo alarmaban mucho. Osborne era realmente un jugador empedernido y no había indicios de que los quinientos mil dólares del fideicomiso hubieran ingresado en su empresa. Alan Lloyd sorbió su zumo de naranja y no tocó el resto del desayuno. Se disculpó ante el ama de llaves y se encaminó a pie hacia el banco. Era un día agradable.

—¿William, tienes ganas de jugar al tenis esta tarde?

Matthew Lester estaba en pie junto a William, que releía por segunda vez la carta de Alan Lloyd.

—¿Qué has dicho?

—¿Te estás volviendo sordo o sólo te conviertes en un adolescente senil? ¿Quieres que esta tarde te haga polvo en la pista de tenis?

—No, esta tarde no estaré aquí, Matthew. Debo ocuparme de cosas más importantes.

—Naturalmente, viejo. Olvidé que vas a emprender otro de tus viajes misteriosos a la Casa Blanca. Sé que el presidente Harding está buscando un nuevo asesor fiscal, y tú eres el hombre ideal para sustituir a ese payaso de Charles G. Dawes. Dile que aceptarás, con la condición de que convierta a Matthew Lester en el próximo Procurador General de la Administración.

William siguió sin contestar.

—Sé que fue un chiste estúpido, pero pensé que merecería algún comentario —prosiguió Matthew mientras se sentaba junto a William y miraba más atentamente a su amigo—. ¿Han sido los huevos, verdad? Sabían como si los hubieran sacado de un campo de prisioneros ruso.

—Matthew, necesito tu ayuda —sentenció William, en tanto volvía a guardar la carta de Alan en el sobre.

—Te ha escrito mi hermana y dice que a su juicio serás un buen sustituto temporal de Rodolfo Valentino.

William se puso en pie.

—Déjate de bromas, Matthew. Si estuvieran asaltando el banco de tu padre, ¿te quedarías tan tranquilo, haciendo chistes sobre lo que ocurre?

La expresión del rostro de William era de absoluta seriedad. Matthew cambió de tono.

—No, claro que no.

—Correcto. Entonces, vayámonos de aquí y te lo explicaré todo.

Anne salió de Beacon Hill un poco después de las diez para hacer algunas compras antes de su última entrevista con Glen Ricardo. El teléfono empezó a sonar cuando ella se alejaba calle abajo por Chestnut Street. La doncella lo atendió, miró por la ventana y resolvió que ya no podría alcanzar a su ama.

Si Anne hubiera vuelto para atender la llamada le habrían informado cuál había sido el veredicto del Ayuntamiento respecto del contrato del hospital, pero en cambio lo que hizo fue elegir unas medias de seda y probar un nuevo perfume. Llegó al despacho de Glen Ricardo poco después de las doce, con la esperanza de que su nuevo perfume contrarrestara el olor del cigarro.

—Espero no haberme retrasado, señor Ricardo —dijo vivamente.

—Siéntese, señora Osborne —Ricardo no parecía muy eufórico, pero en verdad, pensó Anne, nunca lo parecía. Entonces notó que no fumaba el cigarro de costumbre.

Glen Ricardo Abrió una lujosa carpeta marrón, el único elemento nuevo que ella veía en su despacho, y desprendió algunos papeles.

—Empecemos por las cartas anónimas, ¿le parece bien, señora Osborne?

A Anne no le gustó nada el tono de su voz ni el hecho de que hubiera utilizado la palabra «empezar».

—Sí, está bien —consiguió articular.

—Las envía una tal señora Ruby Flowers.

—¿Quién? ¿Por qué? —preguntó Anne, esperando impacientemente una respuesta que no deseaba oír.

—Sospecho que una de las razones debe consistir en que la señora Flowers se ha querellado contra el señor Osborne.

—Bueno, eso aclara el misterio —exclamó Anne—. Lo que busca es vengarse. ¿Cuánto alega que le debe Henry?

—No sugiero que se trate de una deuda, señora Osborne.

—Bueno, ¿entonces qué sugiere?

Glen Ricardo tomó impulso para levantarse de la silla, como si necesitara emplear toda la fuerza de sus dos brazos con el fin de movilizar su cuerpo cansado. Caminó hasta la ventana y oteó la poblada dársena de Boston.

—Se querella por ruptura de compromiso, señora Osborne.

—Oh, no —suspiró Anne.

—Parece que cuando el señor Osborne la conoció a usted, estaban comprometidos. Entonces rompió el compromiso sin ninguna razón plausible.

—Una cazafortunas. Debía codiciar el dinero de Henry.

—No, no lo creo. Verá, la señora Flowers es una persona pudiente. No tanto como usted, por supuesto, pero de todos modos está en una situación acomodada. Su difunto marido era propietario de una empresa embotelladora de gaseosas y la dejó en buena posición económica.

—¿Su difunto marido? ¿Cuántos años tiene?

El detective se acercó de nuevo a su escritorio y volvió una o dos páginas del legajo antes de que su pulgar empezara a deslizarse por el margen. Su uña negra se detuvo.

—Va a cumplir cincuenta y tres años.

—Dios mío —exclamó Anne—. Pobre mujer. Debe de odiarme.

—Me atrevo a decir que sí, señora Osborne, pero eso no cambiará nada. Ahora debo hacer referencia a las otras actividades de su marido.

El dedo manchado de nicotina volvió varias páginas más.

Anne empezó a sentirse descompuesta. ¿Por qué había regresado allí? ¿Por qué no se había dado por satisfecha la semana anterior? No tenía por qué saberlo. No quería saberlo. ¿Por qué no se levantaba y se iba? Cómo le habría gustado que Richard estuviera junto a ella. Él habría sabido exactamente cómo abordar la situación. Descubrió que no podía moverse, fascinada por Glen Ricardo y por el contenido de su lujosa carpeta nueva.

—La última semana el señor Osborne pasó en dos ocasiones más de tres horas a solas con la señora Preston.

—Pero eso no prueba nada —empezó a argüir Anne con desesperación—. Sé que estaban discutiendo un documento financiero muy importante.

—En un pequeño hotel de La Salle Street..

Anne no volvió a interrumpirlo.

—En ambas oportunidades los vieron entrar en el hotel cogidos de la mano, susurrando y riendo. No es una prueba concluyente, por supuesto, pero tenemos fotos en las que aparecen entrando y saliendo juntos del hotel.

—Destrúyalas —ordenó Anne en voz baja.

Glen Ricardo parpadeó.

—Como quiera, señora Osborne. Me temo que esto no es todo. También hemos descubierto que el señor Osborne nunca estudió en Harvard ni fue oficial de las fuerzas armadas norteamericanas. En Harvard hubo un Henry Osborne que medía un metro setenta, era pelirrojo y había nacido en Alabama. Lo mataron en el Marne en 1917. También sabemos que su marido es mucho más joven de lo que dice ser, que se llama en realidad Vittorio Togna, y que ha estado detenido...

—No quiero oír nada más —lo interrumpió Anne, mientras las lágrimas le rodaban por las mejillas—. No quiero oír nada más.

—Por supuesto, señora Osborne. La entiendo. Siento que las noticias sean tan malas. En mi oficio a veces...

Anne hizo un esfuerzo por controlarse.

—Muchas gracias, señor Ricardo. Valoro todo lo que ha hecho. ¿Cuánto le debo?

—Bueno, ya me ha pagado dos semanas adelantadas, y mis gastos ascendieron a setenta y tres dólares.

Anne le entregó un billete de cien dólares y se levantó de su silla.

—No olvide su cambio, señora Osborne.

Ella negó con la cabeza y agitó apáticamente la mano.

—¿Se siente bien, señora Osborne? La noto un poco pálida. ¿Quiere un vaso de agua o alguna otra cosa?

—Estoy bien —mintió Anne.

—¿Quizás aceptará que la lleve en auto hasta su casa?

—No, gracias, señor Ricardo. Podré volver sola —giró hacia él y le sonrió—. Su oferta ha sido muy amable.

Glen Ricardo cerró la puerta en silencio detrás de su cliente, se acercó lentamente a la ventana, mordió la punta de su último puro de grandes dimensiones, la escupió hacia afuera y maldijo su profesión.

Anne se detuvo en lo alto de la escalera, aferrándose a la baranda, casi al borde del desvanecimiento. La criatura pataleaba dentro de su vientre, provocándole náuseas. Encontró un taxi en la esquina y, acurrucada en el asiento posterior, no pudo contener los sollozos ni pensar en lo que haría a continuación. Apenas llegó a la Red House fue a su dormitorio antes de que algún miembro de la servidumbre la viera llorando. Cuando entró en la habitación la campanilla del teléfono estaba repicando, y ella levantó el auricular, más por hábito que por interés en saber quién llamaba.

—¿Puedo hablar con la señora Kane, por favor?

Reconoció inmediatamente el tono cortante de Alan. Otra voz cansada, abatida.

—Hola, Alan. Soy yo, Anne.

—Anne, querida, me afligió mucho la noticia de esta mañana.

—¿Cómo lo sabes, Alan? ¿Cómo es posible que lo sepas? ¿Quién te lo dijo?

—Poco después de las diez me telefonearon desde el Ayuntamiento y me dieron los detalles. Traté de comunicarme contigo entonces, pero tu doncella me dijo que ya habías salido a hacer unas compras.

—Oh, mi Dios —murmuró Anne—. Me había olvidado por completo del contrato. —Se dejó caer pesadamente, sofocada.

—¿Estás bien, Anne?

—Sí, estoy bien —respondió, tratando infructuosamente de disimular los sollozos que le entrecortaban la voz—. ¿Qué te informó el Ayuntamiento?

—El contrato del hospital se lo adjudicaron a una empresa llamada Kirkbridge and Carter. Al parecer, Henry ni siquiera

192

figuraba entre los tres primeros. He tratado de ponerme en contacto con él durante toda la mañana, pero parece que salió de su despacho poco después de las diez y no ha vuelto desde entonces. Supongo que no sabrás dónde está, ¿verdad, Anne?

—No tengo la más remota idea.

—¿Quieres que vaya allá, querida? —preguntó—. Podría llegar en pocos minutos.

—No, gracias, Alan. —Anne hizo una pausa para inhalar una trémula bocanada de aire—. Por favor, disculpa la forma en que te he tratado durante estos últimos días. Si Richard viviera no me lo perdonaría nunca.

—No seas tonta, Anne. Nuestra amistad dura desde hace tantos años que un incidente trivial como éste no puede afectarla.

La bondad reflejada en su voz desencadenó un nuevo acceso de llanto. Anne se puso torpemente en pie.

—Debo irme, Alan. Oigo a alguien en la puerta de entrada. Tal vez es Henry.

—Cuídate, Anne, y no te preocupes por lo que ha sucedido hoy. Mientras yo sea presidente, el banco siempre te apoyará. No vaciles en llamarme si me necesitas.

Anne colgó el auricular, mientras el ruido le retumbaba en los tímpanos. Debía hacer un enorme esfuerzo para respirar. Cayó al suelo y en ese momento la abrumó la sensación olvidada desde hacía tanto tiempo de una contracción violenta.

Pocos minutos después la criada golpeó suavemente la puerta. Se asomó, con William a sus espaldas. Éste no había entrado en la alcoba de su madre desde el día de la boda con Henry Osborne. Los dos corrieron hacia ella. Anne temblaba convulsivamente, ajena a la presencia de su hijo y la doncella. Tenía el labio superior salpicado por filamentos de saliva. El ataque amainó en pocos segundos y ella quedó postrada, gimiendo débilmente.

—Mamá —exclamó William, ansioso—. ¿Qué te ocurre?

Anne miró con ojos desorbitados a su hijo.

—Richard. Gracias a Dios has venido. Te necesito.

—Soy William, mamá.

La mirada de Anne se nubló.

—No me quedan fuerzas, Richard. Debo pagar por mis errores. Disculpa...

Su voz se trocó en un gruñido cuando empezó otra fuerte contracción.

—¿Qué sucede? —preguntó William, impotente.

—Creo que va a dar a luz —dijo la criada—, aunque faltan varias semanas para la fecha del parto.

—Telefonee inmediatamente al doctor MacKenzie —le ordenó William a la doncella mientras él corría hacia la puerta del aposento—. Matthew —gritó—. Sube en seguida.

Matthew corrió escaleras arriba y se reunió con William en la alcoba.

—Ayúdame a bajar a mamá hasta el auto —exclamó William.

Matthew se arrodilló. Entre los dos chicos alzaron a Anne y la transportaron delicadamente por la escalera y hasta el auto. Ella jadeaba y gemía, y era obvio que sufría espantosamente. William volvió corriendo a la casa y le arrebató el teléfono a la doncella mientras Matthew aguardaba en el auto.

—Doctor MacKenzie.

—Sí, ¿quién habla?

—Me llamo William Kane. Usted no me conoce, doctor.

—¿Que no te conozco, muchacho? Yo te traje al mundo. ¿Qué puedo hacer ahora por ti?

—Creo que mi madre sufre dolores de parto. La llevaré ahora mismo al hospital. Estaré allí dentro de pocos minutos.

El tono del doctor MacKenzie cambió.

—Está bien, William, no te preocupes. Te esperaré allí y cuando llegues tendré todo preparado.

—Gracias, señor —William vaciló—. Me pareció que sufría una especie de ataque. ¿Es normal?

Las palabras de William le produjeron un escalofrío. Él también titubeó.

—Bueno, no es totalmente normal. Pero apenas dé a luz se recuperará. Ven lo antes que puedas.

William colgó el auricular, salió corriendo de la casa y saltó dentro del Rolls-Royce.

Condujo el auto espasmódicamente, sin quitar en ningún momento la primera, y sin detenerse para nada hasta que llegaron al hospital donde los aguardaba el médico. Los dos muchachos cargaron a Anne, y una enfermera con una camilla rodante los guió hasta la sección de maternidad. El doctor MacKenzie los aguardaba en la puerta del quirófano. Se hizo cargo de la paciente y les pidió a los dos que se quedaran fuera.

Los dos chicos se sentaron en el pequeño banco y esperaron sin decir nada. De la sala de partos brotaban gritos y alaridos, muy distintos de los que habían oído proferir hasta entonces a otros seres humanos. Luego, los sucedía un silencio aún más sobrecogedor. Por primera vez en su vida, William se sintió absolutamente impotente. Los dos permanecieron más de una hora allí, sin cambiar una palabra. Por fin apareció un exhausto doctor MacKenzie. Los dos chicos se pusieron en pie, y el médico miró a Matthew Lester.

—¿William? —preguntó.

—No, señor, yo soy Matthew Lester. Éste es William.

El médico se volvió hacia William y le colocó la mano sobre el hombro.

—Lo siento, William. Tu madre ha muerto hace pocos minutos... y la criatura, una niña, nació muerta. —A William se le aflojaron las piernas y se dejó caer sobre el banco—. Hicimos todo lo que estaba a nuestro alcance para salvarla, pero fue inútil. —Meneó la cabeza—. No quiso escucharme, insistió en tener la criatura. Nunca debería haber sucedido.

William permaneció callado, aturdido por el eco restallante de las palabras del médico.

—¿Cómo *pudo* morir? —susurró—. ¿Cómo es posible que usted *la dejara* morir?

El médico se sentó en el banco entre los dos muchachos.

—No quiso escucharme —repitió lentamente—. Después de su aborto espontáneo le previne en numerosas ocasiones que no debía concebir más hijos, pero cuando volvió a casarse, ella y tu padrastro nunca tomaron en serio mis advertencias. Durante su último embarazo tuvo alta tensión sanguínea. Eso me preocupó también ahora, aunque nunca se aproximó al nivel peligroso. Pero cuando tú la trajiste hoy, la tensión había aumentado sin razón visible hasta el punto en el que se desencadena la eclampsia.

—¿La eclampsia?

—Las convulsiones. A veces las pacientes sobreviven a varios ataques. En otras ocasiones, sencillamente... dejan de respirar.

William inhaló una bocanada trémula de aire y apoyó la cabeza entre sus manos. Matthew Lester lo guió lentamente por el corredor. El médico los siguió. Cuando llegaron a la puerta, el doctor MacKenzie miró a William.

—Su tensión sanguínea subió de pronto. Eso es muy poco común, y ella no puso verdadero empeño en resistir, casi como si no le importara. Es curioso. ¿Algo la preocupaba últimamente?

William levantó el rostro surcado por las lágrimas.

—No fue *algo* —respondió con voz cargada de odio—. Fue *alguien*.

Cuando los dos chicos regresaron a la Red House, Alan Lloyd se hallaba sentado en un rincón de la sala de estar. Al verlos entrar se puso en pie.

—William —dijo inmediatamente—, me siento culpable por haber autorizado el préstamo.

William lo miró, sin entender de qué le hablaba.

Matthew Lester rompió el silencio.

—No creo que eso importe ya, señor —murmuró en voz baja—. La madre de William acaba de morir durante el parto.

Alan Lloyd palideció, se tomó de la repisa de la chimenea para no perder el equilibrio, y se volvió. Era la primera vez que cualquiera de ellos veía llorar a un hombre adulto.

—Yo tengo la culpa —afirmó el banquero—. Nunca me lo perdonaré. No le dije todo lo que sabía. La quería tanto que no deseaba afligirla.

La angustia de Alan contribuyó a que William recuperara la serenidad.

—Ciertamente no eres tú el culpable —sentenció con voz enérgica—. Hiciste todo lo que pudiste, lo sé, y ahora soy yo quien necesitaré tu ayuda.

Alan Lloyd sacó fuerzas de flaqueza.

—¿Le han informado a Osborne que tu madre ha muerto?

—No lo sé, ni me importa.

—Durante todo el día he tratado de comunicarme con él para hablarle respecto de la inversión. Se fue de su despacho poco después de las diez de la mañana y desde entonces no ha vuelto.

—Volverá tarde o temprano —replicó William con expresión torva.

Después de que Alan Lloyd se hubiera marchado, William y Matthew pasaron la mayor parte de la noche solos en el vestíbulo, dormitando a ratos. A las cuatro de la mañana, William contó las campanadas del reloj de péndulo y creyó oír un ruido en la calle. Matthew miraba por la ventana, en dirección al camino particular. William fue a reunirse con él, con las piernas entumecidas. Ambos vieron cómo Henry Osborne cruzaba Louisburg Square tambaleándose, con una botella semivacía en la mano. Maniobró torpemente con las llaves durante un rato y por fin apareció en el hueco de la puerta, observando a los dos chicos con ojos parpadeantes y encandilados.

—Busco a Anne, no a ti. ¿Por qué no estás en la escuela? No te necesito —añadió, arrastrando las palabras con voz pastosa, mientras trataba de apartar a William con un empujón—. ¿Dónde está Anne?

—Mi madre ha muerto —anunció William con voz serena.

Henry Osborne lo contempló durante unos segundos. La incomprensión de su mirada le hizo perder a William el control de sus emociones.

—¿Dónde estaba usted cuando ella necesitaba un marido? —vociferó.

Osborne permaneció en su lugar, meciéndose ligeramente.

—¿Y la criatura?

—Una niña. Nació muerta.

Henry Osborne se dejó caer en una silla, y por su rostro empezaron a rodar las lágrimas de la borrachera.

—¿Perdió a mi hijita?

La ira y el dolor casi habían sumido a William en la incoherencia.

—¿Su hijita? Deje de pensar por una vez en usted mismo —rugió—. Sabe que él doctor MacKenzie le aconsejó que no concibieran otro hijo.

—¿También eres experto en eso, como en todo lo demás? Si te hubieras ocupado de tus jodidos asuntos, podría haber cuidado de mi esposa sin tu intromisión.

—Y de su dinero, aparentemente.

—Dinero. Cerdo tacaño, apuesto a que lo que más te duele es haber perdido eso.

—Levántese —siseó William entre dientes.

Henry Osborne se puso dificultosamente en pie y estrelló la botella contra el ángulo de la silla. El whisky salpicó la alfombra en todas direcciones. Trastabilló hacia William con la botella rota en la mano alzada. William no se movió y Matthew se interpuso y le arrebató fácilmente la botella.

William apartó a su amigo y avanzó hasta que su rostro quedó a pocos centímetros del de Henry Osborne.

—Ahora escúcheme, y escúcheme bien. Quiero que salga de mi casa antes de una hora. Si vuelvo a oír hablar de usted, exigiré que la justicia indague a fondo a dónde fue a parar el medio millón de dólares que mi madre invirtió en su empresa y reanudaré mi investigación acerca de su verdadera identidad y su vida pasada en Chicago. En cambio, si no vuelvo a tener nunca más noticias suyas, daré por cancelada la deuda y liquidado el asunto. Ahora váyase antes de que lo mate.

Los dos chicos lo vieron partir, sollozando, incoherente y furioso.

A la mañana siguiente William visitó el banco. Lo condujeron en seguida al despacho del presidente. Alan Lloyd estaba guardando unos documentos en una cartera. Levantó la vista y le entregó una hoja de papel a William, sin hacer ningún comentario. Era una breve carta dirigida a todos los miembros del consejo de administración en la que renunciaba a la presidencia del banco.

—¿Puedes pedirle a tu secretaria que venga? —preguntó William con tono cincunspecto.

—Como quieras.

Alan Lloyd pulsó un botón que se hallaba en el costado de su escritorio, y una dama de mediana edad, austeramente vestida, entró en la habitación por una puerta lateral.

—Buenos días, señor Kane —dijo, cuando vio a William—. Le doy mi pésame por la muerte de su madre.

—Gracias —respondió William—. ¿Alguien más ha visto esta carta?

—No —manifestó la secretaria—. Me disponía a mecanografiar doce copias para que las firme el señor Lloyd.

—Bueno, no lo haga, y por favor olvide que existió este borrador. Nunca le mencione su existencia a nadie.

Ella hundió su mirada en los ojos azules del chico de dieciséis años. Tan parecido a su padre, pensó.

—De acuerdo, señor Kane. —Salió sin hacer ningún ruido y cerró la puerta. Alan Lloyd alzó la vista.

—Por ahora el Kane and Cabot no necesita un nuevo presidente, Alan. No hiciste nada que mi padre no hubiera hecho en las mismas circunstancias.

—No es tan fácil —dijo Alan.

—Sí, lo es —insistió William—. Esto podremos volver a discutirlo cuando tenga veintiún años, pero no antes. Hasta entonces te agradeceré que continúes manejando mi banco con tu habitual estilo diplomático y conservador. No quiero que nada de lo que ha sucedido se discuta fuera de este despacho. Destruirás toda la información que tengas sobre Henry Osborne y daremos por cerrado el caso.

William desgarró la carta de renuncia y arrojó a la chimenea encendida los fragmentos de papel. Después rodeó con el brazo los hombros de Alan.

—Ahora no tengo familia, Alan. Sólo a ti. Por el amor de Dios, no me abandones.

Un coche llevó a William de regreso a Beacon Hill. Cuando llegó, el mayordomo le informó que la señora Kane y la señora Cabot lo aguardaban en la sala de estar. Ambas se pusieron en pie cuando entró en la habitación. Fue entonces cuando William comprendió por primera vez que ahora era el jefe de la familia Kane.

El funeral se celebró de forma discreta dos días más tarde en la iglesia Old North de Beacon Hill. Sólo fueron invitados los miembros de la familia y los amigos íntimos, y la única ausencia notable fue la de Henry Osborne. Al irse, los asistente le dieron las condolencias a William. Las suegras estaban un paso por detrás de él, como centinelas, observando, aprobando su conducta serena y digna.

Cuando se hubieron ido todos, William acompañó a Alan Lloyd hasta su auto.

El presidente se sintió encantado ante la única petición que le formuló William.

—Como sabes, Alan, mi madre siempre había tenido la intención de construir un pabellón de pediatría en el nuevo hospital, en memoria de mi padre. Quiero que se cumpla su deseo.

11

WLADEK PERMANECIÓ DIECIOCHO MESES en la legación polaca en Constantinopla, trabajando día y noche para Pawel Saleski, de quien se convirtió en auxiliar indispensable y amigo íntimo. Nada le resultaba demasiado engorroso, y pronto Zaleski empezó a preguntarse cómo se las había arreglado antes de la llegada de Wladek. Una vez por semana visitaba la embajada británica para comer en la cocina con la señora Henderson, la cocinera escocesa, y, en una oportunidad, con el segundo cónsul de Su Majestad británica en persona.

Alrededor de ellos se estaba disgregando la antigua forma de vida islámica, y el Imperio Otomano empezaba a tambalearse. El nombre de Mustafá Kemal corría de boca en boca. La atmósfera de cambio inminente impacientaba a Wladek. El barón y todos aquellos a quienes había amado en el castillo estaban siempre presentes en sus recuerdos. En Rusia, la necesidad de sobrevivir día a día los había apartado de su memoria, pero en Turquía surgían delante de él en silenciosa y lenta procesión. A veces, los veía fuertes y dichosos: Leon nadando en el río; Florentyna diseñando formas distintas con un cordel tensado entre los dedos, en su habitación; las facciones del barón enérgicas y orgullosas a la luz de la vela, por la tarde. Pero siempre todos esos rostros recordados y amados se difuminaban y, aunque Wladek se esforzaba por conservarlos estables, se metamorfoseaban espantosamente para adquirir aquel último aspecto tétrico: Leon muerto encima de él; Florentyna muriendo desangrada; y el barón casi ciego y desquiciado.

Wladek empezó a enfrentar el hecho de que nunca podría regresar a un país poblado por semejantes fantasmas si antes no hacía algo meritorio con su vida. Con esta obsesión, se fijó la meta de ir a América, como lo había hecho mucho antes que él su compatriota Tadeusz Kosciuszko, de quien el barón le había narrado tantas historias fascinantes. A los Estados Unidos, que Pawel Zaleski describía como el «Nuevo Mundo». Este solo nombre le inspiraba a Wladek esperanzas en el futuro y en la posibilidad de un regreso triunfal a Polonia. Fue Pawel Zaleski quien le facilitó el dinero para comprar un billete de emigrante a los Estados Unidos. Dichos billetes eran difíciles de conseguir, porque siempre estaban reservados por lo menos con un año de anticipación. A Wladek le daba la impresión de que toda Europa oriental trataba de huir y reiniciar su vida en el Nuevo Mundo.

En la primavera de 1921, Wladek Koskiewicz abandonó por fin Constantinopla y se embarcó en el *Black Arrow* rumbo a Ellis Island, Nueva York. Llevaba consigo una maleta, que contenía todas sus pertenencias, y los documentos que le había extendido Pawel Zaleski.

El cónsul polaco lo acompañó hasta el muelle y lo abrazó afectuosamente.

—Ve con Dios, hijo mío.

La tradicional respuesta polaca afloró espontáneamente del fondo de la lejana infancia de Wladek:

—Queda con Dios —replicó.

Cuando llegó a lo alto de la pasarela, Wladek recordó el

terrorífico viaje de Odesa a Constantinopla. Esta vez no había carbón a la vista: sólo gente, gente por todas partes, polacos, lituanos, estonios, ucranianos y otras personas de muchas etnias distintas con los que Wladek no estaba familiarizado. Aferró sus pocos bártulos y se colocó en la cola, para iniciar una de las muchas largas esperas que más tarde habría de asociar con su entrada en los Estados Unidos.

Un oficial de a bordo, predispuesto sin duda a sospechar que Wladek pretendía eludir el servicio militar en Turquía, escudriñó rigurosamente sus papeles, pero los documentos de Pawel Zaleski eran impecables. Wladek bendijo en su interior a su compatriota mientras veía cómo rechazaban a otros.

A continuación lo vacunaron y lo sometieron a un examen médico sumario en el que sin duda lo habrían descalificado si no hubiera disfrutado de dieciocho meses de buena alimentación y de una oportunidad para recuperar su salud en Constantinopla. Por fin, una vez terminados todos los controles, lo autorizaron a instalarse en tercera clase, bajo cubierta. Allí había compartimientos separados para hombres, mujeres y matrimonios. Wladek se encaminó rápidamente hacia la sección masculina y descubrió que el grupo polaco ocupaba un largo tramo de camas de hierro, subdividido en secciones de cuatro armatostes con dos literas superpuestas. Cada litera tenía un delgado colchón de paja y una manta liviana, y todas carecían de almohadas. Este último detalle no inquietó a Wladek, a quien le había resultado imposible dormir sobre una almohada desde su salida de Rusia.

Wladek escogió una litera situada debajo de un chico que tenía aproximadamente la misma edad que él; y se presentó.

—Soy Wladek Koskiewicz.

—Yo soy Jerzy Nowak, de Varsovia —respondió el chico en su polaco natal—, y voy a hacerme rico en América.

El chico le tendió la mano.

Wladek y Jerzy se entretuvieron, hasta que zarpó el barco, en contarse sus respectivas experiencias. Ambos estaban satisfechos de tener alguien con quien compartir su soledad, y ninguno de los dos se resignaba a confesar que no sabía absolutamente nada acerca de los Estados Unidos. Resultó que Jerzy había perdido à sus padres durante la guerra, pero su existencia no tenía otros rasgos sobresalientes. El relato de la vida de Wladek lo cautivaba: el hijo de un barón, criado en la cabaña de un trampero, prisionero de los alemanes y los rusos, salvado de Siberia y de un verdugo turco por la maciza pulsera de plata de la que Jerzy no podía apartar los ojos. Wladek había vivido más aventuras a sus quince años que las que Jerzy creía que podría acumular en toda su vida. Wladek habló durante toda la noche mientras Jerzy lo escuchaba atentamente, sin que ninguno de los dos quisiera dormir ni admitir su aprensión ante el futuro.

El *Black Arrow* zarpó a la mañana siguiente. Wladek y Jerzy se quedaron en la baranda y contemplaron cómo Constantinopla se perdía en la azul lejanía del Bósforo. Después de la calma del mar de Mármara, la turbulencia del Egeo los afligió a ellos y a la mayoría de los otros pasajeros con espantosa brusquedad. Los dos servicios para pasajeros de tercera clase, equipados cada uno con diez palanganas, seis letrinas y grifos de agua salada fría, no tardaron en inundarse. Después de un par de días el hedor de los dormitorios era nauseabundo.

Las comidas las servían en un gran refectorio mugriento, sobre largas mesas: sopa caliente, patatas, pescado, carne y coles hervidas, pan marrón o negro. Wladek había probado cosas peores, pero no desde su salida de Rusia, y se felicitaba de llevar provisiones consigo: salchichas, nueces y un poco de coñac. Él y Jerzy las compartían en el rincón de sus literas. Ése era un acuerdo tácito. Comían juntos, exploraban el barco juntos y, por la noche, dormían en sus literas superpuestas.

Al tercer día de navegación, Jerzy apareció a cenar con una chica polaca. Le informó con la mayor naturalidad a Wladek que se llamaba Zaphia. Ésa era la primera vez en su vida que Wladek miraba dos veces a una mujer, pero no podía dejar de contemplar a Zaphia. Ésta reavivó los recuerdos de Florentyna. Los cálidos ojos grises, la larga cabellera rubia que le caía sobre los hombros y la voz suave. Wladek sintió deseos de tocarla. A veces la chica le sonreía de soslayo a Wladek, pero éste sabía, patéticamente, que Jerzy era mucho más apuesto que él. Los siguió cuando Jerzy acompañó a Zaphia hasta los aposentos para mujeres.

Después Jerzy se volvió, un tanto irritado.

—¿No puedes buscarte una chica para ti? Ésta es mía.

Wladek no estaba dispuesto a admitir que no sabía ni remotamente lo que debía hacer para buscarse su propia chica.

—Ya tendremos tiempo de sobra para las mujeres cuando lleguemos a los Estados Unidos —respondió con desdén.

—¿Por qué habríamos de esperar hasta entonces? Yo me propongo conquistar a bordo todas las que pueda.

—¿Cómo lo harás? —preguntó Wladek, resuelto a aprender sin confesar su propia ignorancia.

—Hemos de pasar aún doce días en este horrible cascajo y voy a cepillarme doce mujeres —se jactó Jerzy.

—¿Y qué harás con doce mujeres? —inquirió Wladek.

—Joderlas, ¿qué otra cosa podría hacer?

Wladek se quedó perplejo.

—Dios bendito —exclamó Jerzy—. No me digas que el hombre que sobrevivió a los alemanes y se escapó de los rusos, que mató a un rival a los doce años y se salvó por un pelo de que una pandilla de turcos salvajes le amputara la mano, nunca ha montado sobre una mujer.

Se rió, y desde las literas circundantes un coro políglota les ordenó que se callaran.

—Bueno —prosiguió Jerzy con un susurro—, ha llegado la hora de ampliar tu educación, porque al fin he encontrado algo que puedo enseñarte. —Miró por el borde de su litera a pesar de que no veía el rostro de Wladek en la oscuridad—. Zaphia es una chica comprensiva. Me atrevo a decir que podré persuadirla para que te dé unas lecciones.

Wladek no contestó.

No se habló más del tema, pero al día siguiente Zaphia empezó a prestarle atención a Wladek. Se sentaba junto a él en el refectorio, y hablaban durante horas sobre sus experiencias y esperanzas. Ella era huérfana, de Poznan, e iba a reunirse con sus primos de Chicago. Wladek le informó que se dirigía a Nueva York y que probablemente viviría con Jerzy.

—Ojalá Nueva York esté muy cerca de Chicago —exclamó Zaphia.

—Entonces podrás venir a visitarme cuando sea alcalde —sentenció Jerzy con gran desparpajo.

Ella resopló desdeñosamente.

—Eres demasiado polaco, Jerzy. Ni siquiera hablas bien inglés como Wladek.

—Aprenderé —afirmó Jerzy, seguro de sí—. Y empezaré por americanizar mi nombre. A partir de hoy seré George Novak. Entonces no tendré ningún problema. En los Estados Unidos todos pensarán que soy norteamericano. ¿Y tú, Wladek Koskiewicz? No es mucho lo que se puede hacer con semejante nombre, ¿verdad?

Wladek miró al recién bautizado George con un mudo resentimiento contra su propio nombre. Sin poder adoptar el título del que se sentía heredero legítimo, odiaba el apellido Koskiewicz que le recordaba su condición de bastardo.

—Me apañaré —dijo—. Incluso te ayudaré a aprender inglés, si quieres.

—Y yo te ayudaré a encontrar una chica.

Zaphia soltó una risita.

—No te molestes, ya ha encontrado una.

Cada noche Jerzy, o George, como ahora exigía que lo llamaran, se cobijaba después de la cena en uno de los botes salvavidas cubiertos de lona, siempre con una chica distinta. A Wladek le habría gustado saber lo que hacía allí, aunque algunas de las muchachas por las que George mostraba sus preferencias no sólo eran mugrientas, como todas, sino que habrían

206

sido feas aunque las hubieran fregado hasta dejarlas inmaculadas.

Una noche, después de cenar, cuando ya George había desaparecido, Wladek y Zaphia se sentaron en cubierta y ella lo rodeó con los brazos y le pidió que la besara. Wladek apretó sus labios rígidos contra los de ella hasta que se tocaron sus dientes: se sentía tremendamente despistado respecto de lo que debía hacer. Descubrió, sorprendido y abochornado, que ella le separaba los labios con la lengua. Después de un momento de aprensión, Wladek comprobó que la boca abierta de ella era inmensamente excitante, y lo alarmó sentir que se le ponía rígido el pene. Intentó apartarse, avergonzado, pero a ella eso no pareció molestarle en absoluto. Por el contrario, empezó a apretar suave y rítmicamente su cuerpo contra el de él, y le hizo bajar las manos hasta sus nalgas. Su pene tumefacto palpitaba contra ella, produciéndole a Wladek un placer casi insoportable. Zaphia apartó su boca y le susurró en el oído.

—¿Quieres que me desvista, Wladek?

Él no atinó a responder. Ella se zafó de Wladek, riendo.

—Bueno, quizá mañana —musitó, y se levantó de la cubierta y lo dejó solo.

Wladek volvió aturdido a su litera, con paso inseguro, resuelto a completar al día siguiente lo que Zaphia había empezado. Apenas se había tumbado en el lecho, pensando en la forma en que acometería la empresa, una mano enorme lo cogió por el cabello y lo derribó al suelo. Su excitación sexual se disipó instantáneamente. Dos hombres a los que jamás había visto antes se erguían sobre él. Lo arrastraron hasta un rincón apartado y lo lanzaron contra la pared. Ahora una manaza le cubría implacablemente la boca, mientras un cuchillo le tocaba el cuello.

—No respires —susurró el hombre que empuñaba el cuchillo, apretando la hoja contra la piel—. Sólo queremos la pulsera de plata que llevas en la muñeca.

La súbita comprobación de que podrían robarle su tesoro lo horrorizó casi tanto como otrora lo había sobrecogido la idea de que pudieran amputarle la mano. Antes de que pudiera trazarse un plan de acción, uno de los hombres le arrancó la pulsera de la muñeca. No veía sus rostros en la oscuridad, y temía haber perdido la pulsera para siempre, cuando alguien se abalanzó sobre la espalda del hombre que empuñaba el cuchillo. Esto le dio a Wladek la oportunidad de golpear al que lo mantenía inmovilizado contra el suelo. Los inmigrantes somnolientos que los rodeaban empezaron a despertar y a interesarse en lo que sucedía. Los dos hombres huyeron todo lo deprisa que se lo permitieron sus piernas, pero no antes de que George hubiera conseguido clavar el cuchillo en el flanco de uno de los agresores.

—Que te lleve la peste —le gritó Wladek a la espalda en fuga.

—Parece que llegué en el momento preciso —comentó George—. No creo que se apresuren a volver. —Miró la pulsera de plata, que yacía sobre el serrín pisoteado del suelo—. Es magnífica —sentenció, casi solemnemente—. Siempre habrá alguien que querrá robarte este botín.

Wladek recogió la pulsera y volvió a deslizársela sobre la muñeca.

—Bueno, esta vez casi la perdiste para siempre —prosiguió George—. Alégrate de que esta noche haya tardado en volver un poco más que de costumbre.

—¿Y por qué tardaste? —inquirió Wladek.

—Mi reputación me precede —alardeó George—. En verdad, esta noche encontré en mi bote salvavidas a otro idiota que ya se había bajado los pantalones. Pero me libré de él enseguida cuando le expliqué que me había abstenido de montar la semana anterior a la chica que lo acompañaba, porque no tenía la certeza de que no estuviera sifilítica. Nunca vi a alguien que se vistiera más de prisa.

—¿Qué es lo que haces en el bote? —preguntó Wladek.

—Joderlas sin piedad, paleto, ¿qué pensabas tú? —Después de lo cual se volvió y se durmió.

Wladek se quedó mirando el cielo raso. Mientras tocaba la pulsera de plata pensó en lo que había dicho George y se preguntó qué sentiría al «joder» a Zaphia.

A la mañana siguiente entraron en una zona de borrasca y todos los pasajeros debieron permanecer bajo las cubiertas. La pestilencia, intensificada por el sistema de calefacción de vapor del barco, pareció impregnar a Wladek hasta la médula.

—Y lo peor —gimió George—, es que ahora no podré alcanzar el número previsto de doce.

Cuando amainó la tempestad casi todos los pasajeros huyeron a la cubierta. Wladek y George se abrieron camino por las pasarelas atestadas, respirando agradecidos el aire fresco. Muchas de las chicas le sonreían a George, pero a Wladek le pareció que no se fijaban en él. Le extrañó que no le prestaran atención a pesar de su abrigo de cincuenta rublos. Una chica morena, con las mejillas enrojecidas por el viento, pasó junto a George y le sonrió. George se volvió hacia Wladek.

—Esta noche será mía.

Wladek miró a la chica y estudió la forma en que observaba a George.

—Esta noche —dijo George, cuando pasó cerca de ella. La chica fingió no oírlo y se alejó, demasiado deprisa—. Vuélvete y observa si me mira.

Wladek se volvió.

—Sí, te mira —asintió, sorprendido.

—Esta noche será mía —repitió George—. ¿Ya has fornicado con Zaphia?

—No —contestó Wladek—. Esta noche.

—Ya es hora, ¿no te parece? Nunca volverás a verla después de que lleguemos a Nueva York.

Efectivamente, esa noche George bajó a cenar con la chica morena. Wladek y Zaphia los dejaron sin pronunciar una palabra, rodeándose el uno al otro la cintura con el brazo, y salieron a la cubierta y se pasearon varias veces alrededor del barco. Wladek observaba de reojo su bello perfil. Tendría que ser en ese momento o nunca, decidió. La condujo hasta un rincón oscuro y empezó a besarla como ella lo había besado a él, con la boca abierta. Zaphia retrocedió un poco hasta que sus hombros descansaron contra un mamparo, y Wladek la siguió. Ella le llevó las manos lentamente a sus pechos. Wladek los palpó tímidamente, sorprendido por su elasticidad. Zaphia desabrochó un par de botones de su blusa y deslizó lentamente las manos de Wladek hasta sus senos. El primer contacto con la carne desnuda fue delicioso.

—Jesús, qué fría está tu mano —murmuró Zaphia.

Wladek se apretó contra ella, con la boca seca y la respiración jadeante. Zaphia entreabrió las piernas y Wladek la acometió torpemente a través de varias capas intermedias de tela. Ella se movió al mismo compás durante un par de minutos y después lo empujó para alejarlo.

—Aquí en la cubierta no —dijo—. Busquemos un bote.

Los tres primeros que inspeccionaron estaban ocupados, pero finalmente hallaron otro vacío y se metieron bajo la lona, contoneándose. En medio de la oscuridad opresiva, Zaphia ejecutó con su ropa algunas maniobras cuya naturaleza Wladek no pudo determinar, y después lo atrajo delicadamente para que se situara sobre ella. Le bastó muy poco tiempo para transportarlo a su primer paroxismo de excitación a través de las escasas capas de tela que los separaban. Él introdujo el pene en la flexible suavidad de su entrepierna, y estaba a punto de llegar al orgasmo cuando ella volvió a apartar la boca.

—Desabróchate los pantalones —susurró.

Wladek se sintió como un idiota pero los desabrochó rápidamente y volvió a embestir. Eyaculó inmediatamente y sintió que la humedad pegajosa corría por el interior del muslo de Zaphia. Se quedó anonadado, sorprendido por la brusquedad del acto, súbitamente consciente de que los nudos de la madera del bote se clavaban dolorosamente en sus codos y rodillas.

—¿Esta es la primera vez que le haces el amor a una chica? —preguntó Zaphia, deseando que él se apartara.

—No, claro que no —respondió Wladek.

—¿Me amas, Wladek?

—Sí, te amo —asintió él—, y apenas me haya asentado en Nueva York, iré a Chicago, para buscarte.

—Eso me gustará, Wladek —dijo ella, mientras se abrochaba el vestido—. Yo también te amo.

—¿Jodiste con ella? —fue la primera pregunta que formuló George cuando volvió Wladek.

—Sí.

—¿Te gustó.

—Sí —contestó Wladek, en tono dubitativo, y se durmió.

Por la mañana los despertó el bullicio de los pasajeros que llenaban el recinto, regocijados por la noticia de que ése era el último día que pasarían a bordo del *Black Arrow*. Algunos estaban en cubierta desde antes de la madrugada, con la esperanza de ser los primeros en divisar tierra. Wladek metió sus pocos artículos personales en su maleta nueva, se puso su único traje y su gorra, y después se reunió con Zaphia y George en la cubierta. Los tres escudriñaban en silencio a través de la bruma que se cernía sobre el mar, a la espera de captar la primera imagen de los Estados Unidos.

—Allí está —gritó un pasajero desde la cubierta superior, y un coro de vítores saludó la aparición de la franja gris de Long Island, que se aproximaba en la mañana de primavera.

Unos pequeños remolcadores se situaron a la altura del *Black Arrow* y lo guiaron entre Brooklyn y Staten Island hasta el puerto de Nueva York. La colosal Estatua de la Libertad los contemplaba austeramente, mientras ellos oteaban con temor reverencial la aparición del horizonte de Manhattan, cuyos enormes y largos brazos se levantaban hacia el cielo.

Finalmente amarraron cerca de los edificios de ladrillo rojo de Ellis Island, con sus torres y agujas. Los pasajeros que ocupaban camarotes individuales fueron los primeros en desembarcar. Wladek no les había prestado atención hasta ese día. Debían de haber viajado en una cubierta independiente, con su propio comedor. Los mozos transportaban sus maletas y en la dársena los recibían caras sonrientes. Wladek sabía que su caso era distinto.

Después del desembarco de los pocos privilegiados, el capitán anunció por el altavoz a los restantes pasajeros que pasarían varias horas antes de que pudieran dejar el barco. Se oyó un gruñido de desencanto, y Zaphia se sentó en la cubierta y prorrumpió en llanto. Wladek trató de consolarla. Más tarde apareció un funcionario con café, y otro con rótulos numerados que les colgaron del cuello. El de Wladek era el B. 127. Esto le recordó la circunstancia anterior en que no había sido más que un número. ¿En qué berenjenal se había metido? ¿Los Estados Unidos eran acaso como los campos rusos?

Al mediar la tarde, sin que les hubieran dado comida ni información adicional, los trasladaron en unas lentas barcazas desde la dársena hasta Ellis Island. Allí separaron a los hombres de las mujeres y los enviaron a cobertizos distintos. Wladek besó a Zaphia y no quiso soltarla, lo cual provocó atascos en la fila. Un funcionario próximo a ellos los apartó.

—Bueno, en marcha —ordenó—. Sigan así y les casaremos en un santiamén.

Wladek perdió de vista a Zaphia cuando lo empujaron hacia adelante junto con George. Pasaron la noche en un cobertizo antiguo, húmedo, sin poder dormir mientras los intérpretes iban y venían entre las atestadas hileras de camastros, ofreciendo su ayuda lacónica, pero no desconsiderada, a los perplejos inmigrantes.

Por la mañana los sometieron a los exámenes médicos. La primera prueba fue la más difícil: a Wladek le ordenaron que subiese una empinada escalera. El médico de uniforme azul le hizo repetir la demostración dos veces, observando atenta-

212

mente su marcha. Wladek se esforzó por disimular su cojera y por fin el médico quedó conforme. Después le hicieron quitar la gorra y el cuello duro para poder examinarle con toda atención la cara, los ojos, el cabello, las manos y el cuello. El hombre que seguía a Wladek tenía labio leporino. El médico lo detuvo inmediatamente, le trazó una cruz con tiza sobre el hombro y lo envió al otro extremo del cobertizo. Una vez terminada la revisión médica, Wladek volvió a reunirse con George en otra larga cola situada fuera de la sala de Exámenes Públicos, donde cada persona parecía hablar durante unos cinco minutos. Tres horas más tarde, cuando hicieron pasar a George, Wladek empezó a cavilar sobre lo que le preguntarían.

Al salir, George le sonrió a Wladek y le dijo:

—Tranquilo, no tendrás problemas.

Wladek sintió que le transpiraban las palmas de las manos cuando se adelantó.

Siguió al funcionario hasta un cuarto pequeño, desprovisto de toda decoración. Dos examinadores sentados escribían rabiosamente sobre unos papeles de aspecto oficial.

—¿Hablas inglés? —preguntó el primero.

—Sí, señor, bastante bien lo hablo —respondió Wladek, lamentando no haberlo practicado más durante el viaje.

—¿Cómo te llamas?

—Wladek Koskiewicz, señor.

El hombre le mostró un libraco negro

—¿Sabes lo que es esto?

—Sí, señor. La Biblia.

—¿Crees en Dios?

—Sí, señor, creo.

—Apoya la mano sobre la Biblia y jura que dirás la verdad al contestar nuestras preguntas.

Wladek cogió la Biblia en la mano izquierda, apoyó sobre ella la mano derecha, y afirmó:

—Prometo decir la verdad.

—¿Cuál es tu nacionalidad?

—Polaco.

—¿Quién pagó tu pasaje?

—Lo pagué con mi dinero que yo ganar en consulado polaco en Constantinopla.

Uno de los funcionarios estudió los documentos de Wladek, pasados unos segundos hizo un ademán de asentimiento y luego preguntó:

—¿Tienes un domicilio adonde ir?

—Sí, señor. Ir a alojarme con señor Peter Novak. Es tío de mi amigo. Vivir en Nueva York.

—Muy bien. ¿Y tienes trabajo?

—Sí, señor. Ir trabajar en panadería de señor Novak.

—¿Alguna vez has estado preso?

El recuerdo de Rusia cruzó por la mente de Wladek. Eso no debía contar. Turquía... eso no lo mencionaría.

—No, señor, nunca.

—¿Eres anarquista?

—No, señor. Odio a los comunistas, ellos matar a mi hermana.

—¿Estás dispuesto a someterte a las leyes de los Estados Unidos de América?

—Sí, señor.

—¿Tienes dinero?

—Sí, señor.

—¿Podemos verlo?

—Sí, señor —Wladek depositó sobre la mesa un fajo de billetes y unas pocas monedas.

—Gracias —asintió el examinador—. Puedes volver a guardarte el dinero en el bolsillo.

El segundo examinador lo miró.

—¿Cuánto es veintiuno más veinticuatro?

—Cuarenta y cinco —respondió Wladek, sin titubear.

—¿Cuántas patas tiene una vaca?

Wladek no podía dar crédito a sus oídos.

—Cuatro, señor —dijo, mientras se preguntaba si se trataba de una treta.

—¿Y un caballo?

—Cuatro, señor —contestó Wladek, siempre incrédulo.

—Si estuvieras en el mar, en un bote pequeño, y tuvieras que soltar lastre, ¿qué arrojarías por la borda, el pan o el dinero?

—El dinero, señor —manifestó Wladek.

—Correcto. —El examinador tomó una tarjeta con la leyenda «Aceptado» y se la entregó a Wladek—. Después de cambiar tu dinero, muéstrale esta tarjeta al funcionario de inmigración. Dale tu nombre completo y él te entregará una tarjeta de registro. Después recibirás un certificado de entrada. Si en el lapso de cinco años no cometes ningún delito, y si apruebas un sencillo examen escrito y oral al cabo de ese tiempo, te autorizarán a solicitar la ciudadanía norteamericana con plenos derechos. Buena suerte, Wladek.

—Gracias, señor.

En el mostrador de cambio Wladek entregó el dinero que había economizado en Turquía durante dieciocho meses y los tres billetes de cincuenta rublos. Le dieron cuarenta y siete dólares con veinte céntimos a cambio del dinero turco, pero le informaron que los rublos no valían nada. Sólo atinó a pensar en el doctor Dubien y en sus quince años de penosos ahorros.

La última parada fue ante el funcionario de inmigración, que estaba sentado detrás de un mostrador a la altura de la barrera de salida, justo debajo de un retrato del presidente Harding. Wladek y George se acercaron a él.

—¿Nombre completo? —le preguntó el hombre a George.

—George Novak —respondió Jerzy sin el menor titubeo.

El funcionario escribió el nombre sobre una tarjeta.

—¿Y tu domicilio?

—Broome Street número 286, ciudad de Nueva York, estado de Nueva York.

El funcionario le pasó la tarjeta a George.

—Éste es tu Certificado de Inmigración, 21.871-George Novak. Bienvenido a los Estados Unidos, George. Yo también soy polaco. Este país te gustará. Muchas felicidades y buena suerte.

George sonrió, le estrechó la mano al funcionario, se hizo a un lado y esperó a Wladek. El funcionario miró a Wladek, enfundado en su largo abrigo de piel de oso. Wladek le entregó la tarjeta con la leyenda «Aceptado».

—¿Nombre completo? —preguntó el funcionario.

Wladek titubeó.

—¿Cómo te llamas? —insistió el funcionario, en voz un poco más alta, ligeramente impaciente y preguntándose si entendía inglés.

Wladek no podía articular las palabras. Cómo detestaba ese nombre campesino.

—Por última vez, ¿cómo te llamas?

George miraba a Wladek. También lo miraban los otros que se habían sumado a la cola frente al funcionario de inmigración. Wladek continuó mudo. De pronto el funcionario le tomó la muñeca, estudió atentamente la inscripción de la pulsera de plata, escribió sobre una tarjeta y se la pasó a Wladek.

—Eres el 21.872-Barón Abel Rosnovski. Bienvenido a los Estados Unidos. Muchas felicidades y buena suerte, Abel.

12

WILLIAM VOLVIÓ A ST. PAUL'S en septiembre de 1923 para iniciar su último año de estudios, y lo eligieron presidente del Último Curso, exactamente treinta y tres años después de que su padre hubiera desempeñado el mismo cargo. William no ganó la elección por las razones habituales, como el ser el mejor atleta o gozar de la mayor popularidad. Matthew Lester, su mejor amigo, habría ganado indudablemente cualquier elección sobre esos criterios. Se trataba sencillamente de que William era el chico con más personalidad de la escuela, y por ello fue imposible influir sobre Matthew Lester para que presentara su propia candidatura. St. Paul's propuso el nombre de William, como representante de la escuela, para la Beca de Matemáticas Hamilton Memorial, de Harvard, y durante el semestre de otoño aquél dedicó todos sus esfuerzos hacia la conquista de dicha meta.

Cuando William volvió a Beacon Hill para Navidad, planeaba dedicarse ininterrumpidamente al estudio de los *Principia Mathematica*. Pero no habría de ser así, porque cuando llegó lo aguardaban varias invitaciones a fiestas y bailes. Pudo rechazar la mayoría con una excusa cortés, pero no pudo dejar de ir a una de ellas. Las abuelas habían organizado un baile, que se celebraría en la Red House de Louisburg Square. William se preguntó cuándo le sería posible defender su hogar de la intromisión de las dos grandes damas, y resolvió que aún no había llegado el momento. Tenía pocos amigos íntimos en Boston, pero esto no impidió que las abuelas elaboraran una lista impresionante de invitados.

Para destacar la ocasión le regalaron a William su primer smoking, en el más moderno estilo cruzado. Él recibió el obsequio simulando una relativa indiferencia, pero más tarde se pavoneó con la prenda por su dormitorio, deteniéndose a menudo para mirarse en el espejo. Al día siguiente telefoneó a Nueva York y le pidió a Matthew Lester que compartiera con él ese histórico fin de semana. La hermana de Matthew también quiso concurrir, pero su madre no lo creyó apropiado.

William fue a recibirlo a la estación de ferrocarril.

—Ahora que lo pienso —comentó Matthew, mientras el chófer los conducía de regreso a Beacon Hill—, ¿no es hora de que empieces a joder? Supongo que en Boston debe de haber chicas con suficiente mal gusto.

—¿Tú lo has hecho, Matthew?

—Claro que sí. El invierno pasado, en Nueva York.

—¿Qué hacía yo, mientras tanto?

—Probablemente te familiarizabas con Bertrand Russell.

—Nunca me hablaste de ello.

—No había mucho para contar. Sea como fuere, tú parecías más interesado en el banco de mi padre que en mi naciente vida amorosa. Todo sucedió en una reunión de personal que mi padre organizó para celebrar el aniversario de Washington. En realidad, para situarlo en su perspectiva justa, lo que sucedió fue que me violó una de las secretarias del director, una mujerona llamada Cynthia, con pechos enormes que se mecían cuando...

—¿Te gustó?

—Sí, pero jamás pensé que Cynthia pueda decir lo mismo. Ella estaba demasiado borracha para notar mi presencia. Pero hay que empezar de alguna manera y ella estaba dispuesta a echar una mano al hijo del patrón.

La imagen de la secretaria de Alan Lloyd, una recatada mujer de mediana edad, cruzó por la mente de William.

—No creo que yo tenga muchas probabilidades de iniciarme con la secretaria del presidente —musitó.

—No te lo imaginas —comentó Matthew, con tono de experto—. Las que andan con las piernas tan fuertemente apretadas son a menudo las que están más ansiosas por separarlas. Ahora acepto la mayoría de las invitaciones, formales o informales, aunque la vestimenta no importa mucho en esas ocasiones.

El chófer guardó el auto en el garaje mientras los dos jóvenes corrían escalinata arriba hacia la entrada de la casa de William.

—Veo que has introducido algunos cambios desde que estuve aquí por última vez —comentó Matthew, admirando los modernos muebles de caña y el nuevo empapelado de Paisley. Sólo el sillón de cuero marrón permanecía firmemente anclado en su lugar de siempre.

—La casa necesitaba un toque de alegría —explicó William—. Era como vivir en la Edad de Piedra. Además, no quería recordar a... Vamos, no es el momento de ponerse a hablar sobre la decoración interior.

—¿Cuándo llegarán los invitados a esta fiesta?

—Baile, Matthew, las abuelas insisten en afirmar que se trata de un baile.

—En estas oportunidades hay una sola forma de bailar realmente placentera.

—Matthew, una secretaria del director no te autoriza a considerarte una autoridad nacional en educación sexual.

—Oh, cuántos celos, y del mejor amigo —suspiró Matthew, sarcásticamente.

William rió y consultó su reloj.

—El primer invitado llegará dentro de un par de horas. Tienes tiempo para ducharte y cambiarte. ¿Te has acordado de traer el smoking?

—Sí, pero si no lo hubiera traído podría haber usado el pijama. Generalmente olvido el uno o el otro, aunque nunca los dos. En verdad, si bajara al baile en pijama tal vez inauguraría una nueva moda.

—No puedo imaginar a mis abuelas disfrutando de la broma —manifestó William.

El personal de servicio —veintitrés en total—, llegó a las seis, y las abuelas a las siete, majestuosas con sus largos vestidos de encaje negro que barrían el suelo. William y Matthew se reunieron con los demás en el vestíbulo pocos minutos antes de las ocho.

William se disponía a quitar una tentadora guinda roja de lo alto de un magnífico pastel recubierto de caramelo, cuando oyó la voz de la abuela Kane a sus espaldas.

—No toques la comida, William. No es para ti.

219

Dio media vuelta.

—¿Entonces para quién es? —preguntó, mientras la besaba en la mejilla.

—No seas fresco, William. No porque midas más de un metro ochenta dejaré de darte unos azotes.

Matthew Lester rió.

—Abuela, permita que le presente a mi mejor amigo, Matthew Lester.

La abuela Kane lo sometió a una minuciosa inspección a través de sus impertinentes, y aventuró:

—Mucho gusto, joven.

—Es un honor, señora Kane. Creo que usted conoció a mi abuelo.

—¿Que si conocí a tu abuelo? ¿Caleb Longworth Lester? Me propuso matrimonio una vez, hace más de cincuenta años. Lo rechacé. Le advertí que bebía mucho y que moriría joven. Así fue, de modo que no beban, ninguno de los dos. Recuerden que el alcohol embota el cerebro.

—No tenemos muchas oportunidades, con la Ley Seca —comentó Matthew inocentemente.

—Me temo que eso no durará mucho —dictaminó la abuela Kane, resoplando—. El presidente Coolidge está olvidando su buena educación. Nunca habría llegado a presidente si ese idiota de Harding no hubiera conocido una muerte estúpida.

William rió.

—Caray, abuela, su memoria empieza a tornarse selectiva. No quería oír una palabra contra él durante la huelga de la policía.

La señora Kane no contestó.

Empezaron a aparecer los invitados, muchos de los cuales eran completamente desconocidos para el anfitrión. A éste le alegró ver a Alan Lloyd entre los que llegaron más temprano.

—Tienes muy buen aspecto, muchacho —exclamó Alan,

comprobando que ésa era la primera vez en su vida que debía alzar la vista para mirar a William.

—Tú también, Alan. Has sido muy amable al venir.

—¿Amable? ¿Olvidas que la invitación procede de tus abuelas? Quizá tendría suficiente valor para desairar a una, pero tratándose de las dos...

—¿Tú también, Alan? —bromeó William—. ¿Dispones de un momento para hablar en privado? —Guió a su invitado hasta un rincón tranquilo—. Quiero modificar ligeramente mis planes de inversión para empezar a comprar las acciones del banco Lester cada vez que éstas salgan al mercado. Cuando cumpla veintiún años me gustaría tener un cinco por ciento de sus acciones.

—No es tan fácil —respondió Alan—. Las acciones del Lester no salen con mucha frecuencia al mercado porque están todas en manos privadas, pero veré qué se puede hacer. ¿Qué es lo que bulle en tu cabeza, William?

—Bueno, mi verdadero objetivo es...

—William. —La abuela Cabot avanzaba rauda hacia ellos—. Aquí estás conspirando en un rincón con el señor Lloyd y aún no te he visto bailar ni una sola vez. ¿Para qué crees que organizamos este baile?

—Tiene mucha razón —asintió Alan Lloyd, poniéndose en pie—. Venga a sentarse conmigo, señora Cabot, y yo lanzaré a este chico al mundo. Nosotros podremos descansar, mirar cómo baila, y escuchar la música.

—¿La música? Eso no es música, Alan. No es más que una estridente cacofonía de ruidos sin un atisbo de melodía.

—Mi querida abuela —intervino William—, eso es «Yes, We Have No Bananas», la última canción de éxito.

—Entonces ha llegado la hora de que deje este mundo —respondió la abuela Cabot, dando un respingo.

—Nunca —manifestó Alan Lloyd, galantemente.

William bailó con un par de chicas a las que creía conocer vagamente, pero fue necesario que le recordaran sus nombres, y cuando vio a Matthew sentado en un rincón se alegró de tener una excusa para dejar la pista de baile. No vio a la chica sentada junto a Matthew hasta que casi estuvo encima de ellos. Cuando ella lo miró a los ojos, William sintió que se le aflojaban las rodillas.

—¿Conoces a Abby Blount? —preguntó Matthew con tono despreocupado.

—No —respondió William, mientras se contenía a duras penas para no enderezarse la corbata.

—Éste es nuestro anfitrión, el señor William Lowell Kane.

La joven bajó recatadamente los ojos cuando él se sentó al otro lado. Matthew había captado la mirada que William le había dirigido a Abby, y fue a buscar un ponche.

—¿Cómo es que he pasado toda mi vida en Boston, sin que nos hayamos visto nunca? —preguntó William.

—Nos vimos una vez. En esa oportunidad, me empujaste al estanque del parque. Teníamos los dos tres años. He necesitado catorce para recuperarme.

—Lo siento —dijo William, después de una pausa durante la cual buscó en vano una frase más ingeniosa.

—Qué casa más bonita tienes, William.

Hubo una segunda pausa, incómoda.

—Gracias —murmuró William débilmente. Miró de soslayo a Abby, tratando de no demostrar que la inspeccionaba. Era esbelta (oh, tan esbelta) con grandes ojos marrones, largas pestañas y un perfil que lo cautivaba. Llevaba el cabello castaño rojizo cortado al estilo paje, según los dictados de una moda que William había aborrecido hasta entonces.

—Matthew me ha dicho que el año próximo irás a Harvard —volvió a hablar ella.

—Sí, es cierto. Quiero decir, ¿bailamos?

—Gracias —asintió ella.

Los pasos que pocos minutos antes le habían salido espontáneamente ahora parecían bloqueados. Le pisaba las puntas de los pies y la empujaba una y otra vez contra los otros bailarines. Se disculpaba y ella sonreía. La apretó con un poco más de fuerza y siguieron bailando.

—¿Conocemos a esa jovencita que parece haber monopolizado a William durante la última hora? —preguntó la abuela Cabot con desconfianza.

La abuela Kane levantó sus impertinentes y estudió a la chica que acompañaba a William mientras éste salía al jardín por el ventanal abierto.

—Abby Blount —dictaminó la abuela Kane.

—¿La hija del almirante Blount? —inquirió la abuela Cabot.

—Sí.

La abuela Cabot hizo un ademán de relativa aprobación.

William guió a Abby Blount hasta el fondo del jardín y se detuvo junto a un gran castaño que antes sólo había usado para trepar.

—¿Siempre tratas de besar a las chicas la primera vez que estás con ellas? —preguntó Abby.

—Sinceramente —manifestó William—, nunca he besado a ninguna.

Abby se rió.

—Me siento muy halagada.

Le ofreció primero su mejilla rosada y después sus labios rojos y apretados, y luego insistió en volver al salón. Las abuelas los vieron regresar con considerable alivio.

Más tarde, en el dormitorio de William, los dos muchachos conversaron sobre la velada.

—No estuvo mal —comentó Matthew—. Casi justificó el viaje desde Nueva York hasta las provincias, a pesar de que me robaste mi chica.

—¿Crees que me ayudará a perder mi virginidad? —inquirió William, sin hacer caso de la acusación burlona de Matthew.

—Bueno, dispones de tres semanas para averiguarlo, pero me temo que descubrirás que ella aún no ha perdido la suya —dijo Matthew—. Soy tan experto en estas cuestiones que estoy dispuesto a apostarte cinco dólares a que ni siquiera sucumbe a los encantos de William Lowell Kane.

William preparó su estrategia con todo cuidado. Una cosa era perder la virginidad, y otra muy distinta era perder cinco dólares en una apuesta con Matthew. A partir de entonces se vio con Abby Blount casi todos los días, y por primera vez le sacó provecho a la circunstancia de ser propietario de su casa y su coche a los diecisiete años. Empezó a pensar que tendría más suerte sin la discreta pero persistente vigilancia de los padres de Abby, que parecían estar siempre a media distancia, y cuando amaneció el último día de sus vacaciones él no se hallaba visiblemente más cerca de su meta.

Resuelto a ganar los cinco dólares, William le envió a Abby una docena de rosas a primera hora de ese día, la invitó a una cena fastuosa en Joseph's, y finalmente logró atraerla hasta la sala de su casa.

—¿Cómo has conseguido una botella de whisky a pesar de la Ley Seca? —preguntó Abby.

—Oh, no es tan fácil —se jactó William.

La verdad era que había escondido una botella del *bourbon* de Henry Osborne en su dormitorio poco después de que éste se hubiera ido, y ahora se alegraba de no haberla vertido por el sumidero, siguiendo su primer impulso.

William sirvió la bebida que lo hizo jadear y que hizo brotar lágrimas en los ojos de Abby.

Se sentó junto a ella y le rodeó confiadamente el hombro con el brazo. Abby se acurrucó junto a él.

—Abby, pienso que eres extraordinariamente bella —murmuró, a modo de introito, contra sus rizos rojizos.

Ella lo miró con toda seriedad, con los ojos marrones dilatados.

—Oh, William —susurró—, y yo pienso que tú eres maravilloso.

Su rostro de muñeca era irresistible. Se dejó besar. Envalentonado, William deslizó una mano exploratoria hasta el pecho de ella, y la dejó allí como un policía de tránsito haciendo ademán de detener una columna de coches. Abby se sonrojó de indignación y le apartó el brazo para que el tráfico pudiera seguir su marcha.

—No debes hacer eso, William.

—¿Por qué no? —exclamó él, luchando en vano por retenerla.

—Porque no sabes dónde terminarás.

—Creo que lo sé bastante bien.

Antes de que William pudiera reanudar sus maniobras, ella lo empujó a un lado y se puso en pie deprisa, alisándose el vestido.

—Creo que es hora de que vuelva a casa, William.

—Pero si apenas has llegado.

—Mamá querrá saber qué es lo que he estado haciendo.

—Podrás decírselo: nada.

—Y creo que lo mejor será que quede así —añadió ella, resuelta.

—Pero yo me marcho mañana. —Evitó decir «a la escuela».

—Bueno, podrás escribirme, William.

A diferencia de Valentino, William sabía cuándo estaba derrotado. Se levantó, se enderezó la corbata, tomó a Abby por la mano y la condujo a su casa.

Al día siguiente, de vuelta en la escuela, Matthew Lester aceptó el billete de cinco dólares con las cejas enarcadas en una mueca de asombro burlón.

—Di una sola palabra, Matthew, y te perseguiré por todo St. Paul's con el bate de béisbol.

—No se me ocurren las palabras adecuadas para expresar mis profundos sentimientos de condolencia.

—Alrededor de St. Paul's, Matthew.

William empezó a notar la presencia de la esposa de su jefe de grupo durante los dos últimos semestres de su estancia en St. Paul's. Era una mujer guapa, quizás un poco fláccida en la zona del abdomen y las caderas, pero que mantenía muy bien su formidable busto, y cuya lujuriante cabellera negra recogida sobre la cabeza no tenía más vetas grises que las adecuadas. Un sábado, cuando William se había dislocado la muñeca en la pista de hockey, la señora Raglan se la vendó, acercándose a él más de lo necesario y permitiendo que su brazo le rozara el pecho. La sensación fue muy agradable. En otra ocasión, cuando él tuvo fiebre y hubo de pasar algunos días en la enfermería, ella le llevaba todas las comidas y se sentaba en su cama, tocándole las piernas con el cuerpo mientras él se alimentaba. Esta sensación también era muy agradable.

Se rumoreaba que era la segunda esposa de Gruñón Raglan. En el internado nadie entendía cómo Gruñón había conseguido pescar no dos sino tan siquiera una esposa. De vez en cuando la señora Raglan indicaba, mediante los suspiros y silencios más sutiles, que ella compartía parte de esa incredulidad respecto de su destino.

Uno de los deberes que recaían sobre William en su condición de encargado del pabellón consistía en presentarse ante Gruñón Raglan todas las noches, cuando había verificado que las luces estaban apagadas, y cuando él también se disponía a acostarse. Un lunes por la noche, cuando golpeó como de costumbre la puerta de Gruñón, le sorprendió oír la voz de la señora Raglan que lo invitaba a entrar. Estaba tumbada sobre el sofá, vestida con una flotante bata de seda de aspecto japonés.

William apretó fuertemente el frío pomo de la puerta.

—Todas las luces están apagadas y he cerrado con llave la puerta del frente, señora Raglan. Buenas noches.

Ella bajó los pies al suelo, y desde debajo de la seda ondulante asomó momentáneamente la pálida vislumbre de un muslo.

—Siempre tienes mucha prisa, William. ¿No puedes esperar que empiece tu vida, verdad? —Se acercó a una mesa adosada a la pared—. ¿Por qué no te quedas a tomar un chocolate caliente? Tonta de mí, preparé chocolate para dos y olvidé que el señor Raglan no volverá hasta el sábado.

Puso un fuerte énfasis en la palabra «sábado». Le sirvió una taza humeante a William y lo miró para comprobar si había captado la importancia de su comentario. Le pasó la taza, satisfecha, y dejó que su mano tocara la de él. William revolvió diligentemente el chocolate.

—Gerald ha ido a una conferencia —siguió explicando. Era la primera vez que él oía el nombre de pila de Gruñón Raglan—. Cierra la puerta, William, y ven a sentarte.

William vaciló. Cerró la puerta, pero no quería ocupar la silla de Gruñón ni sentarse junto a la señora Raglan. Resolvió que la silla de Gruñón era el menor de los dos males y se encaminó hacia ella.

—No, no —exclamó la señora Raglan, y palmeó el lugar que quedaba libre a su lado.

William se acercó arrastrando los pies y se sentó, nervioso, mientras miraba la taza en busca de inspiración. Como no la encontró, vació el contenido de un trago, quemándose la lengua. Lo tranquilizó ver que la señora Raglan se levantaba. Volvió a llenarle la taza, sin hacer caso de su farfullada negativa, y después atravesó silenciosamente la habitación, le dio cuerda a la Victrola y depositó la aguja sobre el disco.

«Hay que tomar las cosas con calma», fueron las primeras palabras que oyó William. Aún estaba mirando el suelo cuando ella volvió.

—¿Supongo que no dejarás que una dama baile sola, verdad, William?

Él levantó la vista. La señora Raglan se mecía al compás de la música.

«Vamos camino del romance, qué duda cabe», cantaba Rudy Vallee. William se levantó y rodeó formalmente a la se-

227

ñora Raglan con el brazo. Entre los dos quedaba espacio suficiente para Gruñón. Después de unos pocos compases ella se aproximó más a William, quien miró fijamente por encima del hombro derecho de su compañera de baile como si no hubiera notado que ésta le había bajado la mano izquierda hasta la cintura. Cuando cesó la música Williams pensó que tendría la oportunidad de volver a la seguridad de su chocolate caliente, pero ella dio la vuelta al disco y estuvo nuevamente entre sus brazos antes de que él tuviera tiempo de moverse.

—Señora Raglan, creo que debería...

—Relájate un poco, William.

Por fin él reunió el valor necesario para mirarla a los ojos. Intentó responder, pero no podía hablar. Ahora la mano de ella le exploraba la espalda, y sintió que le apoyaba suavemente el muslo contra el bajo vientre. William le ciñó la cintura con más fuerza.

—Así está mejor —murmuró ella.

Giraron despacio alrededor de la habitación, estrechamente enlazados, cada vez más despacio, siguiendo el compás de la música a medida que el disco llegaba plácidamente a su fin. Cuando ella se apartó y apagó la luz, William deseó que volviera pronto. Se quedó en la oscuridad, inmóvil, oyendo el susurro de la seda, viendo únicamente la silueta que se despojaba de sus ropas.

El *crooner* había completado su canción, y cuando ella terminó de desvestir a William y de conducirlo de vuelta al sofá, la aguja raspaba el surco final del disco. William la buscó a tientas, y sus tímidos dedos de novato encontraron varias partes de su cuerpo que tenían una textura distinta de la que él esperara. Los retiró apresuradamente para llevarlos al territorio relativamente conocido del pecho. Los dedos de ella no fueron tan reticentes, y William empezó a experimentar sensaciones que nunca había soñado. Sintió deseos de gemir, pero se contuvo, temiendo parecer estúpido. Las manos de ella estaban sobre su espalda, y lo atraían mansamente.

William se volteó, preguntándose cómo podría penetrarla sin demostrar su falta total de experiencia. No fue tan fácil como esperaba, y empezó a sentirse cada vez más desesperado. Entonces, los dedos de ella le recorrieron una vez más el estómago y lo guiaron, expertos. Con su ayuda la penetró fácilmente y llegó inmediatamente al orgasmo.

—Lo siento —murmuró William, sin saber muy bien qué debía hacer a continuación. Permaneció un rato en silencio, encima de la señora Raglan, hasta que ella habló.

—Mañana será mejor.

Volvió a oír el ruido de la aguja que raspaba el disco.

La señora Raglan permaneció en la mente de William durante todo ese martes interminable. Esa noche, ella suspiró. El miércoles, jadeó. El jueves, gimió. El viernes, gritó.

El sábado, Gruñón Raglan volvió de la conferencia, pero para entonces William ya había completado su educación.

Durante las vacaciones de Pascua, en el día de la Ascensión, Abby Blount por fin sucumbió a los encantos de William. A Matthew le costó cinco dólares y a Abby su virginidad. Después de la señora Raglan, ella fue algo así como un anticlímax. Ése fue el único acontecimiento destacado de todas las vacaciones, porque Abby se fue a Palm Beach con sus padres y William pasó la mayor parte del tiempo encerrado entre cuatro paredes con sus libros, sin atender a nadie, excepto a sus abuelas y a Alan Lloyd. Ahora faltaban pocas semanas para sus exámenes finales, y como Gruñón Raglan no concurrió a otras conferencias, William no tuvo otras actividades al margen del estudio.

Durante el último semestre, él y Matthew habían pasado horas absortos en sus estudios, en St. Paul's, hablando sólo cuando Matthew no era capaz de resolver un problema de matemáticas. Finalmente llegaron los tan ansiados exámenes, que duraron sólo una brutal semana. Apenas terminaron, ambos jóvenes aguardaron confiadamente los resultados, pero a medida que pasaban los días, y ellos esperaban y esperaban, su optimismo empezó a menguar. La Beca de Matemáticas Hamilton Memorial, para Harvard, se adjudicaba por estricta puntuación y estaba abierta a todos los jóvenes norteamericanos. William no podía saber si sus competidores habían sido muy brillantes. Al pasar más tiempo sin noticias, William empezó a suponer lo peor.

Cuando llegó el telegrama, estaba jugando al béisbol con otros alumnos del sexto curso, matando los pocos días que faltaban para dejar la escuela: esos calurosos días de verano en que es más probable que a los chicos los expulsen por ebriedad, por romper ventanas o por tratar de acostarse con las hijas de uno de los jefes de grupo, cuando no con su esposa.

William les estaba diciendo en alta voz a quienes querían oírlo que por primera vez en su vida iba a ganar la carrera hasta la base. El Babe Ruth de St. Paul's, afirmó Matthew. Esta exageración fue recibida con fuertes carcajadas. Cuando le entregaron el telegrama, olvidó de pronto las carreras y las bases. Dejó caer el bate y desgarró el pequeño sobre amarillo. El lanzador esperaba, impaciente, con la pelota en la mano, y otro tanto hacían sus compañeros de equipo, mientras él leía lentamente el mensaje.

—Quieren contratarte como jugador profesional —le gritó alguien desde la primera base, porque la recepción de un telegrama era un hecho inusitado durante un partido de béisbol. Matthew se acercó a William, tratando de leer en el semblante de su amigo si las noticias eran buenas o malas. Sin cambiar de expresión, William le pasó el telegrama a Matthew, quien lo leyó, brincó con júbilo, y dejó caer el papel al suelo para acompañar a William, que corría por las bases sin que nadie hubiera bateado realmente la pelota. El lanzador los miró, recogió el telegrama, lo leyó también y después arrojó alegremente la pelota a las graderías. Los jugadores se pasaron luego la hojita de papel, ávidamente, en torno del campo de juego.

El último que lo leyó fue el alumno de segundo año que, después de haber provocado tanto regocijo sin recibir una palabra de agradecimiento, resolvió que por lo menos se había ganado el derecho a conocer la causa de semejante euforia.

El telegrama estaba dirigido al señor William Lowell Kane, que según supuso el chico debía de ser el corredor incompetente. Decía: «Lo felicitamos por haber ganado la Beca de Matemáticas Hamilton Memorial para Harvard. Completaremos información. Abbot Lawrence Lowell, presidente.» William no llegó a completar la carrera porque varios compañeros de juego lo aplastaron bajo su peso antes de que llegara a la base meta.

Matthew se sintió muy contento por el éxito de su mejor amigo, pero lo afligió pensar que tal vez ahora se separarían. William experimentó el mismo sentimiento pero no dijo nada. Los dos jóvenes debieron esperar otros nueve días hasta que les llegó la noticia de que Matthew también había sido aceptado en Harvard.

Llegó un telegrama más, éste de Charles Lester, que felicitaba a su hijo y los invitaba a ambos a un té en el Plaza Hotel de Nueva York. Las dos abuelas le enviaron sus plácemes a William, pero como le dijo la abuela Kane a Alan Lloyd, con tono un poco quisquilloso, «el chico no ha hecho menos de lo que esperábamos de él ni más de lo que su padre hizo antes que él».

Los dos jóvenes caminaban orgullosos por la Quinta Avenida en el día estipulado. Las miradas de las chicas se volvían hacia los apuestos caminantes, que fingían no notarlo. Se quitaron los sombreros de paja al entrar a las tres y cincuenta y nueve por la puerta principal del Plaza, atravesaron impasibles el vestíbulo y observaron el grupo familiar que los aguardaba en la sala de las palmeras. Allí, muy erectas en sus cómodas sillas, estaban ambas abuelas, la Kane y la Cabot, flanqueando a otra anciana que, supuso William, era la equivalente de la abuela Kane en la familia Lester. El señor Charles Lester, su esposa, su hija Susan (cuyos ojos no se apartaban nunca de William) y Alan Lloyd completaban el círculo, en el que quedaban dos sillas vacías para William y Matthew.

La abuela Kane convocó al camarero más próximo con una ceja imponente.

—Otra tetera y más pastas, por favor.

El camarero se encaminó de prisa hacia la cocina.

—Otra tetera y más pastas para la mesa veintitrés —gritó por encima del fragor.

—Ya van —respondió una voz desde la ahumada penumbra.

—Una tetera y pastas de crema, señora —anunció el camarero al regresar.

—Hoy tu padre habría estado orgulloso de ti, William —le estaba diciendo el hombre de más edad al más alto de los dos jóvenes.

El camarero se preguntó qué habría hecho ese chico apuesto para hacerse acreedor a semejante comentario.

William no habría prestado ninguna atención al camarero si no hubiera sido por la pulsera de plata que le ceñía la muñeca. La alhaja podría haber provenido fácilmente de Tiffany's. La incongruencia de este detalle lo intrigó.

—William —dijo la abuela Kane—. Dos pastas bastan. Ésta no es tu última comida antes de partir hacia Harvard.

William miró afectuosamente a la anciana y olvidó por completo la pulsera de plata.

13

ESA NOCHE, mientras yacía despierto en su pequeño cuarto del Plaza Hotel, pensando en William, el chico que se había hecho acreedor al orgullo de su padre, Abel comprendió exactamente, por primera vez en su vida, qué era lo que deseaba. Anhelaba que los William de este mundo lo trataran de igual a igual.

Abel había pasado muchos afanes al llegar a Nueva York. Había ocupado un cuarto que contenía sólo dos camas, que estaba obligado a compartir con George y dos de sus primos. Como consecuencia de ello, Abel sólo dormía cuando una de las camas estaba desocupada. El tío de George no pudo ofrecerle trabajo, y después de unas semanas de ansiedad, durante las cuales consumió la mayor parte de sus ahorros para sobrevivir, Abel buscó desde Brooklyn hasta Queens antes de encontrar trabajo en una carnicería, cuyo propietario le pagaba nueve dólares por una semana de seis jornadas y media, y le permitía dormir en los altos del local. La carnicería estaba en el centro de una pequeña comunidad polaca casi autárquica del East Side, y Abel no tardó en hartarse del aislamiento a que se resignaban sus compatriotas, muchos de los cuales no hacían ningún esfuerzo por aprender inglés.

Abel seguía viendo regularmente, los fines de semana, a George y a su interminable sucesión de chicas, pero la mayor parte de sus noches libres las pasaba en la escuela, aprendiendo a leer y escribir en inglés. No se avergonzaba de que su progreso fuera lento, porque desde los ocho años había tenido muy pocas oportunidades para escribir, pero al cabo de dos años ya hablaba fluidamente su nueva lengua, sólo con un ligero acento extranjero. Ahora se sentía en condiciones de abandonar la carnicería... ¿pero para hacer qué, y cómo? Hasta que una mañana, mientras aderezaba una pata de cordero, oyó que uno de los principales clientes de la tienda, el jefe de personal del Plaza Hotel, le decía al carnicero, refunfuñando, que había tenido que despedir, por sus raterías, a uno de los aprendices de camarero.

—¿Cómo podré encontrarle un sustituto en tan poco tiempo? —se quejó el hombre.

El carnicero no supo ofrecerle ninguna solución. Abel, sí. Se puso su único traje, caminó cinco kilómetros y consiguó el empleo.

Apenas se hubo instalado en el Plaza, se inscribió en un curso nocturno de inglés de la Universidad de Columbia. Todas las noches trabajaba esmeradamente, con el diccionario abierto en una mano y la pluma en la otra. Por la mañana, en el tiempo que le quedaba libre desde que terminaba de servir el desayuno hasta que empezaba a preparar las mesas para el almuerzo, copiaba el editorial del *New York Times,* comprobando en su Wabster's de segunda mano la ortografía de todas las palabras que le planteaban dudas.

Durante los tres años siguientes Abel fue ascendido en el Plaza hasta que lo designaron camarero de la Sala de Roble, donde ganaba veinticinco dólares semanales, incluyendo las propinas. En su propio mundo no le faltaba nada.

El profesor de Abel en Columbia quedó tan admirado por sus progresos diligentes en los estudios de inglés, que le aconsejó que se inscribiera en otro curso nocturno, primer paso hacia la obtención del título de *Bachelor of Arts.* En sus horas libres, Abel trocó las lecturas de inglés por otras de economía, y empezó a copiar los editoriales del *Wall Street Journal* en lugar de los del *New York Times.* Su nuevo mundo lo absorbió por completo, y perdió contacto con todos sus amigos polacos de los viejos tiempos, excepto George.

Cuando Abel servía la mesa en la Sala de Roble, siempre observaba atentamente a los comensales famosos —los Baker,

234

los Loeb, los Whitney, los Morgan y los Phelp— y procuraba descifrar por qué los ricos eran distintos. Leía a H. L. Mencken, el *American Mercury,* a Scott Fitzgerald, a Sinclair Lewis y a Theodore Dreiser, impulsado por un insaciable apetito de saber. Estudiaba el *New York Times* mientras los otros camareros hojeaban el *Mirror,* y leía el *Wall Street Journal* durante su hora de descanso, mientras los demás dormitaban. No sabía muy bien a dónde lo llevarían sus flamantes conocimientos, pero jamás ponía en tela de juicio el aforismo del barón de que nada podía sustituir realmente a la cultura.

Un jueves de agosto de 1926 —recordaba bien la fecha, porque fue el día en que murió Rodolfo Valentino y muchas mujeres que hacían sus compras en la Quinta Avenida iban vestidas de luto— Abel atendía como de costumbre una de las mesas de la esquina. Estas mesas siempre se hallaban reservadas para grandes hombres de negocios que deseaban comer en privado sin temor a que los escuchasen oídos indiscretos. Le gustaba atender esa mesa en particular, porque corría la época de la expansión económica, y a menudo recogía datos confidenciales entre los fragmentos de conversación. Cuando terminaba la comida, si el anfitrión había sido el representante de un banco o de una gran sociedad anónima, Abel consultaba los antecedentes financieros de la firma a la que pertenecían los invitados, y si le parecía que la reunión había tenido un desenlace favorable invertía cien dólares en la empresa más pequeña, con la esperanza de que la de más envergadura la absorbiera o la ayudara a expandirse. Si el anfitrión pedía habanos al terminar la comida, Abel aumentaba su inversión a doscientos dólares. En siete casos de cada diez, las acciones que Abel había comprado de esta manera duplicaban su valor en seis meses, lapso máximo que las conservaba en su poder. Utilizando este sistema sólo perdió dinero tres veces durante los cuatro años que trabajó en el Plaza.

Ese día específico se produjo un cambio inusitado en la rutina de la mesa del rincón porque los comensales pidieron habanos ya antes de empezar a comer. Después se les sumaron otros comensales que pidieron más cigarros puros. Abel buscó el nombre del anfitrión en el libro de reservas del *Maitre*. Woolworth. Hacía muy poco tiempo había visto ese nombre en las columnas financieras, pero no consiguió ubicarlo al principio. El otro invitado era Charles Lester, cliente habitual del Plaza, un distinguido banquero de Nueva York, según sabía Abel. Escuchó todo lo que pudo mientras servía la comida. Los comensales no demostraron el mínimo interés en el atento camarero. Abel no descubrió ningún detalle de importancia, pero infirió que esa mañana se había concertado un acuerdo, un acuerdo que comunicarían ese mismo día, más tarde, al público desprevenido. Entonces lo recordó. Había visto el nombre en el *Wall Street Journal*. Woolworth era el hombre que iba a inaugurar las primeras tiendas norteamericanas de cinco y diez céntimos. Abel estaba resuelto a sacar sus dividendos de los cinco céntimos.

Mientras los comensales saboreaban el postre —la mayoría de ellos escogieron el pastel de queso y fresas, recomendado por Abel— él aprovechó la oportunidad para abandonar el comedor durante unos minutos y telefonearle a su agente de Bolsa.

—¿Cómo se cotiza Woolworth's? —inquirió.

Hubo una pausa en el otro extremo de la línea.

—Dos y un octavo. Últimamente hay mucho movimiento, pero no sé por qué —fue la respuesta.

—Compre todas las que pueda con el saldo de mi cuenta hasta que la empresa haga un anuncio más tarde.

—¿Sobre qué versará el anuncio? —preguntó el asombrado agente.

—No estoy autorizado a divulgar ese dato por teléfono —contestó Abel.

El agente quedó debidamente impresionado. El historial

236

de Abel lo había inducido a no formular demasiadas preguntas sobre sus fuentes de información.

Abel se apresuró a volver a la Sala de Roble y llegó a tiempo para servir el café a los comensales. Éstos conversaron durante otro rato, y Abel sólo volvió a la mesa cuando se disponían a partir. El hombre que pagó la cuenta le agradeció a Abel su esmerada atención, y volviéndose para que le oyeran sus amigos, añadió:

—¿Quiere una propina, joven?

—Gracias, señor —contestó Abel.

—Compre acciones de Woolworth's.

Todos los comensales rieron. Abel también rió, tomó los cinco dólares que le tendía el hombre y volvió a darle las gracias. Durante los seis meses siguientes ganó otros dos mil cuatrocientos doce dólares con las acciones de Woolworth's.

Cuando Abel consiguió la ciudadanía norteamericana con plenos derechos, pocos días después de que cumpliera veintiún años, decidió que eso merecía un festejo. Invitó al cine a George y Monika, la última enamorada de George, y a una chica llamada Clara, que también había salido con George, para ver a John Barrymore en *Don Juan*. Después irían a cenar en Bigo's. George aún trabajaba como aprendiz en la pastelería de su tío, a ocho dólares por semana, y si bien Abel seguía considerándolo como su mejor amigo, también se daba cuenta de que existían diferencias cada vez mayores entre el indigente George y él, que ahora tenía más de ocho mil dólares en el banco y cursaba el último año de la carrera *Bachelor of Arts* en economía, en la Universidad de Columbia. Abel sabía cuál era su meta, en tanto que George había dejado de decir a todo aquel que quería escucharle que sería alcalde de Nueva York.

Los cuatro pasaron una velada memorable, sobre todo porque Abel sabía qué era lo que debía exigir en un buen restaurante. Sus tres invitados comieron opíparamente, y cuando trajeron la cuenta George comprobó atónito que el total ascendía a más de lo que él ganaba en un mes. Abel pagó sin pensarlo dos veces. A la hora de pagar una cuenta, compórtate como si no te interesara la suma. Si te interesa, no vuelvas a ese restaurante, pero de cualquier forma no hagas comentarios ni te muestres sorprendido... Esto también se lo habían enseñado los ricos.

Cuando terminó la celebración a las dos de la mañana, George y Monika volvieron al bajo East Side, en tanto que Abel sintió que se había ganado a Clara. La hizo entrar de contrabando por la puerta de servicio del Plaza y la llevó hasta su cuarto en el ascensor de la lavandería. Ella no necesitó muchos estímulos para terminar en la cama, y Abel se apresuró a hacerle el amor, consciente de que debía dormir bien antes de presentarse a servir el desayuno. Para mayor satisfacción, Abel completó la faena a las dos y media, y durmió ininterrumpidamente hasta que el despertador sonó a las seis de la mañana. Tuvo el tiempo justo para poseer a Clara una vez más antes de vestirse.

Clara se quedó sentada en la cama y miró enfurruñada a Abel mientras éste se anudaba su pajarita blanca y le daba un rápido beso de despedida.

—Cuida de salir por donde entraste, o me meterás en un lío —dijo Abel—. ¿Cuándo volveré a verte?

—Nunca más —respondió Clara con tono categórico.

—¿Por qué no? —exclamó Abel, sorprendido—. ¿Por algo que te he hecho?

—No, por algo que no me has hecho. —Saltó de la cama y empezó a vestirse apresuradamente.

—¿Qué fue lo que no te hice? —inquirió Abel, ofendido—. Tú querías acostarte conmigo, ¿no es verdad?

Ella se volvió y lo enfrentó.

—Eso fue lo que pensé hasta que me di cuenta de que tienes una sola cosa en común con Valentino: ambos están muertos. Tal vez eres lo más formidable que ha visto el Plaza en un año

238

de crisis, pero puedo asegurarte que en la cama no vales nada. —Ahora completamente vestida, se detuvo con la mano sobre el picaporte, preparando la andanada final—. Dime, ¿has logrado que alguna chica se acueste contigo más de una vez?

Abel se quedó mirando alelado la puerta que acababa de cerrarse violentamente, y pasó el resto del día cavilando sobre las palabras de Clara. No se le ocurrió con quién podía discutir el problema. George se limitaría a reírse, y en cuanto a sus compañeros del Plaza, creían que él lo sabía todo. Decidió que debería encontrar la forma de resolver esa dificultad con su conocimiento o experiencia, como todas las otras con que había tropezado en su vida.

Después de almorzar, en su tarde libre, fue a la librería Scribner's de la Quinta Avenida. Él había solucionado todos sus problemas económicos y lingüísticos, pero allí no encontró nada que pareciera adecuado para ayudarlo a solucionar, aunque sólo fuera inicialmente, los de naturaleza sexual. El libro de Scribner's sobre etiqueta era inútil, y *The Nature of Morals* de W. F. Colbert resultó ser francamente inadecuado.

Abel se fue de la librería sin comprar nada y pasó el resto de la tarde en un sórdido cine de Broadway, sin mirar la película y pensando sin cesar en lo que le había dicho Clara. La película, una historia de amor con Greta Garbo, en la que los besos no llegaron hasta el último rollo, no le proporcionó más ayuda que Scribner's.

Cuando Abel salió del cine, el cielo ya estaba oscuro y una fría brisa soplaba por Broadway. Seguía sorprendiéndolo que una ciudad pudiera ser tan bulliciosa y luminosa por la noche como durante el día. Echó a andar calle arriba hacia Fiftyninth Street, con la esperanza de que el aire fresco le despejara. Se detuvo en la intersección de Fifty-second para comprar un periódico vespertino.

—¿Buscas una chica? —le preguntó una voz desde detrás del quiosco.

Abel miró a la que había hablado. Tenía aproximadamente

treinta y cinco años, estaba muy maquillada, y usaba el nuevo lápiz labial de moda. Su blusa de seda blanca tenía un botón desabrochado y usaba una larga falda negra, con medias y zapatos del mismo color.

—Sólo cinco dólares, y nunca habrás invertido mejor esa suma —prosiguió. Arqueó la cabeza y este movimiento abrió el tajo de la falda, dejando al descubierto el puño de las medias.

—¿Dónde? —inquirió Abel.

—Tengo mi nidito propio en la próxima manzana.

Giró la cabeza, indicándole la dirección a Abel. Éste le vio por primera vez las facciones, claramente, bajo la luz del farol. No era fea. Abel hizo un ademán de asentimiento y ella le tomó del brazo y echó a andar.

Caminaron hasta la manzana siguiente y entraron en un miserable edificio de apartamentos. A Abel lo horrorizó el cuarto cochambroso, con su única bombilla desnuda, su silla, su palangana, y la deshecha cama de matrimonio, que evidentemente había sido usada varias veces ese mismo día.

—¿Vives aquí —preguntó incrédulo.

—Dios mío, no. Sólo uso este lugar para trabajar.

—¿Por qué lo haces? —insistió Abel, que ya no estaba muy seguro de querer seguir adelante con su plan.

—He de criar dos hijos y no tengo marido. ¿Se te ocurre un motivo mejor? Ahora, ¿te intereso o no?

—Sí, pero no en la forma que tú crees —dijo Abel.

Ella lo miró con recelo.

—¿No serás otro de esos chiflados, los discípulos del marqués de Sade, verdad?

—Claro que no —respondió Abel.

—¿Entonces no me quemarás con cigarrillos?

—No, nada de eso —afirmó Abel, atónito—. Quiero aprender a hacerlo bien. Quiero que me des lecciones.

—¿Lecciones? ¿Bromeas? ¿Qué crees que es esto, cariño, una jodida escuela nocturna?

240

—Algo así —asintió Abel, y se sentó en el ángulo de la cama y explicó a la mujer lo que le había dicho Clara la noche anterior—. ¿Crees que puedes ayudarme?

La dama de la noche escudriñó atentamente a Abel, preguntándose si ese era el Día de los Inocentes.

—Claro que sí —dictaminó finalmente—. Pero te costará a razón de cinco dólares por cada sesión de treinta minutos.

—Más caro que un curso de *Bachelor of Arts* en Columbia —comentó Abel—. ¿Cuántas lecciones necesitaré?

—Depende de la rapidez con que aprendas, ¿no te parece?

—Bueno, empecemos ahora mismo —dijo Abel. Sacó cinco dólares del bolsillo interior y se los entregó. Ella metió el billete debajo del puño de la media, lo cual era un indicio seguro de que nunca se las quitaba.

—Fuera las ropas, cariño —ordenó ella—. No aprenderás mucho si te quedas vestido.

Cuando Abel terminó de desnudarse, la mujer lo inspeccionó con ojo crítico.

—No eres precisamente Douglas Fairbanks. Pero no te preocupes. El aspecto físico no importa cuando las luces están apagadas. Lo único que interesa es lo que sabes hacer.

Abel se sentó sobre el borde de la cama y ella empezó a explicarle cómo debía tratar a una mujer. Le sorprendió que Abel no la deseara realmente, y le sorprendió aún más que él continuara visitándola todos los días durante las dos semanas siguientes.

—¿Cuándo sabré que estoy en condiciones? —preguntó Abel.

—Lo sabrás, chico —respondió la mujer, que se llamaba Joyce—. Si me produces un orgasmo, se lo producirás a una momia egipcia.

Le enseñó primero dónde estaban los puntos sensibles del cuerpo de la mujer, y después a copular con paciencia y a identificar los signos que indicaban que lo que hacía generaba placer. Le enseñó cómo usar la lengua y los labios en todas partes y no sólo en la boca de la mujer.

Abel escuchaba atentamente todo lo que ella le decía y seguía sus instrucciones al pie de la letra y, al principio, en forma quizás excesivamente mecánica. Pese a la afirmación de que progresaba tanto que nadie lo habría reconocido, él no estaba seguro de que Joyce dijera la verdad. Hasta que, aproximadamente tres semanas y ciento diez dólares más tarde, para su mayor sorpresa y regocijo, ella cobró vida por primera vez entre sus brazos. Le retuvo la cabeza mientras Abel le lamía delicadamente los pezones. Cuando la acarició suavemente entre las piernas, descubrió que estaba húmeda —por primera vez— y después de que la hubo penetrado ella gimió. Abel nunca había oído ese sonido y lo encontró inmensamente placentero. Joyce le arañó la espalda, ordenándole que no se detuviera. Los gemidos continuaron, a ratos con fuerza, a ratos por lo bajo. Finalmente ella lanzó un feroz alarido, y las manos que lo habían retenido con tanto frenesí se relajaron.

Cuando recuperó el aliento, Joyce murmuró:

—Chico, acabas de graduarte el primero de tu curso.

Abel ni siquiera había eyaculado.

Para celebrar la conquista de sus dos títulos, Abel pagó un precio prohibitivo por cuatro entradas de primera fila e invitó a George, Monika y una renuente Clara al combate entre Gene Tunney y Jack Dempsey por el campeonato mundial de los pesos pesados. Esa noche, después de la pelea, Clara pensó que lo menos que podía hacer era acostarse con Abel, después de que éste había gastado tanto dinero en ella. Por la mañana, le suplicó que no la dejara.

Abel jamás volvió a invitarla a salir.

Después de graduarse en Columbia, Abel se sintió disconforme con su vida en el Plaza Hotel, pero no se le ocurrió la forma de seguir progresando. Aunque estaba rodeado por al-

242

gunos de los hombres más ricos y afortunados de los Estados Unidos, no podía abordar directamente a ninguno de sus clientes, pues sabía que eso muy bien podría costarle el empleo, y que además ninguno de ellos tomaría en serio las ambiciones de un camarero. Hacía mucho tiempo que Abel había resuelto que deseaba ser *maître*.

Un día, el señor Ellsworth Statler y su esposa fueron a cenar en la Sala Eduardina del Plaza, donde Abel trabajaba como suplente desde hacía una semana. Pensó que por fin había llegado su hora. Hizo todo lo imaginable para impresionar al famoso hotelero, y la velada se desarrolló maravillosamente. Antes de irse, Statler le dio las gracias a Abel, junto con diez dólares, pero allí terminaron sus relaciones. Abel lo vio desaparecer por la puerta giratoria del Plaza, preguntándose si algún día se le presentaría la oportunidad anhelada.

Sammy, el *maître*, le dio un golpecito en el hombro.

—¿Qué le sacaste al señor Statler?

—Nada —respondió Abel.

—¿No te dio una propina? —preguntó Sammy con tono incrédulo.

—Oh, sí, claro —asintió Abel—. Diez dólares. —Le pasó el dinero a Sammy.

—Así me gusta más —dijo Sammy—. Había empezado a pensar que me estabas timando, Abel. Diez dólares es mucho dinero, incluso cuando se trata del señor Statler. Debes de haber despertado su admiración.

—No, no fue así.

—¿De qué hablas? —exclamó Sammy.

—No importa —murmuró Abel, y empezó a alejarse.

—Espera un momento, Abel. Tengo un mensaje para ti. El caballero de la diecisiete, un tal señor Leroy, quiere hablar contigo.

—¿De qué, Sammy?

—¿Cómo puedo saberlo? Probablemente le gustaron tus ojos azules.

Abel miró hacia là mesa diecisiete, estrictamente reservada para los humildes y los desconocidos, porque estaba muy mal situada cerca de las puertas de vaivén de la cocina. Abel evitaba siempre que podía atender las mesas ubicadas en ese extremo del salón.

—¿Quién es? —insistió Abel—. ¿Qué quiere?

—No lo sé —respondió Sammy, sin molestarse en levantar la cabeza—. No conozco la biografía de todos los comensales, como la conoces tú. Atiéndelo bien, procura que te dé una buena propina y ruega que vuelva. Tal vez te parezca una filosofía demasiado sencilla, pero a mí me basta. Quizá se olvidaron de ofrecerte las enseñanzas más básicas en Columbia. Ahora mueve el culo, Abel, y si se trata de una propina no dejes de traerme el dinero.

Abel sonrió a la cabeza calva de Sammy y se encaminó hacia la diecisiete. La mesa se hallaba ocupada por dos personas: un hombre vestido con una llamativa americana a cuadros, que Abel no aprobó, y una joven atractiva, con una melena rubia y rizada. La chica captó, por un momento, la atención de Abel, quien supuso maliciosamente que se trataba de la querida del hombre de la chaqueta a cuadros. Abel forzó su sonrisa de excusas, y se apostó a sí mismo un dólar de plata a que el fulano pondría el grito en el cielo por las puertas de vaivén e intentaría que le cambiaran de mesa para impresionar a la rubia despampanante. A nadie le gustaba estar cerca del olor de la cocina y del tránsito continuo y ruidoso de los camareros por las puertas, pero era imposible no habilitar esa mesa cuando el hotel estaba atestado de huéspedes y de neoyorquinos que utilizaban el restaurante para comer habitualmente y que miraban a los visitantes poco menos que como intrusos. ¿Por qué Sammy siempre le dejaba los clientes difíciles? Se aproximó cautelosamente a la americana a cuadros.

—¿Desea hablar conmigo, señor?

—Claro que sí —respondió una voz con acento sureño—. Yo soy Davis Leroy y ésta es mi hija Melanie.

La mirada de Abel se apartó por un momento del señor Leroy para encontrarse con los ojos más verdes que había visto en su vida.

—Te he estado observando durante los últimos cinco días, Abel —continuó el señor Leroy, arrastrando las palabras con su entonación sureña.

Si le hubieran presionado, Abel habría tenido que confesar que no se había fijado en el señor Leroy hasta hacía cinco minutos.

—Lo que he visto me ha impresionado mucho, Abel, porque tienes calidad, auténtica calidad, y eso es algo que yo siempre busco. Ellsworth Statler fue un memo al no contratarte sin dilación.

Abel empezó a estudiar con más detenimiento al señor Leroy. Sus mejillas rubicundas y su doble papada no dejaban duda de que no había oído hablar de la Ley Seca, y los platos vacíos que se acumulaban frente a él explicaban su abdomen voluminoso. Pero ni el nombre ni la cara le decían nada. En circunstancias normales, Abel estaba familiarizado con los antecedentes de todos quienes ocupaban treinta y siete de las treinta y nueve mesas de la Sala Eduardiana. El señor Leroy era uno de los dos desconocidos.

El sureño siguió hablando.

—Bueno, yo no soy uno de esos multimillonarios que ocupan la mesa de la esquina cuando se alojan en el Plaza.

Abel estaba impresionado. Teóricamente, el comensal medio no estaba en condiciones de juzgar acerca de la disposición de las mesas y sus ocupantes.

—Pero tampoco puedo quejarme. En verdad, es muy posible que algún día mi mejor hotel pueda competir con éste, Abel.

—No dudo que así será, señor —respondió Abel, tratando de ganar tiempo.

Leroy, Leroy, Leroy. El nombre no significaba nada para él.

—Iré al grano, hijo. El hotel número uno de mi cadena necesita un nuevo subgerente, que sea responsable de los restaurantes. Si te interesa el puesto, ven a mi habitación cuando acabes tu trabajo.

Le tendió a Abel una gran tarjeta estampada en relieve.

—Gracias, señor —dijo Abel, mirándola. Davis Leroy. Cadena de Hoteles Richmond, Dallas. Al pie estaba impreso el lema: «Tendremos un hotel en cada estado». Abel seguía sin poder identificar el nombre.

—Te estaré esperando —manifestó el cordial tejano de la americana a cuadros.

—Gracias, señor —repitió Abel.

Le sonrió a Melanie, cuyos ojos seguían estando tan fríamente verdes como antes, y fue a reunirse con Sammy, que continuaba con la cabeza gacha, contando sus ganancias.

—¿Has oído hablar de la Cadena de Hoteles Richmond, Sammy?

—Sí, desde luego. Una vez mi hermano fue aprendiz de camarero en uno de ellos. Debe de haber ocho o nueve, repartidos por todo el Sur. El dueño es un tejano loco, pero no recuerdo su nombre. ¿Por qué lo preguntas? —agregó Sammy, mientras levantaba la mirada con recelo.

—Por nada en particular —contestó Abel.

—Tú siempre tienes un motivo. ¿Qué quería el de la mesa diecisiete? —inquirió Sammy.

—Protestó por el ruido de la cocina. Y no le faltaba razón.

—¿Qué pretende, que lo ponga en la galería? ¿Quién piensa que es? ¿John D. Rockefeller?

Abel dejó a Sammy con sus cuentas y rezongos y despejó sus mesas lo más deprisa que pudo. Después se fue a su cuarto y se dedicó a investigar la Cadena Richmond. Le bastaron unas pocas llamadas para satisfacer su curiosidad. Resultó ser una empresa privada, con un total de once hoteles. El más destacado era un establecimiento de lujo con trescientas cuarenta y dos habitaciones: el Richmond Continental de Chicago. Abel llegó a la conclusión de que no perdería nada si iba a visitar al señor Leroy y a Melanie. Comprobó el número de la habitación del señor Leroy —la 85—, uno de los mejores aposentos pequeños. Llegó un poco antes de las cuatro de la tarde y lo desilusionó descubrir que Melanie ya no estaba con su padre.

—Me alegra que hayas venido, Abel. Siéntate.

Era la primera vez que Abel se sentaba como invitado en los más de cuatro años que llevaba trabajando en el Plaza.

—¿Cuánto te pagan? —preguntó el señor Leroy.

La repentina pregunta lo tomó por sorpresa.

—Alrededor de veinticinco dólares por semana, incluyendo las propinas.

—Yo empezaré pagándote treinta y cinco por semana.

—¿De qué se trata?

—Si soy un buen evaluador de personalidades, Abel, no me equivocaré al afirmar que terminaste de trabajar en el restaurante a las tres y media y que dedicaste los treinta minutos siguientes a averiguar de qué hotel se trataba. ¿Es así?

El hombre empezaba a caerle simpático.

—¿El Richmond Continental de Chicago? —aventuró.

Davis Leroy se rió.

—No me equivoqué respecto de ti.

La mente de Abel funcionaba a marchas forzadas.

—¿Cuántas personas hay por encima del subgerente, en el escalafón del hotel?

—Sólo el gerente y yo. El gerente es parsimonioso, afable, y está próximo a jubilarse, y como yo tengo otros diez hoteles de los cuales ocuparme creo que no tropezarás con demasiados problemas... aunque debo confesar que el de Chicago es mi predilecto, mi primer hotel en el Norte, y dado que Melanie estudia allí, generalmente paso más tiempo del que debería en la Ciudad de los Vientos. Nunca cometas el error, tan común entre los neoyorquinos, de menospreciar a Chicago. Ellos piensan que Chicago no es más que un sello en un sobre de grandes dimensiones, y que ellos son el sobre.

Abel sonrió.

—En estos momentos el hotel está un poco abandonado —continuó Davis Leroy—, y el último subgerente se fue súbitamente, sin dar explicaciones, de modo que necesito un hombre idóneo que se haga cargo del establecimiento y sepa obtener de él todas sus posibilidades. Ahora escucha, Abel, hace cinco días que te observo con detenimiento y sé que eres ese hombre. ¿Crees que te interesará venir a Chicago?

—Cuarenta dólares y el diez por ciento del aumento que se consiga en los beneficios, y aceptaré el puesto.

—¿Cómo? —exclamó Davis Leroy, alelado—. A ninguno de mis gerentes le doy un porcentaje de los beneficios. Los otros pondrán el grito en el cielo, si se enteran.

—Yo no se lo diré, si usted no lo hace —respondió Abel.

—Ahora sé que he elegido al hombre apropiado, aunque regatee mucho mejor que un yanqui con seis hijas. —Dio una palmada sobre el brazo de su sillón—. Acepto tus condiciones, Abel.

—¿Necesita referencias, señor Leroy?

—Referencias. Conozco tus antecedentes y tu historia desde que abandonaste Europa hasta que te graduaste en Economía en Columbia. ¿Qué crees que he estado haciendo durante los últimos días? No colocaría en el segundo puesto de mi mejor hotel a alguien que necesitara referencias. ¿Cuándo puedes empezar a trabajar?

—Dentro de un mes a partir de hoy.

—Estupendo. Espero verte entonces, Abel.

Abel se levantó de la silla del hotel. Se sentía mejor en pie. Le estrechó la mano al señor Davis Leroy, el hombre de la mesa diecisiete... la que estaba estrictamente reservada para desconocidos.

A Abel le resultó más doloroso de lo previsto abandonar Nueva York y el Plaza Hotel, el único hogar verdadero que había tenido después del castillo de los alrededores de Slonim. Decirles adiós a George, Monika y sus pocos amigos de Columbia fue inesperadamente difícil. Sammy y los camareros le organizaron una fiesta de despedida.

—Ya volveremos a oír hablar de ti, Abel Rosnovski —sentenció Sammy, y todos estuvieron de acuerdo.

El Richmond Continental de Chicago estaba bien situado en Michigan Avenue, en el corazón de la ciudad que más deprisa crecía en los Estados Unidos. Lo cual satisfizo a Abel, que estaba muy familiarizado con la máxima de Ellsworth Statler de que sólo tres cosas interesaban en un hotel: la ubicación, la ubicación y la ubicación. Abel no tardó en descubrir que la ubicación era prácticamente el único mérito del Richmond. Davis Leroy había sido optimista al afirmar que el hotel estaba un poco abandonado. Desmond Pacey, el gerente, no era parsimonioso y afable como había sugerido Davis Leroy. Era francamente perezoso y no se ganó la estima de Abel cuando le asignó un cuarto pequeño en el anexo de personal, situado en la acera de enfrente, dejándolo así fuera del cuerpo principal del hotel. Una rápida inspección de los libros del Richmond le demostró que el promedio diario de plazas ocupadas estaba por debajo del cuarenta por ciento, y que el restaurante nunca llenaba más del cincuenta por ciento de sus mesas, entre otras cosas porque la comida distaba mucho de ser satisfactoria. El personal sólo hablaba en conjunto tres o cuatro idiomas, ninguno de los cuales parecía ser el inglés, y ciertamente nadie acogió de buena gana al estúpido polaco de Nueva York. No era difícil entender por qué el último subgerente se había largado con tanta prisa. Si el Richmond era el hotel favorito de Davis Leroy, Abel temía por los otros diez de su cadena, aunque su nuevo patrono parecía tener una mina inagotable de oro en el estreno del arco iris de Texas. La mejor noticia que Abel recibió durante sus primeros días de estancia en Chicago fue que Melanie Leroy era la única hija de su empleador.

14

WILLIAM Y MATTHEW iniciaron su primer año de estudios en Harvard en el otoño de 1924. A pesar de la desaprobación de sus abuelas, William aceptó la beca Hamilton Memorial, y con un desembolso de doscientos noventa dólares se compró un «Daisy», el último modelo de Ford T, y el primer auténtico amor de su vida. Pintó el Daisy de amarillo brillante, lo que redujo a la mitad su valor y multiplicó por dos el número de sus amiguitas. Calvin Coolidge fue reelegido Presidente por abrumadora mayoría, y el volumen de transacciones de la Bolsa de Nueva York batió el récord de los últimos cinco años con un total de dos millones trescientas treinta y seis mil ciento sesenta acciones.

Ambos jóvenes (ya no podemos llamarlos niños, sentenció la abuela Cabot) habían soñado con ingresar en la Universidad. Después de un verano lleno de actividades deportivas como tenis y golf, estaban listos para abordar empresas de más envergadura. William empezó a trabajar el día en que llegó a la nueva habitación que compartían en el Gold Coast, y que suponía un considerable adelanto respecto del pequeño estudio de St. Paul's, en tanto que Matthew salía en busca del club de remo. A Matthew lo eligieron capitán del equipo de primer año, y William dejaba sus libros todos los domingos por la tarde para contemplar a su amigo desde las márgenes del

Charles River. En su interior saboreaba el éxito de Matthew, pero pese a ello lo criticaba con mordacidad.

—La vida no se reduce a ocho grandullones que maniobran con trozos deformes de madera en aguas turbulentas mientras otro hombre más menudo les grita —afirmaba William despectivamente.

—Eso cuéntaselo a Yale —respondía Matthew.

Entretanto, William se apresuraba a demostrar a sus profesores de matemáticas que él marchaba en el ámbito de los estudios como Matthew en el de los deportes: con un kilómetro de ventaja. También lo eligieron presidente de la Sociedad de Debates de primer año y convenció a su tío abuelo, el presidente Lowell, de que debía implantar el primer plan de seguros universitarios, en virtud del cual los estudiantes que regresaban de Harvard contrataban sendos seguros de vida de mil dólares, siendo el beneficiario la universidad. William calculó que el costo para cada participante sería de menos de un dólar semanal, y que si el cuarenta por ciento de los ex alumnos aceptaban el plan, Harvard tendría un ingreso garantizado de aproximadamente tres millones anuales a partir de 1950. El presidente se sintió muy admirado y apoyó la idea sin reticencias, y un año más tarde invitó a William a incorporarse a la junta de la Comisión Recaudadora de Fondos de la Universidad. William aceptó con orgullo el cargo, sin darse cuenta de que la designación era a perpetuidad. El presidente Lowell le informó a la abuela Kane que había reclutado, gratuitamente, a uno de los mejores cerebros financieros de esa generación. La abuela Kane le contestó malhumorada a su sobrino que «todo sirve para algo, y esto le enseñará a William a leer las cláusulas escritas en letra pequeña».

Casi inmediatamente después de empezar el segundo año, llegó la hora de elegir (o de ser elegido para) uno de los Clubes Finales que dominaban el panorama social de los acaudalados alumnos de Harvard. A William lo seleccionaron para el Porcellian, el más antiguo, el más rico, el más exclusivista y el menos ostentoso de dichos clubes. En el local de Massachusetts Avenue, que estaba incongruentemente situado sobre una económica cafetería Hayes-Bickford, William se instalaba en un cómodo sillón, y analizaba el problema del mapa de cuatro colores, discutía las repercusiones del juicio a los asesinos Loeb y Leopold, y contemplaba ocioso la calle de abajo mediante el espejo apropiadamente inclinado mientras escuchaba la moderna radio de grandes dimensiones.

Durante las vacaciones de Navidad, Matthew lo persuadió para que fuera a esquiar con él a Vermont, y pasó una semana resollando cuesta arriba detrás de su amigo, más atlético.

—Dime, Matthew, ¿qué sentido tiene pasar una hora escalando una ladera que después recorrerás en sentido inverso en pocos segundos, con considerables riesgos para tu integridad física y tu vida?

—Puedo decirte que esto me produce mucho más placer que la teoría de los gráficos, William —gruñó Matthew—. ¿Por qué no confiesas que no eres un experto en estos menesteres?

Durante su segundo año de estudios trabajaron lo necesario para ir tirando, aunque lo que ambos consideraban por «ir tirando» eran cosas muy distintas. En los dos primeros meses de las vacaciones de verano trabajaron como auxiliares de administración en el banco de Charles Lester, en Nueva York, porque hacía mucho tiempo que el padre de Matthew había desistido de su propósito de mantener alejado a William. Cuando llegaron los días calurosos de agosto, pasaron la mayor parte de su tiempo corriendo por la campiña de New England en el Daisy, navegando por el Charles River con la mayor cantidad posible de chicas distintas, y asistiendo a todas las fiestas a las que conseguían hacerse invitar. En poco tiempo destacaron entre las personalidades más acreditadas de la Universidad, y los conocedores los bautizaron con los apodos de El Sabio y El Sudor. En los círculos de la buena sociedad de

Boston existía la convicción de que la chica que se casara con William Kane o Matthew Lester no debería temer por su futuro, pero tan pronto como las madres ilusas aparecían con sus hijas rozagantes, la abuela Kane y la abuela Cabot las despedían sin grandes ceremonias.

El 18 de abril de 1927, William celebró su vigésimo primer cumpleaños asistiendo a la última reunión de los albaceas de sus bienes. Alan Lloyd y Tony Simmons habían preparado todos los documentos que era necesario firmar.

—Bueno, querido William —dijo Milly Preston, como si le hubieran quitado de encima una gran responsabilidad—, estoy segura de que sabrás hacerlo tan bien como lo hicimos nosotros.

—Eso espero, señora Preston, pero si alguna vez necesito perder medio millón de la noche a la mañana, no tendré dudas respecto a quién debo llamar.

Milly Preston se puso roja pero se quedó callada.

Ahora el fideicomiso suponía un capital de más de veintiocho millones de dólares, y William tenía planes muy definidos para acrecentar esa suma, aunque también se había fijado la meta de ganar personalmente un millón de dólares antes de salir de Harvard. No era mucho dinero cuando se lo comparaba con el fideicomiso, pero la fortuna heredada le importaba mucho menos que el saldo de su cuenta en el banco de Lester.

Aquel verano, las abuelas, que temían una nueva avalancha de niñas rapaces, despacharon a William y Matthew rumbo a Europa, en una gran gira que constituyó un gran éxito para ambos. Matthew superó las barreras del idioma y encontró una chica bonita en cada una de las grandes capitales de Europa: el amor, le explicó a William, era un valor de uso internacional. William se hizo presentar a directores de la mayoría de los grandes bancos de Europa: el dinero, le explicó a Matthew, también era un valor de uso internacional. Desde

Londres hasta Roma, pasando por Berlín, los dos jóvenes dejaron un reguero de corazones destrozados y banqueros debidamente deslumbrados. Cuando volvieron a Harvard en setiembre, ambos estaban bien dispuestos para iniciar su último año de estudios.

La abuela Kane falleció en el cruel invierno de 1927, a la edad de ochenta y cinco años, y William lloró por primera vez desde la muerte de su madre.

—Tranquilízate —le dijo Matthew, después de soportar varios días la depresión de William—. Disfrutó de la vida y esperó mucho tiempo antes de ir a verificar si Dios es un Cabot o un Lowell.

William echaba de menos las sabias palabras que tan poco había estimado durante la vida de su abuela, y organizó un funeral al que ella habría asistido con orgullo. Aunque la gran dama llegó al cementerio en un coche fúnebre negro de marca Packard («Antes muerta que en uno de esos armatostes modernos», y resultó que habría de viajar en él después de muerta), el empleo de este insano medio de transporte habría sido la única crítica que habría realizado a la forma en que William preparó su partida. El fallecimiento de la abuela Kane lo estimuló para trabajar con más ahínco aún en el último año que pasaría en Harvard. Se consagró a ganar, en homenaje a ella, el primer premio de matemáticas. La abuela Cabot murió seis meses más tarde. Tal vez, comentó William, porque no le había quedado nadie con quien hablar.

En febrero de 1928, William recibió la visita del jefe del Equipo de Debates. Al mes siguiente se celebraría una polémica de gran envergadura sobre la moción «Socialismo o Capitalismo para el Futuro de los Estados Unidos», y naturalmente le pedían a William que tomara la defensa del capitalismo.

–¿Y si le dijera que sólo estoy dispuesto a disertar en favor de las masas oprimidas? –le preguntó William al atónito jefe del equipo. Lo irritaba un poco que sin conocerlo a fondo dieran por sobreentendidas sus opiniones intelectuales por el hecho de que había heredado un apellido famoso y un banco próspero.

–Bueno, realmente, William, imaginábamos que tú eras partidario de, eh...

–Lo soy. Acepto la invitación. ¿Supongo que puedo elegir libremente a mi colaborador?

–Naturalmente.

–Estupendo, entonces elijo a Matthew Lester. ¿Se puede saber quiénes serán nuestros adversarios?

–No te enterarás hasta el día anterior, cuando se fijarán los carteles en el patio.

Durante el mes siguiente, Matthew y William trocaron las críticas de la hora del desayuno a los periódicos de izquierda y derecha, y las discusiones nocturnas sobre el sentido de la vida, en sesiones de estrategia para lo que en toda la Universidad empezaba a denominarse «El Gran Debate». William decidió que Matthew debería abrir el fuego.

Cuando se aproximó el día trascendental, quedó en claro que la mayoría de los estudiantes y profesores con inquietudes políticas, e incluso algunos de los notables de Boston y Cambridge, estarían presentes. En la mañana previa al debate, salieron al patio para averiguar quiénes serían sus adversarios.

–Leland Crosby y Thaddeus Cohen. ¿Alguno de estos nombres te dice algo, William? Supongo que Crosby es uno de los Crosby de Filadelfia.

–Claro que lo es. «El Maníaco Rojo de Rittenhouse Square», como su propia tía lo describió en una oportunidad con mucha exactitud. Es el revolucionario más convincente de la Universidad. Tiene una enorme fortuna y gasta todo su dinero para financiar los proyectos radicales más populares. Ya me parece oír su introducción. –William parodió el tono cáustico de Crosby—: «Conozco de primera mano la rapacidad y la absoluta falta de conciencia social de la clase opulenta norteamericana.» Si todo el público no hubiera escuchado esas mismas palabras cincuenta veces, sería un adversario temible.

—¿Y Thaddeus Cohen?

—Nunca lo he oído nombrar.

La noche siguiente, sin confesar que la perspectiva de subir a la tribuna los asustaba, echaron a andar entre la nieve y el viento helado, con sus pesados abrigos revoloteando en pos de ellos, y dejaron atrás las relucientes columnas de la biblioteca Widener —el hijo del donante había muerto en el *Titanic*, como el padre de William— encaminándose hacia el Boylston Hall.

—Con semejante tiempo, si nos hacen morder el polvo por lo menos no habrá muchos para contar el cuento —comentó Matthew, esperanzado.

Pero cuando contornearon la biblioteca, vieron una ininterrumpida columna de siluetas que subían la escalinata y confluían en el salón, pisando con fuerza y bufando. Una vez dentro, les señalaron las sillas que tenían reservadas en el escenario. William se quedó quieto, pero sus ojos identificaron en el auditorio a las personas que conocía: el presidente Lowell, discretamente sentado en la fila del medio; el viejo Newbury St. John, profesor de botánica; dos mujeres intelectuales de Brattle Street que recordaba haber visto en las fiestas de la Red House; y, a su derecha, un grupo de jóvenes de uno y otro sexo, de aspecto bohemio, que en algunos casos ni siquiera usaban corbata, y que se volvieron y empezaron a aplaudir cuando sus portavoces —Crosby y Cohen— subieron al escenario.

Crosby era el más llamativo de los dos: alto y delgado casi hasta resultar caricaturesco, vestido descuidadamente —o muy cuidadosamente— con un traje de tweed hirsuto, pero con una camisa bien planchada, y armado con una pipa colgante que no tenía ningún contacto visible con su cuerpo excepto en el labio inferior. Thaddeus Cohen era más bajo, y usaba gafas sin armadura y un traje oscuro de lana, casi demasiado bien cortado.

Los cuatro oradores intercambiaron cautelosos apretones de manos mientras los organizadores completaban los preparativos de último momento. Las campanas de la Memorial Church, que estaba a pocas decenas de metros de allí, parecieron débiles y lejanas cuando repicaron siete veces.

—El señor Leland Crosby júnior —anunció el jefe del equipo.

William quedó complacido con el discurso de Crosby. Lo había previsto todo: el tono estridente que emplearía su adversario, los argumentos recargados, casi histéricos, que esgrimiría. Recitó los ensalmos del radicalismo norteamericano: la matanza de Haymarket, el Trust del Dinero, la Standard Oil, incluso la Cruz de Oro. William no creyó que hubiera conseguido algo más que montar un espectáculo, aunque cosechó los esperados aplausos de su claque congregada a la derecha de William. Cuando Crosby se sentó, fue evidente que no había conquistado nuevos simpatizantes, e incluso pareció haber perdido algunos de los que tenía hasta entonces. La comparación con William y Matthew —que eran tan ricos como él, que descollaban tanto como él desde el punto de vista social, pero que, con una actitud egoísta, se negaban a buscar el martirio en aras del progreso de la justicia social— podría ser devastadora.

Matthew disertó correctamente: fue al grano y apaciguó a sus escuchas, como si fuera la encarnación de la tolerancia liberal. William estrechó afectuosamente la mano de su amigo cuando éste volvió a su silla en medio de fuertes aplausos.

—Creo que ha terminado todo menos la algarabía —susurró.

Pero Thaddeus Cohen los sorprendió a todos. Sus modales eran agradables, modestos, y su estilo cautivante. Sus referencias y citas eran ecuménicas, agudas e ilustrativas. Sin transmitirle al auditorio la sensación de que lo estaba deslumbrando deliberadamente, irradiaba una dignidad moral en virtud de la cual ningún ser humano racional podía quedar conforme con algo que no se hallase a su altura. Estaba dispuesto a admitir los fracasos de su propio bando y la insuficiencia de sus líderes, pero dejaba la impresión de que, no obstante los peligros que encerraba el socialismo, no había otra alternativa si se deseaba mejorar la suerte de la humanidad.

William quedó ofuscado. Un ataque puntillosamente lógico a la plataforma política de sus adversarios se estrellaría contra el razonamiento sereno y persuasivo de Cohen. Y al mismo tiempo sería imposible superarlo en su condición de portavoz de la fe y la confianza en el espíritu humano. William se dedicó primero a refutar algunas de las acusaciones de Crosby y después se opuso a los argumentos de Cohen proclamando su propia fe en la capacidad del sistema norteamericano para alcanzar los mejores resultados mediante la competencia intelectual y económica. Le pareció que había llevado a cabo una buena defensa, pero nada más, y se sentó pensando que Cohen había salido victorioso.

Crosby fue el encargado de formular la contrarréplica. Empezó ferozmente, como si ahora necesitara apabullar no sólo a William y Matthew sino también a Cohen, y le preguntó al público si esa noche podía identificar en su seno a un «enemigo del pueblo». Paseó la mirada por la sala durante varios segundos, mientras los miembros del auditorio se revolvían en medio de un embarazoso silencio y sus partidarios fanáticos se miraban los zapatos. Después se inclinó hacia adelante y rugió:

—Lo tenéis delante de vosotros. Acaba de hablar aquí. Se llama William Lowell Kane. —Señaló a William, que seguía sentado, sin mirarlo, y vociferó—: Su banco posee minas donde los trabajadores mueren para que los propietarios obtengan otro millón de dólares en dividendos anuales. Su banco apoya a las dictaduras sanguinarias y corrompidas de América Latina. A través de su banco sobornan al Congreso de los Estados Unidos para que aplaste al pequeño agricultor. Su banco...

La tirada duró varios minutos. William mantenía un silencio de piedra, y de vez en cuando garabateaba un comentario sobre su bloc de papel amarillo. Algunas personas del auditorio habían empezado a gritar «No». Los partidarios de Crosby contestaban en el mismo tono, defendiéndolo lealmente. Los funcionarios parecían cada vez más nerviosos.

El tiempo asignado a Crosby ya casi había concluido. Alzó el puño y exclamó:

—Caballeros, yo alego que a no más de doscientos metros de esta misma sala tenemos el remedio para la tragedia norteamericana. Allí se levanta la mayor biblioteca privada del mundo. Allí van estudiosos pobres e inmigrantes, junto con los norteamericanos más instruidos, para incrementar el conocimiento y la prosperidad del mundo. ¿Y por qué existe? Porque un *playboy* rico tuvo la desgracia de embarcarse hace dieciséis años en el *Titanic*, en un crucero de placer. A mi juicio, damas y caballeros, la riqueza acaparada de este gran continente sólo será redimida y consagrada al servicio de la libertad, la igualdad y el progreso, cuando el pueblo de los Estados Unidos les entregue a todos y cada uno de los miembros de la clase gobernante un billete para su camarote privado en el *Titanic* del capitalismo.

A medida que Matthew escuchaba la arenga de Crosby, sus sentimientos pasaron de la euforia por el hecho de que semejante desatino había asegurado la victoria de su bando, al bochorno por el comportamiento de su adversario, y finalmente a la ira por la mención del *Titanic*. Ignoraba cómo reaccionaría William ante semejante provocación.

Cuando se acalló un poco el clamor, el jefe del equipo se acercó al estrado y dijo:

—El señor William Lowell Kane.

William avanzó hacia la tarima y miró al auditorio. Un silencio expectante se apoderó de la sala.

—Pienso que las opiniones que ha expresado el señor Crosby no merecen respuesta.

Se sentó. Hubo un momento de atónito silencio... y después una salva de aplausos.

El jefe del equipo de debates volvió a la tarima, pero pareció vacilar. Desde atrás, una voz quebró la tensión.

—Con su permiso, señor presidente, deseo preguntarle al señor Kane si me autoriza a emplear su tiempo de réplica. —Era Thaddeus Cohen.

William hizo un ademán afirmativo con la cabeza.

Cohen se acercó al atril y parpadeó con expresión apaciguadora.

—Desde hace mucho tiempo —empezó—, el mayor obstáculo para el triunfo del socialismo democrático en los Estados Unidos ha consistido en el extremismo de algunos de sus aliados. Nada podría ejemplificar mejor este hecho infortunado que el discurso que acaba de pronunciar mi colega. La propensión a dañar la causa progresista con invocaciones al exterminio físico de quienes se oponen a ella podría explicarse en un inmigrante curtido por la lucha, en un veterano de contiendas en el extranjero más cruentas que las nuestras. En los Estados Unidos es un hecho patético e imperdonable. Hablando en mi nombre, le pido sinceramente excusas al señor Kane.

Esta vez los aplausos fueron instantáneos. Todos los presentes se pusieron en pie y batieron palmas sin cesar.

William se acercó a Thaddeus Cohen para estrecharle la mano. William y Matthew triunfaron por un margen de más de ciento cincuenta votos, cosa que no le extrañó a ninguno de los dos. La velada había terminado y el público avanzó por los caminos sosegados y cubiertos de nieve, por el centro de la calzada, hablando animadamente a voz en cuello.

William pidió insistentemente a Thaddeus Cohen que fuera a tomar un trago con él y Matthew. Cruzaron juntos Massachusetts Avenue, prácticamente cegados por la cortina de nieve, y se detuvieron ante una gran puerta negra situada casi

260

enfrente del Boylston Hall. William la abrió con su llave y los tres entraron en el vestíbulo.

Antes de que la puerta volviera a cerrarse detrás de él, Thaddeus Cohen dijo:

—Me temo que aquí no seré bienvenido.

William se quedó atónito por un momento.

—Pamplinas. Vienes conmigo.

Matthew le dirigió a su amigo una mirada de advertencia, pero vio que William estaba resuelto.

Subieron la escalera y entraron en un gran salón, amueblado con comodidad aunque sin lujo, donde había unos doce jóvenes sentados en sillones o de pie en pequeños corrillos de dos o tres. Apenas William apareció en la puerta empezaron las felicitaciones.

—Estuviste maravilloso, William. Así es como hay que tratar a esa chusma.

—Haz tu entrada triunfal, exterminador de rojos.

Thaddeus Cohen se había quedado rezagado, parcialmente oculto por el marco de la puerta, pero William no lo había olvidado.

—Y les presento a mi digno adversario, caballeros. El señor Thaddeus Cohen.

Cohen se adelantó, titubeando. Cesaron todos los ruidos. Varias cabezas se volvieron, como si miraran hacia los olmos del patio, cuyas ramas se doblaban bajo la nieve fresca.

Por fin se oyó el crujido de una tabla del piso, cuando un joven salió de la sala por otra puerta. A continuación lo siguió alguien más. Sin prisa, sin un acuerdo visible, se fueron todos. El último le dirigió una larga mirada a William antes de girar, él también, sobre los talones, y desaparecer.

Matthew contempló abatido a sus acompañantes. Thaddeus Cohen se había puesto muy rojo y tenía la cabeza gacha. Los labios de William estaban fuertemente apretados, con la misma expresión de cólera tensa y fría que había aflorado en ellos cuando Crosby se había referido al *Titanic*.

Matthew le tocó el brazo a su amigo.

—Será mejor que nos vayamos.

Los tres se encaminaron hacia los aposentos de William y bebieron en silencio un coñac de marca indefinida.

Cuando William se despertó por la mañana, encontró un sobre bajo su puerta. Contenía una breve nota del presidente del Porcellian Club en la que le comunicaba su deseo de «que nunca se repitiera el incidente de la noche anterior, incidente que era mejor olvidar».

A la hora del almuerzo, el presidente había recibido dos cartas de renuncia.

Después de varios meses de largas jornadas de estudio, William y Matthew estaban casi listos —nunca nadie cree estarlo totalmente— para realizar sus exámenes finales. Durante seis días contestaron preguntas y llenaron hojas y hojas de los cuadernillos, y después esperaron, no en vano, porque ambos se graduaron de Harvard, como estaba previsto, en junio de 1928.

Una semana más tarde las autoridades de la Universidad anunciaron que William había ganado el Premio de Matemáticas del Presidente. Lamentó que su padre no estuviera vivo para asistir a la ceremonia de la entrega. Matthew obtuvo una decorosa nota intermedia, que constituyó un alivio para él y no sorprendió a nadie. Ninguno de ellos tenía interés en continuar estudiando, porque habían resuelto incorporarse lo antes posible al mundo concreto.

La cuenta bancaria que William tenía en Nueva York superó el tope del millón de dólares ocho días antes de que dejara Harvard. Fue entonces cuando discutió más detalladamente con Matthew su plan de largo plazo para asegurarse el control del banco Lester mediante una fusión con el Kane and Cabot.

Matthew se entusiasmó con la idea y confesó:

—Sólo así podré incrementar lo que seguramente me dejará mi viejo cuando muera.

El día de la graduación acudió a Harvard Alan Lloyd, que ya tenía sesenta años. Después de la ceremonia, William lo invitó a tomar el té. Alan miró afectuosamente a su alto anfitrión.

—¿Y qué te propones hacer ahora que Harvard ha quedado atrás?

—Ingresaré en el banco de Charles Lester, en Nueva York, y adquiriré un poco de experiencia antes de pasar al Kane and Cabot dentro de pocos años.

—Pero si has vivido en el banco de Lester desde los doce años, William. ¿Por qué no vienes ya directamente al nuestro? Serías director sin más demora.

William no dijo nada. La oferta de Alan Lloyd lo había tomado totalmente por sorpresa. No obstante su gran ambición, nunca se le había ocurrido pensar, ni por un segundo, que tal vez lo invitarían a convertirse en director de un banco antes de que cumpliera veinticinco años. Ésta era la edad en la cual su padre había accedido a semejante honor.

Alan Lloyd esperó su respuesta. Infructuosamente.

—Bueno, William, confieso que es muy poco común que algo te deje mudo.

—Es que nunca imaginé que me invitarías a entrar en el directorio antes de que cumpliera veinticinco años, cuando mi padre...

—Es cierto que a tu padre lo eligieron a los veinticinco años. Sin embargo, no hay ningún motivo para que no te incorpores a la junta antes de esa edad si los otros directores aprueban la idea, como sé que la aprueban. Sea como fuere, hay razones personales por las cuales me gustaría verte asumir ese cargo lo antes posible. Cuando me retire del banco dentro de cinco años, tendremos que estar seguros de que elegimos el presidente ideal. Si llevas cinco años trabajando en el Kane and Cabot estarás en mejores condiciones para influir sobre esa decisión que si eres un alto funcionario del Lester. Bueno, muchacho, ¿te incorporarás a la junta?

Por segunda vez en el día, William lamentó que su padre no estuviera vivo.

—Aceptaré encantado, señor —respondió.

Alan miró a William.

—Es la primera vez que me llamas «señor» desde que jugamos juntos al golf. Tendré que vigilarte con mucho cuidado.

William sonrió.

—Estupendo —continuó Alan Lloyd—. Entonces estamos de acuerdo. Serás director júnior del departamento de inversiones, y trabajarás bajo las órdenes de Tony Simmons.

—¿Puedo designar a mi asistente? —preguntó William.

Alan Lloyd lo miró con curiosidad.

—¿Matthew Lester, seguramente?

—Sí.

—No. No quiero que él haga en nuestro banco lo que tú te proponías hacer en el de ellos. Thomas Cohen debería habértelo enseñado.

William no dijo nada pero nunca volvió a subestimar a Alan.

Charles Lester se rió cuando William le repitió la conversación, palabra por palabra.

—Lamento enterarme de que no vendrás a trabajar con nosotros, ni siquiera como espía —comentó, de excelente humor—. Pero no dudo que un día terminarás aquí arriba... con uno u otro cargo.

264

TERCER
LIBRO

TERCER
LIBRO

15

Cuando William empezó a trabajar como director júnior del Kane and Cabot, en septiembre de 1928, sintió por primera vez en su vida que estaba haciendo algo realmente valioso. Inició su carrera en un pequeño despacho revestido de roble, contiguo al de Tony Simmons, director de finanzas del banco. Desde la misma semana en que llegó, William supo, sin que nadie dijera nada, que Tony Simmons ambicionaba suceder a Alan Lloyd en la presidencia del banco.

La responsabilidad de todo el programa de inversiones del banco recaía sobre Simmons. Éste se apresuró a delegar en William algunas parcelas de su trabajo. Sobre todo, las inversiones privadas en pequeñas firmas, tierras y cualquier otra actividad empresarial externa en la que intervenía el banco. Entre las obligaciones oficiales de William se contaba la de presentar, en una reunión plenaria de la junta, un informe mensual sobre las inversiones que deseaba recomendar. Los catorce miembros del consejo de administración se reunían una vez por mes en una sala más amplia, con paredes revestidas de roble, dominada desde ambos extremos por dos retratos: uno del padre de William y otro de su abuelo. William no había conocido a su abuelo, pero siempre pensaba que debía de haber sido «un hombre de agallas» dado que se había casado con la abuela Kane. En las paredes quedaba espacio suficiente para su propio retrato.

Durante los primeros meses que pasó en el banco, William se comportó con cautela, y sus compañeros del consejo de administración no tardaron en respetar sus juicios y en aprobar sus consejos, con muy pocas excepciones. Precisamente, los consejos que rechazaron fueron algunos de los mejores que dio William. La primera vez, un tal señor Mayer le pidió un crédito al banco para invertirlo en «películas habladas», pero la junta se negó a admitir las posibilidades de un proyecto de ese tipo. En otra oportunidad, un tal señor Paley acudió a William con un plan ambicioso para United, la cadena radiofónica. Alan Lloyd, que sentía tanto respeto por la telegrafía como por la telepatía, se pronunció contra el proyecto. La junta apoyó la moción de Alan, y más tarde Louis B. Mayer presidió la M.G.M. y William Paley la compañía que habría de convertirse en la C.B.S. Pero William creyó en su propio criterio, respaldó a ambos hombres con dinero de su propio fideicomiso y, como su padre, nunca les informó a los beneficiarios que les había dado su apoyo.

Uno de los aspectos más desagradables del trabajo cotidiano de William consistía en el control de las liquidaciones y quiebras de clientes que habían recibido grandes créditos del banco y que luego no habían podido hacer frente a sus obligaciones financieras. William no era por naturaleza un hombre blando, como lo había comprobado Henry Osborne en carne propia, pero el hecho de tener que exigir que clientes viejos y respetados liquidaran sus acciones e incluso vendieran sus casas, no lo ayudaba a conciliar el sueño por la noche. William no tardó en aprender que los clientes se dividían en dos categorías distintas: aquellos que veían la quiebra como parte de la rutina empresarial y quienes se sentían abrumados por la sola palabra y que estaban dispuestos a pasar el resto de su vida esforzándose por devolver hasta el último céntimo adeudado. A William le parecía normal que a los primeros se les dispensara un trato implacable, pero casi siempre era mucho más indulgente con los segundos, y para ello contaba con la poco entusiasta aprobación de Tony Simmons.

Fue en una de estas circunstancias cuando William violó una de las reglas de oro del banco y se comprometió personalmente con una cliente. Su nombre era Katherine Brookes, y su marido, Max Brookes, había recibido del Kane and Cabot un crédito de más de un millón de dólares para invertir en la fiebre de la especulación inmobiliaria de Florida, en 1925. Éste era un negocio que William jamás habría apoyado si hubiera estado trabajando entonces en el banco, pero Max Brookes había sido casi un héroe en Massachusetts, en su condición de miembro de la nueva raza de pilotos de globos y aviones, y amigo íntimo de Charles Lindbergh, para colmo. Cuando el pequeño avión que Brookes pilotaba a no más de tres metros del suelo se estrelló contra un árbol a sólo cien metros del lugar de despegue, la prensa se refirió a su trágica muerte, a todo lo largo y lo ancho de los Estados Unidos, como a una pérdida nacional.

William, en representación del Kane and Cabot, se hizo cargo inmediatamente de la empresa de Brookes, que ya era insolvente, la liquidó, y procuró reducir las pérdidas del banco mediante la venta de todas las tierras que quedaban en Florida, exceptuando los ochocientos metros cuadrados donde se levantaba la casa de la familia. Pese a todo ello, el quebranto del banco siguió superando los trescientos mil dólares. Algunos directores criticaron tibiamente a William por haber tomado la decisión sumaria de vender la tierra, decisión que Tony Simmons no había aprobado. William hizo incluir la oposición de Simmons en el acta, y varios meses después pudo señalar que, si hubieran retenido la tierra, el banco habría perdido la mayor parte de su inversión inicial de un millón de dólares. Esta prueba de premonición no lo hizo acreedor a la estima de Tony Simmons, aunque sirvió para que los demás miembros del consejo de administración tomaran conciencia de la inusitada perspicacia de William.

Cuando William terminó de liquidar todo lo que el banco retenía a nombre de Max Brookes, volvió su atención hacia la señora Brookes, que había avalado personalmente las deudas de su difunto marido. Aunque William siempre procuraba obtener un aval de esta naturaleza para todos los créditos del banco, nunca les recomendaba a sus amigos que contrajeran semejante obligación, por mucho que confiaran en la operación en la que se iban a embarcar, porque la quiebra casi siempre causaba grandes disgustos al garante.

William le escribió una carta formal a la señora Brookes, sugiriéndole que concertara una entrevista para discutir la situación. Él había leído detenidamente el expediente de Brookes y sabía que ella sólo tenía veintidós años, que era hija de Andrew Higgingson —jefe de una antigua y distinguida familia de Boston— y que era poseedora de una sólida fortuna personal. No le complacía la idea de pedirle que se la entregara al banco, pero por esta vez él y Tony Simmons se pusieron de acuerdo acerca de la política a seguir, de modo que se preparó para el desagradable encuentro.

Con lo que William no había contado era con la personalidad de Katherine Brookes. Más adelante, habría de recordar con mucha precisión los acontecimientos de aquella mañana. William había tenido una agria controversia con Tony Simmons acerca de una importante inversión en cobre y estaño, que él deseaba recomendar. La demanda industrial de ambos metales aumentaba sistemáticamente, y William estaba convencido de que pronto se produciría una situación de escasez mundial. Tony Simmons no estaba de acuerdo con él e insistía en que se debía invertir más dinero en el mercado de acciones, y éste era el problema que ocupaba un lugar prioritario en la mente de William cuando su secretaria hizo entrar a la señora Brookes en el despacho. Con una tímida sonrisa, su visitante le hizo olvidar el cobre, el estaño y todas las otras escaseces del mundo. Antes de que ella pudiera sentarse, él contorneó la mesa y la instaló en una silla, sólo para asegurarse de que no se disiparía, como un espejismo, cuando la inspeccionara desde más cerca. William nunca había conocido a una mujer cuya belleza alcanzara la mitad de la magnitud que tenía la de Katherine Brookes. La cabellera le caía en largos y rebeldes rizos sobre los hombros, y unos pequeños mechones surgían maravillosamente del sombrero y se le adherían a las sienes. El hecho de que usara luto no le restaba un ápice al encanto de su esbelta figura. Su delicada estructura ósea garantizaba que seguiría siendo hermosa a cualquier edad. Sus ojos marrones eran enormes. También revelaban una inconfundible aprensión por él y por lo que se disponía a decir.

William se esforzó por asumir un tono formal.

—Señora Brookes, permita que le exprese mis condolencias por la muerte de su marido y que le diga cuánto lamento la necesidad de citarla hoy aquí.

En una sola oración, dos embustes que cinco minutos antes habrían sido la pura verdad. Esperó que ella hablara.

—Gracias, señor Kane. —Su voz era suave y tenía una modulación dulce y baja—. Conozco los compromisos que he contraído con su banco y le aseguro que haré todo lo que esté en mis manos para respetarlos.

William no respondió, con la esperanza de que ella continuara hablando. No fue así, de modo que él reseñó la forma en que había liquidado los bienes de Max Brookes. Ella lo escuchó con la cabeza gacha.

—Ahora bien, señora Brookes, usted actuó como garante del crédito que le otorgamos a su marido y esto nos obliga a abordar el tema de su patrimonio personal. —Consultó el expediente—. Usted tiene ochenta mil dólares en inversiones (creo que se trata del dinero de su familia), y diecisiete mil cuatrocientos cincuenta dólares en su cuenta personal.

Katherine Brookes levantó la vista.

—Los conocimientos que tiene acerca de mi situación financiera son encomiables, señor Kane. Sin embargo, debería agregar Buckhurst Park, nuestra casa de Florida, que estaba escriturada a nombre de Max, y algunas joyas valiosas de mi propiedad. Calculo que mi patrimonio total asciende a los trescientos mil dólares que reclama el banco, y he tomado las medidas necesarias para reunir esa suma íntegra a la mayor brevedad.

Su voz sólo dejó traslucir un ligero temblor. William la contempló admirado.

—Señora Brookes, el banco no tiene la intención de despojarla de todos sus bienes. Si usted nos autoriza, venderemos sus acciónes y valores. Consideramos que todo lo otro que ha mencionado, incluida la casa, debe quedar en su poder.

Katherine Brookes titubeó.

—Le agradezco su generosidad, señor Kane. Sin embargo, no quiero tener deudas con un banco ni empañar el buen nombre de mi marido. —Se repitió el pequeño estremecimiento, pero esta vez lo reprimió rápidamente—. Sea como fuere, he resuelto vender la casa de Florida y regresar lo antes posible al hogar de mis padres.

El pulso de William se aceleró cuando oyó que ella volvería a Boston.

—En ese caso, quizá podamos concertar algún acuerdo acerca del producto de la venta.

—Lo concertaremos ahora mismo —respondió ella categóricamente—. Ustedes recibirán el importe total.

William preparó el terreno para otro encuentro.

—No tomemos decisiones demasiado apresuradas. Creo que será prudente que yo consulte con mis colegas y que vuelva a discutirlo con usted más adelante.

La señora Brookes se encogió ligeramente de hombros.

—Como usted quiera. De todos modos no me interesa el dinero y no quiero crearle engorros.

William parpadeó.

—Señora Brookes, debo confesarle que me sorprende su actitud magnánima. Por lo menos concédame el placer de invitarle a almorzar.

Ella sonrió por primera vez, y en su mejilla derecha apareció un hoyuelo insospechado. William lo miró fascinado e hizo todo lo posible por provocar su reaparición durante el largo almuerzo en el Ritz. Cuando volvió a su despacho ya eran bastante más de las tres.

—Qué almuerzo tan prolongado, William —comentó Tony Simmons.

—Sí, el caso Brookes resultó más complicado de lo que había supuesto.

—Pues a mí me pareció muy claro cuando examiné los papeles —manifestó Simmons—. Supongo que ella no objeta nuestra propuesta, ¿verdad? Me parece que somos bastante generosos, dadas las circunstancias.

—Sí, ella opinó lo mismo. Tuve que disuadirla de desprenderse de su último dólar para llenar nuestras arcas.

Tony Simmons lo miró con asombro.

—El que habla no parece ser el William Kane que todos conocemos y estimamos tanto. De todas formas nunca ha habido una circunstancia mejor para que el banco sea magnánimo.

William hizo una mueca. Desde el día de su llegada, él y Tony Simmons habían discrepado cada vez más acerca del rumbo que seguía el mercado de acciones. El índice Dow Jones había subido sistemáticamente desde que habían elegido a Herbert Hoover para ocupar la Casa Blanca, en noviembre de 1928. En verdad, sólo diez días más tarde, la Bolsa de Nueva York alcanzó un volumen récord de más de seis millones de acciones en un día. Pero William estaba convencido de que la tendencia ascendente, alimentada por la gran afluencia de dinero de la industria del automóvil, provocaría una inflación de precios hasta crear un clima de inestabilidad. En cambio, Tony Simmons confiaba en la continuidad del auge, de modo que cuando William aconsejaba cautela en las reuniones del consejo, siempre quedaba en minoría. Sin embargo, era libre de hacer, con el dinero de su fideicomiso, lo que le sugiriera su intuición, y empezó a realizar fuertes inversiones en tierras, oro, mercancías, e incluso en algunos cuadros impresionistas cuidadosamente escogidos, y dejó sólo el cincuenta por ciento del capital en acciones.

Cuando el Banco de la Reserva Federal de Nueva York promulgó un edicto en virtud del cual no redescontaría préstamos a aquellos bancos que facilitaban dinero a sus clientes con el único fin de especular, William llegó a la conclusión de que le habían puesto el primer clavo al ataúd del especulador. Revisó inmediatamente el programa de créditos del banco y calculó que el Kane and Cabot tenía invertidos más de veintiséis millones de dólares en préstamos de esa naturaleza. Le suplicó a Tony Simmons que rescatara esas sumas, seguro de que, ante esa reglamentación oficial, era inevitable que a la larga bajara la cotización de las acciones. Durante la reunión mensual del consejo de administración casi se liaron a golpes, y la moción de William fue derrotada por doce votos contra dos.

El 21 de marzo de 1929, el Blair and Company anunció que se había fusionado con el Bank of America. Ésa era la tercera fusión de bancos, dentro de una secuencia que parecía augurar un futuro más brillante, y el 25 de marzo Tony Simmons le envió una nota en la que le informaba que el mercado había batido otro récord sin precedentes, después de lo cual colocó más dinero del banco en acciones. En ese momento, sólo el veinticinco por ciento del capital de William estaba invertido en acciones, operación que ya le había costado más de dos millones de dólares... y lo había hecho acreedor a una preocupada reprimenda de Alan Lloyd.

—Dios quiera que sepas lo que haces, William.

—Alan, desde los catorce años he ganado en la Bolsa, y mi sistema siempre ha consistido en resistirme a la tendencia del mercado.

Pero cuando las cotizaciones siguieron subiendo durante el verano de 1929, incluso William dejó de vender, y se preguntó si el juicio de Tony Simmons no sería, en verdad, correcto.

A medida que se aproximaba la hora del retiro de Alan Lloyd, el claro propósito de sucederlo en la presidencia que alimentaba Tony Simmons empezó a asumir las apariencias de un hecho consumado. La perspectiva inquietaba a William, para quien la mentalidad de Simmons era demasiado convencional. Siempre iba un poco a la zaga del resto del mercado, lo cual era una virtud durante los años de prosperidad, cuando todo marchaba bien, pero podía ser peligroso para un banco en tiempos más difíciles y competitivos. Desde el punto de vista de William, el inversor astuto no seguía invariablemente al rebaño, atropelladamente o de otra manera, sino que infería por anticipado qué rumbo tomaría éste a continuación. William ya había llegado a la conclusión de que las inversiones futuras en la Bolsa seguían siendo peligrosas, mientras Tony Simmons estaba convencido de que los Estados Unidos entraban en un siglo de oro.

El otro problema radicaba en que Tony Simmons tenía sólo treinta y nueve años, y esto implicaba que William no podía alimentar esperanzas de convertirse en presidente del Kane and Cabot antes de, cuando menos, otros veintiséis años. Lo cual no encajaba en lo que en Harvard habían denominado «el esquema de la carrera personal».

Mientras tanto, la imagen de Katherine Brookes seguía nítida en su mente. Le escribía con la mayor frecuencia posible acerca de la venta de sus acciones y valores: cartas formales, mecanografiadas, que sólo inspiraban respuestas igualmente formales y manuscritas. Ella debía de pensar que él era el banquero más puntilloso del mundo. Si hubiera sabido que su expediente se estaba convirtiendo en uno de los más voluminosos entre todos los que se hallaban bajo el control de William, quizás habría pensado en ello —o por lo menos en él— con más detenimiento. A comienzos de otoño la señora Brookes le escribió para informarle que había encontrado un comprador en firme para la finca de Florida. William le escribió a su vez para solicitarle que lo autorizara a negociar las condiciones de la venta en representación del banco, y ella accedió.

Viajó a Florida a comienzos de septiembre de 1929. La señora Brookes lo recibió en la estación y a él lo abrumó comprobar, al verla en persona, que era mucho más hermosa de lo que recordaba. La suave brisa le ceñía el vestido negro contra el cuerpo mientras esperaba en el andén, exhibiendo una silueta que garantizaba que cualquier hombre, excepto William, la miraría por segunda vez. Los ojos de William no se apartaban nunca de ella.

Katherine Brookes seguía vistiendo de luto, y su actitud respecto de él era tan reservada y correcta que al principio William desesperó de causarle alguna impresión. Estiró lo más posible la negociación con el granjero que iba a comprar Buckhurst Park y persuadió a Katherine Brookes para que aceptase un tercio del precio de venta acordado mientras el banco se quedaba con los dos tercios. Finalmente, una vez firmados los documentos legales, William ya no encontró más excusas para aplazar su regreso a Boston. La invitó a cenar en su hotel, decidido a insinuarle sus sentimientos. Ésa no fue la primera vez que Katherine lo tomó por sorpresa. Antes de que William abordara el tema, ella le preguntó, haciendo girar la copa para no tener que mirarlo, si le gustaría quedarse unos días en Buckhurst Park.

—Una especie de vacaciones para ambos. —Se ruborizó. William permaneció callado. Finalmente ella reunió valor para continuar—: Sé que quizás esto le parecerá demencial, pero debe comprender que he vivido muy sola. Lo extraordinario es que no recuerdo haber disfrutado nunca tanto como durante esta última semana que pasé con usted. —Se sonrojó nuevamente—. Me he expresado mal, y usted pensará lo peor de mí.

El pulso de William se aceleró.

—Kate, hace nueve meses que deseo decir algo por lo menos tan malo como esto.

—¿Entonces se quedará unos días, William?

—Sí, Kate, me quedaré.

Esa noche ella lo instaló en el cuarto principal de huéspedes de Buckhurst Park. Más tarde, William siempre habría de recordar esos pocos días como un interludio maravilloso de su vida. Practicó equitación junto con Kate, y ella lo superó en el salto de vallas. Nadó con Kate, y ella le ganó las carreras. Salió a caminar con ella y siempre fue el primero en emprender el regreso, de modo que al fin optó por jugar al póquer con ella y le ganó tres millones y medio de dólares en otras tantas horas de juego.

—¿Aceptará un cheque por esa suma? —preguntó Kate majestuosamente.

—Olvida que conozco su patrimonio, señora Brookes, pero haré un trato con usted. Seguiremos jugando hasta que usted recupere esa suma.

—Tal vez necesite algunos años —dijo Kate.

—Esperaré —respondió William.

Se encontró hablando con ella de episodios de su vida sepultados durante mucho tiempo, de temas que ni siquiera había abordado a fondo con Matthew, de su respeto por su padre, de su cariño por su madre, de su odio ciego contra Henry Osborne, de sus ambiciones para el Kane and Cabot. Ella, a su vez, le habló de su infancia en Boston, de sus tiempos de estudiante en Virginia y de su boda temprana con Max Brookes.

Cinco días más tarde, cuando Kate lo despidió en la estación, él la besó por primera vez.

—Kate, voy a decir algo muy jactancioso. Espero que un día sientas por mí más de lo que sentiste por Max.

—Ya estoy empezando a sentirlo —contestó ella en voz baja.

William la miró fijamente.

—No desaparezcas de mi vida por otros nueve meses.

—No sería posible... has vendido mi casa.

En el trayecto de regreso a Boston, William se sintió más sosegado y feliz que en cualquier otro momento desde antes de la muerte de su padre, y bosquejó un informe sobre la venta de Buckhurst Park, mientras sus pensamientos se remontaban continuamente a Kate y a las vivencias de los últimos cinco días. Un momento antes de que el tren entrara en la estación del sur, garabateó una nota rápida con su grafía pulcra pero ilegible.

> Kate, ya te echo de menos. Y sólo han pasado unas pocas horas. Por favor escribe y anúnciame cuándo vendrás a Boston. Entretanto volveré a los asuntos del banco y veré si puedo apartarte de mi mente durante muy largos períodos (o sea de $\pm$ 5 ó 10 minutos consecutivos)
>
> Cariño,
> William

Acababa de echar el sobre en el buzón de Charles Street, cuando los gritos de un vendedor de periódicos le hicieron olvidar a Kate.

—El derrumbe de Wall Street.

William cogió un ejemplar del periódico y ojeó rápidamente el artículo de fondo. La Bolsa había caído en picado de la noche a la mañana. Para algunos financieros se trataba tan sólo de un simple reajuste. William lo interpretaba como el comienzo del colapso que pronosticaba desde hacía meses. Fue deprisa al banco y se encaminó directamente hacia el despacho del presidente.

—Estoy seguro de que a la larga el mercado se estabilizará en la tendencia al alza —dijo Alan, con tono apaciguador.

—Nunca —respondió William—. Está sobrecargado. Sobrecargado de pequeños inversores que planeaban enriquecerse rápidamente y que ahora saldrán disparados. ¿No te das cuenta de que el globo está a punto de reventar? Yo venderé todo. A fin de año la Bolsa estará desfondada, y yo te lo advertí en febrero.

—Sigo discrepando contigo, William, pero convocaré para mañana a una reunión plenaria del consejo de administración, para que podamos discutir tus opiniones en forma más detallada.

—Gracias —contestó William. Volvió a su despacho y levantó el interfono—. Alan, olvidé decirte algo. He conocido a la chica con la que me casaré.

—¿Ella ya lo sabe? —inquirió Alan.

—No.

—Entiendo —asintió Alan—. Entonces tu matrimonio se parecerá mucho a tu carrera bancaria, William. Todos los directamente interesados recibirán la noticia sólo después de que tú hayas tomado la decisión.

William rió, cogió el otro teléfono, e inmediatamente volcó al mercado casi toda su cartera de acciones para transformarlas en dinero. Tony Simmons acababa de entrar y se quedó frente a la puerta, mirando a William, convencido de que éste se había vuelto loco.

—Es posible que pierdas hasta la camisa en un dos por tres si te desprendes de todas esas acciones actuales del mercado.

—Perderé mucho más si las conservo —afirmó William.

El quebranto que había de sufrir en el transcurso de una semana, de más de un millón de dólares, habría desquiciado a un hombre menos seguro de sí mismo.

Durante la reunión del consejo que se celebró al día siguiente, su propuesta de liquidar las acciones del banco también fue derrotada por ocho votos contra seis. Tony Simmons convenció al consejo de que sería irresponsable no resistir un poco más. William sólo conquistó una pequeña victoria cuando se aceptó su convicción de que el banco debía dejar de comprar.

Ese día las cotizaciones subieron un poco, lo cual le dio a William la oportunidad de vender más acciones de su propia cartera. A fin de semana, cuando el índice hubo subido durante cuatro días consecutivos, William empezó a preguntarse si su reacción no habría sido exagerada, pero su experiencia pasada y su instinto le decían que había tomado la decisión correcta. Alan Lloyd no hizo ningún comentario. El dinero que perdía William era el suyo propio y no el de Alan, y éste sólo pensaba en un retiro tranquilo.

El día 22 de octubre el mercado experimentó pérdidas aún mayores y William volvió a suplicarle a Alan Lloyd que vendiera mientras todavía estaban a tiempo. Esta vez Alan le hizo caso y autorizó que William ordenara la venta de algunas de las mayores carteras de acciones que el banco tenía en su poder. Al día siguiente el mercado volvió a bajar en medio de una avalancha de ventas, y dejó de importar la naturaleza de las acciones de las que el banco quería desprenderse, pues ya no había compradores. La liquidación de acciones se convirtió en una desbandada: todos los pequeños inversores de los Estados Unidos dieron orden de vender para salir del aprieto. El pánico fue tal que la cinta del indicador automático no podía seguir el ritmo de las transacciones. Sólo cuando la Bolsa abría por la mañana, después de que el personal hubiera trabajado durante toda la noche, los interesados sabían cuánto tenían perdido el día anterior.

Alan Lloyd mantuvo una conversación telefónica con J. P. Morgan, y accedió a que el Kane and Cabot se sumara al grupo de bancos que trataría de frenar la caída de las principales acciones en todo el país. William no desaprobó esta política, pues pensaba que si había que realizar un esfuerzo colectivo, el Kane and Cabot no podía dejar de sumarse a él. Y, por supuesto, si el esfuerzo daba frutos, todos los bancos saldrían beneficiados. Richard Whitney, representante del grupo que había organizado Morgan y vicepresidente de la Bolsa de Nueva York, acudió al día siguiente a la sala de ésta y compró acciones de primera línea por valor de treinta millones de dólares. El mercado empezó a normalizarse. Ese día se negociaron doce millones ochocientas noventa y cuatro mil seiscientas cincuenta acciones, y durante los dos días siguientes el mercado se mantuvo estable. Todos, desde el presidente Hoover hasta los agentes de Bolsa, pensaron que lo peor había pasado.

William había vendido casi todas sus acciones particulares y el quebranto que había sufrido su fortuna personal era proporcionalmente mucho menor que el del banco, que había perdido más de tres millones de dólares en cuatro días. Incluso Tony Simmons se había resignado a acatar todas las sugerencias de William. El 29 de octubre, que habría de conocerse por el nombre de Martes Negro, el mercado volvió a bajar. Se negociaron dieciséis millones seiscientas diez mil treinta acciones. Los bancos de todo el país comprendieron que, en verdad, ahora eran insolventes. Si todos los clientes pedían numerario, o si ellos a su vez intentaban cobrarse todos sus préstamos, todo el sistema bancario se les derrumbaría encima.

Una junta del consejo de administración celebrada el 9 de noviembre se inició con un minuto de silencio en memoria de John J. Riordan, presidente del County Trust y director del Kane and Cabot, que se había pegado un tiro en su propia casa. Ése era el undécimo suicidio que se registraba en los círculos bancarios de Boston en el transcurso de dos semanas, y el difunto había sido un íntimo amigo personal de Alan Lloyd. A continuación, el presidente anunció que el Kane and Cabot había perdido casi cuatro millones de dólares, que el grupo Morgan no había conseguido unir a los demás bancos, y que ahora se esperaba que cada uno de estos actuara en defensa de sus mejores intereses. Casi todos los pequeños inversores del banco habían sucumbido, y la mayoría de los grandes tenían problemas irresolubles de dinero. Frente a los bancos de Nueva York ya se habían congregado multitudes coléricas, y había sido necesario reforzar a los guardias con agentes de Pinkerton. Otra semana como ésta, dijo Alan, y nos hundiremos todos. Ofreció su renuncia, pero los directores no quisieron oír hablar de ello. Su posición no era distinta a la de todos los otros presidentes de los grandes bancos norteamericanos. Tony Simmons también ofreció su renuncia, pero también en su caso sus colegas se negaron a tomarla en consideración. Tony ya no era el candidato seguro a ocupar el cargo de Alan Lloyd, de modo que William mantuvo un magnánimo silencio. A manera de transacción, Simmons fue enviado a Londres, donde debería asumir el control de las inversiones en el extranjero. Ya no entraña peligro, pensó William, quien se encontró con la novedad de que lo designaban director de finanzas, reponsable de todas las inversiones del banco. Inmediatamente llamó a Matthew Lester y lo invitó a convertirse en su segundo. Esta vez Alan Lloyd ni siquiera alzó una ceja.

Matthew accedió a unirse a William a comienzos del nuevo año, o sea tan pronto como su padre pudiera desprenderse de él. Al banco Lester no le faltaban sus propios problemas. En consecuencia, William manejó personalmente el departamento de inversiones hasta la llegada de Matthew. El invierno de 1929 resultó muy deprimente para William, quien vio sucumbir a empresas tanto pequeñas como grandes, a cuyo frente estaban amigos de toda la vida. Durante un tiempo incluso se preguntó si el banco mismo conseguiría salvarse.

En Navidad, William pasó un fin de semana maravilloso en Florida, con Kate, a quien ayudó a embalar sus pertenencias en cajones de té, listos para el retorno a Boston.

—Estas son las cosas que el Kane and Cabot me permitió conservar —lo hostigó ella.

Los regalos de Navidad de William llenaron otro cajón de té, y Kate sintió remordimientos ante tanta generosidad.

—¿Qué podría darte a cambio una viuda indigente? —preguntó, en son de burla. William reaccionó metiéndola en el cajón de té restante, al que le colocó un rótulo que decía: «Regalo para William».

Volvió a Boston de excelente buen humor y con la esperanza de que su estancia con Kate augurara el comienzo de un año mejor. Se instaló en el antiguo despacho de Tony Simmons para leer la correspondencia de la mañana, con la certeza de que debería presidir las dos o tres reuniones habituales de liquidación programadas para esa semana. Le preguntó a su secretaria a quién recibiría en primer término.

—Me temo que se trata de otra quiebra, señor Kane.

—Oh, sí, recuerdo el caso —asintió William. El nombre no había significado nada para él—. Anoche leí el expediente. Un asunto muy desafortunado. ¿A qué hora debe comparecer?

—A las diez, pero el caballero ya lo está esperando en la antesala, señor.

—Correcto —respondió William—. Hágalo pasar, por favor. Quiero terminar con esto.

William volvió a abrir el expediente para repasar rápidamente los datos salientes. El nombre del cliente inicial, un tal Davis Leroy, había sido tachado y sustituido por el de su visitante de esa mañana, el señor Abel Rosnovski.

William recordaba vívidamente su última conversación con el señor Rosnowski, y ya la estaba lamentando.

16

ABEL NECESITÓ APROXIMADAMENTE TRES MESES para descubrir la verdadera magnitud de los problemas que aquejaban al Richmond Continental y las razones por las cuales éste originaba tantas pérdidas. Después de mantener los ojos bien abiertos durante doce semanas, mientras le hacía creer al resto del personal que estaba dormido, llegó a una sencilla conclusión: al hotel le escamoteaban las utilidades. El personal de Richmond había montado una confabulación en una escala que, para Abel, no tenía precedentes. Sin embargo, el sistema no contemplaba la presencia de un nuevo subgerente que, antaño, había tenido que robar pan a los rusos para poder sobrevivir. El primer problema de Abel consistió en no permitir que alguien descubriese la gravedad de sus hallazgos antes de que él tuviese la oportunidad de husmear en todos los rincones del hotel. No tardó en comprender que cada departamento había perfeccionado su propio sistema de defraudación.

El desfalco empezaba en la recepción, donde los conserjes inscribían a sólo ocho de cada diez huéspedes y se guardaban el dinero en efectivo que proporcionaban los dos restantes. El método que empleaban era sencillo, y cualquiera que lo hubiese ensayado en el Plaza de Nueva York habría sido descubierto en pocos minutos y puesto de patitas en la calle. El jefe de conserjería seleccionaba a un matrimonio mayor, que había hecho una reserva por una sola noche desde otro estado. Después se aseguraba discretamente de que esas personas no tenían relaciones de negocios en la ciudad, y no las registraba. Si a la mañana siguiente pagaban en efectivo, se embolsaba el dinero y, dado que no habían firmado el registro, no quedaban pruebas de que se habían alojado en el hotel. Hacía mucho que Abel pensaba que todos los hoteles deberían registrar automáticamente a cada huésped. Eso era lo que ya se hacía en el Plaza.

En el comedor el método era más refinado. Por supuesto, se embolsaban los pagos en efectivo de los comensales circunstanciales. Abel lo había previsto, pero necesitó más tiempo para controlar las cuentas del restaurante y comprobar que la recepción trabajaba en connivencia con el personal del comedor para que no aparecieran las facturas de aquellos huéspedes que no figuraban en el registro. Sobre todo, había una secuencia ininterrumpida de averías y reparaciones ficticias, de equipos extraviados, de provisiones desaparecidas, de ropas de cama perdidas, e incluso de vez en cuando se esfumaba un colchón. Después de verificar a fondo todos los departamentos y de mantener abiertos los ojos y los oídos, Abel llegó a la conclusión de que más de la mitad del personal del Richmond estaba implicado en la conspiración, y de que ninguno de los departamentos era ajeno por completo al fraude.

Al llegar al Richmond de Chicago, Abel se había preguntado por qué el gerente, Desmond Pacey, no había notado mucho antes lo que sucedía delante de sus narices. Supuso equivocadamente que Pacey era un holgazán y que por ello no se molestaba en averiguar la causa de los males. Hasta Abel tardó en darse cuenta de que el perezoso gerente era el cerebro de la operación y el responsable de que ésta marchara tan bien. Hacía más de treinta años que Pacey trabajaba para el grupo Richmond. No había un solo hotel de la cadena en el que no hubiera ocupado un cargo relevante en un momento u otro, lo cual le hizo temer a Abel por la solvencia de los otros establecimientos. Para colmo, Desmond Pacey era amigo personal del propietario de la cadena, Davis Leroy. El Richmond de Chicago perdía más de treinta mil dólares por año, lo cual, como muy bien sabía Abel, podría corregirse de la noche a la mañana con sólo despedir a la mitad del personal, empezando por Pacey. Pero esto planteaba una dificultad, porque Davis

Leroy había despedido a muy pocos de sus empleados en treinta años. Sencillamente toleraba los problemas con la esperanza de que los solucionara el transcurso del tiempo. Por lo que veía Abel, el personal del hotel seguía desvalijándolo hasta que se jubilaba de mala gana.

Abel comprendió que para salvar el hotel no le quedaba otro recurso que el de enfrentarse con Davis Leroy, y para ello, a comienzos de 1928, se embarcó en el tren expreso que iba de Illinois Central a St. Louis y en el Missouri Pacific que seguía hasta Dallas. Debajo del brazo llevaba un informe de doscientas páginas que había compilado durante tres meses en su cuartucho del anexo del hotel. Cuando terminó de leer el cúmulo de pruebas, Davis Leroy se quedó mirándolo con expresión abatida.

—Esos hombres son mis amigos —fue lo primero que comentó mientras cerraba el legajo—. Algunos de ellos han trabajado conmigo durante treinta años. Caray, en este negocio siempre ha habido algunos chanchullos, ¿pero ahora me dices que me han estado esquilmando de esta forma a mis espaldas?

—Creo que algunos de ellos lo han estado haciendo durante todos estos treinta años —respondió Abel.

—¿Qué diablos haré ahora? —preguntó Leroy.

—Yo puedo parar la putrefacción si destituye a Desmond Pacey y me da carta blanca para echar a partir de mañana a cualquiera que haya tenido que ver con el fraude.

—Bueno, Abel, ojalá todo fuera tan sencillo.

—Es tan sencillo —insistió Abel—. Y si no me permite castigar a los culpables, tiene mi renuncia a su disposición, porque no me interesa trabajar en el hotel que cuenta con la administración más corrupta de los Estados Unidos.

—¿No podemos conformarnos con degradar a Desmond Pacey al cargo de subgerente? Tú te convertirías en gerente y te encargarías de subsanar el problema.

—Jamás —contestó Abel—. A Pacey le faltan dos años para jubilarse y ejerce un firme control sobre todo el personal del

Richmond, de modo que cuando termine de hacerlo entrar en vereda usted estará muerto o en bancarrota, o las dos cosas a la vez, porque sospecho que todos sus hoteles son administrados con la misma desidia. Si quiere acabar con el problema en Chicago tendrá que adoptar una decisión enérgica respecto de Pacey ahora mismo, o de lo contrario dejaré que se cuelgue usted solo. Tómelo o déjelo.

—Los tejanos tenemos fama de decir lo que pensamos, Abel, pero ciertamente no podemos competir contigo. Está bien, está bien, te concederé la autoridad que me pides. Te felicito, a partir de este momento eres el nuevo gerente del Richmond de Chicago. Espera que Al Capone se entere de que estás en Chicago. Vendrá a reunirse aquí conmigo, en busca de la paz y el sosiego del magnífico sudoeste. Abel, hijo mío —continuó Leroy, poniéndose en pie y palmeándole el hombro al nuevo gerente—, no pienses que soy desagradecido. Has hecho un gran trabajo en Chicago y desde ahora te consideraré mi mano derecha. Para ser sincero contigo, Abel, he ganado tanto dinero en la Bolsa que ni siquiera me he fijado en las pérdidas, de modo que le agradezco a Dios que me haya enviado un amigo honesto. ¿Por qué no te quedas en casa hasta mañana, así comeremos un bocado juntos?

—Me encantaría poder hacerlo, señor Leroy, pero deseo pasar la noche en el Richmond de Dallas, por razones personales.

—¿No dejarás que se te escape nadie, verdad, Abel?

—No, si es que puedo evitarlo.

Esa noche Davis Leroy convidó a Abel con una cena opípara y con un ligero exceso de whisky, insistiendo en que eso no era más que un testimonio de la hospitalidad sureña. También le confesó a Abel que estaba buscando a un administrador para la Cadena Richmond, de forma que él pudiera tomarse la vida con más parsimonia.

—¿Está seguro de que le interesa un polaco lelo? —preguntó Abel con voz pastosa, después de beber un trago de más.

287

—Abel, el lelo he sido yo. Si no hubieras sido tan hábil para desenmascarar a los ladrones, probablemente yo habría sucumbido. Pero ahora que sé la verdad, los aniquilaremos juntos, y te daré la oportunidad de que hagas florecer de nuevo la Cadena Richmond.

Abel alzó el vaso con mano temblorosa.

—Brindo por eso... y por una larga y próspera mancomunidad de intereses.

—Duro con ellos, muchacho.

Abel pasó la noche en el Richmond de Dallas, donde dio un nombre falso y le advirtió intencionadamente al conserje que sólo se quedaría una noche. Las sospechas de Abel se confirmaron por la mañana, cuando vio cómo la única copia del recibo de su pago en efectivo desaparecía en la papelera. El problema no se limitaba, pues, a Chicago. Resolvió que empezaría por remediar los males de Chicago: los chanchullos del resto del grupo quedarían aplazados hasta más tarde. Le telefoneó a Davis Leroy para comunicarle que la enfermedad había contaminado a toda la cadena.

Abel realizó el mismo viaje en sentido inverso. El valle del Mississippi se desplegaba tristemente más allá de la ventanilla del tren, devastado por las inundaciones del año anterior. Abel pensó en la devastación que provocaría él cuando volviera al Richmond de Chicago.

En el hotel no encontró al sereno de turno y sólo había un conserje a la vista. Resolvió concederles una noche de plácido descanso antes de despedirlos. Un joven botones le abrió la puerta cuando se encaminó al anexo.

—¿Tuvo un buen viaje, señor Rosnovsky? —le preguntó.

—Si, gracias. ¿Cómo han marchado las cosas aquí?

—Oh, muy tranquilas.

Es posible que las encuentres aún más tranquilas mañana a esta hora, cuando compruebes que eres el único miembro del personal que conserva su trabajo, pensó Abel.

Abel vació su maleta y telefoneó al servicio de habitación para pedir una cena liviana, que tardó una hora en llegar. Cuando terminó el café, se desvistió y se dio una ducha fría, mientras repasaba el plan para el día siguiente. Había elegido una buena época del año para la masacre. Estaban a comienzos de febrero y el porcentaje de ocupación del hotel era sólo del veinticinco por ciento. Abel confiaba en poder manejar el Richmond aunque el personal quedara reducido a aproximadamente la mitad. Se metió en la cama, arrojó la almohada al suelo y durmió profundamente, como sus desprevenidos subalternos.

Desmond Pacey, a quien todos conocían en el Richmond por el apodo de Zángano Pacey, tenía sesenta y dos años. Estaba considerablemente excedido en el peso y ello le hacía desplazarse con bastante lentitud sobre las piernas cortas. Desmond Pacey había visto pasar por el hotel a siete, o acaso ocho, subgerentes. Algunos se volvían angurrientos y querían mayores ganancias, otros sencillamente no entendían cómo funcionaba el sistema. El polaco, resolvió, no parecía ser más espabilado que los otros. Tarareó en voz baja mientras se encaminaba lentamente hacia el despacho de Abel, para su reunión diaria de las diez. Eran las diez y diecisiete.

—Disculpe que lo haya hecho esperar —dijo el gerente, que no parecía en absoluto compungido.

Abel no hizo ningún comentario.

—Algo me distrajo en la recepción. Ya sabe cómo son las cosas.

Abel sabía perfectamente cómo eran las cosas en la recepción. Abrió con toda parsimonia el cajón del escritorio que tenía frente a él, y desplegó cuarenta cuentas arrugadas del hotel, algunas de ellas desgarradas en cuatro o cinco pedazos. Cuentas que había rescatado de las papeleras y los ceniceros, cuentas de aquellos huéspedes que habían pagado en efectivo y no habían sido registrados. Miró cómo el rechoncho gerente se esforzaba por descifrarlas, tratando de leerlas al revés.

Desmond Pacey no lo veía claro. Y tampoco le importaba mucho. No había nada de qué preocuparse. Si el estúpido polaco había descubierto el sistema, le quedaban dos alternativas: conformarse con su parte o irse. Pacey se preguntó qué debería ofrecerle. Quizás una bonita habitación en el hotel bastaría para mantenerlo callado, por el momento.

—Queda despedido, señor Pacey, y quiero que se vaya de aquí antes de una hora.

Desmond Pacey no asimiló realmente las palabras, porque no podía creer lo que había oído.

—¿Qué ha dicho? Creo que no lo he oído bien.

—Sí, me oyó —respondió Abel—. Queda despedido.

—No puede despedirme. Yo soy el gerente y hace más de treinta años que trabajo en la Cadena Richmond. Si aquí hay alguien con autoridad para despedir, ése soy yo. ¿Quién se cree que es, en nombre de Dios?

—Soy el nuevo gerente.

—¿*Qué* dice que es?

—El nuevo gerente —repitió Abel—. El señor Leroy me designó ayer para ese cargo y yo acabo de despedirlo, señor Pacey.

—¿Por qué?

—Por desfalco en gran escala.

Abel hizo girar las cuentas para que su interlocutor pudiera ahora verlas con toda claridad a través de los cristales de sus gafas.

—Cada uno de estos clientes pagó su cuenta, pero ni un céntimo de este dinero ingresó en la caja del Richmond. Todas ellas tienen un elemento en común: su firma, señor Pacey.

—No podrá probar nada, aunque se tome un siglo de tiempo.

—Lo sé —asimiló Abel—. Ha montado un buen sistema. Bueno, ahora puede ir a montarlo en otra parte, porque aquí se le ha agotado la suerte. Un viejo proverbio polaco dice: la jarra sólo lleva agua hasta que se rompe el asa. El asa acaba de romperse y usted queda despedido.

—Carece de autoridad para despedirme —protestó Pacey. Tenía la frente perlada de sudor a pesar de que ésa era una fría mañana de febrero—. Davis Leroy es un gran amigo mío. Él es el único que puede despedirme. Hace apenas tres meses que usted llegó de Nueva York. Ni siquiera lo escuchará cuando yo le haya telefoneado. Podría hacerlo desaparecer de este hotel con una sola llamada.

—Hágala —respondió Abel.

Levantó el auricular y le pidió a la operadora que lo comunicara con Davis Leroy, en Dallas. Los dos hombres esperaron, mirándose. Ahora el sudor había chorreado hasta la punta de la nariz de Pacey. Abel se preguntó por un momento si su patrono se mantendría firme.

—Buenos días, señor Leroy. Soy Abel Rosnovski. Lo llamo desde Chicago. Acabo de despedir a Desmond Pacey y él quiere hablar con usted.

Pacey tomó el auricular, con mano temblorosa. Escuchó sólo durante unos segundos.

—Pero, Davis, yo... ¿Qué querías que hiciera...? Te juro que no es verdad... Debe de haber algún error.

Abel oyó un chasquido metálico en la línea.

—Una hora, señor Pacey —sentenció Abel—, o haré llegar estas facturas a la Jefatura de Policía de Chicago.

—Espere un momento —exclamó Pacey—. No se apresure tanto. —Su tono y su voz habían cambiado bruscamente—. Podríamos incorporarlo a usted a la operación. Si administráramos este local juntos usted tendría un pequeño ingreso estable y nadie se enteraría. Así ganaría mucho más que como subgerente, y todos sabemos que Davis puede soportar las pérdidas...

—Ya no soy subgerente, señor Pacey. Soy el gerente, de modo que váyase antes de que lo eche.

—Polaco de mierda —siseó el ex gerente, dándose cuenta de

que había jugado la última carta y había perdido—. Le aconsejo que tenga los ojos bien abiertos, porque va a recibir una lección.

Pacey salió del despacho. A la hora del almuerzo lo habían seguido a la calle el *maître,* el jefe de cocineros, el jefe de servidumbre, el jefe de conserjes, el portero principal y otros diecisiete miembros del personal del Richmond que a juicio de Abel eran irredimibles. Por la tarde convocó una reunión del resto del personal, les explicó detalladamente por qué lo que había hecho había sido necesario, y les aseguró que sus puestos no corrían peligro.

—Pero si descubro que alguien ha estafado un dólar —prosiguió Abel—, repito *un* dólar, el culpable será despedido en el acto, y no le daré referencias para buscar otro empleo. ¿Me entienden?

Nadie contestó.

Varios otros miembros del personal se fueron por propia iniciativa del Richmond durante las semanas siguientes, cuando comprendieron que Abel no se proponía perpetuar el sistema de Desmond Pacey en su beneficio personal, y fueron sustituidos inmediatamente.

A fines de marzo, Abel había contratado para el Richmond a cuatro empleados del Plaza. Éstos tenían tres cosas en común: eran jóvenes, ambiciosos y honestos. Al cabo de seis meses, sólo treinta y siete de los ciento diez trabajadores antiguos del Richmond permanecían en el hotel. Al concluir el primer año, Abel abrió una gran botella de champán con Davis Leroy para festejar los beneficios obtenidos. El Richmond de Chicago había ganado tres mil cuatrocientos ochenta y seis dólares. Un beneficio pequeño, pero el primero que el hotel recaudaba en sus treinta años de vida. Abel proyectaba obtener más de veinticinco mil dólares en 1929.

Davis Leroy quedó muy admirado. Visitaba Chicago una vez por mes y empezó a depositar mucha confianza en el juicio de Abel. Incluso admitió que lo ocurrido en el Richmond de

Chicago también podía suceder en los otros hoteles de la cadena. Abel quería encarrilar al hotel de Chicago antes de pensar en ocuparse de los otros. Leroy accedió, pero le prometió a Abel que lo convertiría en su socio si lograba hacer con los otros hoteles lo que había hecho con el de Chicago.

Empezaron a ir juntos al béisbol y las carreras cada vez que Davis pasaba por Chicago. En una oportunidad, cuando Davis perdió setecientos dólares sin acertar en ninguna de las seis carreras, levantó los brazos con ademán de indignación y exclamó:

—¿Por qué pierdo el tiempo con los caballos, Abel? Tú has sido la mejor apuesta de mi vida.

Durante esas visitas, Melanie Leroy siempre cenaba con su padre. Fría, bella, con una figura esbelta y largas piernas que atraían muchas miradas de los huéspedes del hotel, trataba a Abel con un ligero desdén que no estimulaba las ambiciones que él había empezado a alimentar respecto de ella. Tampoco lo invitó a sustituir el «señorita Leroy» por «Melanie» hasta que descubrió que Abel se había graduado en economía en Columbia y que sabía más que ella acerca de las tasas de descuento. A partir de entonces se ablandó un poco y de vez en cuando iba a cenar a solas con Abel en el hotel y a pedirle ayuda para completar los estudios de artes liberales que estaba realizando en la Universidad de Chicago. Envalentonado, él la acompañaba circunstancialmente a conciertos y al teatro, y empezó a sentir celos de propietario cada vez que ella iba a cenar al hotel con otros hombres, aunque nunca aparecía dos veces con el mismo acompañante.

La cocina del hotel había mejorado tanto bajo el implacable control de Abel, que algunas personas que habían vivido treinta años en Chicago y nunca se habían enterado siquiera de la existencia del Richmond, realizaban incursiones gastronómicas en sus salones todos los sábados por la noche. Abel redecoró todo el hotel por primera vez en veinte años, e hizo vestir al personal con elegantes uniformes nuevos verdes y dorados. Un huésped que se había alojado todos los años en el Richmond durante una semana, retrocedió literalmente al llegar a la puerta de entrada, porque creyó que se había equivocado de establecimiento. Cuando Al Capone reservó una sala privada para un banquete en el que festejaría su trigésimo cumpleaños, Abel supo que había triunfado.

La fortuna personal de Abel creció durante este período, mientras florecía el mercado de valores. Dieciocho meses atrás había dejado el Plaza con ocho mil dólares, y ahora su cartera de acciones superaba los treinta mil. Confiaba en que las cotizaciones seguirían subiendo, y por tanto siempre reinvertía las ganancias. Sus necesidades personales continuaban siendo bastante modestas. Había comprado dos trajes nuevos y su primer par de zapatos marrones. El hotel seguía dándole techo y comida, y tenía pocos gastos extras. Parecía aguardarle un futuro brillante. El Continental Trust había manejado la cuenta del Richmond durante más de treinta años, de modo que Abel transfirió a ese banco sus fondos personales apenas llegó a Chicago. Todos los días iba al banco y depositaba el dinero que había entrado en el hotel el día anterior. Un viernes por la mañana lo tomó por sorpresa el mensaje de que el gerente deseaba verlo. Sabía que no había ningún descubierto en su cuenta personal, de modo que supuso que debía de tratarse de algo relacionado con el Richmond. No creía que el banco tuviese motivos de queja ahora que el hotel era solvente por primera vez en treinta años. Un escribiente guió a Abel por un laberinto de corredores hasta que llegaron a una hermosa puerta de madera. Un suave golpe con los nudillos y se encontró en presencia del gerente.

—Mi nombre es Curtis Fenton —anunció el hombre sentado detrás del escritorio, y le tendió la mano a Abel antes de invitarlo a sentarse en un sillón de cuero verde. Se trataba de un individuo pulcro, rollizo, que usaba gafas de media luneta, un cuello blanco impecable y una corbata negra que hacían juego con su traje de banquero de tres piezas.

—Mucho gusto —respondió Abel, un tanto nervioso.

Las circunstancias le hicieron evocar recuerdos del pasado, recuerdos que asociaba sólo con el temor de sentirse inseguro acerca de lo que iba a suceder a continuación.

—Me habría gustado invitarlo a comer, señor Rosnovski...

El corazón de Abel se apaciguó un poco. Sabía muy bien que los gerentes de banco no prodigaban invitaciones a comer cuando debían comunicar malas noticias.

—...pero ha sucedido algo que me obliga a actuar sin demora, así que si no le molesta, le plantearé el problema ahora mismo. Iré al grano, señor Rosnovski. Una de mis clientas más respetadas, una anciana, la señorita Amy Leroy —el nombre hizo que Abel se irguiera instantáneamente en su asiento—, tiene en su poder el veinticinco por ciento de las acciones de la Cadena Richmond. En el pasado se las ha ofrecido varias veces a su hermano, el señor Davis Leroy, pero éste no ha manifestado ningún interés por comprarlas. Entiendo el razonamiento del señor Leroy. Ya controla el setenta y cinco por ciento de la empresa, y me atrevo a decir que no siente la necesidad de preocuparse por el restante veinticinco por ciento que, dicho sea de paso, mi clienta heredó de su difunto padre. Sin embargo, la señorita Amy Leroy sigue interesada en desprenderse de sus acciones, pues éstas nunca pagaron dividendos.

A Abel no lo sorprendió la noticia.

—El señor Leroy manifiesta que no se opone a que ella venda las acciones, y mi clienta piensa que a su edad es preferible disponer de un pequeño patrimonio para gastarlo en lugar de conservarlo con la esperanza de que un día la firma dé dividendos. En razón de ello, señor Rosnovski, me pareció oportuno ponerlo al tanto de lo que sucede por si usted conoce a alguna persona interesada en la industria hotelera y, por consiguiente, en la compra de las acciones de mi clienta.

—¿Cuánto dinero pretende recibir la señorita Leroy a cambio de sus acciones? —preguntó Abel.

—Oh, creo que se conformará con sesenta y cinco mil dólares.

—Sesenta y cinco mil dólares es un precio múy alto por unas acciones que no dan dividendos —respondió Abel—, y que no tienen perspectivas de darlos durante los años próximos.

—Ah —exclamó Curtis Fenton—, pero recuerde que también hay que tomar en cuenta el valor de los once hoteles.

—Sin embargo, el control de la empresa seguiría en manos del señor Leroy, lo cual convierte el veinticinco por ciento del capital que posee la señorita Leroy en un montón de papel impreso.

—Vamos, vamos, señor Rosnovski, el veinticinco por ciento de once hoteles sería una adquisición muy valiosa por el precio de sesenta y cinco mil dólares.

—No mientras Davis Leroy ejerza el control total. Ofrézcale cuarenta mil dólares a la señorita Leroy, señor Fenton, y es posible que yo encuentre una persona interesada.

—¿No cree que esa persona podría ofrecer un poco más? —El señor Fenton arqueó la ceja al pronunciar la palabra «más».

—Ni un céntimo más, señor Fenton.

El gerente del banco juntó delicadamente las yemas de los dedos, satisfecho con el juicio que se había formado respecto de Abel.

—Dadas las circunstancias, sólo puedo preguntarle a la señorita Amy cuál será su actitud ante semejante oferta. Volveré a ponerme en contacto con usted apenas ella me dé instrucciones.

Cuando Abel salió del despacho de Curtis Fenton, su corazón latía más deprisa que cuando había entrado. Regresó rápidamente al hotel para verificar su patrimonio. Su cartera de acciones ascendía a treinta y tres mil ciento doce dólares, y su cuenta personal a tres mil ocho dólares. Después, trató de desarrollar una jornada normal de trabajo. Le resultó difícil concentrarse mientras se preguntaba cómo reaccionaría la señorita Amy Leroy ante su propuesta, y soñaba despierto en lo que haría con una participación del veinticinco por ciento en la Cadena Richmond.

Vaciló antes de comunicarle su oferta a Davis Leroy, porque temía que el cordial tejano interpretara sus ambiciones como una amenaza. Pero después de analizar el problema minuciosamente durante un par de días, resolvió que lo más correcto era telefonearle a Davis Leroy y ponerlo al tanto de sus intenciones.

—Quiero que sepa por qué lo hago, señor Leroy. Pienso que la Cadena Richmond tiene un gran futuro, y usted puede estar seguro de que trabajaré con más afán si sé que también tengo invertido mi propio capital. —Hizo una pausa—. Pero si usted quiere quedarse con ese veinticinco por ciento, naturalmente lo entenderé.

Le sorprendió que Leroy no aprovechara la oportunidad para zafarse.

—Bueno, escúchame, Abel, si tienes tanta confianza en nuestros hoteles, adelante, muchacho, y compra las acciones de Amy. Me enorgulleceré de tenerte como socio. Te lo has ganado. Entre paréntesis, iré la semana próxima para presenciar el partido de los Red Cubs. Te veré entonces.

Abel estaba eufórico.

—Gracias, Davis. Nunca le daré motivos para lamentar su decisión.

—Lo sé, socio.

Abel regresó al banco una semana más tarde. Esta vez fue él quien pidió entrevistarse con el gerente. Volvió a sentarse en el sillón de cuero verde y esperó que el señor Fenton hablara.

—Increíblemente —comenzó Curtis Fenton, que no parecía en absoluto incrédulo—, la señorita Leroy aceptará la oferta de cuarenta mil dólares por su participación del veinticinco por ciento en la Cadena Richmond. —Hizo una pausa, escudriñando a Abel—. Puesto que ya he logrado su aprobación, debo preguntarle a usted si está en condiciones de revelar el nombre del comprador.

—Sí —respondió Abel—. Yo aportaré el capital.

—Entiendo, señor Rosnovski. —Tampoco esta vez Curtis Fenton manifestó sorpresa—. ¿Puedo preguntarle de dónde sacará los cuarenta mil dólares?

—Liquidaré mi cartera de acciones y retiraré el dinero disponible de mi cuenta personal. Me faltarán aún cuatro mil dólares, pero espero que usted acceda a prestármelos, ya que cree que las acciones de la Cadena Richmond están infravaloradas. Sea como fuere, los cuatro mil dólares probablemente no representan más que la comisión del banco por la transacción.

Curtis Fenton parpadeó y frunció el ceño. Los caballeros no formulaban ese tipo de comentarios en su despacho. Le dolió aún más porque Abel había mencionado la cifra exacta.

—¿Quiere darme un poco más de tiempo para considerar su propuesta, señor Rosnovski, y después volveré a comunicarme con usted?

—Si tarda demasiado, ya no necesitaré el préstamo —contestó Abel—. Dada la rapidez con que evoluciona últimamente el mercado, mis otras inversiones pronto alcanzarán el valor de cuarenta mil dólares netos.

Pasó otra semana antes de que el Continental Trust le informara que estaba dispuesto a respaldarlo. Abel liquidó sin demora sus dos cuentas y recibió un préstamo de un poco menos de cuatro mil dólares para completar los cuarenta mil.

En seis meses, Abel pagó su deuda de cuatro mil dólares con el dinero que ganó en prudentes operaciones de compra y venta de acciones realizadas entre marzo y agosto de 1929, lapso durante el cual el mercado de valores conoció algunos de sus días más felices de todos los tiempos.

En setiembre sus dos cuentas ya tenían nuevamente un pequeño superávit —que incluso le permitió adquirir un nuevo Buick— en tanto que ahora era dueño del veintincinco por ciento de la Cadena Richmond de hoteles. Abel estaba satisfecho de haber afianzado así su participación en el imperio de Davis Leroy. Esto le inspiraba confianza para correr tras su hija Melanie y el otro setenta y cinco por ciento.

A comienzos de octubre, invitó a Melanie a un festival de Mozart en el Chicago Symphony Hall. Vestido con su traje más elegante, que sólo sirvió para confirmarle que estaba aumentando de peso, y luciendo su primera corbata de seda, se sintió seguro, mientras se miraba en el espejo, de que esa velada sería un éxito. Cuando terminó el concierto, Abel eludió el Richmond, a pesar de que ahora allí la comida era excelente, y la llevó a cenar en The Loop. Puso especial cuidado en hablar sólo de economía y política, pues sabía que Melanie debía admitir que él era mucho más experto en esos dos temas. Por fin la invitó a beber un trago en sus aposentos. Era la primera vez que Melanie los veía, y su suntuosidad la irritó y la sorprendió, ambas cosas al mismo tiempo.

Abel le sirvió la Coca-Cola que ella le había pedido, dejó caer dos cubitos de hielo en el líquido burbujeante y se sintió reconfortado por la sonrisa con que ella lo recompensó cuando le pasó el vaso. No pudo dejar de mirar durante algo más que un cortés segundo sus esbeltas piernas cruzadas. Abel se escanció un *bourbon*.

—Gracias, Abel, por la maravillosa velada.

Él se sentó junto a ella y removió con aire pensativo el contenido de su vaso.

—Durante muchos años no escuché música. Cuando la escuché, Mozart le habló a mi corazón como ningún otro compositor lo había hecho antes.

—A veces resultas muy centroeuropeo, Abel. —Melanie tironeó del ruedo de su vestido de seda, sobre el que se había sentado Abel, para zafarlo—. ¿Quién habría pensado que a un gerente de hotel podría interesarle Mozart?

—Uno de mis antepasados —explicó Abel—, el primer barón Rosnovski, conoció al maestro, y éste se convirtió en amigo íntimo de la familia, de modo que siempre sentí que formaba parte de mi vida.

La sonrisa de Melanie fue insondable. Abel se inclinó hacia el costado y le besó la sien justo por encima de la oreja, donde su cabello rubio estaba apartado del rostro. Melanie continuó conversando sin dar la menor muestra de que había tomado conciencia de su acto.

—Frederick Stock captó perfectamente el espíritu del tercer movimiento, ¿no te parece?

Abel intentó besarla de nuevo. Esta vez Melanie volvió el rostro hacia él y se dejó besar en los labios. Después se apartó.

—Creo que es hora de que regrese a la universidad.

—Pero si acabas de llegar —protestó Abel, descorazonado.

—Sí, lo sé, pero debo levantarme temprano. Mañana tendré un día ajetreado.

Abel volvió a besarla. Ella cayó contra el respaldo del sofá y Abel trató de colocarle la mano sobre el pecho. Melanie interrumpió bruscamente el beso y lo empujó hacia atrás.

—Debo irme, Abel —insistió.

—Oh, vamos —dijo él—. Aún no —e intentó besarla otra vez.

Esta vez ella lo disuadió empujándolo con más energía.

—Abel, ¿qué haces? El que me lleves de vez en cuando a cenar y a un concierto no te da derecho a manosearme.

—Pero es que hace muchos meses que salimos juntos —arguyó Abel—. No pensé que te molestaría.

—No hace meses que salimos juntos, Abel. De vez en cuando comemos en el hotel de mi padre, pero no por eso debes llegar a una conclusión equivocada.

—Lo siento —respondió Abel—. Lo que menos deseaba era hacerte pensar que te estaba manoseando. Sólo quise tocarte.

—Nunca permitiré que me toque un hombre con el que no me voy a casar —replicó Melanie.

—Pero es que yo quiero casarme contigo —manifestó Abel en voz baja.

Melanie se echó a reír.

—¿Qué te hace tanta gracia? —preguntó Abel, ruborizándose.

—No seas tonto, Abel. Jamás me casaría contigo.

—¿Por qué no? —inquirió Abel, horrorizado por la vehemencia con que ella lo había dicho.

—Sería imposible que una dama sureña se casara con un miembro de la primera generación de inmigrantes polacos —afirmó Melanie, sentándose muy erecta y poniendo en su lugar los pliegues del vestido de seda.

—Pero si yo soy barón —exclamó Abel, un tanto altivo.

Melanie volvió a reír.

—¿No pensarás que alguien crea esa historia, verdad Abel? ¿No te das cuenta de que todo el personal se burla a tus espaldas cada vez que mencionas el título?

Él se quedó atónito y se sintió descompuesto. Su rostro, sonrojado por el bochorno, palideció.

—¿Todos se burlan a mis espaldas? —Su ligero acento extranjero fue esta vez más pronunciado.

—Sí. ¿Acaso no sabes cómo te apodan en el hotel? El Barón de Chicago.

Abel se quedó mudo.

—Ahora no seas tonto y no te sientas incómodo. Sé que le has prestado una gran ayuda a papá y que él te admira, pero nunca podría casarme contigo.

Abel no sabía qué decir.

—*Nunca podría casarme contigo* —repitió él.

—Claro que no. Papá te estima, pero nunca te aceptaría como yerno.

—Lamento haberte ofendido —murmuró Abel.

—No me has ofendido. Me siento halagada, Abel. Ahora olvidemos que tocaste el tema. ¿Quieres tener la gentileza de acompañarme a casa?

Ella se puso en pie y se encaminó hacia la puerta, mientras Abel permanecía sentado todavía atónito. De alguna manera consiguió levantarse lentamente y ayudó a Melanie a ponerse su estola. Mientras caminaban juntos por el pasillo, tomó conciencia de su cojera. Bajaron en el ascensor y él la llevó a su casa en taxi, sin que ninguno de los dos pronunciara una palabra. Mientras el taxi esperaba, la acompañó hasta la puerta de entrada de la residencia. Le besó la mano.

—Espero que esto no signifique que no podemos seguir siendo amigos —dijo Melanie.

—Claro que no.

—Gracias por haberme invitado al concierto, Abel. Estoy segura de que no tendrás problemas para encontrar una buena chica polaca a la que convertir en tu esposa. Buenas noches.

—Buenas noches —respondió Abel.

Abel no pensó que habría verdaderos contratiempos en el mercado de valores de Nueva York hasta que uno de sus clientes le preguntó si podía pagar la cuenta del hotel con acciones. Abel sólo conservaba unas pocas acciones porque casi todo su dinero estaba invertido en la Cadena Richmond, pero siguió el consejo de su agente de Bolsa y vendió las que le quedaban con una pequeña pérdida. Lo tranquilizaba que el grueso de sus ahorros estuviera asegurado en forma de ladrillos y cemento. No había prestado tanta atención a las fluctuaciones del índice Dow-Jones como lo habría hecho de haber tenido todo su capital en la Bolsa.

El hotel marchó viento en popa durante la primera parte del año, y Abel consideró que tenía muchas probabilidades de alcanzar el margen de beneficios previsto para 1929, o sea veinticinco mil dólares. Mantenía constantemente informado a Davis Leroy sobre la marcha de los negocios. Pero cuando se produjo la crisis de octubre, el hotel quedó semivacío. Abel telefoneó a Davis Leroy el Martes Negro. El tejano parecía deprimido y preocupado, y se resistió a tomar decisiones sobre el despido de personal del hotel, que ahora Abel consideraba urgente.

—Espera todavía un poco, Abel —dijo—. Iré la semana próxima y entonces lo arreglaremos juntos... o trataremos de arreglarlo.

A Abel no le gustaron las connotaciones de esta frase.

—¿Qué problema tiene, Davis? ¿Puedo ayudarlo?

—Por ahora no.

Abel quedó intrigado.

—¿Por qué no me concede autoridad para que lo resuelva, y lo pondré al corriente cuando venga la semana próxima?

—No es tan fácil, Abel. No quería discutir mis problemas por teléfono, pero el banco me está hostigando un poco por las pérdidas que he sufrido en la Bolsa, y me amenaza con obligarme a liquidar los hoteles si no puedo reunir suficiente dinero para cancelar mis deudas.

Abel se quedó helado.

—No tienes por qué preocuparte, muchacho —prosiguió Davis, con tono poco convincente—. Te daré todos los detalles cuando vaya a Chicago la semana próxima. Estoy seguro de que para entonces ya habré encontrado una solución.

Abel oyó el clic del teléfono y sintió el cuerpo bañado en sudor. Su primera reacción consistió en preguntarse cómo podría ayudar a Davis. Llamó a Curtis Fenton y le sonsacó el nombre del banquero que controlaba los intereses de la Cadena Richmond, pensando que si lograba entrevistarse con él tal vez conseguiría aliviar los problemas de su amigo.

Abel le telefoneó varias veces a Davis durante los días siguientes para notificarle que la situación iba de mal en peor y que había que tomar decisiones, pero éste parecía cada vez más preocupado y aún se resistía a tomarlas. Cuando sintió que empezaba a perder el control de las cosas, Abel se resolvió. Le pidió a su secretaria que llamara por teléfono al banquero que controlaba la Cadena Richmond.

—¿Con quién desea hablar, señor Rosnovski? —preguntó una dama de tono remilgado.

Abel consultó el nombre escrito en la hojita de papel que tenía frente a él y lo pronunció enérgicamente.

—Lo comunicaré con él.

—Buenos días —dijo una voz rotunda—. ¿Puedo hacer algo por usted?

—Espero que sí. Me llamo Abel Rosnovski —se presentó Abel, nervioso—. Soy el gerente del Richmond de Chicago y deseo pedirle una entrevista para discutir el futuro de la Cadena Richmond.

—Sólo estoy autorizado a tratar con el señor Davis Leroy —respondió la voz implacable.

—Pero yo tengo el veinticinco por ciento de las acciones de la Cadena Richmond —argumentó Abel.

—Entonces sin duda alguien le explicará que mientras no tenga el cincuenta y uno por ciento no estará en condiciones de tratar con el banco, a menos que cuente con una autorización escrita del señor Davis Leroy.

—Pero somos íntimos amigos...

—No lo dudo, señor Rosnovski.

—...y quiero ayudarlo.

—¿El señor Leroy le ha dado un poder para que lo represente?

—No, pero...

—Entonces lo siento. Mi deber profesional no me permite continuar esta conversación.

—¿No podría poner más dificultades, verdad? —preguntó Abel, que inmediatamente lamentó haber pronunciado esas palabras.

—Sin duda así es como usted lo entiende, señor Rosnovski. Buenos días, señor.

Oh, vete al diablo, pensó Abel, y descargó el auricular sobre la horquilla, aún más preocupado acerca de lo que podría hacer a continuación para ayudar a Davis.

No tardó en descubrirlo.

La noche siguiente vio a Melanie en el restaurante, no irradiando su habitual aire confiado sino con un aspecto exhausto y ansioso, y estuvo a punto de preguntarle si tenía algún problema. Desistió de hablarle y cuando abandonó el comedor para encaminarse hacia su despacho, encontró a Davis Leroy, solo en el vestíbulo. Vestía la misma americana a cuadros que había usado aquel primer día en que lo abordara en el Plaza.

—¿Melanie está en el comedor?

—Sí —contestó Abel—. No sabía que usted vendría hoy a la ciudad, Davis. Ordenaré que le preparen inmediatamente la suite presidencial.

—Sólo por una noche, Abel, y deseo que hablemos a solas más tarde.

—Por supuesto.

A Abel no le gustó cómo sonaba la expresión «a solas». ¿Melanie se había quejado a su padre? ¿Acaso era esa la razón por la que no había podido arrancarle una decisión durante los últimos días?

Davis Leroy entró de prisa en el comedor mientras Abel se encaminaba hacia la conserjería para averiguar si la suite del piso doce estaba disponible. La mitad de las habitaciones del hotel se hallaban desocupadas y no le sorprendió oír que la suite presidencial también lo estaba. Abel registró la entrada de su empleador y después esperó durante más de una hora en el mostrador de la recepción. Vio partir a Melanie, con el rostro congestionado como si hubiera estado llorando. Su padre salió a su vez del comedor pocos minutos después.

—Hazte con una botella de *bourbon,* Abel... y no me digas que no tenemos ninguna. Después ven a reunirte conmigo en mi suite.

Abel extrajo dos botellas de *bourbon* de la caja de caudales y luego subió a la suite presidencial del piso doce, sin dejar de preguntarse si Melanie le había contado algo a su padre.

305

—Abre la botella y sírvete una buena ración, Abel —lo exhortó Davis Leroy.

Una vez más Abel sintió el miedo a lo desconocido. Las palmas de sus manos empezaron a sudar. No podía creer que lo despedirían por haber pedido en matrimonio a la hija del patrón. Ahora hacía más de un año que él y Leroy eran amigos, amigos íntimos. No tuvo que esperar mucho para descubrir qué era lo desconocido.

—Termina tu *bourbon*.

Abel vació el vaso de un trago y Davis hizo lo mismo con el suyo.

—Abel, estoy arruinado. —Hizo una pausa y volvió a llenar ambos vasos—. Y ahora que lo pienso mejor, es lo que le ocurre a la mitad de los Estados Unidos.

Abel permaneció callado, en parte porque no se le ocurrió qué decir. Se quedaron mirándose el uno al otro durante varios minutos, y entonces, después de beber otro vaso de *bourbon*, Abel consiguió articular:

—Pero aún es propietario de once hoteles.

—Era propietario —corrigió Davis Leroy—. Ahora hay que hablar en tiempo pasado, Abel. Ya no me queda ni uno. El banco se apropió de los títulos el jueves pasado.

—Pero son suyos, han pertenecido a su familia durante dos generaciones —insistió Abel.

—Eran míos. Ya no lo son. Ahora pertenecen al banco. No hay ningún motivo para que te oculte toda la verdad, Abel. En este preciso momento les está sucediendo lo mismo a casi todos los norteamericanos, grandes o pequeños. Hace casi diez años pedí un crédito de dos millones de dólares, dejando los hoteles como garantía, e invertí el dinero en acciones y valores, con mucha prudencia y eligiendo empresas sólidas. Mi capital creció hasta casi cinco millones de dólares, y ésa era una de las razones por las cuales nunca me preocupaban mucho las pérdidas de los hoteles: siempre podía restarlas de las utilidades que ganaba en la Bolsa, al realizar mis declaraciones de renta. Ahora nadie aceptaría esas acciones, ni regaladas. Tanto daría usarlas como papel higiénico en los once hoteles. Durante las tres últimas semanas he vendido cuanto he podido, pero ya no quedan compradores. El banco me entabló juicio hipotecario el jueves pasado. —Abel no pudo dejar de recordar que era un jueves cuando había hablado con el banquero—. La mayoría de las personas afectadas por la crisis sólo pueden responder por sus deudas con papeles, pero en mi caso el banco que me respaldó retiene las escrituras de los once hoteles como prenda del crédito. De modo que tomó posesión de ellos apenas se produjo el colapso. Esos bastardos me han informado que tienen el propósito de vender la Cadena lo antes posible.

—Eso es una locura. Ahora no les pagarán nada por los hoteles, y en cambio si nos ayudaran durante esta emergencia, juntos podríamos garantizarles una buena renta por su inversión.

—Sé que *tú* podrías hacerlo, Abel, pero a mí me echan en cara mis antecedentes. Fui a su sede central para sugerirles precisamente eso. Les expliqué quién eres y les prometí que si nos respaldaban yo dedicaría todo mi tiempo a los hoteles, pero no les interesó. Me hicieron perder el tiempo con un cachorrillo untuoso que me espetó todas las respuestas de los libros de texto sobre los flujos de capital, la carencia de base económica y las restricciones de crédito. Por Dios, si alguna vez me recupero los joderé a él en persona y después a su banco. Pero ahora lo mejor que podemos hacer es emborracharnos, porque estoy liquidado, sin un céntimo, en bancarrota.

—Entonces yo también lo estoy —murmuró Abel.

—No, tú tienes un gran futuro por delante, hijo. Quien se convierta en dueño de esta Cadena no podrá dar un paso sin ti.

—Olvida que tengo el veinticinco por ciento del capital.

Davis Leroy lo miró fijamente. Era obvio que había olvidado ese detalle.

—Dios mío, Abel, espero que no hayas invertido todo tu dinero en mi empresa. —Su voz empezaba a ponerse pastosa.

—Hasta el último céntimo —respondió Abel—. Pero no lo lamento, Davis. Es mejor perder con un sabio que ganar con un tonto. —Se sirvió otro *bourbon.*

Las lágrimas asomaron a las comisuras de los ojos de Davis Leroy.

—¿Sabes una cosa, Abel? Eres el mejor amigo que podía pedir. Levantas este hotel de la ruina, inviertes tu propio dinero, te dejo en la miseria, y ni siquiera te quejas. Y, para colmo, mi hija se niega a casarse contigo.

—¿No le molestó que se lo propusiera? —inquirió Abel, menos incrédulo de lo que habría estado sin el *bourbon.*

—Esa estúpida no sabe lo que es bueno. Quiere casarse con un aristócrata criador de caballos del Sur, con tres generales confederados en el árbol genealógico. O, si se casa con un norteño, su bisabuelo tendrá que haber venido en el *Mayflower,* con los primeros colonizadores. Si todos quienes alegan haber tenido un antepasado a bordo de ese barco lo hubieran tenido realmente, el maldito armatoste se habría hundido mil veces antes de llegar a América. Lamento mucho no poder ofrecerte otra hija, Abel. Nadie me ha servido con tanta lealtad como tú. Puedes creer que me sentiría orgulloso de tenerte en la familia. Los dos habríamos formado un gran equipo, pero sigo pensando que podrás hacerles morder el polvo tú solo. Eres joven y aún tienes toda la vida por delante.

A sus veintitrés años, Abel se sintió súbitamente muy viejo.

—Gracias por su confianza, Davis —respondió—, y al fin y al cabo, ¿a quién le importa un rábano el mercado de valores? ¿Sabe? Usted es el mejor amigo que he tenido. —El licor empezaba a guiar la conversación.

Abel se sirvió otro *bourbon* más y lo ingirió de un trago. Cuando amaneció, entre los dos habían vaciado ambas botellas. Davis se durmió en su silla, y Abel bajó tambaleándose hasta el décimo piso, donde se desvistió y se desplomó sobre su cama. Fuertes golpes en la puerta lo arrancaron de un sueño profundo. La cabeza le daba vueltas, pero los golpes siguieron retumbando, cada vez más fuertes. De alguna manera consiguió levantarse de la cama y llegar a tientas hasta la puerta. Era un botones.

—Venga en seguida, señor Abel, venga en seguida —exclamó mientras se alejaba corriendo por el pasillo.

Abel se echó encima una bata, se calzó las pantuflas, y trastabilló por el corredor detrás del botones, que mantenía abierta la puerta del ascensor.

—En seguida, señor Abel —repitió el chico.

—¿Por qué tanta prisa? —preguntó Abel, a quien seguía dándole vueltas la cabeza mientras la cabina bajaba. Entonces recordó la conversación de la noche anterior. Quizás el banco había venido a tomar posesión del hotel.

—Alguien se ha arrojado por la ventana.

Abel recuperó inmediatamente la sobriedad.

—¿Un huésped?

—Sí, creo que sí —respondió el botones—, pero no estoy seguro.

El ascensor se detuvo en la planta baja. Abel abrió violentamente las puertas y salió corriendo a la calle. La policía ya estaba allí. Él no habría reconocido el cadáver si no hubiera sido por la americana a cuadros. Un policía estaba anotando datos. Un hombre vestido de paisano se acercó a Abel.

—¿Usted es el gerente?

—Sí, soy yo.

—¿Sabe quién puede ser este hombre?

—Sí —contestó Abel, arrastrando la palabra—. Se llama Davis Leroy.

—¿Sabe de dónde procede o cómo podemos ponernos en contacto con su pariente más próximo?

Abel apartó la vista del cuerpo destrozado y respondió automáticamente.

—Procede de Dallas y su pariente más próximo es la señorita Melanie Leroy, su hija. La señorita Leroy es estudiante y vive en la residencia de la Universidad de Chicago.

—Bien. Enviaremos a alguien para que vaya a buscarla.

—No, no hace falta. Yo me ocuparé personalmente —murmuró Abel.

—Gracias. Siempre es mejor no recibir la noticia de labios de un desconocido.

—Qué cosa tan espantosa e innecesaria —sentenció Abel, mirando de nuevo el cadáver de su amigo.

—Éste es el séptimo del día, en Chicago —manifestó secamente el policía, mientras cerraba su libretita negra y se encaminaba hacia la ambulancia.

Abel miró cómo los camilleros levantaban del pavimento el cadáver de Davis Leroy. Sintió un escalofrío, se dejó caer de rodillas y vomitó entre convulsiones en la alcantarilla. Una vez más había perdido a su mejor amigo. Quizá si hubiera bebido menos y reflexionado más, podría haberlo salvado. Se levantó dificultosamente y volvió a su habitación. Allí se dio una larga ducha fría y de alguna manera consiguió vestirse. Pidió café negro y después, renuentemente, subió a la suite presidencial y abrió la puerta. Exceptuando un par de botellas de *bourbon* no parecía haber ninguna señal del drama que se había desarrollado allí pocos minutos antes. Hasta que vio las cartas sobre la mesa de noche vecina a una cama en la que nadie había dormido. La primera estaba dirigida a Melanie, la segunda a un abogado de Dallas, y la tercera a Abel. Abrió la suya, pero apenas pudo leer las últimas palabras de Davis Leroy.

> Querido Abel:
> Elijo la única escapatoria que me queda después de la decisión del banco. No tengo motivación para vivir. Soy demasiado viejo para empezar de nuevo. Quiero que sepas que, a mi juicio, eres el único capaz de sacar algo bueno de este horrible desquicio.

He redactado un nuevo testamento en el cual te dejo el otro setenta y cinco por ciento de las acciones de la Cadena Richmond. Comprendo que carecen de valor, pero consolidarán tu posición como propietario legítimo de la empresa. Si tuviste agallas suficientes para comprar el veinticinco por ciento con tu propio dinero, te has ganado el derecho a intentar llegar a algún acuerdo con el banco. Todos mis otros bienes, incluida la casa, se los he dejado a Melanie. Por favor, díselo tú. Que no sea la policía la que se lo comunique. Me habría enorgullecido de tenerte por yerno, socio.

Tu amigo,
Davis.

Abel leyó la carta varias veces y después la dobló pulcramente y se la guardó en el bolsillo.

Esa mañana, más tarde, fue a la Universidad y le dio la noticia a Melanie con la mayor cautela posible. Él estaba sentado en el sofá, nervioso, sin saber muy bien qué podía agregar a la insustancial notificación de fallecimiento. Ella la asimiló con sorprendente serenidad, casi como si hubiera previsto que eso iba a suceder. No derramó ni una lágrima delante de Abel... aunque quizá sí más tarde, cuando él ya no estuvo allí. La compadeció por primera vez en su vida.

Abel volvió al hotel y resolvió no almorzar. Le pidió al camarero que le llevara un zumo de tomate mientras él revisaba su correspondencia. Encontró una carta del Continental Trust Bank, firmada por Curtis Fenton. Evidentemente éste iba a ser un día de mucho movimiento epistolar. Fenton había recibido el aviso de que un banco de Boston llamado Kane and Cabot se haría cargo de la responsabilidad financiera de la Cadena Richmond. Por el momento, la actividad seguiría sin alteraciones en los hoteles de la cadena hasta que se organizaran las entrevistas con el señor Davis Leroy para discutir la venta de todos los hoteles del grupo. Abel se quedó mirando estas palabras, y después de beber un segundo zumo de toma-te, redactó el borrador de una carta para el presidente del Kane and Cabot, un tal señor Alan Lloyd.

Cinco días más tarde, Abel recibió la respuesta, en la que le pedían que asistiera a una reunión en Boston, el 4 de enero, para discutir con el director encargado de quiebras la liquida-ción del grupo. Entretanto, el banco tendría tiempo suficiente para analizar las implicaciones de la súbita y trágica muerte del señor Leroy.

—¿Súbita y trágica muerte?

—¿Y quién provocó esa muerte? —exclamó Abel en voz al-ta, mientras recordaba de repente las palabras del mismo Da-vis Leroy: «Me hicieron perder el tiempo con un cachorrillo untuoso... Por Dios, si alguna vez me recupero los joderé a él en persona y después a su banco»—. No te preocupes, Davis —añadió Abel, siempre en voz alta—. Yo lo haré por ti.

Durante las últimas semanas de aquel año, Abel adminis-tró el Richmond con un estricto control sobre el personal y los precios, y a duras penas consiguió mantenerlo a flote. No pu-do dejar de preguntarse qué sucedía con los otros diez hoteles de la cadena, pero no tenía tiempo para averiguarlo y de todos modos eso ya no era de su incumbencia.

17

EL 4 DE ENERO DE 1930, Abel Rosnovski arribó a Boston. Fue en taxi de la estación al Kane and Cabot y llegó con unos minutos de anticipación. Esperó sentado en la antesala, que era más grande y lujosa que cualquiera de los aposentos del Richmond de Chicago. Empezó a leer el *Wall Street Journal*.

El año 1930 sería mejor, intentaba asegurarle el periódico. Él lo dudaba. Una mujer estirada, de mediana edad, entró en la habitación.

—El señor Kane lo espera, señor Rosnovski.

Abel se levantó y la siguió por un largo pasillo hasta una pequeña habitación revestida con paneles de roble. Detrás de un gran escritorio con tapa de cuero estaba sentado un hombre alto, apuesto, que según calculó Abel debía de tener más o menos la misma edad que él. Sus ojos eran tan azules como los de Abel. Detrás de él colgaba sobre la pared el retrato de un hombre mayor, al que el joven sentado detrás del escritorio se parecía mucho. Apuesto a que ese es papá, pensó Abel amargamente. Puedes estar seguro de que sobrevivirá a la crisis. Los bancos siempre se las ingenian para salir beneficiados en todas las circunstancias.

—Me llamo William Kane —anunció el hombre joven, mientras se levantaba y tendía la mano—. Siéntese, por favor, señor Rosnovski.

—Gracias —respondió Abel.

William miró al hombrecillo vestido con un traje que no le caía bien, pero también advirtió la determinación que se leía en sus ojos.

—Permita que le describa las últimas alternativas tal como yo las veo —prosiguió el joven de ojos azules.

—Por supuesto.

—La trágica y prematura muerte del señor Leroy... —empezó William, que detestaba la pomposidad de sus propias palabras.

Provocada por vuestra insensibilidad, pensó Abel.

—...parece haberle dejado a usted la responsabilidad inmediata de administrar la cadena de hoteles hasta que el banco esté en condiciones de encontrar comprador. Aunque ahora el cien por ciento de las acciones del grupo están a su nombre, la propiedad representada por once hoteles, que fue hipotecada para garantizar el préstamo de dos millones de dólares que

313

recibió el señor Leroy, nos corresponde legalmente. Esto lo libera a usted, por supuesto, de toda responsabilidad, y si desea disociarse de la operación, nosotros lo entenderemos perfectamente.

Una sugerencia agraviante, pensó William, pero inevitable. Era precisamente lo que a un banquero se le antojaba más normal: que la gente desertase apenas surgía un problema, pensó Abel.

—Hasta que esté saldada la deuda de dos millones —prosiguió William Kane—, me temo que deberemos considerar que la sucesión del difunto señor Leroy es insolvente. El banco le agradece su intervención personal en el grupo, y no hemos dado ningún paso para desprendernos de los hoteles antes de tener una oportunidad de conversar con usted. Pensamos que tal vez usted conoce a alguien interesado en la compra de la empresa, pues los edificios, los terrenos y la actividad comercial constituyen un capital valioso.

—Pero no tanto como para que ustedes me respalden —contestó Abel. Se pasó la mano cansadamente por su espesa cabellera oscura—. ¿Cuánto tiempo me dan para buscar un comprador?

William vaciló un momento cuando vio la pulsera de plata que ceñía la muñeca de Abel Rosnovski. La había visto antes en alguna parte, pero no recordaba dónde.

—Treinta días. Entienda que el banco hace frente a las pérdidas que sufren diariamente diez de los once hoteles. Sólo el Richmond de Chicago rinde una pequeña ganancia.

—Si ustedes me concedieran tiempo y ayuda, señor Kane, yo podría convertir todos los hoteles en empresas rentables. Lo sé —insistió Abel—. Sólo les pido que me den la oportunidad de demostrarlo, señor. —Abel sintió que la última palabra se le atascaba en la boca.

—Esto fue lo que el señor Leroy le aseguró al banco cuando vino a vernos el otoño pasado —respondió William—. Pero éstos son tiempos difíciles. Nadie sabe si los negocios hoteleros volverán a florecer, y éstos no son nuestra especialidad, señor Rosnovski. Nosotros somos banqueros.

Abel empezaba a perder la paciencia con ese banquero pulcramente vestido. «Cachorrillo»: Davis lo había calificado perfectamente.

—Es cierto que serán tiempos difíciles para el personal del hotel —manifestó—. ¿Qué hará esa gente si usted la deja en la calle? ¿Qué le parece que sucederá?

—Me temo que nosotros no somos los responsables del bienestar del personal, señor Rosnovski. Yo debo defender los intereses del banco.

—*Sus* intereses, querrá decir, ¿no es verdad, señor Kane? —exclamó Abel vehementemente.

El joven se sonrojó.

—Ésa es un acusación injusta, señor Rosnovski, que me ofendería mucho si no comprendiera el trance por el que usted está pasando.

—Es una lástima que no sacara a relucir su comprensión cuando aún estaba a tiempo para salvar a Davis Leroy —dijo Abel—. A él le habría resultado muy útil. Usted lo mató, señor Kane. Es tan cierto que lo mató como si lo hubiera empujado personalmente por la ventana, usted y sus remilgados colegas, que descansan aquí sentados sobre sus culos mientras nosotros nos deslomamos para que ustedes puedan sacar su tajada en los buenos tiempos y pisotearnos cuando las cosas van mal.

William también empezaba a encolerizarse. Pero a diferencia de Abel Rosnovski no lo demostraba.

—Esta discusión no nos lleva a ninguna parte, señor Rosnovski. Debo advertirle que si no encuentra un comprador antes de treinta días, no me quedará otra alternativa que organizar la subasta de los hoteles.

—A continuación me aconsejará que le pida un crédito a otro banco —comentó Abel sarcásticamente—. Usted *conoce* mis antecedentes, y no accede a respaldarme. ¿Entonces, dónde diablos quiere que vaya ahora?

—Temo no saberlo —replicó William—. Eso depende exclusivamente de usted. El consejo de administración sólo me ha dado instrucciones para que cancele esta operación lo antes posible, y eso es lo que me propongo hacer. Quizás usted tendrá la gentileza de comunicarse conmigo no más tarde del 4 de febrero para informarme si ha encontrado un comprador. Buenos días, señor Rosnovski.

William se puso en pie detrás del escritorio y volvió a tender la mano. Esta vez Abel la ignoró y se encaminó hacia la puerta.

—Pensé que después de nuestra conversación telefónica, señor Kane, tal vez usted se sentiría suficientemente abochornado como para ofrecerme una ayuda. Me equivoqué. Usted es un hijo de puta de cabo a rabo, de modo que cuando se vaya esta noche a la cama, señor Kane, no se olvide de pensar en mí. Y cuando se despierte por la mañana piense en mí de nuevo, porque yo nunca dejaré de rumiar los planes que le tengo reservados.

William se quedó mirando la puerta cerrada, con el ceño fruncido. La pulsera de plata seguía preocupándolo... ¿dónde la había visto antes?

Su secretaria volvió a entrar.

—Qué hombrecillo tan espantoso —comentó.

—No, no tanto —murmuró William—. Cree que matamos a su socio, y ahora estamos liquidando su empresa sin pensar en el personal, y menos aún en él, a pesar de que demostró ser muy competente. El señor Rosnovski fue excepcionalmente cortés, dadas las circunstancias, y debo confesar que casi lamento que el consejo de administración no decidiera ayudarlo. —Levantó la vista hacia su secretaria—. Comuníqueme por teléfono con el señor Cohen.

18

ABEL LLEGÓ A CHICAGO en la mañana del día siguiente, aún preocupado y furioso por el trato que había recibido de William Kane. Cuando detuvo el taxi y montó en el asiento trasero no oyó bien lo que voceaba el vendedor de diarios de la esquina.

—Al Richmond Hotel, por favor.

—¿Es periodista? —le preguntó el taxista, mientras enfilaba por State Street.

—No, ¿por qué lo pregunta? —inquirió Abel.

—Oh, sólo porque pidió que lo lleve al Richmond. Hoy todos los periodistas están allí.

Abel no recordaba ningún acto programado en el Richmond que pudiera atraer a la prensa.

—¿Por qué? —preguntó aún más intrigado.

—Bueno, si tiene una reserva allí, esta noche no dormirá muy bien. El Richmond ardió hasta los cimientos.

Cuando el taxi dobló en la esquina, Abel se encontró frente al esqueleto humeante del Richmond Hotel. Coches patrulla, camiones de bomberos, maderas carbonizadas y la calle inundada. Se apeó del taxi y miró los restos calcinados de la nave capitana de la cadena de David Leroy.

El polaco se espabila cuando el mal está hecho, pensó Abel, mientras crispaba el puño y empezaba a golpearse la pierna coja. No experimentó ningún dolor... ya no le quedaba nada para sentir.

—Hijos de puta —gritó en voz alta—. Las he conocido peores, y todavía os aplastaré a todos. Los alemanes, los rusos, los turcos, el cerdo de Kane y ahora esto. A todos. Os aplastaré a todos. Nadie podrá con Abel Rosnovski.

317

El subgerente vio a Abel que gesticulaba junto al taxi y corrió hacia él. Abel hizo un esfuerzo para serenarse.

—¿Todo el personal y los huéspedes pudieron salir del hotel sanos y salvos? —preguntó.

—Sí, gracias a Dios. El hotel estaba casi vacío, de modo que fue fácil sacarlos a todos. Hubo uno o dos heridos y quemados leves, y los están tratando en el hospital, pero no tiene nada de qué preocuparse.

—Bueno, por lo menos esto es un alivio. Afortunadamente el hotel estaba bien asegurado, creo que por más de un millón. Quizá podremos incluso sacar algún provecho de este desastre.

—No si lo que sugieren en las últimas ediciones de los periódicos resulta cierto.

—¿A qué se refiere?

—Preferiría que lo leyera usted mismo, jefe —respondió el subgerente.

Abel se dirigió hacia el quiosco de periódicos y le pagó dos céntimos al vendedor por la última edición del *Chicago Tribune*. El titular lo decía todo.

INCENDIO EN EL RICHMOND HOTEL - SOSPECHAN QUE FUE INTENCIONADO

Abel meneó la cabeza, incrédulo, y releyó el titular.

—¿Qué más nos puede pasar? —murmuró.

—¿Tiene algún problema? —le preguntó el vendedor.

—Insignificante —respondió Abel, y volvió junto al subgerente—. ¿Quién se ocupa de la investigación policial?

—El oficial que está allí, apoyado contra el coche patrulla —dijo el subgerente, y señaló a un hombre alto, enjuto, que se estaba quedando prematuramente calvo—. El teniente O'Malley.

—No podía ser de otra manera —asintió Abel—. Ahora lleve al personal al anexo. Mañana a las diez de la mañana hablaré con todos. Si alguien quiere verme antes, me alojaré en el Stevens hasta que se aclaren las cosas.

—De acuerdo, jefe.

Abel se acercó al teniente O'Malley y se presentó.

El policía alto y delgado se inclinó un poco para estrechar la mano de Abel.

—Ah, el largamente desaparecido ex gerente ha vuelto a sus ruinas carbonizadas.

—No le veo la gracia, oficial —comentó Abel.

—Lo siento —dijo el teniente—. No es gracioso. Ha sido una noche agotadora. Vamos a tomar algo.

El policía cogió a Abel por el codo y lo guió a través de Michigan Avenue hasta el café de la esquina. Allí el teniente O'Malley pidió dos batidos.

Abel se rió cuando le sirvieron la bebida blanca y espumosa. Ése era su primer batido, porque nunca había sido joven.

—Lo sé. Es curioso, en esta ciudad todos violan la ley bebiendo *bourbon* y cerveza —manifestó el detective—, de modo que alguien tiene que cumplir con el reglamento. De todos modos, la Ley Seca no durará eternamente, y entonces empezarán mis desgracias, porque los gángsters van a descubrir que los batidos me gustan en serio.

Abel se rió por segunda vez.

—Ahora ocupémonos de sus problemas, señor Rosnovski. En primer término, debo decirle que no creo que usted tenga la más remota probabilidad de cobrar el seguro del hotel. Los expertos en incendios han registrado minuciosamente los escombros del hotel y han comprobado que lo rociaron con queroseno. Ni siquiera intentaron disimularlo. En todo el sótano había rastros de esa sustancia. Debió bastar una cerilla para que el edificio se inflamara como una tea.

—¿Sospechan quién fue el culpable? —inquirió Abel.

—Deje las preguntas por mi cuenta. ¿Sabe quién le guardaba rencor al hotel, o a usted personalmente?

—Podría pensar en unas cincuenta personas, teniente —gruñó Abel—. Cuando llegué aquí despedí a un hatajo de ladrones. Si cree que eso le facilitará la tarea, puedo darle una lista de nombres.

—Pienso que me la facilitará, aunque por la forma en que la gente habla ahí fuera es posible que no la necesite —dijo el teniente—. Sin embargo, si consigue una información concreta, señor Rosnovski, comuníquemela. Comuníquemela porque le advierto que ahí usted tiene enemigos. —Señaló en dirección a la calle convulsionada.

—¿A qué se refiere?

—Alguien dice que lo hizo usted, porque lo perdió todo en la quiebra y necesita el dinero del seguro.

Abel saltó de su taburete.

—Cálmese, cálmese. Sé que pasó todo el día en Boston y, lo que es más importante, en Chicago tiene fama de levantar hoteles, no de quemarlos. Pero alguien incendió el Richmond, y puede apostar la cabeza que descubriré al culpable. De modo que por ahora dejemos las cosas como están. —Giró en su propio taburete—. El batido lo pagaré yo, señor Rosnovski. En el futuro ya le pediré algún favor.

Le sonrió a la chica de la caja, admirando sus tobillos y maldiciendo la nueva moda de las faldas largas. Le dio cincuenta céntimos.

—Guárdate el cambio, cariño.

—Muchas gracias —respondió la chica.

—Nadie aprecia mi generosidad —murmuró el teniente.

Abel se rió por tercera vez, lo que le habría parecido imposible hacía media hora.

—Entre paréntesis —continuó el teniente cuando llegaron a la puerta—, el inspector de seguros lo está buscando. No recuerdo cómo se llama, pero supongo que él lo encontrará. No le pegue. Si sospecha que usted estuvo implicado, ¿quién puede culparlo por ello? Manténgase en contacto conmigo, señor Rosnovski. Querré volver a verlo.

Abel miró cómo el teniente se perdía entre la multitud de

espectadores y después caminó hasta el Stevens Hotel y pidió una habitación para esa noche. El conserje, que ya había recibido a la mayoría de los huéspedes del Richmond, no pudo contener una sonrisa al pensar que también daba alojamiento al gerente. Una vez en su habitación, Abel se sentó y le escribió una carta formal al señor William Kane, en la que le daba todos los detalles que podía suministrar acerca del incendio y le decía que se proponía aprovechar esas inesperadas vacaciones para recorrer los otros hoteles de la cadena. A Abel no le parecía razonable quedarse en Chicago, calentándose en los rescoldos del Richmond, con la vana esperanza de que alguien fuera a echarle una mano.

A la mañana siguiente, después de tomar un desayuno de primera en el Stevens —a Abel siempre le complacía alojarse en un buen hotel— fue a visitar a Curtis Fenton en el Continental Trust Bank para ponerlo al corriente de la postura que había adoptado el Kane and Cabot... o más exactamente William Kane. Aunque Abel sabía que ésa era una pretensión absurda añadió que buscaba un comprador dispuesto a pagar dos millones de dólares por la Cadena Richmond.

—Ese incendio no nos ayudará, pero veré lo que puedo hacer —contestó Fenton, con un tono rotundo que Abel no había esperado oír—. Cuando usted compró a la señorita Leroy el veinticinco por ciento de las acciones, le dije que consideraba que los hoteles eran un capital valioso y que usted había hecho un buen negocio. A pesar de las quiebras, no tengo ningún motivo para cambiar de opinión al respecto, señor Rosnovski. Ya hace casi dos años que lo veo administrar su propio hotel, y si la decisión dependiera de mí lo avalaría, pero temo que mi banco nunca acceda a apoyar a la Cadena Richmond. Hemos controlado los balances durante tanto tiempo que ya no podemos confiar en el futuro del grupo, y este incendio ha sido la gota que hizo desbordar el vaso, si me perdona la expresión. Sin embargo, tengo contactos en otros bancos, y procuraré ayudarlo. Es muy probable que usted tenga en esta ciudad más admiradores de los que cree, señor Rosnovski.

Después de oír los comentarios del teniente O'Malley, Abel se había preguntado si le quedaba algún amigo en Chicago. Le dio las gracias a Curtis Fenton, volvió al mostrador principal del banco, y le pidió al cajero cinco mil dólares en efectivo de la cuenta del hotel. Pasó el resto de la mañana en el anexo del Richmond. Le dio a cada miembro del personal dos semanas de salario y les dijo que podían quedarse por lo menos un mes en el anexo, o hasta que encontraran otro empleo. Después volvió al Stevens, metió en la maleta las nuevas ropas que había tenido que comprar como consecuencia del incendio, y se preparó para recorrer los restantes hoteles de la cadena.

Primero enderezó hacia el Sur en el Buick que había adquirido muy poco antes de la quiebra del mercado de valores, y empezó por el Richmond de St. Louis. El recorrido por todos los hoteles del grupo duró casi un mes, y aunque estaban en mala situación y, sin excepción, producían pérdidas, a juicio de Abel ninguno estaba desahuciado. Todos tenían una buena ubicación, en algunos casos en la mejor zona de la ciudad. El viejo Leroy debía de haber sido un hombre más espabilado que su hijo, pensó Abel. Verificó detenidamente las pólizas de seguro de todos los hoteles y no encontró ningún problema. Cuando por fin llegó al Richmond de Dallas, había una sola cosa de la que estaba convencido: cualquiera que comprara el grupo por dos millones de dólares haría un buen negocio. Le habría gustado que le dieran esa oportunidad a él, porque sabía qué era lo que había que hacer, exactamente, para hacer de todo ello una empresa lucrativa.

Cuando volvió a Chicago, casi cuatro semanas más tarde, se alojó en el Stevens, donde lo aguardaban varios mensajes. El teniente O'Malley deseaba comunicarse con él, y también William Kane, Curtis Fenton y un tal Henry Osborne. Abel empezó por la ley, y después de una breve conversa-

322

ción telefónica con O'Malley accedió a verlo en el café de Michigan Avenue. Abel se sentó en un taburete alto, de espaldas al mostrador, mirando el esqueleto chamuscado del Richmond Hotel, mientras esperaba al teniente. Éste llegó con unos pocos minutos de retraso, pero no se molestó en disculparse cuando ocupó el taburete contiguo y dio media vuelta para enfrentar a Abel.

—¿Por qué siempre nos encontramos así? —preguntó Abel.

—Usted me debe un favor —respondió el teniente—, y nadie se da el gusto de deberle un batido a O'Malley.

Abel pidió dos, uno gigante y otro de tamaño normal.

—¿Qué ha averiguado? —inquirió Abel, mientras le pasaba al detective dos pajitas a rayas rojas y blancas.

—Los de la central de bomberos tenían razón: fue un incendio intencionado. Hemos capturado a un fulano que se llama Desmond Pacey, y que resultó ser el antiguo gerente del Richmond. ¿Usted lo conoció, verdad?

—Me temo que sí.

—¿Por qué dice eso? —preguntó el teniente.

—Yo hice despedir a Pacey porque desfalcaba al hotel. Él prometió que se vengaría de mí aunque eso fuera lo último que hiciese en su vida. No hice caso de sus amenazas. He recibido tantas amenazas en mi vida, teniente, que no puedo tomarlas a todas en serio, y menos las que proceden de un sujeto como Pacey.

—Bueno, debo decirle que nosotros sí las hemos tomado en serio, y también los inspectores de seguros, porque me informan que ellos no pagarán un céntimo hasta que quede perfectamente en claro que no existió ninguna connivencia entre usted y Pacey para provocar el incendio.

—Por ahora me basta con eso —murmuró Abel—. ¿Cómo puede estar tan seguro de que fue Pacey?

—Lo rastreamos hasta la sala de urgencias del hospital local, el mismo día del incendio. Ése fue el resultado de una verificación de rutina que practicamos en el hospital, donde pedimos que nos informaran si ese día había ingresado alguien con quemaduras graves. Por casualidad (como sucede a menudo en este oficio, porque no todos nacemos siendo Sherlock Holmes), la esposa de un sargento, que había sido camarera en el Richmond, nos dijo que él había sido gerente del hotel. Incluso yo sé sumar dos más dos. El tipo confesó en seguida. Parecía no preocuparle mucho que lo capturaran: lo único que le interesaba era ejecutar lo que él llamaba su propia Matanza de San Valentín. Hasta hace poco yo no sabía con certeza cuál era el objeto de aquella venganza, pero ahora sí lo sé, aunque no me sorprende demasiado. De modo que de esta forma prácticamente cerramos el caso, señor Rosnovski.

El teniente sorbió su pajita hasta que el gorgoteo lo convenció de que había aspirado la última gota.

—¿Quiere otro batido?

—No, me conformaré con éste. Me espera un día muy ajetreado. —Bajó del taburete—. Buena suerte, señor Rosnovski. Si consigue demostrarles a los inspectores de seguros que usted no estaba asociado con Pacey, cobrará el dinero de la póliza. Yo haré todo lo posible por ayudarlo cuando el asunto llegue a los tribunales. Manténgase en contacto conmigo.

Abel lo vio desaparecer por la puerta. Le dio un dólar a la camarera y salió a la calle con la mirada perdida en el espacio, un espacio que hacía menos de un mes había estado ocupado por el Richmond Hotel. Después dio media vuelta y se encaminó hacia el Stevens, abstraído en sus cavilaciones.

Había otro mensaje de Henry Osborne, que seguía sin dejar ninguna pista acerca de su identidad. Había una sola forma de averiguar quién era. Abel telefoneó a Osborne, que resultó ser un inspector de reclamaciones de la Great Western Casualty Insurance Company, en la que estaba asegurado el hotel. Abel quedó citado con él para el mediodía. Después llamó a William Kane, a Boston, y le rindió un informe sobre los hoteles que había visitado.

—Y permítame repetirle, señor Kane, que si me diera tiempo y me prestara ayuda yo podría convertir en beneficios las pérdidas de esos hoteles. Sé que lo que hice en Chicago podría hacerlo por el resto del grupo.

—Posiblemente sí, señor Rosnovski, pero temo que no será con el dinero del Kane and Cabot. Le recuerdo que sólo dispone de cinco días para encontrar un comprador. Buenos días, señor.

—Aristócrata petulante —espetó Abel en dirección al teléfono sordo—. ¿No tengo suficiente categoría para tu dinero, verdad? Algún día, hijo de puta...

El siguiente asunto de la agenda de Abel era la entrevista con el inspector de seguros. Henry Osborne resultó ser un hombre apuesto y alto, con ojos oscuros y una cabellera igualmente oscura que comenzaba a tornarse gris. Sus modales eran afables. Osborne tuvo poco que agregar al informe del teniente O'Malley. La Great Western Casualty Insurance Company no tenía la menor intención de pagar un céntimo del seguro, mientras la policía inculpaba de incendio intencionado a Desmond Pacey, hasta que se probara que Abel no había estado implicado. Henry Osborne pareció ser muy comprensivo respecto del problema global.

—¿El grupo Richmond dispone de dinero suficiente para recontruir el hotel? —preguntó Osborne.

—Ni un céntimo —respondió Abel—. El resto del grupo está totalmente hipotecado, y el banco me presiona para que venda.

—¿Por qué a usted?

Abel explicó cómo se había convertido en propietario de las acciones del grupo sin serlo en realidad de los hoteles. Henry Osborne quedó un poco sorprendido.

—Realmente el banco debería ver por sí mismo que usted administró muy bien ese hotel. Todos los hombres de negocios de Chicago saben que usted fue el primer gerente que le dio utilidades a Davis Leroy. Es cierto que los bancos pasan por un mal trance, pero incluso ellos deberían comprender cuándo les conviene hacer una excepción en su propio provecho.

—Eso no es así con este banco.

—¿El Continental Trust? —comentó Osborne—. El viejo Curtis Fenton siempre me ha parecido un poco tieso pero bastante comprensivo.

—No es el Continental. El propietario de los hoteles es un banco de Boston. El Kane and Cabot.

Henry Osborne palideció y se sentó.

—¿Se encuentra bien? —inquirió Abel.

—Sí, sí, estoy bien.

—¿Conoce por casualidad al Kane and Cabot?

—¿Confidencialmente? —preguntó Henry Osborne.

—Por supuesto.

—Sí, mi empresa tuvo que tratar en una oportunidad con ellos —pareció titubear—. Y al fin debimos entablarles pleito.

—¿Por qué?

—No puedo revelar los detalles. Fue un asunto turbio. Digamos que uno de los directores no fue totalmente honesto y franco.

—¿Cuál de ellos? —insistió Abel.

—¿Con cuál de ellos trata usted? —preguntó a su vez Osborne.

—Con un hombre llamado William Kane.

Osborne vaciló de nuevo.

—Tenga cuidado —dijo—. Es el hijo de puta más depravado del mundo. Si quiere puedo contarle todo lo que sé respecto de él, pero a condición de que quede exclusivamente entre nosotros.

—Por cierto que no le debo ningún favor a ese tipo —afirmó Abel—. Es muy posible que me ponga en contacto con usted, señor Osborne. Tengo que cobrarme una deuda por la forma en que el joven Kane trató a Davis Leroy.

—Bueno, si William Kane está implicado, cuente conmigo para lo que sea —manifestó Henry Osborne, levantándose de detrás de su escritorio—. Pero esto es estrictamente confidencial. Y si la justicia demuestra que Desmond Pacey incendió el Richmond y que actuó sin su complicidad, la compañía pagará ese mismo día. Entonces quizá podremos realizar más negocios con todos sus otros hoteles.

—Quizá —contestó Abel.

Volvió al Stevens y decidió almorzar y comprobar personalmente cómo funcionaba el comedor principal. En la conserjería lo esperaba otro mensaje. Un tal señor David Maxton deseaba saber si Abel podía almorzar con él a la una.

—David Maxton —repitió Abel en voz alta, y la recepcionista levantó la vista—. ¿Por qué me suena ese nombre? —le preguntó a la sorprendida joven.

—Es el propietario de este hotel, señor Rosnovski.

—Ah, sí. Por favor, comuníquele al señor Maxton que tendré mucho gusto en almorzar con él. —Abel consultó su reloj—. ¿Puede advertirle que llegaré con unos minutos de retraso?

—Claro que sí, señor.

Abel subió deprisa a su habitación y se puso una camisa blanca nueva, mientras se preguntaba qué podía desear David Maxton.

Cuando Abel entró en el comedor, éste ya se hallaba repleto. El *maître* lo condujo hasta la mesa de un reservado donde el propietario del Stevens estaba solo. Se puso en pie para recibir a Abel.

—Abel Rosnovski, señor.

—Sí, lo conozco —asintió Maxton—. O, para ser más preciso, conozco su reputación. Siéntese y pediremos el almuerzo.

Abel no podía dejar de admirar el Stevens. La comida y la atención eran de tanta calidad como las del Plaza. Si quería convertirse en propietario del mejor hotel de Chicago, éste debería ser superior al Stevens.

El *maître* reapareció con los menús. Abel estudió con detenimiento el suyo, rechazó amablemente el primer plato y optó por un filete, que le permitiría saber en seguida si el hotel trataba con un buen carnicero. David Maxton pidió salmón sin consultar el menú. El *maître* se fue en seguida.

—Se preguntará por qué lo he invitado a comer, señor Rosnovski.

—Supongo —respondió Abel, riendo—, que me pedirá que asuma la dirección del Stevens.

—Tiene muchísima razón, señor Rosnovski.

Ahora fue Maxton quien comenzó a reír. Abel se quedó mudo. Ni siquiera lo sacó de su aturdimiento la llegada del camarero, que empujaba una bandeja rodante en la que traía la carne más exquisita. El camarero encargado de trincharla permaneció a la expectativa. Maxton exprimió una rodaja de limón sobre su pescado y prosiguió:

—Mi gerente se jubilará dentro de cinco meses, después de servirme con lealtad durante veintidós años, y el subgerente también se jubilará muy poco después, de modo que busco una escoba nueva.

—Me parece que este lugar está muy bien barrido —comentó Abel.

—Siempre deseo mejorar, señor Rosnovski. Nunca se conforme con quedarse estático —manifestó Maxton—. He observado atentamente sus actividades. El Richmond no mereció el título de hotel hasta que usted se hizo cargo de él. Antes era una fonda gigantesca. En el plazo de dos o tres años habría podido rivalizar con el Stevens si un imbécil no lo hubiera incendiado prematuramente.

—¿Patatas, señor?

Abel miró a una hermosa camarera. Ésta le sonrió.

—No, gracias —le dijo—. Bueno, me siento muy halagado, señor Maxton, tanto por sus comentarios como por su oferta.

—Creo que será feliz aquí, señor Rosnovski. El Stevens es un hotel bien administrado, y estoy dispuesto a ofrecerle, inicialmente, cincuenta dólares semanales y un dos por ciento de los beneficios. Podrá empezar a trabajar cuando quiera.

—Necesitaré unos días para estudiar su generosa oferta, señor Maxton —respondió Abel—, pero le confieso que me siento muy tentado. Sin embargo, el Richmond aún me ha dejado algunos problemas pendientes.

—¿Judías, señor? —la misma camarera, la misma sonrisa.

El rostro le pareció conocido. Abel se sintió seguro de que la había visto antes. Quizás había trabajado alguna vez en el Richmond.

—Sí, por favor.

La siguió con la mirada. Tenía un algo especial.

—¿Por qué no se queda unos días en el hotel, como invitado mío? —preguntó Maxton—. Así verá cómo funciona el establecimiento. Quizás eso lo ayudará a decidirse.

—No será necesario, señor Maxton. Después de pasar un solo día aquí como huésped me di cuenta de que el hotel funciona muy bien. Mi problema consiste en que soy propietario de la Cadena Richmond.

Las facciones de David Maxton reflejaron sorpresa.

—No lo imaginé —exclamó—. Supuse que la propietaria era ahora la hija del viejo Davis Leroy.

—Es una larga historia —dijo Abel, y le explicó a Maxton cómo se había convertido en propietario de las acciones de la compañía—. El problema es sencillo, señor Maxton —continuó—. Lo que deseo realmente es encontrar yo mismo los dos millones y convertir la cadena de hoteles en una empresa competitiva. En algo que significaría una buena inversión incluso para usted.

—Entiendo —murmuró Maxton, mientras miraba enigmáticamente su plato vacío. Un camarero se lo llevó.

—¿Desean café? —la misma camarera. El mismo aire familiar. Empezaba a inquietar a Abel.

—¿Y dice que Curtis Fenton de Continental Trust busca un capitalista en representación de usted?

—Sí, desde hace casi un mes —asintió Abel—. En verdad, esta misma tarde sabré si ha tenido éxito, aunque no soy optimista.

329

—Bueno, eso es muy interesante. No sabía que la Cadena Richmond buscaba un comprador. ¿Quiere tener la gentileza de informarme cuál es el resultado de la gestión, ya sea favorable o desfavorable?

—Claro que sí.

—¿Cuánto tiempo más le concede el banco de Boston para encontrar los dos millones?

—Sólo unos pocos días, de modo que muy pronto estaré en condiciones de comunicarle mi decisión.

—Gracias —manifestó Maxton—. Ha sido un placer conocerlo, señor Rosnovski. Estoy seguro de que me gustaría trabajar con usted. —Le dio a Abel un afectuoso apretón de manos.

—Gracias, señor —respondió Abel.

La camarera volvió a sonreírle cuando pasó junto a ella al salir del comedor. Cuando Abel se cruzó con el *maître*, le preguntó cómo se llamaba la chica.

—Lo siento, señor, pero no estamos autorizados a dar a los clientes el nombre de ningún miembro del personal. La política de la empresa lo prohíbe estrictamente. Si se trata de una queja, tal vez tendrá la gentileza de transmitírmela a mí.

—Ninguna queja —contestó Abel—. Por el contrario, ha sido un almuerzo excelente.

Con una oferta de trabajo en el bolsillo, podría acudir más tranquilo a la entrevista con Curtis Fenton. Estaba seguro de que el banquero no había encontrado un comprador, pero igualmente se encaminó hacia el Continental Trust con paso confiado. Le gustaba la idea de ser gerente del mejor hotel de Chicago. Quizá podría convertirlo en el mejor hotel de los Estados Unidos.

Apenas llegó al banco, lo condujeron directamente al despacho de Curtis Fenton. El banquero, alto y delgado —¿usaba el mismo traje todos los días o tenía tres, idénticos entre sí?—, lo invitó a sentarse, y en sus facciones habitualmente solemnes apareció una ancha sonrisa.

—Cuánto me alegra volver a verlo, señor Rosnovski. Si hubiera venido esta mañana, no habría tenido novedades para usted, pero hace pocos minutos me telefoneó un interesado.

El corazón de Abel dio un brinco de sorpresa y júbilo. Permaneció unos segundos callado y después preguntó:

—¿Puede darme su nombre?

—Me temo que no. El interesado me dio instrucciones categóricas de que debo mantener el anonimato, porque la transacción implicará una inversión privada que entrará en cierta forma en conflicto con su propia actividad.

—David Maxton —murmuró Abel entre dientes—. Que Dios lo bendiga.

Curtis Fenton se abstuvo de responder, y prosiguió:

—Bueno, como he dicho, señor Rosnovski, no estoy en condiciones de...

—Correcto, correcto —lo interrumpió Abel—. ¿Cuánto tiempo cree que transcurrirá hasta que pueda comunicarme la decisión final de ese caballero, en un sentido u otro?

—Aún no estoy seguro, pero quizá tendré más novedades el lunes, de modo que si casualmente pasara por aquí...

—¿Si casualmente pasara por aquí? —exclamó Abel—. Está hablando de lo que constituye toda mi vida.

—Entonces tal vez será mejor que concretemos una cita para el lunes por la mañana.

Mientras Abel caminaba por Michigan Avenue de regreso al Stevens, empezó a lloviznar. Se encontró tarareando *Singing in the Rain*. Subió en el ascensor a su habitación y le telefoneó a William Kane para pedirle una prórroga hasta el lunes siguiente, con el argumento de que creía haber encontrado un comprador. Kane se mostró renuente pero al fin accedió.

—Hijo de puta —repitió Abel varias veces mientras volvía a depositar el auricular sobre la horquilla—. Dame un poco de tiempo, Kane. Vivirás para lamentar el haber matado a Davis Leroy.

Abel se sentó al pie de la cama, tamborileando con los

dedos la baranda y preguntándose qué podría hacer para matar el tiempo hasta el lunes. Bajó al vestíbulo del hotel. Allí estaba nuevamente la camarera que le había servido el almuerzo, y que ahora servía el té en el Jardín Tropical. La curiosidad triunfó sobre Abel y fue a sentarse en el extremo más alejado del salón. La muchacha se acercó a él.

—Buenas tardes, señor —dijo—. ¿Desea un poco de té? —La misma sonrisa familiar.

—¿Nos conocemos, verdad? —preguntó Abel.

—Sí, nos conocemos, Wladek.

Él se encogió en su asiento al oír el nombre y se ruborizó ligeramente, mientras recordaba que el corto cabello rubio había sido largo y suave y que los ojos velados habían sido muy tentadores.

—Zaphia, vinimos a América en el mismo barco. Claro, tú te fuiste a Chicago. ¿Qué haces aquí?

—Trabajo, como ve. ¿Desea un poco de té, señor? —Su acento polaco enterneció a Abel.

—Ven a cenar conmigo, esta noche.

—No puedo, Wladek. No estamos autorizadas a salir con los clientes. Si lo hacemos, perdemos automáticamente el empleo.

—Yo no soy un cliente —contestó Abel—. Soy un viejo amigo.

—Que había de venir a visitarme en Chicago apenas se hubiera afincado. Y cuando por fin viniste ni siquiera recordabas que yo estaba aquí —manifestó Zaphia.

—Lo sé, lo sé. Perdóname, Zaphia. Ven a cenar esta noche conmigo. Sólo esta noche —insistió Abel.

—Sólo esta noche —repitió Zaphia.

—Nos encontraremos a las siete en el Brundage's. ¿Te parece bien?

Al oír el nombre, Zaphia se sonrojó. Era quizás el restaurante más costoso de Chicago. La habría puesto nerviosa estar allí como camarera, y con más razón aún como comensal.

332

—No, prefiero un lugar menos lujoso, Wladek.

—¿Cuál? —inquirió Abel.

—¿Conoces The Sausage, en la esquina de Forty-third Street?

—No, no lo conozco —confesó él—. Pero lo encontraré. A las siete.

—A las siete, Wladek. Será estupendo. Entre paréntesis, ¿quieres un poco de té?

—No, creo que prescindiré de eso.

Ella sonrió y se alejó. Abel se quedó varios minutos allí, mirando cómo servía té. Estaba mucho más bella en la realidad que en sus recuerdos. Quizás al fin y al cabo no sería tan difícil matar el tiempo hasta el lunes.

The Sausage reavivó los peores recuerdos que tenía Abel de sus primeros tiempos en los Estados Unidos. Mientras esperaba a Zaphia bebió una cerveza de jengibre fría y observó con desaprobación profesional cómo los camareros zarandeaban la comida de un lado a otro. No sabía qué era peor: si la atención o la comida. Zaphia apareció en la puerta con casi veinte minutos de retraso, elegante como un figurín con su vestido amarillo crujiente al que aparentemente le habían levantado unos centímetros el escote para adaptarlo a la última moda, pero que seguía revelando las nuevas y fascinantes curvas de su cuerpo antaño esmirriado. Sus ojos grises escudriñaron las mesas en busca de Wladek, y sus mejillas sonrosadas adquirieron un color rojo cuando se dio cuenta de que otros hombres la miraban.

—Buenas tardes, Wladek —dijo en polaco.

Wladek se levantó y le ofreció su silla próxima a la chimenea.

—Me alegra mucho que hayas podido venir —respondió él en inglés.

Zaphia pareció perpleja por un momento y después dijo, también en inglés:

—Lamento haberme retrasado.

333

—Oh, no me di cuenta. ¿Quieres beber algo, Zaphia?

—No, gracias.

Ambos permanecieron un instante callados, y después los dos trataron de hablar simultáneamente.

—Había olvidado cuán bella... —dijo Abel.

—¿Cómo has...? —empezó a preguntar Zaphia.

Ella sonrió tímidamente y Abel sintió deseos de tocarla. Recordó muy bien que había tenido la misma reacción la primera vez que la había visto, hacía más de ocho años.

—¿Cómo está George? —inquirió ella.

—Hace más de dos años que no lo veo —contestó Abel, con una súbita sensación de culpa—. He estado sin salir del hotel, aquí en Chicago, trabajando, y después...

—Lo sé —asintió Zaphia—. Alguien lo incendió.

—¿Por qué nunca viniste a saludarme?

—No creí que me recordaras, Wladek, y no me equivoqué.

—¿Entonces cómo me reconociste tú? —preguntó Abel—. He engordado mucho.

—La pulsera de plata —respondió ella, sencillamente.

Abel se miró la muñeca y rió.

—Tengo mucho que agradecerle a la pulsera, y ahora puedo agregar que fue ella la que volvió a juntarnos.

Ella rehuyó su mirada.

—¿Qué haces ahora, que te has quedado sin el hotel que administrabas?

—Busco trabajo —dijo Abel, que no quería intimidarla con la noticia de que le habían ofrecido la oportunidad de dirigir el Stevens.

—En el Stevens habrá una vacante en uno de los puestos más elevados. Me lo contó mi novio.

—¿Te lo contó tu novio? —Abel repitió cada una de las dolorosas palabras.

—Sí —prosiguió Zaphia—. El hotel no tardará en buscar un nuevo subgerente. ¿Por qué no solicitas el puesto? Estoy segura de que tendrías muchas probabilidades de conseguirlo,

Wladek. Siempre supe que triunfarías en los Estados Unidos.

—Es posible que lo solicite —murmuró Abel—. Has sido muy amable al pensar en mí. ¿Por qué no lo solicita tu novio?

—Oh, no, es demasiado inexperto para eso. Apenas es camarero, y trabaja en el comedor conmigo.

De pronto Abel sintió deseos de trocar su puesto por el de ese otro hombre.

—¿Cenamos? —preguntó.

—No estoy acostumbrada a comer fuera —explicó Zaphia. Miró el menu, indecisa. Abel se dio cuenta de pronto que ella aún no sabía leer en inglés, y pidió por los dos.

Zaphia comió con deleite y no cesó de alabar los platos insulsos. Ese entusiasmo desprovisto de espíritu crítico actuó como un tónico sobre Abel, después de la aburrida sofisticación de Melanie. Se relataron la historia de sus vidas en los Estados Unidos. Zaphia se había iniciado en el servicio doméstico y había ascendido a camarera del Stevens, donde trabajaba desde hacía seis años. Abel le contó todas sus experiencias hasta que finalmente ella consultó su reloj.

—Mira la hora, Wladek —exclamó—. Son las once pasadas, y yo debo atender el primer turno de desayunos, a las seis de la mañana.

Abel no había notado el transcurso de las cuatro horas. Se habría quedado gustosamente allí durante el resto de la noche, conversando con ella, reconfortado por la cándida admiración que Zaphia le confesaba.

—¿Volveremos a vernos, Zaphia? —le preguntó, mientras caminaban de regreso al Stevens tomados del brazo.

—Si tú quieres, Wladek.

Se detuvieron en la puerta de servicio, en la parte posterior del hotel.

—Yo entro por aquí —murmuró ella—. Si te designan subgerente, Wladek, tú podrás entrar por la puerta principal.

—¿Te molestaría llamarme Abel? —le preguntó.

—¿Abel? —repitió, probando el nombre como si se tratara de un guante nuevo—. Pero tú te llamas Wladek.

—Me llamaba, pero ya no. Ahora me llamo Abel Rosnovski.

—Abel es un nombre gracioso. Sin embargo, te cae bien —comentó Zaphia—. Gracias por la cena, Abel. Fue estupendo volver a verte. Buenas noches.

—Buenas noches, Zaphia.

La vio desaparecer por la puerta de servicio, y después contorneó lentamente la manzana y entró en el hotel por la puerta principal. En aquel momento —y no por primera vez en su vida— se sintió muy solo.

Abel pasó el fin de semana pensando en Zaphia y en las imágenes asociadas con ella: la pestilencia de los compartimientos de tercera clase, las caóticas colas de inmigrantes en Ellis Island y, sobre todo, su fugaz y apasionado interludio en el bote salvavidas. Comió siempre en el restaurante del hotel para estar cerca de ella y observar a su novio. Llegó a la conclusión de que debía ser el camarero joven con el rostro granujiento. Le pareció que tenía granos, deseó que tuviera granos, sí, tenía granos. Por desgracia, era el más guapo de los camareros, a pesar de los granos.

Abel quiso salir con Zaphia el sábado, pero ella trabajaba todo el día. Sin embargo, consiguió acompañarla a la iglesia el domingo y escuchó con una mezcla de nostalgia y exasperación cómo el sacerdote polaco entonaba las palabras inolvidables de la misa. Era la primera vez que Abel concurría a la iglesia desde sus tiempos en el castillo de Polonia. En aquella época aún no había presenciado ni sufrido la crueldad que ahora le impedía creer en una deidad benévola. La recompensa por haber asistido a misa la tuvo cuando Zaphia lo autorizó a tomarla de la mano en el trayecto de regreso al hotel.

—¿Has vuelto a pensar en la vacante del Stevens? —le preguntó ella.

—Mañana a primera hora sabré cuál es la decisión final.

—Oh, cuánto me alegro, Abel. Estoy segura de que serás un buen subgerente.

—Gracias —respondió Abel, consciente de que hablaban de cosas distintas.

—¿Te gustaría cenar esta noche con mis primas? —inquirió Zaphia—. Siempre paso con ellas la noche del domingo.

—Sí, me gustaría mucho.

Las primas de Zaphia vivían cerca de The Sausage, en el corazón mismo de la ciudad. Quedaron muy impresionadas cuando ella llegó con un amigo polaco que conducía un Buick nuevo. La familia, como la llamaba Zaphia, estaba compuesta por dos hermanas, Katya y Janina, y Janek, el esposo de Katya. Abel les obsequió a las hermanas con un ramo de rosas y después se sentó y contestó, en excelente polaco, todas sus preguntas acerca de sus proyectos para el futuro. Zaphia estaba obviamente avergonzada, pero Abel sabía que en todo hogar polaco-norteamericano le habrían formulado las mismas preguntas a cualquier nuevo amigo. Hizo un esfuerzo para restar transcendencia a su progreso desde los primeros tiempos en la carnicería, porque se dio cuenta de que la mirada envidiosa de Janek no se apartaba ni un momento de él. Katya sirvió una sencilla cena polaca compuesta de *pierogi* y *bigos* que Abel habría ingerido con mucho más placer quince años atrás. Descartó a Janek como un mal tipo y dedicó todos sus afanes a conquistar la aprobación de las hermanas. Aparentemente lo consiguió. Quizá también aprobaban al chico granujiento. No, imposible. Éste ni siquiera era polaco... o tal vez sí lo era. Abel ni siquiera sabía cómo se llamaba y nunca le había oído hablar.

Mientras volvían al Stevens, Zaphia le preguntó, con una pizca de la coquetería que él recordaba, si consideraba seguro conducir un coche mientras tomaba la mano de una mujer. Abel se rió y volvió a colocar la mano sobre el volante, que no soltó hasta que llegaron al hotel.

—¿Tendrás tiempo para verme mañana? —preguntó él.

—Espero que sí —respondió Zaphia—. Quizás a esa hora serás mi jefe. De todos modos, buena suerte.

Sonrió para sus adentros mientras la miraba entrar por la puerta de servicio. ¿Qué habría sentido ella si hubiera conocido la auténtica transcendencia de la decisión del día siguiente? No se movió hasta que la vio desaparecer dentro del hotel.

—Subgerente —dijo, riéndose con fuerza mientras se metía en la cama. Se preguntó qué le reservaban las noticias que Curtis Fenton le daría por la mañana, trató de apartar a Zaphia de su mente, y arrojó la almohada al suelo.

Al día siguiente se despertó pocos minutos antes de las cinco. La habitación aún estaba a oscuras cuando pidió la primera edición del *Tribune* e hizo como que leía la sección financiera. Cuando el restaurante abrió sus puertas a las siete, ya estaba vestido y listo para desayunar. Esa mañana Zaphia no trabajaba en el comedor principal, pero sí su novio granujiento, y Abel interpretó esto como un mal augurio. Después del desayuno volvió a su habitación, sin imaginar que sólo cinco minutos más tarde empezaría el turno de Zaphia. Revisó el nudo de la corbata ante el espejo por vigésima vez y consultó nuevamente su reloj. Calculó que si caminaba muy despacio llegaría al banco en el momento en que se abrieran las puertas. En verdad, llegó con cinco minutos de adelanto y dio una vuelta a la manzana, mirando al azar los escaparates donde se exhibían alhajas costosas, radios nuevas y trajes confeccionados a mano. ¿Algún día podría pagarse ropas como éstas?, se preguntó. Llegó de nuevo al banco a las nueve y cuatro minutos.

—En este momento el señor Fenton se halla ocupado. ¿Puede volver dentro de media hora, o prefiere esperar? —le preguntó la secretaria.

—Volveré —respondió Abel, que no quería parecer demasiado ansioso.

No recordaba que treinta minutos le hubieran resultado

tan largos desde su arribo a Chicago. Estudió todos los escaparates de La Salle Street, incluso los de ropas de mujer, que le hicieron pensar dichosamente en Zaphia.

Cuando regresó al Continental Trust, la secretaria le informó:

—El señor Fenton lo recibirá ahora mismo.

Abel entró en el despacho del gerente del banco y sintió que le transpiraban las manos.

—Buenos días, señor Rosnovski. Siéntese.

Curtis Fenton levantó un expediente de su escritorio y Abel vio que la palabra «Confidencial» estaba atravesada sobre la cubierta.

—Espero que las noticias que voy a darle lo satisfagan —empezó a decir Fenton—. El interesado está dispuesto a concretar la compra de los hoteles en condiciones que sólo puedo describir como favorables.

—Santo cielo —exclamó Abel.

Curtis Fenton simuló no haberlo oído y prosiguió:

—Mejor dicho, en condiciones muy favorables. Asumirá la responsabilidad de los dos millones que hacen falta para cancelar la deuda del señor Leroy, y al mismo tiempo formará con usted una nueva sociedad en la que él tendrá el sesenta por ciento de las acciones y usted el cuarenta por ciento. En consecuencia, su cuarenta por ciento supondrá la suma de ochocientos mil dólares, que figurarán como un préstamo que la nueva empresa le hace a usted por un término no superior a diez años, al cuatro por ciento, y que podrá descontarse en la misma proporción de los beneficios de la empresa. O sea que si se obtuviera en un año un beneficio de cien mil dólares, cuarenta mil se descontarían de su deuda de ochocientos mil, más el cuatro por ciento de interés. Si usted cancelara el préstamo de ochocientos mil dólares en menos de diez años, tendría la opción, por una sola vez, de comprar el sesenta por ciento restante de las acciones por tres millones de dólares adicionales. Esto le daría a mi cliente un gran beneficio por su inversión, y le permitiría a usted convertirse en único propietario de la Cadena Richmond.

»Además, usted cobrará un sueldo de tres mil dólares por año, y su condición de presidente del grupo lo autorizará a ejercer un control diario y absoluto sobre los hoteles. Sólo deberá dirigirse a mí por los asuntos relacionados con las finanzas. Me han confiado la misión de tratar directamente con su socio, y éste me ha pedido que represente sus intereses en el consejo de administración del nuevo Grupo Richmond. Yo acepté muy complacido esta condición. Mi cliente no desea intervenir personalmente. Como ya le he advertido, en esta transacción se le puede plantear un conflicto de intereses profesionales que sin duda usted podrá comprender. También estipula que en ningún momento usted deberá tratar de descubrir su identidad. Le concederá catorce días para estudiar sus condiciones, que no son negociables, pues él opina, y yo también, que le ofrece un excelente negocio.

Abel no atinó a contestar.

—Le ruego que diga algo, señor Rosnovski.

—No necesito catorce días para tomar una decisión —respondió Abel finalmente—. Acepto las condiciones de su cliente. Por favor déle las gracias en mi nombre y asegúrele que respetaré su deseo de permanecer en el anonimato.

—Estupendo —exclamó Curtis Fenton, permitiéndose una agria sonrisa—. Ahora, veamos unos pequeños detalles. Los fondos de todos los hoteles del grupo serán depositados en filiales del Continental Trust, y la cuenta principal estará aquí, bajo mi control personal. Yo, a mi vez, tendré ingresos de mil dólares anuales como director de la nueva empresa.

—Me alegra que saque algún beneficio de esta operación —comentó Abel.

—¿Cómo dice? —preguntó el banquero.

—Será un placer trabajar con usted, señor Fenton.

—Su socio también ha depositado doscientos cincuenta mil dólares en el banco, para financiar el funcionamiento de los hoteles durante los próximos meses. Esto también será un préstamo al cuatro por ciento. Usted me informará si dicha suma no le basta para cubrir sus necesidades. Pienso que su reputación saldrá beneficiada, ante mi cliente, si usted comprueba que le bastan los doscientos cincuenta mil dólares.

—Lo tendré presente —asintió Abel, tratando de imitar solemnemente el tono del banquero.

Curtis Fenton abrió un cajón de su escritorio y extrajo un gran puro habano.

—¿Fuma?

—Sí —respondió Abel, que jamás en su vida había fumado un puro.

Caminó tosiendo por La Salle Street hasta el Stevens. Cuando llegó al hotel, David Maxton estaba apostado en el vestíbulo con aires de propietario. Abel apagó con bastante alivio su puro a medio consumir y se acercó a Maxton.

—Señor Rosnovski, esta mañana lo veo con aspecto de hombre feliz.

—Lo soy, señor, y lo único que lamento es que no podré trabajar para usted como gerente de este hotel.

—Entonces yo también lo siento, señor Rosnovski, aunque francamente la noticia no me sorprende.

—Gracias por todo —añadió Abel, poniendo el mayor énfasis posible en la breve frase y en la mirada que la acompañó.

Se despidió de David Maxton y entró en el comedor en busca de Zaphia, pero ésta ya había terminado su turno. Abel subió a su habitación en el ascensor, volvió a encender el puro, le dio una chupada cautelosa, y telefoneó al Kane and Cabot. Una secretaria lo comunicó con William Kane.

—Señor Kane, he podido reunir el dinero que necesito para asumir la propiedad de la Cadena Richmond. El señor Curtis Fenton, del Continental Trust, lo llamará más tarde para darle los detalles. En consecuencia, no será necesario que ponga los hoteles en subasta pública.

Se produjo una breve pausa. Abel pensó con fruición que la noticia debía de ser irritante para William Kane.

—Le agradezco la información, señor Rosnovski. ¿Puedo expresarle cuánto me alegra que haya encontrado a alguien dispuesto a respaldarlo? Le deseo el mayor éxito en el futuro.

—Eso es más de lo que yo deseo a usted, señor Kane.

Abel colgó el auricular, se tumbó en la cama y pensó en el porvenir.

—Un día —le prometió al cielo raso—, compraré tu maldito banco y te haré desear arrojarte por la ventana de un cuarto de hotel, desde el duodécimo piso.

Levantó nuevamente el auricular y le pidió a la telefonista que lo comunicara con el señor Henry Osborne, de la Great Western Casualty.

19

WILLIAM VOLVIÓ A DEPOSITAR EL AURICULAR sobre la horquilla, más divertido que fastidiado por la tenacidad de Abel Rosnovski. Lamentaba no haber podido persuadir al banco de que convenía ayudar al pequeño polaco, tan seguro de su capacidad para salvar al grupo Richmond. Terminó de cumplir con sus funciones cuando le informó a la comisión financiera que Rosnovski había encontrado un capitalista, preparó los documentos legales para la transferencia del hotel, y cerró finalmente el expediente sobre la Cadena Richmond.

William se sintió feliz cuando Matthew llegó a Boston pocos días más tarde para asumir su cargo de director del departamento de inversiones del banco. Charles Lester no le ocultaba a nadie que no estaba de más que el chico adquiriera en un banco rival la experiencia profesional que necesitaba y que formaba parte del largo aprendizaje que lo llevaría a ejercer la presidencia del Lester. El trabajo de William se redujo instantáneamente a la mitad, pero se vio aún más ocupado. Mientras protestaba con fingido horror, se vio arrastrado, en todos sus momentos libres, a pistas de tenis y piscinas para practicar natación. Sólo contestó con una negativa categórica cuando Matthew le sugirió que fueran a esquiar a Vermont, pero por lo menos el repentino ajetreo le sirvió para aliviar un poco la soledad y la impaciencia por reencontrarse con Kate.

Matthew se mostró francamente incrédulo.

—Tengo que conocer a la mujer capaz de hacer soñar despierto a William Kane durante una reunión del consejo de administración en la que se discute si el banco debe comprar más oro.

—Ya la verás, Matthew. Pienso que estarás de acuerdo en que es una inversión mejor que el oro.

—Te creo. Pero no quiero ser yo quien se lo diga a Susan. Ella sigue convencida de que eres el único hombre del mundo.

William se rió. Esa idea nunca se le había pasado por la cabeza.

La pequeña pila de cartas de Kate, que había crecido de semana en semana, descansaba en el cajón cerrado con llave del escritorio de William, en la Red House. Las releía una y otra vez y no tardó en saberlas casi de memoria. Por último llegó la que esperaba, debidamente fechada.

Buckhurst Park
14 de febrero de 1930

Queridísimo William:

Al fin he embalado, vendido, regalado o eliminado por otros medios todo lo que quedaba aquí, y el 19 llegaré a Boston en un cajón de té. La idea de volver a verte

343

casi me asusta. ¿Y si el maravilloso hechizo estallara como una burbuja en el frío de un invierno de la costa oriental? Dios mío, ojalá no. Si no hubiera sido por ti, no sé cómo podría haber sobrevivido a estos meses de soledad.

Cariñosamente,
Kate.

La noche anterior a la fecha fijada para el arribo de Kate, William se prometió que no la empujaría a tomar decisiones apresuradas que alguno de ellos podría lamentar más tarde. Era imposible determinar hasta qué punto los sentimientos de ella habían surgido de un estado de ánimo transitorio, engendrado por la muerte de su marido. Así se lo dijo a Matthew.

—No seas tan patético —le contestó su amigo—. Estás enamorado y será mejor que lo admitas.

Apenas vio a Kate en la estación, la alegría de contemplar cómo una sencilla sonrisa le iluminaba el rostro estuvo a punto de hacerle arrojar por la borda, allí mismo y en el acto, sus prudentes intenciones. Se abrió paso hacia ella entre la multitud de viajeros y la estrechó con tanta fuerza entre sus brazos que casi le cortó la respiración.

—Bienvenida a casa, Kate.

William se disponía a besarla cuando ella se apartó. Esto lo dejó un poco sorprendido.

—William, creo que no te he presentado a mis padres.

Esa noche William cenó con la familia de Kate y a partir de entonces la veía todos los días en que le era posible evadirse de los problemas del banco y de la raqueta de tenis de Matthew, aunque sólo fuese por un par de horas. Después de ver a Kate por primera vez, Matthew ofreció cambiársela por todo su oro.

—Nunca la venderé por debajo de su valor —respondió William.

—Entonces insisto en que me digas dónde encontraste semejante tesoro —exclamó Matthew.

—En el departamento de liquidaciones, por supuesto —contestó William.

—Incorpórala a tu capital, William, en seguida, porque si no lo haces tú te aseguro que lo haré yo.

La pérdida neta del Kane and Cabot a raíz de la crisis de 1929 ascendió a más de siete millones de dólares, suma más o menos normal para un banco de su magnitud. Numerosos bancos no mucho menores habían sucumbido, y durante 1930 William estuvo sometido a una presión constante por las operaciones de valores.

Cuando a Franklin D. Roosevelt lo eligieron presidente de los Estados Unidos con un programa de asistencia social, recuperación y reforma, William temió que el New Deal tuviera poco que ofrecer al Kane and Cabot. Los negocios se recobraron muy lentamente, y William se conformó con elaborar planes experimentales de expansión.

En el ínterin Tony Simmons, que seguía dirigiendo la filial de Londres, había ampliado su campo de actividades y durante los primeros dos años había acumulado un respetable superávit para el Kane and Cabot. Sus logros parecían aún más sobresalientes cuando se los cotejaba con los de William, que apenas había conseguido cerrar el balance sin pérdidas durante el mismo período.

A fines de 1932, Alan Lloyd convocó a Tony Simmons a Boston para que presentara al consejo de administración un informe completo sobre las actividades del banco en Londres. Apenas hubo reaparecido, Simmons anunció su intención de optar a la presidencia quince meses más adelante, cuando se retirara Alan Lloyd. La noticia tomó totalmente por sorpresa a William, quien consideraba que Simmons había perdido todas sus posibilidades desde que había desaparecido en Londres, bajo un cono de sombra. A William le pareció injusto que ese cono de sombra se hubiera disipado, no gracias a la perspicacia de Simmons, sino sólo por el hecho de que la economía inglesa tenía algunos puntos luminosos y había estado un poco menos paralizada que la norteamericana durante ese mismo período.

Tony Simmons volvió a Londres para repetir otro año de éxitos, y después de su regreso comunicó al consejo de administración, en medio de una aureola de gloria, que el balance de los últimos tres años de la filial de Londres reflejaría un superávit de más de un millón de dólares, suma que suponía un nuevo récord. William tuvo que resignarse a anunciar un beneficio considerablemente menor para el mismo lapso. El alza repentina de las acciones de Tony Simmons le dejó sólo unos pocos meses a William para persuadir al consejo de que debía apoyarlo a él, antes de que el empuje de su adversario se hiciera incontenible.

Kate escuchaba durante horas los problemas de William, y de vez en cuando formulaba un comentario benévolo, le daba una respuesta comprensiva o lo censuraba por ser demasiado melodramático. Matthew, convertido en los ojos y oídos de William, le informó que, aparentemente, los votos se dividirían por partes iguales entre quienes consideraban que William era demasiado joven para ocupar un cargo de tanta responsabilidad y quienes seguían recriminándole a Tony Simmons la magnitud de las pérdidas que había experimentado el banco en 1929. Parecía que la mayoría de los miembros no ejecutivos de la junta, que no habían trabajado en contacto directo con William, serían más sensibles a la diferencia de edad entre los dos contrincantes que a cualquier otro factor. Matthew oía repetir una y otra vez: «A William ya le llegará su hora». Una vez, tímidamente, intentó desempeñar el papel de Satán el tentador.

—Con las acciones que tienes en el banco, William —le dijo Matthew—, podrías destituir a todo el consejo, sustituirlo por tus propios candidatos y hacerte elegir presidente.

William conocía muy bien ese camino para llegar a la cúspide, pero había descartado semejante táctica sin necesidad de considerarla seriamente. Quería conquistar la presidencia por sus propios méritos. Al fin y al cabo así era como la había ganado su padre, y Kate no podía esperar menos de él.

El 2 de enero de 1934, Alan Lloyd hizo llegar a todos los directores la notificación de que el día en que él cumpliera sesenta y cinco años se celebraría una reunión con el solo objeto de elegir a su sucesor. A medida que se aproximaba la fecha de la votación crucial, Matthew se encontró manejando el departamento de inversiones casi sin ayuda, y Kate debió alimentarlos a ambos mientras revisaban una y otra vez los últimos datos de la campaña electoral. Matthew no se quejó ni una sola vez del exceso de trabajo que recaía sobre sus hombros en tanto William pasaba las horas elaborando planes para conquistar el sitial. William, consciente de que Matthew no tenía nada que ganar con su victoria, porque un día asumiría la presidencia del banco de su padre en Nueva York —mucho más importante que el Kane and Cabot—, esperaba que llegara el momento en que podría brindarle a su amigo la misma ayuda desinteresada.

Ese momento estaba más próximo de lo que él imaginaba.

Cuando Alan Lloyd festejó sus sesenta y cinco años, los diecisiete miembros del consejo de administración asistieron a la reunión. Ésta fue inaugurada por el presidente, que pronunció un discurso de despedida de sólo catorce minutos. A William se le hizo interminable. Tony Simmons tamborileaba nerviosamente con su pluma sobre el bloc de papel amarillo que tenía frente a él, y a ratos miraba a William. Ninguno de los dos escuchaba el discurso de Alan. Por fin éste se sentó, en medio de fuertes aplausos, o por lo menos todo lo fuertes que era de esperar tratándose de dieciséis banqueros de Boston. Cuando se apagó el eco de las palmadas, Alan Lloyd se levantó por última vez en su condición de presidente del Kane and Cabot.

—Y ahora, caballeros, debemos elegir a mi sucesor. Tenemos a dos candidatos sobresalientes. El director de nuestra división de ultramar, el señor Anthony Simmons, y el director del departamento de inversiones en los Estados Unidos, el señor William Kane. Ustedes los conocen bien, caballeros, y no me propongo enumerar detalladamente sus méritos. En cambio, le he pedido a cada candidato que explique al consejo cómo encarará el futuro del Kane and Cabot en el caso de ser elegido presidente.

William se levantó en primer término, tal como lo habían acordado los dos rivales la noche anterior después de arrojar una moneda al aire, y habló durante veinte minutos, puntualizando su ambición de explorar nuevos territorios en los que el banco no se había aventurado antes. Sobre todo quería ampliar la base del banco y salir del territorio de New England, víctima de la depresión, para aproximarse al centro de la actividad bancaria, que a su juicio estaba ahora en Nueva York. Incluso mencionó la posibilidad de montar una sociedad anónima cuya especialización sería la banca mercantil. Al oír esto, algunos de los miembros más ancianos del consejo menearon la cabeza con talante incrédulo. Él quería que el banco considerara la posibilidad de seguir expandiéndose, que desafiara a la nueva generación de financieros que ahora gobernaban a los Estados Unidos, y que el Kane and Cabot entrara en la segunda mitad del siglo veinte convertido en una de las mayores entidades financieras de los Estados Unidos. Cuando se sentó, se sintió satisfecho ante los murmullos de aprobación. En general, su discurso había sido bien recibido.

Tony Simmons esbozó una política mucho más conservadora: el banco debería consolidar su posición durante los próximos años, introduciéndose sólo en áreas cuidadosamente escogidas y circunscribiéndose a las formas tradicionales de actividad bancaria que le habían dado al Kane and Cabot la reputación de la que actualmente disfrutaba. Durante la crisis él había aprendido la lección y lo que más le preocupaba, agregó, entre risas, era que el Kane and Cabot llegara sano y salvo a la segunda mitad del siglo veinte. Tony habló prudentemente e hizo gala de una autoridad con la cual, William se dio cuenta de ello, él no podía competir por su excesiva juventud. Cuando Tony se sentó, William no estaba en situación de pronosticar en favor de cuál de los dos se inclinaría el consejo, aunque seguía pensando que la mayoría se inclinaría hacia la expansión y no hacia la inmovilidad.

Alan Lloyd les informó a los otros directores que ni él ni los dos candidatos tenían la intención de votar. Los catorce electores recibieron sus papeletas, que llenaron disciplinadamente y las devolvieron a Alan. Éste, que hacía las veces de escrutador, empezó a contar lentamente. William descubrió que no podía levantar la vista de su bloc cubierto de garabatos, el cual también llevaba estampada la nítida huella de su mano transpirada. Cuando concluyó el recuento, un manto de silencio se posó sobre la sala, y el escrutador anunció seis votos en favor de Kane, seis en favor de Simmons, y dos abstenciones. Los miembros del consejo intercambiaron comentarios en voz baja, y Alan los llamó al orden. William inhaló un suspiro profundo y audible en medio del silencio que se produjo a continuación.

Alan Lloyd hizo una pausa y después dijo:

—Pienso que lo que corresponde, en estas circunstancias, es repetir la votación. Si alguno de los directores que se abstuvo la primera vez se siente en condiciones de apoyar ahora a uno de los candidatos, quizá su voto decidirá la elección.

Volvió a repartir las papeletas. Esta vez William ni siquiera se sintió con ánimos para presenciar la operación. Mientras los directores escribían los nombres de su preferencia, él oyó cómo las plumas con punta de acero raspaban las papeletas.

Se las devolvieron a Alan Lloyd, que las fue desplegando lentamente una por una. A medida que lo hacía, leía los nombres en voz alta.

—William Kane.

»Anthony Simmons, Anthony Simmons, Anthony Simmons.

Tres votos contra uno a favor de Tony Simmons.

—William Kane, William Kane.

»Anthony Simmons.

»William Kane, William Kane, William Kane. Seis contra cuatro a favor de William.

»Anthony Simmons, Anthony Simmons.

»William Kane.

Siete votos contra seis a favor de William.

A William, que contenía el aliento, le pareció que Alan Lloyd tardaba una eternidad en desplegar la última papeleta.

—Anthony Simmons —proclamó—. Empatados a siete votos, caballeros.

William sabía que ahora Alan Lloyd tendría la obligación de emitir el voto decisivo, y aunque nunca le había dicho a quién apoyaba para la presidencia, William siempre había supuesto que si la votación terminaba en empate, Alan lo respaldaría a él y no a Tony Simmons.

—Puesto que la votación ha terminado dos veces en un empate, y como supongo que es poco probable que uno de los miembros del consejo cambie de opinión, debo emitir mi voto en favor del candidato que, a mi juicio, debe sucederme como presidente del Kane and Cabot. Sé que nadie envidiará mi situación, pero no me queda otra alternativa que la de dejarme guiar por mi criterio y apoyar al hombre que, a mi juicio, debe ser el próximo presidente del banco. Ese hombre es Tony Simmons.

William no pudo dar crédito a sus oídos y Tony Simmons pareció casi tan atónito como su contrincante. Se levantó de su asiento situado frente al de William en medio de una salva de aplausos, trocó su puesto con Alan Lloyd, en la cabecera de la mesa, y habló por primera vez en el Kane and Cabot como nuevo presidente. Le agradeció al consejo el apoyo que le había dispensado, y elogió a William por el hecho de que nunca hubiera utilizado su sólida posición financiera y familiar para tratar de influir en la votación. Invitó a William a asumir la vicepresidencia del consejo y sugirió que Matthew Lester reemplazara a Alan Lloyd en el cargo de director. Ambas mociones fueron aprobadas por unanimidad.

William se quedó mirando el retrato de su padre, con el fuerte sentimiento de que le había fallado.

20

ABEL APAGÓ EL CORONA por segunda vez y juró que no encendería otro puro hasta que hubiera reunido los dos millones de dólares que necesitaba para asumir el control absoluto de la Cadena Richmond. Ésa no era hora de cigarros, cuando el índice Dow-Jones estaba en el punto más bajo de la historia y en todas las grandes ciudades de los Estados Unidos se formaban largas colas para tomar la sopa que distribuían las organizaciones filantrópicas. Miró el cielo raso y estudió sus prioridades. En primer lugar, necesitaba rescatar al mejor personal del Richmond de Chicago.

Bajó de la cama, se puso la americana y se trasladó al anexo del hotel, donde aún vivían la mayoría de los que no habían encontrado empleo desde el día del incendio. Abel volvió a contratar a todos aquellos en quienes confiaba, y a todos los que estaban dispuestos a irse de Chicago les dio trabajo en los diez hoteles restantes. Les aclaró muy bien que en ese período de desocupación récord sus puestos sólo estarían seguros con la condición de que los hoteles empezaran a rendir beneficios. Abel pensaba que en todos los otros hoteles de la cadena ocurrían los mismos problemas de fraude que en el viejo Richmond de Chicago. Quería corregir esta situación... y corregirla deprisa. A sus tres subgerentes les adjudicó el control de sendos hoteles: el Richmond de Dallas, el Richmond de Cincinnati y el Richmond de St. Louis. Y designó nuevos subgerentes para los siete hoteles restantes de Houston, Mobile, Charleston, Atlanta, Memphis, New Orleans y Louisville. Todos los hoteles originales de Leroy habían estado situados en el Sur y el Medio Oeste, incluido el Richmond de Chicago, el único de cuya construcción había sido responsable el mismo Davis Leroy. Abel tardó tres semanas en asentar al antiguo personal de Chicago en sus nuevos destinos.

Abel resolvió montar su propio centro de operaciones en el anexo del Richmond, y abrir un pequeño restaurante en la planta baja. Era razonable que se instalara cerca de su socio capitalista y de su banquero en lugar de hacerlo en uno de los hoteles del Sur. Además, Zaphia vivía en Chicago, y Abel estaba seguro de que al cabo de poco tiempo ella dejaría al joven granujiento y se enamoraría de él. Era la única mujer, entre todas las que había conocido, con la que se sentía a sus anchas. Cuando Abel se disponía a partir rumbo a Nueva York para contratar más personal especializado, le arrancó la promesa de que no volvería a ver al novio granujiento.

«Siempre granujiento, pero ya no más novio», se dijo Abel.

La noche previa a su partida durmieron juntos por primera vez. Ella era suave, opulenta, risueña y deliciosa.

Las atenciones y la delicada técnica de Abel la tomaron por sorpresa.

—¿Con cuántas chicas te has acostado después de la travesía en el *Black Arrow?* —le preguntó con tono provocativo.

—Con ninguna que me interesara realmente —respondió Abel.

—Te bastaron para olvidarte de *mí* —añadió Zaphia.

—Nunca te olvidé —mintió él, y se inclinó sobre ella para besarla, convencido de que ésa era la única forma de poner fin a la conversación.

Cuando Abel llegó a Nueva York, lo primero que hizo fue buscar a George, al que encontró sin trabajo en una buhardilla de East Third Streer. Había olvidado lo que podían ser esas casas cuando las compartían veinte familias. Olor de comidas rancias en todas las habitaciones, letrinas tapadas y camas en las que tres personas distintas se turnaban durante las veinticuatro horas del día. Al parecer, la panadería había cerrado y el tío de George había tenido que emplearse en una fábrica de las afueras de Nueva York, que no había podido emplear también a George. Éste cogió al vuelo la oportunidad de trabajar para Abel y la Cadena Richmond... en cualquier condición.

Abel contrató tres nuevos empleados —un pastelero, un controlador y un *maître* —antes de volver con George a Chicago para montar su base en el anexo del Richmond. Abel estaba satisfecho con el resultado de su expedición. La mayoría de los hoteles de la costa oriental habían reducido su plantilla de personal al mínimo indispensable, gracias a lo cual había sido fácil conseguir personal especializado, incluyendo a alguien que provenía del mismo Plaza.

A comienzos de marzo, Abel y George iniciaron una gira por los restantes hoteles de la cadena. Abel le pidió a Zaphia que se sumara al grupo, e incluso le ofreció la oportunidad de trabajar en el hotel de su preferencia, pero ella no quiso moverse de Chicago, el único lugar de los Estados Unidos con el que estaba familiarizada. En cambio, accedió a mudarse a los aposentos de Abel, en el anexo del Richmond, mientras él estuviera ausente. George, que había asimilado la moral burguesa junto con la ciudadanía norteamericana y la educación católica, le alabó a su amigo las virtudes del matrimonio, y

Abel, que se sentía solo en una habitación de hotel tras otra, se convirtió en un oyente bien predispuesto.

A Abel no le sorprendió descubrir que la administración de los otros hoteles seguía siendo incompetente, y a veces deshonesta, pero el alto índice nacional de paro indujo a la mayor parte del personal a aclamarlo como el salvador de la fortuna de la empresa. Abel no necesitó despedir empleados tan espectacularmente como lo había hecho al llegar a Chicago. La mayoría de aquellos que conocían su reputación y temían sus métodos ya se habían marchado por su propia iniciativa. Hubo que cortar algunas cabezas, y éstas se hallaban inevitablemente unidas a los cuellos de quienes habían trabajado durante mucho tiempo para la Cadena Richmond y eran incapaces de enmendar su conducta anómala sólo porque Davis Leroy había muerto. En varios casos, Abel comprobó que bastaba trasladar al personal de un hotel a otro para conseguir que adoptara una nueva actitud. Cuando cumplió un año en el cargo de presidente de la Cadena Richmond, ésta operaba con la mitad del personal que había empleado antaño, y tenía un déficit neto de un poco más de cien mil dólares. Había pocas deserciones entre el personal jerárquico: la confianza de Abel en el futuro de la empresa era contagiosa.

Abel se fijó la meta de equilibrar en 1932 el debe y el haber. A su juicio, la única forma de lograrlo consistía en permitir que cada gerente de la cadena asumiera la responsabilidad de su propio hotel mediante una participación en los beneficios. Éste era más o menos el incentivo que Davis Leroy le había ofrecido a él cuando lo había invitado a trabajar en el Richmond de Chicago.

Abel viajaba de un hotel a otro, sin desmayo, y nunca se quedaba más de tres semanas en un lugar determinado. No permitía que nadie, excepto el fiel George, sustituto de sus ojos y oídos en Chicago, supiera cuál sería su próximo destino. Durante meses y meses sólo habría de interrumpir esta extenuante rutina para visitar a Zaphia o a Curtis Fenton.

354

Después de estudiar con todo cuidado la situación financiera de la empresa, Abel debió tomar algunas otras decisiones desagradables. La más drástica consistió en clausurar temporalmente dos hoteles, los de Mobile y Charleston. Éstos perdían tanto dinero que, a su juicio, amenazaban con desangrar mortalmente los fondos al conjunto de la empresa. El personal de los otros hoteles vio caer el hacha y se dedicó al trabajo con más afán aún. Cada vez que volvía a su pequeño despacho del anexo del Richmond de Chicago se encontraba con una pila de problemas que debía abordar inmediatamente: tuberías reventadas en los lavabos, cucarachas en las cocinas, raptos de mal humor en los comedores, y el inevitable cliente insatisfecho que amenazaba con una demanda judicial.

Henry Osborne reapareció en la vida de Abel con una bienvenida oferta de la Great Western Casualty, que se avenía a pagar 750.000 dólares porque no había podido encontrar pruebas de connivencia entre Abel y Desmond Pacey en relación con el incendio del Richmond de Chicago. Había resultado muy útil al respecto el testimonio del teniente O'Malley. Abel comprendió que le debía algo más que un batido. También aceptó de buen grado esa indemnización que le parecía justa, aunque Osborne le sugirió que reclamara una suma mayor y le diera a él un porcentaje de la diferencia. Abel, entre cuyos defectos jamás se había contado la malversación de fondos, lo miró a partir de entonces con bastante desconfianza: si Osborne estaba tan predispuesto a ser desleal a su propia empresa, desde luego tampoco tendría escrúpulos en traicionar a Abel cuando le conviniera.

En la primavera de 1932, Abel quedó un poco sorprendido al recibir una misiva cordial de Melanie Leroy. Ésta nunca había sido tan amable en persona como lo era en la carta. Se sintió halagado, incluso excitado, y la telefoneó para invitarla a cenar en el Stevens, aunque lamentó esta decisión apenas entraron en el comedor: allí estaba Zaphia, con un aspecto ingenuo, cansado y vulnerable. Melanie, por el contrario, aparecía deslumbrante con su largo vestido color verde menta, que revelaba nítidamente cómo sería aquel cuerpo si lo despojaban de sus velos. Sus ojos, que quizás habían sido estimulados por el vestido, parecían más verdes y cautivantes que de costumbre.

—Es maravilloso verte con tan buen talante, Abel —comentó Melanie mientras ocupaba su asiento en el centro del comedor—. Y, por supuesto, todos saben que te va muy bien con la Cadena Richmond.

—La Cadena Baron —corrigió Abel.

Ella se ruborizó ligeramente.

—No sabía que le habías cambiado el nombre.

—Sí, el año pasado —mintió Abel. La verdad era que acababa de resolver, en ese mismo instante, que a todos los hoteles de la cadena se los conocería por el nombre de hoteles Baron. Se preguntó por qué la idea no se le había ocurrido antes.

—Es un nombre apropiado —asintió Melanie, sonriendo.

Zaphia depositó frente a Melanie una sopa de setas con un ligero impacto que a Abel le resultó muy elocuente. Faltó poco para que parte de la sopa terminara sobre el vestido verde menta.

—¿No trabajas? —inquirió Abel, mientras garabateaba «Cadena Baron» sobre el dorso del menú.

—No, ahora no, pero la situación parece mejorar un poco. En esta ciudad, una mujer que cuenta con un título de artes liberales tiene que sentarse a esperar que todos los hombres estén ocupados antes de poder concebir la esperanza de conseguir empleo.

—Si alguna vez deseas trabajar para la Cadena Baron —dijo Abel, poniendo un poco de énfasis en el nombre—, bastará que me lo comuniques.

—No, no —respondió Melanie—. Así estoy bien.

Desvió rápidamente la conversación hacia la música y el teatro. Conversar con ella era, para Abel, un estímulo desacostumbrado y agradable. Lo provocaba, pero con inteligencia. Lo hacía sentirse mucho más seguro que antes en su compañía. La cena se prolongó hasta bastante después de las once, y cuando todos se hubieron retirado del comedor, incluida Zaphia —con los ojos ominosamente enrojecidos—, Abel acompañó a Melanie hasta el apartamento donde ella vivía. Esta vez lo invitó a entrar, para beber un trago. Él se sentó en el extremo del sofá mientras Melanie le servía un whisky prohibido y colocaba un disco en el fonógrafo.

—No puedo quedarme mucho tiempo —se disculpó Abel—. Mañana tendré un día muy ajetreado.

—Eso es lo que debería decir *yo*, Abel. No te vayas tan pronto. Esta velada ha sido muy divertida, como en los viejos tiempos.

Melanie se sentó junto a él, con el vestido recogido sobre las rodillas. No precisamente como en los viejos tiempos, pensó Abel. Qué piernas tan increíbles. No intentó resistirse cuando Melanie se deslizó hacia él. En seguida se encontró besándola... ¿o acaso era ella la que lo besaba a él? Sus manos gravitaron hacia las piernas y después hacia los pechos de Melanie, y esta vez ella pareció responder de buena gana. Fue Melanie quien finalmente lo guió de la mano hasta su alcoba, dobló la colcha, se volvió y le pidió que le bajara la cremallera. Abel obedeció, nervioso e incrédulo, y apagó la luz antes de desvestirse. Después le resultó fácil poner en práctica las concienzudas lecciones de Joyce. Ciertamente a Melanie tampoco le faltaba experiencia. Abel nunca había disfrutado tanto de un coito y se sumió en un sueño profundo.

Por la mañana, Melanie le preparó el desayuno y le satisfizo los menores deseos hasta el momento en que él debió irse.

—Seguiré con renovado interés la marcha de la Cadena Baron —manifestó ella—. Aunque nadie duda que tendrá un éxito inmenso.

—Gracias por el desayuno y por la noche memorable —dijo Abel.

—Espero que volvamos a vernos pronto —añadió Melanie.

—Con mucho gusto —asintió Abel.

Cuando lo besó en la mejilla pareció una esposa en el acto de despedir al marido que se va al trabajo.

—Me pregunto cómo será la mujer con la que te casarás finalmente —comentó ella inocentemente mientras lo ayudaba a ponerse el abrigo.

Él la miró y sonrió plácidamente.

—Puedes estar segura de que cuando tome esa decisión, la única opinión por la que me dejaré influir será la tuya.

—¿A qué te refieres? —inquirió ella, con timidez.

—Quiero decir, sencillamente, que seguiré tu consejo —respondió Abel, al llegar a la puerta del apartamento—, y buscaré una buena chica polaca que acceda a casarse conmigo.

Abel y Zaphia se casaron un mes más tarde. El primo de Zaphia, Janek, fue quien concedió su mano, y George actuó como padrino de la boda. La fiesta se celebró en el Stevens y los invitados bebieron y bailaron hasta altas horas de la noche. Siguiendo la tradición, cada hombre pagó una suma simbólica para bailar con Zaphia, y George sudó a mares mientras se ajetreaba por el salón, fotografiando a los invitados en el momento de practicar todos los intercambios y combinaciones posibles. Después de una cena de medianoche compuesta por *barszcz, pierogi* y *bigos* acompañados con vino, coñac y vodka de Danzig, Abel y Zaphia recibieron autorización para retirarse a la cámara nupcial, en medio de los guiños de los hombres y las lágrimas de las mujeres.

Abel recibió una sorpresa agradable cuando Curtis Fenton le informó a la mañana siguiente que el señor Maxton había pagado la cuenta de la fiesta en el Stevens, y que ése había sido su regalo de bodas. Con el dinero que economizó así, Abel pagó la entrada para una casita situada en Rigg Street.

Por primera vez en la vida era dueño de su propio hogar.

21

EN FEBRERO DE 1934, William resolvió tomarse un mes de vacaciones en Inglaterra antes de adoptar una decisión firme sobre su futuro. Incluso consideró la posibilidad de renunciar a ser miembro del consejo de dirección, pero Matthew lo convenció de que ésa no era la política que habría seguido su padre en idénticas circunstancias. Matthew pareció aún más afectado que el propio William por la derrota de éste. Durante la semana siguiente concurrió dos veces al banco con señales evidentes de estar sufriendo los efectos de la resaca, y dejó inconclusos trabajos importantes. William optó por dejar pasar estos episodios sin comentarios y lo invitó a cenar esa noche con él y con Kate. Matthew rechazó la invitación con el argumento de que tenía mucho trabajo atrasado y debía ponerse al día. William no habría pensado dos veces en esa negativa si aquella misma noche no hubiera visto a Matthew cenando en el Ritz Carlton con una bella mujer que, habría jurado, era la esposa de uno de los jefes de departamento del Kane and Cabot. Kate no dijo nada y se limitó a comentar que Matthew no tenía muy buen aspecto.

William, preocupado por su inminente viaje a Europa, prestó menos atención que la que habría prestado en otras circunstancias a la extraña conducta de su amigo. En el último momento, William no pudo resignarse a pasar un mes en Inglaterra solo, y le pidió a Kate que lo acompañara. Para su mayor sorpresa y júbilo, ella accedió.

William y Kate viajaron a Inglaterra en el *Mauritania,* en camarotes separados. Una vez que se hubieron instalado en el Ritz, en habitaciones distintas, e incluso en pisos distintos, William concurrió a la filial de Lombard Street del Kane and

Cabot e inspeccionó las actividades del banco en Europa para cumplir con el objetivo visible del viaje. Reinaba una buena moral y evidentemente Tony Simmons había sido un gerente muy estimado. A William no le quedó otra alternativa que soltar un murmullo de aprobación.

Él y Kate pasaron dos semanas maravillosas juntos, en Londres, Hampshire y Lincolnshire, examinando unas tierras que William había comprado pocos meses antes. Más de tres mil hectáreas en total. El rendimiento económico de la propiedad agrícola nunca era alto, pero, como William le explicó a Kate:

—Siempre estarán allí si las cosas vuelven a empeorar en los Estados Unidos.

Pocos días antes de la fecha fijada para regresar a los Estados Unidos, Kate resolvió que quería visitar Oxford, y William accedió a llevarla allí a primera hora de la mañana siguiente. Alquiló un nuevo Morris, un coche que nunca había conducido antes. En la ciudad universitaria pasaron el día recorriendo las facultades: Magdalen, formidable contra el fondo del río; Christchurch, grandiosa pero desprovista de claustro; y Merton, donde se conformaron con sentarse en la hierba y soñar.

—Está prohibido sentarse sobre el césped, señor —anunció la voz de un bedel de la facultad.

Se rieron y caminaron tomados de la mano como jóvenes estudiantes por la ribera del Cherwell, contemplando a ocho Matthews que echaban los bofes para hacer avanzar un bote lo más rápidamente posible. William ya no podía imaginar una vida que estuviera desvinculada de Kate en alguno de sus aspectos.

Emprendieron el regreso a Londres al mediar la tarde, y cuando llegaron a Henley-on-Thames se detuvieron a tomar el té en la Bell Inn, que se levanta a orillas del río. Después de arrasar con los bollos y con una enorme tetera de fuerte té inglés (Kate tenía espíritu aventurero y sólo le agregó leche, pero William lo diluyó con agua caliente), ella sugirió que de-

360

berían emprender el regreso antes de que la oscuridad les impidiera contemplar la campiña. Pero cuando William volvió a insertar la manivela en el Morris no consiguió hacerlo arrancar, a pesar de que hizo grandes esfuerzos. Finalmente se dio por vencido y, como se estaba haciendo tarde, decidió que debían pasar la noche en Henley. Volvió a la recepción de la Bell Inn y pidió dos habitaciones.

—Lo siento, señor. Sólo me queda una habitación doble —respondió el conserje.

William vaciló un momento y después dijo:

—Está bien, la tomaremos.

Kate pareció un poco sorprendida pero no hizo ningún comentario. El conserje la miró con recelo.

—¿El señor y la señora...?

—El señor William Kane y señora —manifestó William decidido—. Volveremos más tarde.

—¿Quiere que lleve las maletas a la habitación, señor? —preguntó el botones.

—No tenemos equipaje —contestó William, sonriendo.

—Entiendo, señor.

La atónita Kate siguió a William por Henley High Street hasta que él se detuvo frente a la iglesia parroquial.

—¿Se puede saber qué estamos haciendo, William? —inquirió ella.

—Algo que deberíamos haber hecho mucho tiempo atrás, cariño.

Kate no preguntó nada más. Cuando entraron en la sacristía, William se encontró con el sacristán que estaba apilando los himnarios.

—¿Dónde puedo encontrar al vicario? —le preguntó William.

El sacristán se empinó cuan largo era y lo miró compasivamente.

—En la vicaría, desde luego.

—¿Dónde está la vicaría? —insistió William, sin capitular.

—¿Usted es un caballero norteamericano, verdad, señor?

—Sí —contestó William, que empezaba a impacientarse.

—La vicaría debe de estar en el edificio contiguo a la iglesia, ¿no le parece? —manifestó el sacristán.

—Supongo que sí —asintió William—. ¿Puede esperar diez minutos aquí?

—¿Y por qué habría de querer hacer eso, señor?

William extrajo de su bolsillo interior un billete de cinco libras, grande y blanco, y lo desplegó.

—Para mayor seguridad, que sean quince minutos, por favor.

El sacristán estudió detenidamente las cinco libras y murmuró:

—Estos norteamericanos. Sí, señor.

William dejó al hombre con su billete de cinco libras y sacó deprisa a Kate de la iglesia. Cuando pasaron frente al tablero de informaciones del atrio, leyó: «El Vicario de esta Parroquia es El Muy Reverendo Simon Tukesbury, M. A. (Cantab)», y junto a esta advertencia vio, colgado de un clavo, un pedido de donaciones para el techo nuevo de la iglesia. Cada penique que contribuyera a completar las quinientas libras indispensables será bienvenido, decía el anuncio, sin demasiada audacia. William apretó el paso por el sendero que conducía a la vicaría, y Kate lo siguió a escasa distancia. Una dama rolliza, sonriente, de mejillas rubicundas, abrió la puerta cuando él la golpeó enérgicamente con los nudillos.

—¿La señora Tukesbury? —preguntó William.

—Sí. —Continuó sonriendo.

—¿Puedo hablar con su marido?

—En este momento está tomando el té. ¿Puede volver un poco más tarde?

—Me temo que se trata de algo bastante urgente —insistió William.

Kate lo alcanzó, pero no dijo nada.

—Bueno, entonces será mejor que entren.

La vicaría databa de comienzos del siglo XVI, y un acogedor fuego de leños calentaba la pequeña sala de piedra. El vicario, un hombre alto y enjuto que estaba comiendo emparedados de pepino delgados como hostias, se puso en pie para darles la bienvenida.

—Buenas tardes, señor... eh...

—Kane, señor, William Kane.

—¿En qué puedo servirle, señor Kane?

—Kate y yo deseamos casarnos —explicó William.

—Oh, qué bien —exclamó la señora Tukesbury.

—Sí, de veras —añadió el vicario—. ¿Ustedes son miembros de esta parroquia? No creo recordar...

—No, señor. Soy norteamericano. Y feligrés de St. Paul's, en Boston.

—De Massachusetts, supongo, y no de Lincolnshire —comentó el Muy Reverendo Tulesbury.

—Sí —respondió William, olvidando por un momento que había un Boston en Inglaterra.

—Estupendo —dijo el vicario, y alzó las manos como si se dispusiera a dar la bendición—. ¿Y cuándo desea consumar esta unión de las almas?

—Ahora, señor.

—¿Ahora, señor? —repitió el atónito vicario—. Desconozco las tradiciones que rodean en los Estados Unidos a la solemne, santa e inamovible institución del matrimonio, señor Kane, aunque los periódicos publican noticias acerca de episodios en los que intervienen algunos de sus compatriotas de California. Sin embargo, tengo el ineludible deber de informarle que esas costumbres aún no gozan de beneplácito en Henley-onThames. En Inglaterra, señor, los novios deben residir durante un mes completo en la parroquia antes de poder casarse, y las amonestaciones se deben exhibir en tres oportunidades distintas, a menos que existan circunstancias muy especiales y atenuantes. Y aunque existieran dichas circunstancias, yo debería solicitar la dispensa del obispo, y no podría hacerlo en menos de tres días —añadió el reverendo Tukesbury, con las manos firmemente apoyadas sobre las caderas.

Kate habló por primera vez.

—¿Cuánto dinero le falta aún para completar el nuevo techo de la iglesia?

—Ah, el techo. Ésa es una triste historia, que no relataré ahora. Se remonta, ¿saben?, a comienzos del siglo XI...

—¿Cuánto necesita? —lo interrumpió William, apretando con más fuerza la mano de Kate.

—Tenemos esperanzas de reunir las quinientas libras. Hasta ahora no nos podemos quejar. En sólo siete semanas hemos recaudado veintisiete libras, cuatro chelines y cuatro peniques.

—No, no, querido —intervino la señora Tukesbury—. No has contado los beneficios de la subasta que organicé la semana pasada. Una libra, once chelines y dos peniques.

—Tienes razón, cariño. Ha sido una falta de consideración omitir tu aporte personal. Eso suma... —empezó a decir el reverendo Tukesbury, mientras trataba de realizar el cálculo mental. Elevó los ojos al cielo, en busca de inspiración.

William sacó la billetera de su bolsillo interior, extendió un cheque por quinientas libras y se lo entregó en silencio al Muy Reverendo Tukesbury.

—Yo... ah, veo que se trata de circunstancias especiales, señor Kane —murmuró el alelado vicario. Cambió de tono—. ¿Alguno de ustedes dos ha estado casado antes?

—Sí —respondió Kate—. Mi marido murió en un accidente de aviación, hace más de cuatro años.

—Oh, qué horror —exclamó la señora Tukesbury—. Lo siento, no...

—Silencio, querida —la interrumpió el siervo de Dios, más preocupado por el techo de la iglesia que por los sentimientos de su esposa—. ¿Y usted, señor?

—Nunca he estado casado —contestó William.

—Tendré que telefonear al obispo. —El Muy Reverendo desapareció en la habitación vecina, sin soltar el cheque de William.

La señora Tukesbury los invitó a sentarse y les ofreció la fuente de emparedados de pepino. No cesaba de hablar, pero William y Kate se miraban sin escucharla.

El vicario volvió tres emparedados de pepino más tarde.

—Es una situación muy irregular, muy irregular, pero el obispo ha accedido con la condición, señor Kane, de que usted oficialice la boda mañana por la mañana en la embajada norteamericana, y después ante su propio obispo de St. Paul's, en Boston... Massachusetts, apenas llegue a su país.

Seguía conservando en la mano el cheque de quinientas libras.

—Ahora sólo nos faltan dos testigos —continuó—. Mi esposa será uno de ellos, y esperemos que el sacristán no se haya ido, pues entonces él podrá ser el otro.

—No se ha ido, se lo garantizo —afirmó William.

—¿Cómo puede estar tan seguro, señor Kane?

—Me costó el uno por ciento.

—¿El uno por ciento? —repitió el Muy Reverendo Tukesbury, perplejo.

—El uno por ciento del techo de su iglesia —completó William.

El vicario condujo a William, Kate y su esposa por el sendero que llevaba a la iglesia, y parpadeó cuando vio al sacristán que los aguardaba.

—Caray, es cierto que el señor Sprogget se ha quedado en su puesto... A mí nunca me hizo ese favor. No hay duda de que usted sabe apañarse, señor Kane.

Simon Tukesbury se puso sus vestiduras y una sobrepelliz mientras el sacristán contemplaba la escena con expresión incrédula.

William se volvió hacia Kate y la besó tiernamente.

—Sé que mi pregunta no puede ser más estúpida, dadas las circunstancias, pero, ¿te casarás conmigo?

—¡Rediós! —exclamó el Muy Reverendo Tukesbury, que jamás había blasfemado en sus cincuenta y siete años de existencia mortal—. ¿Esto significa que ni siquiera había pedido su mano?

Quince minutos más tarde, el señor William Kane y señora salieron de la iglesia parroquial de Henley-on-Thames, Oxfordshire. La señora Tukesbury había tenido que suministrar a último momento la sortija, que desprendió de una cortina de la sacristía. Calzó perfectamente en el dedo. El Muy Reverendo Tukesbury tenía el nuevo techo, y el señor Sprogget tenía una historia fantástica para contar en la taberna The Green Man, donde gastó la mayor parte de sus cinco libras.

Fuera de la iglesia, el vicario le entregó a William una hoja de papel.

—Dos chelines y seis peniques, por favor.

—¿Por qué? —preguntó William.

—Por su partida de matrimonio, señor Kane.

—Debería dedicarse a la actividad bancaria, señor —comentó William, mientras le entregaba el dinero al señor Tukesbury.

Caminó con su esposa por High Street rumbo a la Bell Inn, en medio de un bienaventurado silencio. Cenaron plácidamente en el comedor del siglo XV, con vigas de roble, y se fueron a la cama pocos minutos después de las nueve. Cuando desaparecieron por la antigua escalera de madera rumbo a su habitación, el conserje se volvió hacia el botones y le hizo un guiño.

—Si están casados, yo soy el rey de Inglaterra.

William empezó a tararear «Dios salve al rey».

A la mañana siguiente el señor y la señora Kane desayunaron mientras les reparaban el auto. (Su padre le habría dicho que lo único que necesitaba era una nueva correa de ventilador.) Un joven camarero les sirvió café.

—¿Te gusta así o quieres que le agregue un poco de leche? —preguntó William inocentemente.

Una pareja anciana les dedicó una sonrisa benévola.

—Con leche, por favor —respondió Kate, mientras estiraba el brazo sobre la mesa y tocaba con toda delicadeza la mano de William.

Él le devolvió la sonrisa, y se dio cuenta de pronto de que todos los comensales los miraban.

Volvieron a Londres en medio de la fresca atmósfera de comienzos de primavera, atravesando Henley, cruzando el Támesis, y pasando luego por Berkshire y Middlesex hasta llegar a la capital.

—Observaste la mirada que te echó esta mañana el botones, cariño? —preguntó William.

—Sí. Pienso que tal vez deberíamos haberle mostrado nuestra partida de matrimonio.

—No, no, habrías estropeado la imagen que se forjó de ti, cuando te catalogó como una norteamericana casquivana. Lo último que querría contarle esta noche a su esposa, cuando vuelva a casa, es que estábamos realmente casados.

Cuando llegaron de regreso al Ritz, a tiempo para almorzar, el conserje recibió con sorpresa la orden de cancelar la habitación de Kate. Más tarde le oyeron comentar: «El joven señor Kane parecía un caballero. Su difunto y distinguido padre jamás se habría comportado así».

William y Kate se embarcaron en el *Aquitania* rumbo a Nueva York, después de haber visitado la embajada norteamericana de Grosvenor Gardens para comunicarle al cónsul su nuevo estado conyugal. El cónsul les entregó un largo impreso oficial para que lo rellenaran, les cobró una libra, y los hizo esperar durante más de una hora. Aparentemente, la embajada norteamericana no necesitaba un techo nuevo. William quiso ir a Cartier's, en Bond Street, para comprar una sortija de oro, pero Kate no se lo permitió: nada le separaría de su preciosa anilla de cortina.

A William le resultó difícil acomodarse en Boston a las órdenes del nuevo presidente de su banco. Los principios del New Deal se traducían en leyes con inusitada rapidez, y William y Tony Simmons discrepaban acerca de si sus consecuencias serían buenas o malas para las inversiones. La expansión se hizo incontenible, por lo menos en un frente, cuando Kate anunció, poco después de su regreso de Inglaterra, que estaba embarazada, noticia que llenó de júbilo a sus padres y a su marido. William procuró modificar su horario de trabajo para adecuarlo a sus nuevas circunstancias de hombre casado, pero se encontró cada vez con más frecuencia en su escritorio durante las calurosas tardes de verano. Kate, fresca y dichosa en su bata floreada de maternidad, controlaba metódicamente la decoración de la *nursery* de la Red House. William descubrió por primera vez en su vida que salía del despacho con ansias de volver a casa. Si le quedaba trabajo pendiente, recogía los papeles y se los llevaba a la Red House, rutina que seguiría durante toda su vida matrimonial.

En tanto que Kate y la criatura que debería nacer alrededor de Navidad le producían a William grandes alegrías en su casa, Matthew lo inquietaba cada vez más en el banco. Se había aficionado a la bebida y llegaba tarde sin dar explicaciones. A medida que transcurrían los meses, William iba descubriendo que ya no podía fiarse de los juicios de su amigo. Al principio no dijo nada, con la esperanza de que eso no fuera más que una extraña reacción impropia —y pasajera— con motivo de la abrogación de la Ley Seca. Pero se equivocó, y las cosas fueron de mal en peor. Una mañana de noviembre Matthew llegó con dos horas de retraso, padeciendo los obvios efectos de la resaca, y cometió un error simple e innecesario cuando canceló una importante inversión que le produjo una pequeña pérdida a un cliente que podría haber obtenido una suculenta ganancia. Ésa fue la gota que hizo rebasar el vaso. William comprendió que había llegado la hora de un desagradable pero necesario choque frontal. Matthew confesó su error y se excusó compungido. William se alegró de haber evitado la reyerta, y se disponía a sugerir que comieran juntos, cuando su secretaria irrumpió en su despacho sin ningún miramiento.

—Se trata de su esposa, señor. La han internado en el hospital.

—¿Por qué? —preguntó William, intrigado.

—Por el bebé —respondió su secretaria.

—Pero si faltan por lo menos seis semanas para el parto —dijo William, incrédulo.

—Lo sé, señor, pero el doctor MacKenzie parecía un poco preocupado y pidió que usted vaya al hospital lo más rápidamente posible.

Matthew, que un momento antes había parecido un junco quebrado, asumió el control de la situación y llevó a William en coche al hospital. Los recuerdos de la muerte de la madre de William y de su hija recién nacida se apoderaron de ambos.

—Ruega a Dios que no le suceda a Kate —murmuró Matthew mientras entraba en el aparcamiento del hospital.

William no necesitó que lo guiaran hasta el Pabellón de Maternidad Anne Kane que Kate había inaugurado oficialmente sólo seis meses atrás. Una enfermera que lo aguardaba frente a la sala de partos le informó que el doctor MacKenzie se hallaba con su esposa, y que ésta había perdido mucha sangre. William se paseaba impotente por el corredor, a la expectativa, aturdido, exactamente igual que lo había hecho tantos años antes. La escena era demasiado conocida. La presidencia del banco pasaba a segundo plano cuando la comparaba con la posibilidad de perder a Kate. ¿Cuándo le había dicho por última vez a su esposa que la amaba? Matthew estaba sentado junto a William, se paseaba con William, se detenía con William, pero no decía nada . No había nada que decir. William consultaba su reloj cada vez que la enfermera entraba o salía corriendo de la sala de partos. Los segundos se trocaron en minutos y los minutos en horas. Por fin apareció el doctor

MacKenzie, con la frente perlada de sudor y con la nariz y la boca cubiertas por una mascarilla. William no pudo ver su expresión hasta que se quitó la mascarilla, dejando al descubierto una ancha sonrisa.

—Te felicito, William. Es un varón, y Kate está muy bien.

—Gracias a Dios —susurró William, aferrándose a Matthew.

—Aunque respeto mucho al Todopoderoso —comentó el doctor MacKenzie—, creo que yo también tuve una pequeña participación en este alumbramiento.

William rió.

—¿Puedo ver a Kate?

—No, aún no. Le he dado un sedante y se ha dormido. Perdió demasiada sangre, pero mañana estará repuesta. Un poco débil, quizá, pero en condiciones de recibirte. Sin embargo, nada impide que veas a tu hijo. Eso sí, no te sorprendas por su tamaño. Recuerda que ha sido un parto prematuro.

El médico guió a William y Matthew por el corredor hasta una sala con un panel de cristal a través del cual se veía una hilera de seis cabecitas rosadas en sus respectivas cunas.

—Es éste —dijo el doctor MacKenzie, señalando al bebé que acababa de llegar.

William miró con expresión dubitativa la carita fea, y su imagen de un hijo apuesto y erguido se disipó al instante.

—Bueno —comentó jocosamente el doctor MacKenzie—, este diablillo tiene la virtud de ser más lindo de lo que eras tú a su edad, y lo cierto es que no has terminado tan mal.

William rió aliviado.

—¿Cómo lo llamarás?

—Richard Higginson Kane.

El médico le palmeó afectuosamente el hombro al flamante padre.

—Espero vivir lo suficiente para atender el parto del primogénito de Richard.

William le envió sin demora un cable al rector de St.

370

Paul's, que le reservó una plaza al niño para 1943, y después el flamante padre y Matthew se emborracharon y a la mañana siguiente ambos llegaron tarde para visitar a Kate. William y Matthew fueron a echarle otro vistazo al joven Richard.

—Qué bastardo tan horrible —exclamó Matthew—. No se parece nada a su bella madre.

—Eso es lo que pensé yo —asintió William.

—Sin embargo es tu fiel retrato.

William volvió a la habitación de Kate, atestada de flores.

—¿Te gusta tu hijo? —le preguntó Kate a su marido—. Se parece tanto a ti.

—Al próximo que diga eso le pegaré un puñetazo —replicó William—. Es la cosita más fea que he visto en mi vida.

—Oh, no —protestó Kate con fingida indignación—. Es hermoso.

—Una cara que sólo una madre podría amar —afirmó William, y abrazó a su esposa.

Kate se aferró a él, complacida al verlo feliz.

—¿Qué habría dicho la abuela Kane si hubiera estado aquí para ver que nuestro primogénito llegaba al mundo cuando aún no habían transcurrido nueve meses desde nuestra boda? «No quiero parecer intolerante, pero cualquiera que nazca antes de los quince meses debe considerarse de paternidad dudosa; antes de los nueve meses es francamente inaceptable» —parodió William—. Entre paréntesis, Kate, olvidé comunicarte algo antes de que te internaran urgentemente en el hospital.

—¿De qué se trata?

—Te amo.

Kate y el pequeño Richard debieron permanecer casi tres semanas en el hospital. Kate no recuperó por completo sus fuerzas hasta después de la Navidad. En cambio, Richard crecía como una maleza incontrolada, pues nadie le había informado que era un Kane y que ése no era el comportamiento apropiado para un miembro de la estirpe. William se convirtió en el primer varón de la familia Kane que cambió un pañal y empujó un cochecito. Kate estaba muy orgullosa de él y un poco sorprendida. William le dijo a Matthew que ya era hora de que se buscara una buena mujer y sentara la cabeza.

Matthew se rió, a la defensiva.

—Te estás volviendo realmente maduro. Sólo falta que te aparezcan cabellos grises.

Uno o dos ya habían aparecido durante la batalla por la presidencia. Matthew no se había dado cuenta.

William no pudo determinar cuál fue el momento exacto en que su relación con Tony Simmons empezó a deteriorarse seriamente. Tony vetaba sin cesar sus propuestas, y en razón de esta actitud negativa William volvió a contemplar formalmente la posibilidad de renunciar. Matthew no mejoró las cosas cuando retomó su antigua afición a la bebida. El período de reforma apenas había durado unos pocos meses, y en todo caso ahora bebía más que antes y cada mañana llegaba al banco unos cuantos minutos más tarde. William no sabía muy bien cómo hacer frente a la situación y completaba continuamente el trabajo de Matthew. Al finalizar cada día, William verificaba la correspondencia de su amigo y contestaba las llamadas telefónicas pendientes.

En la primavera de 1936, cuando los inversores ganaron más confianza y los clientes volvieron a depositar dinero, William resolvió que había llegado de nuevo la hora de incidir, a título experimental, en el mercado de valores. Pero Tony vetó la sugerencia mediante un memorándum interno, de tono descortés, dirigido a la comisión financiera. William irrumpió en el despacho de Tony para preguntarle si deseaba su renuncia.

—Claro que no, William. Sólo quiero que te convenzas de que mi política siempre ha consistido en gobernar este banco con una filosofía conservadora, y de que no estoy dispuesto a volver a zambullirme en el mercado con el dinero de nuestros inversores.

—Pero dejamos que los otros bancos nos arrebaten cantidades ingentes de negocios mientras nosotros hacemos de espectadores y miramos cómo ellos se aprovechan de la situación actual. Bancos que hace diez años ni siquiera habríamos catalogado como rivales no tardarán en aventajarnos.

—¿En qué nos aventajarán, William? No en reputación. Quizás en utilidades rápidas, pero no en reputación.

—Es que a mí me interesan las utilidades —replicó William—. Pienso que un banco tiene el deber de dar buenos dividendos a sus inversores, y no de marcar el paso a ritmo de caballeros, sin moverse de su lugar.

—Yo prefiero permanecer estático antes que perder el prestigio que este banco acumuló bajo la dirección de tu abuelo y tu padre durante casi medio siglo.

—Sí, pero ellos dos buscaban siempre nuevas oportunidades para expandir las actividades del banco.

—En los buenos tiempos —corrigió Tony.

—Y en los malos —afirmó William.

—¿Por qué estás tan ofuscado, William? Aún eres libre de gobernar como quieras tu propio departamento.

—Un rábano. Tú bloqueas todo lo que huela a iniciativa.

—Empecemos a sincerarnos el uno con el otro, William. Una de las razones por las cuales últimamente debo proceder con especial cautela es que el juicio de Matthew ya no merece confianza.

—Deja en paz á Matthew. A quien bloqueas es a mí. Yo soy el director del departamento.

—No puedo dejar en paz a Matthew. Ojalá pudiera. La responsabilidad final ante el consejo de administración por los actos de todo el personal recae sobre mis hombros, y Matthew es el segundo en el departamento más importante del banco.

—Sí, y por tanto el responsable de sus actos soy yo, que ejerzo la dirección de ese departamento.

—No, William, tú no puedes ser el único responsable cuando Matthew llega borracho a la oficina a las once de la mañana, y poco importa a este respecto desde cuándo sois amigos o si vuestra amistad es muy íntima.

—No exageres.

—No exagero, William. Ya hace más de un año que este banco soporta a Matthew Lester, y sólo me he abstenido de comunicarte antes mi preocupación porque sé que te une un vínculo muy estrecho a él y a su familia. No me disgustaría que Matthew presentara su renuncia. Un hombre más digno la habría presentado hace mucho tiempo, y sus amigos deberían haberle aconsejado que procediera así.

—Jamás —exclamó William—. Si se va, me iré con él.

—Pues que así sea, William —respondió Tony—. Mi mayor responsabilidad es para con nuestros inversores y no para con tus amigos condiscípulos.

—Tendrás tiempo de arrepentirte de lo que has dicho, Tony —espetó William, mientras salía como una tromba del despacho del presidente y se encaminaba, furibundo, hacia su propia oficina.

Al pasar frente a su secretaria, William le preguntó:

—¿Dónde está el señor Lester?

—Aún no ha llegado, señor.

William consultó el reloj, exasperado.

—Apenas llegue dígale que deseo hablar con él.

—Sí, señor.

William se paseó de un extremo al otro de su despacho blasfemando. Todo lo que Tony Simmons había dicho acerca de Matthew era cierto, y esto sólo servía para empeorar las cosas. Empezó a preguntarse cuándo había comenzado todo eso, buscando una explicación sencilla. Su secretaria interrumpió sus cavilaciones.

—Acaba de llegar el señor Lester, señor.

Matthew entró en el despacho con expresión un poco humilde, exhibiendo todos los síntomas de otra resaca. Durante el último año había envejecido mucho, y su tez había perdido su sana lozanía atlética. William apenas reconocía en él ,al

374

hombre que había sido su mejor amigo durante casi veinte años.

—¿Dónde demonios has estado, Matthew?

—Me quedé dormido —contestó Matthew, rascándose la cara. Éste no era un ademán típico de él—. Temo que anoche me acosté muy tarde.

—Querrás decir que bebiste demasiado.

—No, no tanto. La que me mantuvo despierto toda la noche fue una nueva amiga. Una chica insaciable.

—¿Cuándo vas a cambiar, Matthew? Te has acostado con casi todas las solteras de Boston.

—No exageres, William. Deben faltarme una o dos. Por lo menos, eso espero. Y no olvides, además, a las miles de casadas.

—No eres gracioso, Matthew.

—Oh, por favor, William. Dame una oportunidad.

—¿Que te dé una oportunidad? Tony Simmons acaba de ensañarse conmigo por tu culpa, y para colmo tiene razón. Basta que veas algo con faldas para que te la lleves a la cama, y lo que es peor, te estás suicidando a fuerza de tanto beber. Has perdido el sentido común. ¿Por qué, Matthew? Dime por qué. Debe de haber alguna explicación sencilla. Hasta hace un año eras uno de los hombres más dignos de confianza que había conocido en mi vida. ¿Qué te sucede, Matthew? ¿Qué debo decirle a Tony Simmons?

—Dile que se vaya al diablo y que se meta en sus asuntos.

—Sé ecuánime, Matthew, estos *son* sus asuntos. Dirigimos un banco, no un burdel, y tú has entrado como director merced a mi recomendación personal.

—Y ahora no estoy a la altura de tus expectativas, ¿es eso lo que quieres decir?

—No, no es eso.

—¿Entonces de qué demonios se trata?

—Sienta la cabeza y trabaja un poco durante unas cuantas semanas. En un santiamén nadie se acordará de esto.

—¿Es todo lo que deseas?

—Sí —respondió William.

—Haré lo que se me ordena, mi amo —dijo Matthew. Se cuadró con un entrechocar de tacones y salió del despacho.

—Maldición —masculló William.

Esa tarde William quiso examinar la cartera de inversiones de un cliente, junto con Matthew, pero éste no apareció por ninguna parte. No había vuelto a su despacho después del almuerzo y ya nadie lo vio durante el resto de la jornada. Ni siquiera el placer de acostar esa noche al pequeño Richard le hizo olvidar a William las preocupaciones que le producía su amigo. Richard había aprendido a decir «dos», y William trataba de enseñarle a decir «tres», pero el crío insistía en repetir «tes».

—Si no sabes decir «tres», Richard, ¿cómo podrás llegar a ser banquero? —le preguntaba William a su hijo en el momento en que Kate entró en la *nursery*.

—Quizá terminará por ser algo digno —comentó Kate.

—¿Qué puede ser más digno que la profesión de banquero? —inquirió William.

—Bueno, tal vez será músico, o jugador de béisbol, o incluso presidente de los Estados Unidos.

—Entre esas tres alternativas prefiero que sea jugador de béisbol... es la única de tus sugerencias que implica contar con un sueldo decoroso —manifestó William, mientras arropaba a Richard.

Las últimas palabras que pronunció Richard antes de dormirse fueron: «Tes, papaíto.» William se dio por vencido. Ése no era su día.

—Te veo exhausto, cariño. Espero que no hayas olvidado que más tarde iremos a tomar unas copas con Andrew Mac-Kenzie.

—Caray, había olvidado por completo la reunión de Andrew. ¿Cuándo nos espera?

—Más o menos dentro de una hora.

—Antes me daré un largo baño caliente.

—Creía que ésa era una prerrogativa femenina —dijo Kate.

—Esta noche necesito consentirme un poco. Ha sido un día terrible.

—¿Tony ha vuelto a fastidiarte?

—Sí, pero temo que esta vez tiene razón. Se ha quejado de la afición de Matthew a la bebida. Tuve que agradecer que no mencionase sus líos de faldas. Últimamente es imposible llevar a Matthew a una fiesta sin que haya que encerrar antes bajo llave a la hija mayor, cuando no a la esposa, en aras de su propia seguridad. ¿Me preparas el baño?

William permaneció más de media hora sentado en la bañera, y Kate tuvo que sacarlo a rastras antes de que se durmiera. A pesar de sus hostigamientos llegaron a casa de MacKenzie con veinticinco minutos de retraso, y una vez allí descubrieron que Matthew, ya al borde de la borrachera, trataba de seducir a la esposa de un diputado. William quiso intervenir, pero Kate lo detuvo.

—No digas nada —susurró ella.

—No puedo quedarme con los brazos cruzados mientras él se desintegra delante de mis ojos —replicó William—. Es mi mejor amigo. Debo hacer algo.

Pero al fin siguió el consejo de Kate y pasó una penosa velada mirando cómo Matthew se embriagaba más y más. Desde el otro extremo del salón, Tony Simmons observaba intencionadamente a William. A éste lo tranquilizó ver que Matthew se retiraba temprano, si bien lo hizo en compañía de la única mujer que había quedado sola en la fiesta. Cuando Matthew se hubo ido, William empezó a distenderse por primera vez en el día.

—¿Cómo se encuentra el pequeño Richard? —le preguntó Andrew MacKenzie.

—No sabe decir «tres» —contestó William.

—Es posible que al fin y al cabo se dedique a una actividad civilizada —comentó el doctor MacKanzie.

—Es exactamente lo que yo pensaba —asintió Kate—. Qué buena idea, William: puede ser médico.

—Sin ningún peligro —dijo Andrew—. Hay una multitud de médicos que no saben contar más allá de dos.

—Excepto cuando envían sus cuentas —acotó William.

Andrew rió.

—¿Otro trago, Kate?

—No, gracias, Andrew. Es hora de que volvamos a casa. Si nos quedamos más tiempo sólo quedarán Tony Simmons y William, y los dos saben contar más allá de dos de modo que tendremos que hablar de temas bancarios durante el resto de la noche.

—De acuerdo —aprobó William—. Gracias por esta hermosa velada, Andrew. Entre paréntesis, debo excusarme por la conducta de Matthew.

—¿Por qué? —inquirió el doctor MacKenzie.

—Oh, vamos, Andrew. No sólo estaba borracho, sino que ninguna de las mujeres presentes podía sentirse segura en su compañía.

—Probablemente yo haría lo mismo si estuviera en su situación —murmuró Andrew MacKenzie.

—¿Por qué dices eso? —preguntó William—. El solo hecho de que sea soltero no basta para justificar sus hábitos.

—No, claro que no. Pero procuro entenderlos y comprendo que si yo tuviera que enfrentar el mismo problema quizá también sería un poco irresponsable.

—¿De qué hablas? —inquirió Kate.

—Dios mío —exclamó el doctor MacKenzie—. ¿Es su mejor amigo y no se lo ha contado?

—¿Qué es lo que no nos ha contado? —preguntaron al unísono.

El doctor MacKenzie los escudriñó a ambos, con una expresión de incredulidad reflejada en el rostro.

—Vengan a mi estudio.

William y Kate siguieron al médico hasta una habitación

378

pequeña, cuyas paredes estaban casi totalmente cubiertas de libros de medicina entre los que sólo había intercaladas algunas fotografías de los tiempos de estudiante en Cornell, a veces sin enmarcar.

—Por favor, siéntate, Kate —dijo—. William, no me disculpo por lo que les voy a contar, pues pensaba que sabían que Matthew está gravemente enfermo, muriendo, en verdad, víctima del mal de Hodgkin. Él lo sabe desde hace más de un año.

William se dejó caer contra el respaldo de su sillón, y durante un momento no pudo articular palabra.

—¿El mal de Hodgkin?

—Una inflamación y dilatación casi siempre mortal de los nódulos linfáticos —explicó el médico con tono bastante formal.

William meneó la cabeza, incrédulo.

—¿Por qué no me lo dijo?

—Se conocen desde que iban juntos a la escuela. Supongo que es tan orgulloso que no quiere abrumar a los demás con sus problemas. Prefiere morir a su manera sin que nadie sospeche lo que le está pasando. Hace seis meses que le suplico que se lo comunique a su padre, y ciertamente al contárselo a ustedes he violado la promesa profesional que le formulé, pero no puedo permitir que sigan reprochándole algo sobre lo que no ejerce absolutamente ningún control.

—Gracias, Andrew —manifestó William—. ¿Cómo he podido ser tan ciego y estúpido?

—Tú no tienes la culpa —afirmó el doctor MacKenzie—. Jamás podrías haberlo adivinado.

—¿Está realmente desahuciado? —insistió William—. ¿No hay clínicas, ni especialistas...? No faltará dinero...

—El dinero no lo compra todo, William, y yo he consultado a los tres mejores especialistas norteamericanos y a uno suizo. Por desgracia, todos ellos concuerdan con mi diagnóstico, y la ciencia médica aún no ha descubierto una cura para la enfermedad de Hodgkin.

—¿Cuánto tiempo de vida le queda? —susurró Kate.

—En el mejor de los casos, seis meses. Más probablemente tres.

—Y pensaba que *yo* tenía problemas —comentó William. Aferró fuertemente la mano de Kate, como si fuera una cuerda de salvación—. Tenemos que irnos, Andrew. Gracias por habérmelo contado.

—Ayúdenle como puedan —dijo el médico—, pero por el amor de Dios, sean comprensivos. Déjenle que haga lo que quiera. Son los últimos meses de Matthew, no los de ustedes. Y que nunca se entere de que se lo conté.

William volvió a casa con Kate, en silencio. Apenas llegaron a la Red House, William le telefoneó a la chica con la que Matthew se había ido de la fiesta.

—¿Puedo hablar con Matthew Lester?

—No está aquí —replicó una voz un poco irritada—. Me arrastró al In and Out Club, pero cuando llegamos allí ya estaba borracho y me negué a entrar con él. —Inmediatamente colgó el auricular.

El In and Out Club. William tenía una vaga reminiscencia de que había visto el cartel colgando de una barra de hierro, pero no recordaba con exactitud dónde se hallaba el local. Lo buscó en la guía telefónica, guió su coche hasta el extremo norte de la ciudad, y por fin, después de interrogar a un transeúnte, encontró el club. William golpeó la puerta. Se corrió una mirilla.

—¿Es socio?

—No —respondió William enérgicamente, y deslizó un billete de diez dólares por la reja.

La mirilla se cerró y la puerta se abrió. William avanzó hacia el centro de la pista de baile, donde desentonaba un tanto con su terno de banquero. Los bailarines, fuertemente entrelazados, se apartaron de él, apáticos. Los ojos de William escudriñaron el recinto poblado de humo, buscando a Matthew, pero no lo vio. Luego creyó reconocer a una de las mu-

chas amantes recientes de Matthew, a la que estaba seguro de
haber visto salir una mañana, muy temprano, del apartamento
de su amigo. Estaba sentada en un rincón, con las piernas cruzadas, en compañía de un marinero. William se le acercó.

—Dispense, señorita —dijo.

Ella levantó la mirada, pero obviamente no lo reconoció.

—La señorita está conmigo, así que lárguese —espetó el marinero.

—¿Ha visto a Matthew Lester?

—¿Matthew? —repitió la chica—. ¿Qué Matthew?

—Le he dicho que se largue —insistió el marinero, poniéndose de pie.

—Una palabra más y te romperé la cara —siseó William.

El marinero había visto una sola vez en su vida tanta cólera
reflejada en las pupilas de un hombre, y eso casi le había costado un ojo. Volvió a sentarse.

—¿Dónde está Matthew?

—No conozco a ningún Matthew, cariño. —Ahora ella también estaba asustada.

—Un metro ochenta y cinco, rubio, viste como yo, y probablemente estaba borracho.

—Oh, te refieres a Martin. Aquí se hace llamar Martin, cariño, y no Matthew. —Empezó a distenderse—. Déjame pensar,
¿con quién se ha ido esta noche? —Volvió la cabeza hacia la
barra y le gritó al barman—: Terry, ¿con quién se ha ido Martin?

El barman se quitó una colilla apagada de la comisura de
los labios.

—Con Jenny —respondió, y volvió a insertar el pitillo en su
lugar.

—Eso es, Jenny —asintió la chica—. Ahora veamos, ella prefiere las sesiones breves. Nunca deja que un hombre se quede
más de media hora, de modo que no tardarán en volver.

—Gracias —dijo William.

Esperó casi una hora en la barra, sorbiendo un *scotch* con

mucha agua, y cada vez más consciente de que desentonaba en ese lugar. Finalmente, el barman, sin quitarse el pitillo de la boca, le señaló a una chica que entraba por la puerta.

—Ésa es Jenny —anunció. Matthew no estaba con ella.

El barman la llamó con un ademán. Jenny, una chica esbelta, baja, morena, nada desagradable, le hizo un guiño a William y se aproximó a él meneando las caderas.

—¿Me buscabas, cariño? Bueno, estoy disponible, pero cobro diez dólares por media hora.

—No, no te busco a ti —respondió William.

—Qué amable.

—Busco al hombre que estaba contigo. Matthew... quiero decir, Martin.

—Martin está tan borracho que no puede empinarla ni con la ayuda de una grúa, cariño, pero pagó sus diez dólares, como siempre. Es un auténtico caballero.

—¿Dónde está ahora? —preguntó William, impaciente.

—No lo sé. Se dio por vencido y emprendió el regreso a casa, caminando.

William salió corriendo a la calle. Lo azotó el aire frío, pero no lo necesitaba para despejarse. Se alejó despacio del club, al volante de su auto, siguiendo la ruta que llevaba al apartamento de Matthew, escudriñando detenidamente a todas las personas que dejaba atrás. Algunas apretaban el paso cuando veían su mirada inquisitiva, y otras trataban de entablar conversación. Al pasar frente a un café que permanecía abierto toda la noche, vio a Matthew a través del cristal empañado: zigzagueaba entre las mesas con una taza en la mano. William aparcó, entró en el café y fue a sentarse junto a él. Matthew había dejado caer la cabeza sobre su mesa, al lado de la taza intacta de café parcialmente derramado. Estaba tan borracho que ni siquiera reconoció a William.

—Soy yo, Matthew —le dijo, mirando a su amigo desquiciado. Las lágrimas empezaron a rodarle por las mejillas.

Matthew levantó la mirada y derramó otro poco de café.

—Estás llorando, amigo. ¿Te ha plantado tu chica?

—No, mi mejor amigo —respondió William.

—Ah, estos son mucho más difíciles de sustituir.

—Lo sé —asintió William.

—Yo tengo un buen amigo —dijo Matthew, arrastrando las palabras—. Siempre me respaldó hasta que hoy reñimos por primera vez. Pero la culpa fue mía. Verás, le hice una fea trastada.

—No, no se la hiciste.

—¿Cómo puedes saberlo? —exclamó Matthew, indignado—. Ni siquiera eres digno de conocerlo.

—Vamos a casa, Matthew.

—Me llamo Martin —replicó Matthew.

—Lo siento, Martin. Vamos a casa.

—No, quiero quedarme aquí. Es probable que esta chica venga más tarde. Creo que ya no estoy en condiciones.

—En casa tengo un excelente whisky añejo de malta —insistió William—. ¿Por qué no vienes conmigo?

—¿Hay mujeres en tu casa?

—Sí, muchas.

—Has ganado. Te acompañaré.

William izó a Matthew y le pasó el brazo debajo de la axila, guiándolo lentamente a través del café en dirección a la puerta. Se dio cuenta por primera vez de que Matthew era muy pesado. Cuando pasaron junto a dos policías sentados en el ángulo de la barra, William oyó que uno le decía al otro:

—Condenados maricas.

Hizo subir a Matthew en el coche y lo condujo a Beacon Hill. Kate los esperaba despierta.

—Deberías haberte ido a la cama, cariño.

—No podía dormir —contestó ella.

—Me temo que está casi incoherente.

—¿Ésta es la chica que me prometiste? —farfulló Matthew.

—Sí, ella cuidará de ti —asintió William, y él y Kate lo ayudaron a subir hasta la habitación de huéspedes y lo metieron en la cama. Kate empezó a desvestirlo.

—Tú también debes desnudarte, querida —sentenció—. Ya he pagado mis diez dólares.

—Cuando estés en la cama —contestó Kate, prontamente.

—¿Por qué tienes un aspecto tan triste, bella dama? —preguntó Matthew.

—Porque te quiero —murmuró Kate, en cuyos ojos empezaban a asomar las lágrimas.

—No llores, no hay por qué llorar —dijo Matthew—. Esta vez lo lograré, ya verás.

Cuando terminaron de desvestirlo, William lo cubrió con una sábana y una manta. Kate apagó la luz.

—Prometiste que te acostarías conmigo —protestó Matthew, adormecido.

Ella cerró la puerta con toda suavidad.

William durmió en una silla frente a la habitación de Matthew, porque temía que éste se levantara por la noche e intentara irse. Kate lo despertó por la mañana antes de llevarle el desayuno a Matthew.

—¿Qué hago aquí, Kate? —fueron las primeras palabras de Matthew.

—Anoche volviste con nosotros después de la fiesta de Andrew —respondió Kate sin mucha convicción.

—No, no es cierto. Fui al In and Out con esa chica espantosa, Patricia no-sé-cuánto, que se negó a entrar conmigo. Dios, qué mal me siento. ¿Puedes traerme un zumo de tomate? No quiero ser poco sociable, pero lo que menos necesito es un desayuno.

—Por supuesto, Matthew.

Entró William. Matthew levantó la vista hacia él y se miraron en silencio.

—¿Lo sabes, verdad? —preguntó al fin Matthew.

—Sí —replicó William—. He sido un necio y espero que tú me disculpes.

384

—No llores, William. La última vez que te vi llorar fue cuando teníamos doce años. Entonces Covington te estaba machacando a golpes y yo tuve que apartarlo de ti. ¿Recuerdas? Me pregunto qué estará haciendo Covington ahora. Probablemente es propietario de un burdel en Tijuana. Creo que era lo único para lo que servía. Aunque si Covington está al frente debe de funcionar muy bien, así que llévame allí. No llores, William. Los hombres adultos no lloran. No tiene arreglo. He visto a todos los especialistas que hay desde Nueva York hasta Zurich, pasando por Los Angeles, y no pueden hacer nada por mí. ¿Te molestará que hoy no vaya al despacho? Todavía me siento espantosamente mal. Si me quedo demasiado tiempo o si vuelvo a fastidiarlos despiértame, y me las apañaré para regresar a casa.

—Ésta es tu casa —afirmó William.

El rostro de Matthew se demudó.

—¿Se lo dirás a mi padre, William? No puedo enfrentarlo. Tú también eres hijo único, así que entiendes el problema.

—Sí, se lo diré —manifestó William—. Si prometes que te quedarás con Kate y conmigo, mañana iré a Nueva York y le contaré todo. No me opondré a que te emborraches si eso es lo que deseas hacer, ni a que te acuestes con cuantas mujeres quieras, pero deberás quedarte aquí.

—Es la mejor propuesta que me han hecho en muchas semanas, William. Creo que ahora seguiré durmiendo. Últimamente me canso mucho.

William vio cómo Matthew se quedaba profundamente dormido y le desprendió de la mano el vaso semivacío. Sobre las sábanas se estaba formando una mancha de zumo de tomate.

—No te mueras —susurró—. Por favor, no te mueras, Matthew. ¿Has olvidado que tú y yo tenemos que administrar el banco más grande de los Estados Unidos?

William viajó a la mañana siguiente a Nueva York para entrevistarse con Charles Lester. Éste envejeció visiblemente después de haber oído a William y pareció encogerse en su asiento.

—Te agradezco que hayas venido y que me lo hayas contado personalmente, William. Cuando Matthew dejó de visitarme todos los meses sospeché que algo malo pasaba. Iré todos los fines de semana a Boston. Él querrá estar contigo y con Kate, y yo procuraré ocultar el efecto demoledor de la noticia. Dios sabrá qué ha hecho para merecer esto. Desde que falleció mi esposa, lo construí todo para Matthew, y no tengo a quién dejárselo. A Susan no le interesa el banco.

—Venga a Boston cuando quiera, señor. Siempre será muy bienvenido.

—Te agradezco todo lo que haces por mi hijo, William. —El anciano alzó la vista hacia él—. Ojalá tu padre estuviera vivo para con.probar hasta qué punto su hijo es digno del apellido Kane. Si por lo menos pudiera trocar mi lugar por el de Matthew, para salvarle la vida...

—Debo reunirme enseguida con él, señor.

—Sí, por supuesto. Cuéntale que acepté la noticia estoicamente. No le digas nada más.

—Sí, señor.

William regresó esa noche a Boston y comprobó que Matthew se había quedado en casa con Kate y que había empezado a leer el último *best seller* de los Estados Unidos, *Gone with the Wind*, sentado en la galería exterior. Cuando William salió por la puerta de dos hojas, Matthew levantó la mirada.

—¿Cómo reaccionó el viejo?

—Lloró —respondió William.

—¿El presidente del banco Lester ha llorado? —exclamó Matthew—. Que no se enteren los accionistas.

Matthew dejó de beber y trabajó tanto como pudo hasta los últimos días. William se admiraba por su tenacidad y debía frenarlo continuamente.

Siempre estaba al día y para provocar a William verificaba su correspondencia al concluir cada jornada. Por la noche, antes de ingerir una cena opípara, jugaba al tenis con William o le disputaba una carrera en bote por el río.

—Cuando no pueda vencerte sabré que estoy muerto —decía en tono burlón.

Matthew nunca se internó en el hospital y prefirió permanecer en la Red House. Las semanas transcurrían muy despacio, y al mismo tiempo muy deprisa, para William, que se despertaba todas las mañana preguntándose si Matthew aún estaría vivo.

Matthew murió un jueves, cuando todavía le faltaban por leer cuarenta páginas de *Gone whit the Wind*.

El funeral se celebró en Nueva York, y William y Kate se quedaron a hacerle compañía a Charles Lester. En seis meses éste se había convertido en un anciano, y frente a las tumbas de su esposa y su hijo único le confesó a William que ya no creía que su vida tuviera ningún objetivo. William no respondió: nada de lo que él dijese podría ayudar a ese padre afligido. William y Kate regresaron a Boston al día siguiente. La Red House parecía extrañamente vacía sin Matthew. Los últimos meses habían constituido uno de los períodos más felices y desdichados de la vida de William. La muerte había sido más eficaz que la vida para aproximarlo a Matthew y a Kate.

Cuando William volvió al banco después del fallecimiento de Matthew, le resultó difícil reanudar la rutina normal. Se levantaba y se disponía a encaminarse hacia el despacho de Matthew para pedirle consejo o para bromear, o sólo para asegurarse de su existencia, pero él ya no estaba allí. Pasaron semanas antes de que William pudiera quitarse este hábito.

Tony Simmons se mostró muy comprensivo, pero infructuosamente. William perdió todo interés por la actividad bancaria, e incluso por el Kane and Cabot, a medida que vivía meses de remordimiento por la muerte de Matthew. Siempre había dado por supuesto que él y Matthew envejecerían juntos y compartirían un destino común. Nadie comentó que el trabajo de William no estaba a la altura de su habitual nivel sobresaliente. Incluso Kate se sentía preocupada por las horas que William pasaba solo.

Hasta que una mañana, al despertarse, ella lo encontró sentado en el borde de la cama, observándola. Ella también lo miró, parpadeando.

—¿Pasa algo malo, cariño?

—No. Simplemente estoy contemplando mi capital más importante y me aseguro de que no lo descuido.

22

A FINES DE 1932, cuando los Estados Unidos aún estaban a merced de la depresión, Abel empezó a alimentar algunos temores por el futuro de la Cadena Baron. Dos mil bancos habían sucumbido durante los últimos dos años, y otros cerraban sus puertas todas las semanas. Nueve millones de personas seguían paradas, y la única ventaja que esto le reportaba a Abel consistía en la certeza de que podría seguir consiguiendo para sus hoteles profesionales de alto nivel. Igualmente, la Cadena Baron perdió setenta y dos mil dólares durante un año en que él había pronosticado que los ingresos y los gastos estarían equilibrados, y comenzó a preguntarse si el bolsillo y la paciencia de su benefactor le darían tiempo para corregir la situación.

Durante la exitosa campaña de Anton Cermak encaminada a conquistar la alcaldía de Chicago, Abel había empezado a interesarse activamente por la política norteamericana. Cermak lo indujo a afiliarse al Partido Demócrata, que había iniciado una virulenta ofensiva contra la Ley Seca. Abel apoyó vehementemente a Cermak, porque la Ley Seca había perjudicado mucho a la industria hotelera. El hecho de que Cermak también fuera inmigrante, de origen checoslovaco, creó un vínculo inmediato entre los dos hombres, y a Abel lo alegró que lo eligieran delegado a la convención demócrata que se celebró ese año en Chicago, donde Cermak electrizó a la numerosa concurrencia cuando dijo: «Es cierto que yo no estuve en el *Mayflower*, pero vine apenas pude».

En la convención, Cermak le presentó a Franklin D. Roosevelt, que causó en Abel una impresión perdurable. F. D. R. ganó la elección fácilmente y los candidatos demócratas, montados en la cresta de la misma ola, triunfaron arrolladoramente en todo el país. Uno de los flamantes concejales de Chicago fue Henry Osborne. Cuando una bala asesina destinada a F. D. R. mató pocas semanas después a Anton Cermak, en Miami, Abel resolvió aportar una cantidad considerable de tiempo y dinero a la causa de los polacos demócratas de Chicago.

En 1933, la cadena perdió sólo veintitrés mil dólares, y uno de los hoteles, el Baron de St. Louis, incluso dio beneficios. Cuando el presidente Roosevelt terminó de desarrollar su primera charla junto al hogar, el 12 de marzo, en la que exhortó a sus compatriotas «a creer nuevamente en los Estados Unidos», la confianza de Abel se remontó a las nubes y decidió volver a abrir los dos hoteles que había cerrado el año anterior.

Zaphia refunfuñó contra sus largas estancias en Charleston y Mobile, adonde había ido a sacar de hibernación los dos hoteles. Ella nunca había deseado que su marido fuera algo más que subgerente del Stevens, pues no se sentía en condiciones de seguir ese ritmo. Ahora el ritmo se aceleraba a medida que transcurrían los meses, y Zaphia tenía conciencia de que se estaba quedando a la zaga de las ambiciones de Abel y temía que éste hubiera empezado a perder interés en ella.

También la angustiaba su falta de descendencia, aunque los médicos que consultó le aseguraron que no era estéril. Uno le sugirió que convenía examinar igualmente a Abel, pero Zaphia vaciló, convencida de que él interpretaría la sola mención de esa eventualidad como un agravio a su condición viril. Finalmente, cuando el tema ya se había tornado tan escabroso que incluso les resultaba difícil abordarlo, Zaphia no tuvo una menstruación. Dejó pasar otro mes, expectante, antes de comunicárselo a Abel y de volver a la consulta del médico. Éste confirmó que por fin estaba embarazada. Para mayor deleite de Abel, Zaphia dio a luz una niña el día de Año Nuevo de 1934. La bautizaron con el nombre de Florentyna, en homenaje a la hermana de Abel. Éste se sintió embelesado desde el momento en que posó los ojos sobre la criatura, y Zaphia comprendió inmediatamente que ya no podría seguir siendo el primer amor de su vida. George y el primo de Zaphia fueron los *Kums* de la niña, y en la noche del bautismo Abel organizó una cena polaca tradicional compuesta de diez platos. Florentyna recibió muchos regalos entre los que se contaba un hermoso anillo antiguo del socio capitalista de Abel. Éste devolvió el obsequio en especies cuando el balance anual de la Cadena Baron dio un superávit de sesenta y tres mil dólares. Sólo el Baron de Mobile seguía perdiendo dinero.

Después del nacimiento de Florentyna, Abel descubrió que pasaba mucho más tiempo en Chicago, lo que le hizo decidir que había llegado la hora de edificar un Baron allí. Los hoteles de la ciudad estaban en su apogeo después de la Feria Mundial. Abel tenía el propósito de convertir a su nuevo hotel en el abanderado de la cadena, en homenaje a Davis Leroy. La empresa conservaba la propiedad del solar del antiguo Richmond Hotel, en la Michigan Avenue, y aunque Abel había recibido varias ofertas de compra siempre las había rechazado, con la esperanza de consolidar un día su posición económica hasta el punto de poder reconstruir el hotel. El proyecto exigía capital y Abel resolvió invertir en la construcción los setecientos cincuenta mil dólares que la Great Western Casualty le había pagado finalmente por el seguro del viejo Richmond de Chicago. Apenas estuvieron listos los planos le comunicó su intención a Curtis Fenton, con la única salvedad de que si David Maxton no quería que el Stevens tuviera un competidor él renunciaría al proyecto. Eso era lo menos que podía hacer en semejantes circunstancias. Pocos días más tarde, Curtis Fenton le informó que su socio capitalista se sentía muy contento ante la idea de que se levantara el Baron de Chicago.

Abel tardó doce meses en edificar el nuevo Baron con la perseverante ayuda del concejal Henry Osborne, quien gestionó en el menor lapso posible los permisos que exigía el Ayuntamiento.

El edificio fue inaugurado en 1936 por el alcalde de la ciudad, Edward J. Kelly, quien se había convertido en el principal controlador de la maquinaria demócrata después de la muerte de Anton Cermak. En memoria a Davis Leroy el hotel no tenía duodécimo piso... tradición que Abel perpetuó en todos los nuevos hoteles Baron.

Ambos senadores por Illinois también estuvieron presentes para arengar a los dos mil invitados. El Baron de Chicago era formidable tanto por su diseño como por su construcción. Abel había terminado por invertir bastante más de un millón de dólares en el hotel, y por lo que parecía, hasta el último céntimo había sido bien aprovechado. Los recintos públicos eran amplios y suntuosos, con altos cielos rasos estucados y decorados con pintura al pastel de color verde, atractivos y relajantes. Las alfombras eran muy mullidas. La «B» verde oscura, estampada en relieve, era discreta pero ubicua, y adornaba todo, desde la bandera que flameaba en lo alto del edifi-

391

cio de cuarenta y dos pisos hasta la pulcra solapa del más novato de los botones.

—Este hotel ya ostenta el sello del éxito —sentenció J. Hamilton Lewis, el decano de los senadores de Illinois—, porque, amigos míos, es al hombre, y no al edificio, al que siempre se lo conocerá por el nombre de «El Barón de Chicago».

Abel sonrió, sin ocultar su gozo, cuando los dos mil invitados prorrumpieron en un clamor de aprobación.

El discurso de agradecimiento de Abel estuvo bien elaborado, fue pronunciado con confianza, y lo hizo acreedor a una ovación en pie. Empezaba a sentirse muy cómodo entre los grandes hombres de negocios y los políticos veteranos. Zaphia vaciló, insegura, entre bambalinas, durante el deslumbrante festejo: eso era demasiado para ella. No entendía el éxito en la escala de Abel, ni tampoco le interesaba, y aunque ahora podía darse el lujo de comprar el vestuario más caro, seguía estando fuera de moda y de lugar, lo cual, desde luego, contrariaba a Abel. Mientras él conversaba con Henry Osborne, ella se mantuvo apartada.

—Éste debe de ser el punto culminante de tu vida —comentó Henry, palmeándole la espalda.

—El punto culminante... acabo de cumplir treinta años —respondió Abel. Una cámara centelleó en el momento en que pasaba el brazo sobre el hombro de Henry. Abel sonrió, y comprendió por primera vez que era muy agradable recibir el trato reservado para los hombres públicos—. Impondré los hoteles Baron en todo el mundo —afirmó, en voz suficientemente alta como para llegar a los oídos del reportero—. Me propongo ser, para los Estados Unidos, lo que César Ritz fue para Europa. Aférrate a mí, Henry, y disfrutarás de la gira.

23

A LA MAÑANA SIGUIENTE, a la hora del desayuno, Kate señaló un pequeño suelto de la página diecisiete del *Globe,* que anunciaba la inauguración del Baron de Chicago.

William sonrió al leerlo. El Kane and Cabot se había equivocado al no hacerle caso cuando él había aconsejado que apoyaran a la Cadena Richmond. Le alegró comprobar que su juicio personal sobre Rosnovski había sido correcto, aunque el banco hubiera perdido en la operación. Su sonrisa se ensanchó cuando leyó el apodo «El Barón de Chicago». Y de pronto, lo acometió la náusea. Examinó con más detenimiento la fotografía que acompañaba el suelto, pero no había ninguna posibilidad de error. El epígrafe confirmó su primera impresión: «Abel Rosnovski, presidente de la Cadena Baron, conversa con Mieczyslaw Szymczac, gobernador de la Junta Federal de Reserva, y con el concejal Henry Osborne».

William dejó caer el periódico sobre la mesa del desayuno y reflexionó brevemente. Apenas llegó a su despacho, le telefoneó a Thomas Cohen, de Cohen, Cohen y Yablons.

—Ha pasado mucho tiempo, señor Kane —fueron las primeras palabras de Tomas Cohen—. Me apenó mucho la noticia del fallecimiento de su amigo, Matthew Lester. ¿Cómo se encuentran su esposa y su hijo... Richard... así se llama, verdad?

William siempre admiraba la capacidad de Thomas Cohen para recordar instantáneamente los nombres y lazos de parentesco.

—Sí, así se llama. Los dos se encuentran bien, señor Cohen. Gracias.

—Bueno, ¿qué puedo hacer ahora por usted, señor Kane?

393

—Thomas Cohen también sabía que William no soportaba más de una frase trivial en la conversacion.

—Deseo contratar, a través de usted, los servicios de un investigador de confianza. No quiero que mi nombre se asocie con esta averiguación, pero necesito otro informe sobre Henry Osborne. Todo lo que hizo desde que se fue de Boston, y sobre todo si existe algún nexo entre él y Abel Rosnovski de la Cadena Baron.

Se produjo una pausa antes de que el abogado contestara:

—Sí.

—¿Podrá entregarme el informe dentro de una semana?

—Dos, por favor, señor Kane. Dos —respondió el señor Cohen.

—Un informe completo sobre mi escritorio del banco dentro de dos semanas, señor Cohen.

—Dentro de dos semanas, señor Kane.

Thomas Cohen fue tan eficaz como siempre, y en la mañana del decimoquinto día la carpeta descansaba sobre el escritorio de William. Éste leyó atentamente el contenido. A primera vista, no existían vínculos formales de negocios entre Abel Rosnovski y Henry Osborne. Al parecer Rosnovski consideraba a Osborne un intermediario político útil, pero nada más. En cuanto a Osborne, había saltado de un empleo a otro desde su partida de Boston, para terminar en la oficina central de la Great Western Casualty Insurance Company. Muy probablemente a esa circunstancia se debía el que hubiera llegado a conocer a Abel Rosnovski, porque el viejo Richmond de Chicago siempre había estado asegurado en la Great Western. Al incendiarse el hotel, la compañía se había negado inicialmente a pagar el seguro. Un tal Desmond Pacey, el gerente, había sido sentenciado a diez años de cárcel, después de que se confesara autor del incendio intencionado, y habían flotado sospechas de que tal vez el mismo Abel Rosnovski había estado implicado. Nadie consiguió probar nada, y la compañía de seguros acordó pagar más tarde tres cuartos de millón de dólares. Osborne, agregaba el informe, era ahora concejal y se consagraba por entero a la política municipal y todos sabían que alimentaba la ambición de convertirse en diputado por Chicago. Se había casado recientemente con la señorita Marie Axton, hija de un rico fabricante de medicamentos, y aún no tenían hijos.

William releyó el informe para asegurarse de que no se le había escapado nada, por intrascendente que fuera. Aunque no parecían existir muchos elementos que vincularan a los dos hombres, no pudo dejar de intuir que la asociación entre Abel Rosnovski y Henry Osborne, que lo aborrecían por igual, aunque por razones totalmente distintas, encerraba peligros potenciales. Le envió un cheque a Thomas Cohen y le pidió que actualizara trimestralmente el informe, pero cuando pasaron los meses, y las reseñas trimestrales no aportaron nada nuevo, empezó a desechar sus preocupaciones, pensando que tal vez su reacción había sido excesiva al ver la fotografía del *Boston Globe*.

En la primavera de 1937, Kate le dio a su marido una hija, que bautizaron con el nombre de Virginia. William empezó a cambiar nuevamente los pañales, y estaba tan fascinado con «la damisela» que Kate debía rescatar todas las noches a la pequeña por miedo a que no la dejaran dormir. Al principio, la flamante hermanita no entusiasmó mucho a Richard, que ya tenía dos años y medio, pero el tiempo y un nuevo soldado de madera montado sobre un caballo colaboraron para disipar sus celos.

Al finalizar el año, el departamento de William le había producido grandes beneficios al Kane and Cabot. William había salido del letargo que se había apoderado de él después de la muerte de Matthew, y estaba recuperando rápidamente su fama de inversor astuto en el mercado de valores, sobre todo desde que el célebre especulador Smith confesara que se había limitado a perfeccionar una técnica ideada por William Kane de Boston. Incluso la autoridad de Tony Simmons se había tornado menos fastidiosa. Sin embargo, a William lo preocupaba secretamente la perspectiva de no poder ocupar la presidencia del Kane and Cabot hasta que Simmons se retirara diecisiete años más tarde, y empezó a estudiar la posibilidad de buscar empleo en otro banco.

William y Kate se habían acostumbrado a visitar a Charles Lester en Nueva York aproximadamente una vez por mes, aprovechando los fines de semana. Lester había envejecido mucho en los tres años transcurridos desde la muerte de Matthew, y en los círculos financieros corrían rumores de que había perdido todo interés por su trabajo y de que casi nunca se lo veía en el banco. William había empezado a preguntarse cuánto tiempo más viviría el anciano, y entonces, pocas semanas después, falleció. William se trasladó a Nueva York para asistir al funeral. Todos parecían estar allí, incluido el vicepresidente de los Estados Unidos, John Nance Garner. Después de la ceremonia, William y Kate tomaron el tren de regreso a Boston, conscientes, en medio de su aturdimiento, de que había desaparecido su último nexo con la familia Lester.

Aproximadamente seis meses más tarde William recibió una esquela de Sullivan y Cromwell, el célebre bufete de Nueva York, en la cual le solicitaban que tuviera la gentileza de asistir, en sus oficinas de Wall Street, a la lectura del testamento del difunto Charles Lester. William concurrió a la cita, más por lealtad a la familia Lester que por interés en saber qué le había legado Charles Lester. Esperaba recibir alguna reliquia que le traería recuerdos de Matthew y que iría a reunirse con el «Remo de Hàrward» que aún colgaba en la pared de la habitación de huéspedes de la Red House. También anhelaba reencontrarse con muchos miembros de la familia Lester que había conocido al pasar sus vacaciones en compañía de Matthew, mientras concurría a la escuela y a la Universidad.

William viajó a Nueva York la noche anterior, en su Daimler recién comprado, y se alojó en el Harvard Club. La lectura del testamento se efectuaría a las diez de la mañana siguiente, y cuando William llegó a las oficinas de Sullivan y Cromwell le sorprendió descubrir que ya estaban presentes más de cincuenta personas. Muchas levantaron la vista hacia William cuando éste entró en el despacho, y él a su vez saludó a varios primos y tías de Matthew, que parecían bastante más viejos que cuando los había visto por última vez. Sus ojos buscaron a Susan, la hermana de Matthew, pero no la encontraron. El señor Arthur Cromwell entró en la habitación a las diez en punto, acompañado por un asistente que llevaba consigo una carpeta de cuero marrón. Todos callaron, en un clima de esperanzada expectación. El abogado empezó por explicar a los presuntos beneficiarios allí congregados que, siguiendo instrucciones expresas del señor Charles Lester, el contenido del testamento no se había hecho público hasta seis meses después de su muerte. Como no tenía un hijo varón a quien legarle su fortuna, había querido que antes de que se divulgara su última voluntad, se aplacara el revuelo que hubiera producido su fallecimiento.

William observó los rostros atentos que estaban pendientes de cada sílaba que brotaba de la boca del abogado. La lectura del testamento duró casi una hora. Después de enumerar los habituales legados a la servidumbre de la familia, a obras de caridad y a la Universidad de Harvard, Cromwell reveló que Charles Lester había dividido su fortuna personal entre todos sus parientes, asignándoles partes más o menos proporcionales a su grado de parentesco. Su hija, Susan, recibía la mayor parte de los bienes, en tanto que el resto se repartía equitativamente entre los cinco sobrinos y las tres sobrinas.

Todo ese dinero y acciones quedarían depositados en un fideicomiso, en el banco, hasta que los beneficiarios cumplieran treinta años. Varios otros primos, tías y parientes lejanos recibieron pagos inmediatos en efectivo.

William quedó sorprendido cuando el señor Cromwell anunció:

—Así termina la adjudicación de todos los bienes conocidos del difunto Charles Lester.

Los presentes empezaron a removerse en sus asientos y se elevó un murmullo de conversaciones nerviosas. Nadie quería confesar que la infortunada muerte lo había hecho afortunado.

—Sin embargo, aquí no concluye la última voluntad y testamento del señor Charles Lester —prosiguió el imperturbable abogado, y todos volvieron a inmovilizarse, temiendo una catástrofe postrera e importuna—. Repetiré textualmente las palabras del señor Charles Lester: «Siempre he considerado que un banco y su reputación valen tanto como las personas que lo sirven. Todos saben que yo alimentaba la esperanza de que mi hijo Matthew me sucediera en la presidencia del Lester, pero su muerte trágica y prematura frustró este propósito. Hasta ahora, nunca divulgué el nombre de la persona que elegí para que me suceda en el Lester. Por tanto, deseo hacer conocer mi deseo de que después de la próxima junta plenaria se designe presidente del Lester's Bank and Trust Company a William Lowell Kane, hijo de uno de mis más queridos amigos, el difunto Richard Lowell Kane, y actual vicepresidente del Kane and Cabot».

Se produjo una conmoción inmediata. Todos miraron en torno buscando al misterioso William Lowell Kane, de quien pocos habían oído hablar, exceptuando a los parientes más próximos del difunto Charles Lester.

—Aún no he terminado —añadió Arthur Cromwell con tono circunspecto.

Volvió a hacerse el silencio mientras los presentes, que preveían otra bomba, intercambiaban miradas temerosas.

—Todos los legados y repartos de acciones de Lester's and Company a los que se hace referencia más arriba —leyó Arthur Cromwell—, están expresamente asociados a la condición de que los beneficiarios voten por el señor Kane en la próxima junta anual del consejo de administración y continúen haciéndolo durante por lo menos los cinco años próximos, a menos que el señor Kane manifieste que no desea aceptar la presidencia.

Se repitió el clamor. William habría querido estar a un millón de kilómetros de allí, y fluctuaba entre la alegría delirante y la certidumbre de que debía ser la persona más odiada dentro de esa habitación.

—Así concluye la última voluntad y testamento del difunto Charles Lester —proclamó el señor Cromwell, pero los únicos que lo oyeron fueron quienes estaban en la primera fila.

William levantó la vista. Susan Lester avanzaba hacia él. Su adiposidad de cachorrillo había desaparecido, en tanto que conservaba las atractivas pecas. Él sonrió, pero Susan pasó de largo sin siquiera darse por enterada de su presencia. William frunció el entrecejo.

Un hombre alto, de cabello gris, que vestía un traje de rayas finas y una corbata plateada, se encaminó rápidamente hacia William sin hacer caso del bullicio.

—Usted es William Kane, ¿verdad, señor?

—Sí —respondió William, con tono nervioso.

—Yo soy Peter Parfitt —se presentó el extraño.

—El vicepresidente del banco —dijo William.

—Precisamente, señor —asintió Parfitt—. No lo conozco a usted, pero sí sé algo acerca de su reputación, y me considero afortunado de haber tenido tratos con su padre. Si Charles Lester pensaba que usted era el hombre indicado para ocupar la presidencia del banco, yo no tengo nada que objetar.

William nunca se había sentido tan aliviado.

—¿Dónde se aloja en Nueva York? —continuó Peter Parfitt, antes de que William pudiera responder.

—En el Harvard Club.

—Estupendo. ¿Por casualidad tiene la noche libre para cenar conmigo?

—Me proponía regresar esta tarde a Boston —explicó William—, pero supongo que ahora deberé quedarme unos días en Nueva York.

—Excelente. ¿Por qué no viene a cenar a casa, digamos alrededor de las ocho de la noche?

El banquero le entregó a William su tarjeta, con una dirección grabada.

—Será un placer conversar con usted en un ambiente más acogedor.

—Gracias, señor —respondió William, y se guardó la tarjeta en el bolsillo mientras otros de los presentes empezaban a congregarse alrededor de él. Algunos lo miraban con hostilidad; otros esperaban para felicitarlo.

Cuando por fin William consiguió escabullirse y volver al Harvard Club, lo primero que hizo fue telefonear a Kate y comunicarle la noticia.

—Cuánto se habría alegrado Matthew por ti —murmuró ella en voz muy baja.

—Lo sé —respondió William.

—¿Cuándo volverás a casa?

—Sólo Dios lo sabe. Esta noche cenaré con un tal Peter Parfitt, que es vicepresidente del Lester. Parece con una actitud muy servicial, y esto me facilita mucho las cosas. Pasaré la noche aquí, en el club, y te llamaré mañana, cuando pueda, para contarte cómo marcha todo.

—Está bien, cariño.

—¿Todo tranquilo en la costa oriental?

—Bueno, a Virginia le ha salido un diente y parece creer que merece atenciones especiales. A Richard lo he mandado más temprano a la cama porque le faltó el respeto a su institutriz. Y todos te extrañamos.

—Te telefonearé mañana —dijo William, contento.

—Sí, por favor no dejes de hacerlo. Entre paréntesis, muchas felicitaciones. Apruebo el juicio de Charles Lester aunque detestaré vivir en Nueva York.

William llegó a la casa de Peter Parfitt, en East Sixty-Fourth Street, a las ocho de la noche, y lo tomó por sorpresa el hecho de que su anfitrión se hubiera vestido de gala. Él se sintió ligeramente embarazado e incómodo con su traje oscuro de banquero. Le explicó rápidamente a su anfitriona que en principio había planeado regresar a Boston esa tarde. Diana Parfitt, que resultó ser la segunda esposa de Peter, no podría haberse mostrado más cautivante con su huésped, y pareció encantada con la noticia de que William sería el próximo presidente del Lester. Durante la opípara cena, William no pudo resistir la tentación de preguntarle a Peter Parfitt cómo creía que reaccionaría el resto del consejo ante los deseos de Charles Lester.

—Todos lo acatarán —respondió Parfitt—. Ya he hablado con la mayoría de los directores. El lunes por la mañana se celebrará una reunión plenaria para confirmar su designación, y sólo veo una pequeña nube en el horizonte.

—¿Cuál? —preguntó William, tratando de no parecer ansioso.

—Bueno, confidencialmente, el otro vicepresidente, Ted Leach, se había hecho ilusiones de ocupar la presidencia. Más aún, pienso que incluso podría decir que ya estaba preparado para ocuparla. Nos habían informado a todos que no podríamos presentar candidaturas antes de la lectura del testamento, pero la decisión de Charles Lester debió de ser un golpe para Ted.

—¿Opondrá resistencia?

—Temo que sí, pero no se preocupe por eso.

—Debo confesar que nunca fue mi favorito —intervino Diana Parfitt, mientras estudiaba el *soufflé* que tenía frente a ella.

—Por favor, cariño —le reprochó Parfitt—, no debemos hablar a espaldas de Ted antes de que el señor Kane haya tenido oportunidad de juzgar por sí mismo. Estoy seguro de que se confirmará la designación del señor Kane en la reunión del lunes, e incluso existe la posibilidad de que Ted Leach renuncie a su cargo.

—No quiero que se sienta obligado a renunciar por mí —manifestó William.

—La suya es una actitud muy encomiable —comentó Parfitt—. Pero no se inquiete por una fruslería. Confío en que todo esté bajo control. Mañana vuelva tranquilamente a Boston y yo le tendré al tanto de la situación.

—Quizá convenga que vaya al banco por la mañana. ¿A sus compañeros de junta no les llamará un poco la atención que no trate de comunicarme con ninguno de ellos?

—No, no creo que eso sea aconsejable, dadas las circunstancias. En realidad, pienso que lo mejor será que los deje en paz hasta después de la junta del lunes. No querrán parecer menos independientes de lo necesario, e incluso es posible que ya tengan la sensación de ser títeres de alta posición. Siga mi consejo, Bill. Regrese a Boston y yo le comunicaré por teléfono la buena noticia antes del mediodía del lunes.

William aceptó a regañadientes la sugerencia de Peter Parfitt, y pasó el resto de la agradable velada discutiendo con ambos dónde podrían alojarse él y Kate en Nueva York, hasta que tuvieran una residencia estable. A William le sorprendió un poco que Peter Parfitt no manifestara deseos de enunciar sus propias ideas sobre la actividad bancaria, y supuso que ello se debía a la presencia de Diana Parfitt. La excelente cena se completó con un ligero exceso de coñac, y William no estuvo de vuelta en el Harvard Club hasta después de la una.

Una vez de regreso en Boston, le informó inmediatamente a Tony Simmons lo que había ocurrido en Nueva York, pues no quería que éste se enterara por vía indirecta. Tony reaccionó con asombrosa vehemencia.

—Lamento mucho que nos dejes, William. Es muy posible que el Lester tenga dos o tres veces más envergadura que el

Kane and Cabot, pero no podré reemplazarte y espero que reflexiones muy bien antes de aceptar la designación.

William se sorprendió y no pudo disimularlo.

—Sinceramente, Tony, pensé que te alegraría verme partir.

—William, ¿cuándo te convencerás de que siempre le he dado prioridad al banco, y de que nunca he dudado de que eres uno de los más perspicaces asesores de inversiones que hay actualmente en los Estados Unidos? Si te vas ahora del Kane and Cabot, muchos de los clientes más importantes querrán seguirte.

—Nunca transferiré mi capital al Lester —afirmó William—, y tampoco pretenderé que ninguno de los clientes del banco me acompañe.

—Claro que no los invitarás a irse contigo, William, pero algunos querrán que continúes administrando sus carteras de inversiones. Como tu padre y Charles Lester, opinan con mucha razón que lo que vale en los bancos son las personas y las reputaciones.

William y Kate pasaron un fin de semana tenso aguardando el lunes y el resultado de la reunión que se celebraría en Nueva York. William pasó toda la mañana del lunes en su despacho, nervioso, atendiendo personalmente cada llamada telefónica, pero la tarde siguió a la mañana sin que hubiera novedades. Ni siquiera abandonó el despacho para ir a comer, y Peter Parfitt le telefoneó finalmente poco después de las seis.

—Temo que ha surgido un contratiempo inesperado, Bill —fueron sus primeras palabras.

William sintió que le daba un vuelco el corazón.

—No se trata de nada importante, porque aún controlo la situación, pero el consejo de administración reclama el derecho a oponer otra candidatura a la suya. Algunos miembros han llegado al extremo de afirmar, con argumentos legales, que el codicilo pertinente del testamento carece realmente de validez. Me han encargado la ingrata misión de preguntarle si está dispuesto a enfrentarse con el candidato del consejo, en una elección.

—¿Quién sería ese candidato? —inquirió William.

—Aún no han mencionado nombres, pero supongo que optarán por Ted Leach. Nadie más ha demostrado interés en competir con usted.

—Necesito un poco de tiempo para reflexionar —contestó William—. ¿Cuándo volverá a reunirse el consejo?

—Exactamente dentro de una semana —dijo Parfitt—. Pero no se deje ofuscar por Ted Leach. Todavía confío en que usted triunfará fácilmente, y a lo largo de la semana le iré comunicando las novedades.

—¿Quiere que vaya a Nueva York, Peter?

—No, por ahora no. No creo que su presencia aquí sea útil.

William le dio las gracias y colgó el auricular. Metió sus papeles en la vieja cartera de cuero y salió del despacho, bastante deprimido. Tony Simmons, que llevaba consigo una maleta, lo alcanzó en el aparcamiento privado.

—No sabía que planeabas viajar, Tony.

—Sólo se trata del banquete mensual de los banqueros, en Nueva York. Regresaré mañana por la tarde. Creo que puedo dejar tranquilo el Kane and Cabot durante veinticuatro horas en las manos competentes del próximo presidente del Lester.

William rió.

—Tal vez ya sea el ex presidente —exclamó, y lo puso al corriente de los últimos acontecimientos. Nuevamente lo sorprendió la reacción de Tony Simmons.

—Es cierto que siempre se preveía que Ted Leach sería el nuevo presidente del Lester —murmuró—. Esto era público y notorio. Pero Leach es un leal servidor del banco, y no puedo creer que se oponga a la voluntad expresa de Charles Lester.

—Ni siquiera se me ocurrió pensar que lo conocías —comentó William.

—No lo conozco muy bien —respondió Tony—. Me aventaja un año en Yale, y ahora lo veo de vez en cuando en estas

404

malditas comilonas de banqueros a las que deberás asistir cuando seas presidente. Seguramente estará allí esta noche. Si quieres, cambiaré unas palabras con él.

—Sí, por favor, pero con mucha cautela, ¿eh?

—Querido William, has pasado casi diez años de tu vida reprochándome mi exceso de cautela.

—Lo siento, Tony. Es curioso que el propio sentido común se malogre tanto cuando uno se ocupa de sus problemas personales, aunque ese mismo sentido común funcione a las mil maravillas cuando uno aborda los problemas ajenos. Me pongo en tus manos y haré lo que me aconsejes.

—Estupendo. Entonces déjalo de mi cuenta. Veré qué es lo que Leach alega en su defensa y mañana te telefonearé a primera hora.

Tony lo llamó desde Nueva York pocos minutos después de medianoche y lo arrancó de un sueño profundo.

—¿Te he despertado, William?

—Sí, ¿quién es?

—Tony Simmons.

William encendió la lámpara de la mesa de noche y consultó el reloj. Las doce y diez.

—Bueno, prometiste que me llamarías a primera hora de la mañana.

Tony rió.

—Temo que lo que voy a decirte no te parecerá tan gracioso. El otro candidato a la presidencia del banco Lester es Peter Parfitt.

—¿*Cómo?* —exclamó William, súbitamente despejado.

—Está trabajando a tus espaldas para asegurarse el apoyo del consejo de administración.

—Tal como preveía, Ted Leach es partidario de que te elijan a ti, pero ahora el consejo está dividido en dos mitades iguales.

—Demonios. En primer término, gracias, Tony. Y en segundo término, ¿qué debo hacer ahora?

—Si quieres ser próximo presidente del Lester, lo mejor será que te presentes allí en seguida, antes de que todos empiecen a preguntarse por qué te escondes en Boston.

—¿Esconderme?

—Eso es lo que Parfitt les ha estado diciendo a los directores durante los últimos días.

—Hijo de puta.

—Ahora que mencionas el tema, no puedo garantizarte la legitimidad de su ascendencia —bromeó Tony.

William soltó una carcajada.

—Ven y alójate en el Yale Club. Entonces podremos hablar de todo esto por la mañana temprano.

—Llegaré tan pronto como pueda —prometió William.

—Es posible que esté durmiendo cuando llegues. Entonces serás tú el que me despertarás.

William colgó el auricular y miró a Kate, dichosamente ajena a sus nuevos problemas. Había seguido durmiendo durante toda la conversación. Cómo la envidiaba. Bastaba que la brisa agitara una cortina para que él se despertase. Probablemente Kate continuaría durmiendo mientras tenía lugar el Segundo Advenimiento. Garabateó unas pocas líneas de explicación; dejó la nota sobre la mesa de noche, junto a ella; se vistió; preparó su maleta —sin olvidar esta vez un smoking—; y partió rumbo a Nueva York.

Las carreteras estaban desiertas y el viaje en el nuevo Daimler sólo le llevó cinco horas. Llegó a Nueva York junto con el personal de limpieza, los carteros, los vendedores de periódicos y el sol matutino, y cuando se registró en el Yale Club el reloj del vestíbulo dio una sola campanada. Eran las seis y cuarto. Vació su maleta y resolvió descansar una hora antes de despertar a Tony. Lo primero que oyó después fue una sucesión de golpes insistentes en la puerta. Se levantó para abrirla, amodorrado, y se encontró frente a Tony Simmons.

—Bonita bata, William —comentó Tony, sonriendo. Estaba completamente vestido.

—Debo de haberme quedado dormido. Si esperas un minuto, en seguida estaré contigo.

—No, no, debo alcanzar el tren de regreso a Boston. Dúchate y vístete mientras conversamos.

William entró en el cuarto de baño y dejó la puerta abierta.

—Tu principal problema... —empezó a decir Tony.

William asomó la cabeza por la puerta del baño.

—No te oigo mientras corre el agua.

Tony esperó que cerrara el grifo.

—Tu principal problema es Peter Parfitt. Éste suponía que iba a ser el próximo presidente del banco, y que su nombre era el que figuraría en el testamento de Charles Lester. Desde entonces ha estado azuzando a los directores contra ti y se dedica a la política de salón. Ted Leach te dará más pormenores, y le gustaría almorzar hoy contigo en el Metropolitan Club. Es posible que lleve a otros dos o tres directores en los que puedes confiar. Entre paréntesis, parece que el consejo está dividido en dos mitades iguales.

William se cortó con la navaja.

—Maldición. ¿En qué club has dicho?

—En el Metropolitan, sobre East Sixtieth Street, al lado de la Quinta Avenida.

—¿Por qué allí y no en un restaurante de Wall Street?

—William, cuando tienes que lidiar con los Peter Parfitt de este mundo, no les muestras tu juego. No pierdas la cabeza y maniobra con mucha serenidad. De lo que me contó Leach deduzco que aún puedes triunfar.

William volvió al dormitorio con una toalla ceñida alrededor de la cintura.

—Lo intentaré —asintió—. Conservar la calma, quiero decir.

Tony sonrió.

—Ahora debo regresar a Boston. Mi tren parte de Grand Central dentro de diez minutos. —Consultó su reloj—. Caray, dentro de seis.

Tony se detuvo en la puerta del dormitorio.

—Tu padre nunca confió en Peter Parfitt. Es demasiado meloso, acostumbraba decir. Sólo eso, un poco más meloso de lo normal. —Cogió su maleta—. Buena suerte, William.

—¿Cómo podré empezar a agradecértelo, Tony?

—No podrás. Considéralo simplemente como mi forma de expiar el pésimo trato que le dispensé a Matthew.

William vio cómo se cerraba la puerta mientras él se colocaba el sujetador del cuello y después se enderezaba la corbata. Era curioso, pensó, que hubiese trabajado tantos años en estrecha relación con Tony Simmons sin llegar a conocerlo a fondo, en tanto que ahora, en sólo unos pocos días de crisis personal, ese hombre al que nunca había visto tal como era realmente se había hecho instantáneamente acreedor a su simpatía y su confianza. Bajó al comedor e ingirió un típico desayuno de club: un huevo escalfado frío, una rebanada de tostada dura, mantequilla y mermelada inglesa de una mesa ajena. El botones le entregó un ejemplar del *Wall Street Journal,* el cual insinuaba en una de sus páginas interiores que las cosas no marchaban sobre ruedas en el Lester desde el momento en que se había presentado la candidatura de William Kane como próximo presidente. Por lo menos el *Journal* no parecía disponer de informaciones confidenciales.

William volvió a su habitación y le pidió a la telefonista que lo comunicara con un número de Boston. Debió esperar unos minutos.

—Dispense, señor Kane. No sabía que usted estaba en la línea. Permita que lo felicite por su designación como presidente del Lester. Espero que esto signifique que en el futuro lo veremos con más frecuencia en nuestra oficina de Nueva York.

—Posiblemente eso dependerá de usted, señor Cohen.

—No creo entender... —respondió el abogado.

William le reseñó lo que había sucedido durante los últimos días y le leyó el codicilo pertinente del testamento de Charles Lester.

Thomas Cohen necesitó un poco de tiempo para apuntar cada palabra y repasar después escrupulosamente sus notas.

—¿Cree que sus deseos resistirán una impugnación judicial? —inquirió William.

—Quién sabe. No recuerdo ningún precedente parecido. Una vez un miembro del Parlamento legó su mandato, en el siglo XIX, y nadie protestó. El beneficiario llegó a ser Primer ministro. Pero esto sucedió hace más de cien años... y en Inglaterra. En este caso, si el consejo resolviera desestimar el testamento del señor Lester, y usted impugnara judicialmente dicha medida, no me atrevo a pronosticar cuál sería el fallo. Lord Melbourne no tuvo que lidiar con un juez suplente del condado de Nueva York. De todos modos, es una bonita charada legal, señor Kane.

—¿Qué me aconseja? —preguntó William.

—Soy judío, señor Kane. Llegué a este país a comienzos de siglo, en un barco que me trajo de Alemania, y siempre he debido luchar tenazmente para conseguir lo que deseaba. ¿Usted tiene muchas ganas de ser presidente del Lester?

—Sí, señor Cohen.

—Entonces hágale caso a un viejo que, en el transcurso de los años, le ha cobrado un gran respeto, y si me permite agregar, bastante estima. Le diré qué es lo que haría yo, exactamente, si estuviera en ese aprieto.

Una hora más tarde William colgó el auricular y, como aún le quedaba un poco de tiempo, echó a andar por Park Avenue. En el trayecto pasó frente al solar donde ya estaba muy avanzada la construcción de un edificio colosal. Un gran cartelón, muy pulcro, proclamaba: «El próximo Baron Hotel se levantará en Nueva York. Cuando usted haya sido huésped del Baron nunca querrá alojarse en otra parte». William sonrió por primera vez en esa mañana y se encaminó con más bríos hacia el Metropolitan Club.

Ted Leach, un hombrecillo bajo y gallardo, de cabello castaño oscuro y bigote más claro, lo aguardaba en el vestíbulo del club. Condujo a William hasta el bar. William admiró el estilo renacentista del club, que Otto Kuhn y Standford White hábían edificado en 1894. J. P. Morgan lo había fundado cuando el Union Club rechazó la solicitud de ingreso de uno de sus mejores amigos.

—Un gesto bastante extravagante, aun tratándose de un amigo muy íntimo —sugirió Ted Leach, buscando tema de conversación—. ¿Qué desea beber, señor Kane?

—Un jerez seco, por favor.

Un chico vestido con un elegante uniforme azul volvió poco después con un jerez seco y un *scotch* con agua: no había necesitado preguntarle a Leach qué era lo que quería él.

—Por el futuro presidente del Lester —brindó Ted Leach, alzando su vaso.

William titubeó.

—No beba, señor Kane. Como sabe, uno nunca debe brindar por sí mismo.

William rió, sin saber muy bien qué contestar.

Pocos minutos después dos hombres maduros se adelantaron hacia ellos. Ambos eran altos y aplomados, con su uniforme de banqueros compuesto por ternos grises, cuellos duros y corbatas oscuras y lisas. Si hubieran estado caminando por Wall Street, William no los habría mirado dos veces. En el Metropolitan Club, los escudriñó detenidamente.

—El señor Alfred Rodgers y el señor Winthrop Davies —los presentó Ted Leach.

William los saludó con una sonrisa circunspecta, sin saber aún con certeza en qué bando se alineaba cada uno. Los dos recién llegados lo estudiaban con igual atención. Durante un momento permanecieron en silencio.

—¿Por dónde empezamos? —preguntó el llamado Rodgers, y cuando habló se le desprendió un monóculo del ojo.

—Por ir a comer —respondió Ted Leach.

—Los tres dieron media vuelta: era obvio que sabían con exactitud a dónde iban. William los siguió. El comedor del segundo piso era inmenso y tenía un magnífico cielo raso alto. El *maître* los situó en una mesa contigua a una ventana que miraba hacia el Central Park lejos de oídos indiscretos.

—Encarguemos la comida y después conversaremos —dijo Ted Leach.

William veía por la ventana el Plaza Hotel. Afluyeron los recuerdos de su fiesta de graduación, en compañía de sus abuelas y de Matthew... y hubo algo más que trató de recordar acerca de aquel té en el Plaza.

—Pongamos las cartas sobre la mesa, señor Kane —manifestó Ted Leach—. El hecho de que Charles Lester lo designara presidente del banco nos tomó por sorpresa, para decirlo sin eufemismos. Pero si el consejo de administración no accede a sus deseos, el banco podría sumirse en el caos, y esto es algo que no beneficiará a nadie. Lester era un viejo astuto, y seguramente tenía sus motivos para desear que usted fuese el próximo presidente del banco. Lo cual me basta.

William había oído algo parecido antes... de labios de Peter Parfitt.

—Nosotros tres —acotó Winthrop Davies, tomando la palabra—, le debemos todo lo que tenemos a Charles Lester, y respetaremos su voluntad aunque eso sea lo último que hagamos como miembros del consejo.

—Posiblemente será lo último, si Peter Parfitt consigue acceder a la presidencia —comentó Ted Leach.

—Lamento haber causado tantos problemas, caballeros —dijo William—. Si mi designación como presidente los tomó por sorpresa a ustedes, puedo asegurarles que a mí me dejó pasmado. Yo pensaba que en su testamento Charles Lester me había dejado un pequeño recuerdo personal de Matthew, y no la responsabilidad de dirigir todo el banco.

—Entendemos el trance en que lo han colocado, señor Kane —asintió Ted Leach—, y debe confiar en nosotros cuando le aseguramos que estamos aquí para ayudarlo. Sabemos que le resultará difícil creernos después del trato que le dispensó Peter Parfitt y de la táctica que ha utilizado a sus espaldas para arrebatarle la presidencia.

—Debo creerle, señor Leach, porque no me queda otra alternativa que colocarme en sus manos y pedirle su opinión acerca de lo que está sucediendo.

—Gracias —contestó Leach—. La situación me parece clara. La campaña de Peter Parfitt está bien organizada y ahora él se siente fuerte. Por consiguiente nosotros, señor Kane, debemos ser muy francos en nuestras relaciones recíprocas si queremos tener alguna probabilidad de derrotarlo. Doy por supuesto, desde luego, que usted tiene agallas para librar esa contienda.

—Si no fuera así no estaría aquí, señor Leach. Y ahora que usted ha descrito sucintamente la situación, tal vez me permitirá sugerir lo que debemos hacer para batirlo.

—Claro que sí —respondió Leach.

Los tres hombres escucharon con toda atención.

—Sin duda usted tiene razón cuando afirma que Parfitt se siente fuerte porque hasta ahora ha estado siempre a la ofensiva, y ha sabido siempre qué ocurriría a continuación. Permítanme proponer que invirtamos los papeles y que asumamos nosotros la iniciativa dónde y cuándo él menos lo espera... en la propia junta de directores.

—¿Cómo sugiere que lo hagamos, señor Kane? —exclamó Winthrop Davies, un tanto perplejo.

—Antes de explicarlo quiero formularles algunas preguntas. ¿Cuántos directores ejecutivos con dedicación plena tienen voto en la junta?

—Dieciséis —contestó Leach inmediatamente.

—¿Y cómo se distribuyen sus lealtades en este momento? —inquirió William.

—No es la pregunta más fácil de responder, señor Kane —sentenció Winthrop Davies. Sacó un sobre arrugado de su bolsillo interior y estudió el dorso antes de proseguir—. Creo

412

que podemos contar con seis votos seguros, y Peter Parfitt con cinco. Esta mañana descubrí con horror que Rupert Cork-Smith, el mejor amigo de Charles Lester, se resiste a apoyarlo, señor Kane. Es realmente extraño, porque sé que no simpatiza con Parfitt. Pienso que esto podría suponer dos grupos de seis votos.

—O sea que nos queda tiempo hasta el jueves —añadió Ted Leach—, para averiguar cómo reaccionarán los otros cuatro directores ante su designación.

—¿Por qué hasta el jueves? —preguntó William.

—Porque ese día se celebrará la próxima junta —explicó Leach, acariciándose el bigote. William había notado que siempre repetía este ademán cuando empezaba a hablar—. Y lo más importante es que el primer punto del orden del día consiste en la elección de un nuevo presidente.

—Me habían informado que la próxima reunión no se celebraría hasta el lunes —dijo William, atónito.

—¿Quién se lo informó? —inquirió Davies.

—Peter Parfitt.

—Sus tácticas —comentó Ted Leach—, no han sido precisamente las que utiliza un caballero.

—Lo que he aprendido acerca de este caballero —manifestó William, poniendo un énfasis irónico en la palabra—, me basta para saber que tendré que darle batalla.

—Eso es más fácil decirlo que hacerlo, señor Kane —replicó Winthrop Davies—. En este momento él empuña los controles y no entiendo muy bien cómo podremos arrebatárselos.

—Haciendo que las luces de tráfico cambien al rojo —sentenció enigmáticamente William—. ¿Quién tiene autoridad para convocar a una junta?

—Mientras el consejo de administración está acéfalo, cualquiera de los vicepresidentes —dijo Ted Leach—. Lo que en realidad significa Peter Parfitt o yo.

—¿Cuántos miembros se necesitan para que exista quórum?

—Nueve —contestó Davies.

—Y si usted es uno de los dos vicepresidentes, señor Leach, ¿quién es el secretario?

—Yo —informó Alfred Rodgers, quien hasta entonces apenas había abierto la boca, llenando así el requisito perfecto que William siempre buscaba en los secretarios.

—¿Con cuánta anticipación se puede convocar una junta urgente, señor Rodgers?

—Cada director debe ser notificado por lo menos con veinticuatro horas de antelación, aunque eso sólo sucedió en la práctica durante la crisis del veintinueve. Charles Lester siempre trataba de dar tres días de plazo.

—¿Pero los estatutos del banco autorizan a convocar una reunión de urgencia con sólo veinticuatro horas de anticipación? —insistió William.

—Sí, señor Kane —afirmó Alfred Rodgers, que ahora tenía el monóculo firmemente implantado y enfocado en William.

—Estupendo. Entonces convocaremos nuestra propia junta.

Los tres banqueros miraron a William como si no lo hubieran oído bien.

—Piénsenlo, caballeros —continuó William—. El señor Leach, en su condición de vicepresidente, convoca a la junta, y el señor Rodgers en su condición de secretario, se lo comunica a todos los directores.

—¿Cuándo quiere que se celebre esta reunión? —preguntó Ted Leach.

—Mañana por la tarde. —William consultó su reloj—. A las tres en punto.

—Dios mío, eso es hilar demasiado fino —murmuró Alfred Rodgers—. No estoy seguro...

—Tratándose de Peter Parfitt siempre hay que hilar muy fino, ¿no les parece? —lo interrumpió William.

—Es cierto —asintió Leach—, si sabe con exactitud qué es lo que ha programado para la reunión.

—Deje la reunión por mi cuenta. Usted limítese a que la

convocatoria esté redactada en los términos correctos y que todos los directores estén debidamente informados.

—Me pregunto cómo reaccionará Peter Parfitt —comentó Ted Leach.

—No se preocupe por Parfitt —dijo William—. Ése es el error que hemos cometido desde el principio. Deje que él se preocupe por nosotros, para variar. Mientras reciba la convocatoria en el plazo estipulado y sea el último director notificado, no tenemos nada que temer. No nos conviene darle más tiempo del indispensable para que organice su contraofensiva. Y no se dejen sorprender, caballeros, por nada de lo que yo haga o diga mañana. Confíen en mi buen criterio y después apóyenme.

—¿No cree que deberíamos saber con exactitud qué es lo que se trae entre manos?

—No, señor Leach. En la reunión ustedes tienen que comportarse como directores imparciales que se limitan a cumplir con su deber.

Ted Leach y sus dos colegas empezaban a entender por qué Charles Lester había elegido a William Kane para que fuera el nuevo presidente. Salieron del Metropolitan Club mucho más tranquilos que al llegar, a pesar de que ignoraban por completo lo que iba a suceder realmente en la junta que estaban a punto de convocar. En cambio, William, que había puesto en ejecución la primera parte de las instrucciones de Thomas Cohen, esperaba ahora el momento de pasar a la segunda parte, mucho más difícil.

Permaneció durante casi toda la tarde y la noche en su habitación del Yale Club, estudiando con todo detalle la táctica que emplearía en la reunión del día siguiente. Sólo hizo una breve pausa para telefonear a Kate.

—¿Dónde estás, cariño? —le preguntó ella—. Te escabulliste en medio de la noche para ir quién sabe a dónde.

—A reunirme con mi amante de Nueva York —respondió William.

—Pobre chica —comentó Kate—. Probablemente no imagina lo que le aguarda. ¿Qué te aconseja hacer con el pérfido señor Parfitt?

—No he tenido tiempo de preguntárselo, porque estábamos muy ocupados con otras cosas. Aprovechando que estás en el teléfono, ¿qué me aconsejas tú?

—No hagas nada que Charles Lester o tu padre no hubieran hecho en las mismas circunstancias —dijo Kate, con repentina seriedad.

—Probablemente ellos están jugando al golf en la nube número dieciocho e intercambian apuestas mientras nos miran.

—Hagas lo que hicieres, William, no errarás demasiado si recuerdas que te están mirando.

Cuando amaneció, William ya estaba despierto, pues sólo había conseguido conciliar el sueño en breves intervalos, llenos de sobresaltos. Se levantó un poco después de las seis, se dio una ducha fría, dio un largo paseo por Central Park para despejarse la cabeza, y volvió al Yale Club donde tomó un desayuno ligero. En la recepción lo esperaba un mensaje... de su esposa. William se rió cuando lo leyó por segunda vez seguida: «Si no estás demasiado ocupado acuérdate de comprarle un guante de béisbol a Richard». William cogió el *Wall Street Journal* que continuaba explayándose sobre los conflictos que existían en el Lester a propósito de la elección del nuevo presidente. Ahora publicaba la versión de Peter Parfitt, e insinuaba que probablemente en la junta del jueves confirmarían su designación para el cargo de presidente. William se preguntó qué versión publicarían en el periódico del día siguiente. ¡Cuánto habría pagado para leer en ese mismo momento la próxima edición del *Journal*! Pasó la mañana verificando los estatutos y reglamentos del banco Lester. No comió, pero encontró tiempo para visitar las tiendas Schwalts y comprarle un guante de béisbol a su hijo.

A las dos y media William cogió un taxi para ir al banco de Wall Street y llegó allí pocos minutos antes de las tres. El joven portero le preguntó si tenía cita para entrevistarse con alguien.

—Soy William Kane.

—Sí, señor. Lo que usted busca es la sala de juntas.

Dios mío, pensó William. Ni siquiera recuerdo dónde está. El portero captó su turbación.

—Siga el corredor de la izquierda, señor. Es la segunda puerta de la derecha.

—Gracias —respondió William, y avanzó con la mayor desenvoltura posible por el corredor. Hasta ese momento siempre había pensado que la expresión «en ascuas» era ridícula, pero ahora había cambiado de idea. Sintió que las palpitaciones de su corazón eran más fuertes que el tic-tac del reloj del vestíbulo, y no le habría sorprendido que en su pecho repicaran tres campanadas.

Ted Leach estaba solo en la entrada de la sala de juntas.

—Tendremos complicaciones —fueron sus primeras palabras.

—Estupendo —exclamó William—. Así es como le habría gustado a Charles Lester. Él se habría enfrentado a ellas.

William entró en la majestuosa sala recubierta con paneles de roble y no necesitó pasar lista para tener la certeza de que estaban presentes todos los directores. Ésa no sería una de las juntas a las que un director podía darse el lujo de faltar. La conversación se interrumpió apenas William entró en la sala, y se produjo un silencio incómodo cuando todos se quedaron en sus lugares, mirándolo. William ocupó rápidamente la presidencia, en la cabecera de la larga mesa de caoba, antes de que Peter Parfitt pudiera hacerse cargo de lo que sucedía.

—Por favor, caballeros, siéntense —manifestó William, rogando interiormente que su voz tuviera un timbre enérgico.

Ted Leach y algunos otros directores se sentaron al instante. Otros fueron más renuentes. Empezaron los murmullos.

William notó que dos directores que no conocía se disponían a levantarse para interrumpirlo.

—Antes de que alguien diga algo, me gustaría pronunciar unas palabras a manera de introducción, si me lo permiten, y después ustedes podrán elegir el procedimiento que seguirán a continuación. Pienso que esto es lo menos que podemos hacer para acatar los deseos del difunto Charles Lester.

Los dos hombres se sentaron.

—Gracias, caballeros. Para empezar, quiero que todos ustedes sepan con toda claridad que no tengo absolutamente ningún interés en asumir la presidencia de este banco... —William hizo una pausa para que sus palabras surtieran más efecto—, a menos que ése sea el deseo de la mayoría de los directores.

Ahora todas las miradas estaban fijas en William.

—Actualmente, caballeros, soy vicepresidente del Kane and Cabot, y poseo el cincuenta y uno por ciento de sus acciones. El Kane and Cabot lo fundó mi abuelo, y creo que no le va en zaga al Lester por su reputación, ya que no por su magnitud. Si tuviera que mudarme de Boston a Nueva York para convertirme en el nuevo presidente del Lester, accediendo a la voluntad de Charles Lester, el cambio no sería fácil para mí ni para mi familia. Sin embargo, puesto que Charles Lester quiso que hiciera precisamente eso, y puesto que él no era un hombre capaz de formular semejantes propuestas a la ligera, yo también, caballeros, tengo la obligación de tomar sus deseos en serio. También me gustaría agregar que su hijo, Matthew Lester, fue mi mejor amigo durante más de quince años, y considero una tragedia que deba ser yo, y no él, quien les hable hoy como candidato a presidente.

Algunos de los directores hicieron ademanes de asentimiento.

—Caballeros, si tengo la fortuna de que ustedes me brinden hoy su apoyo, sacrificaré todo lo que poseo en Boston para servirles. Creo que no necesitaré referirles en detalle mi experiencia bancaria. Daré por supuesto que todos los presentes que leyeron el testamento de Charles Lester se habrán tomado el trabajo de averiguar por qué él me consideraba el hombre apropiado para sucederlo. Mi propio presidente, Anthony Simmons, a quien muchos de ustedes seguramente conocen, me ha pedido que me quede en el Kane and Cabot.

»Me había propuesto comunicarle ayer al señor Parfitt mi decisión final, y lo habría hecho si él se hubiera molestado en llamarme para pedir esa información. El viernes pasado tuve el placer de cenar con el señor y la señora Parfitt en su casa, y en esa oportunidad el señor Parfitt me explicó que no tenía interés en convertirse en el próximo presidente de este banco. Mi único rival, a su juicio, era el señor Edward Leach, el otro vicepresidente. En el ínterin consulté al señor Leach en persona, y él me aseguró que siempre había apoyado mi candidatura a la presidencia. Por tanto, suponía que me secundaban ambos vicepresidentes. Después de leer el *Wall Street Journal* de esta mañana, a pesar de que jamás he confiado en sus pronósticos desde los ocho años de edad —se oyeron algunas risas—, me pareció que debía asistir a la reunión de hoy para comprobar que no había perdido el respaldo de los dos vicepresidentes y que la versión del *Journal* era inexacta. El señor Leach convocó a esta junta, y en esta coyuntura debo preguntarle si sigue apoyándome para que suceda a Charles Lester en la presidencia del banco.

William se volvió hacia Ted Leach, que tenía la cabeza gacha. La ansiedad por oír su veredicto se palpaba en la atmósfera. Si hubiera vuelto los pulgares hacia abajo, en el ademán típico del antiguo circo romano, los partidarios de Parfitt habrían podido engullirse al cristiano.

Ted Leach alzó la cabeza lentamente y respondió:

—Apoyo incondicionalmente al señor Kane.

William miró cara a cara a Peter Parfitt por primera vez en ese día. Parfitt transpiraba copiosamente, y cuando habló no apartó los ojos del bloc amarillo que tenía frente a él.

—Bueno —comenzó a decir—, algunos miembros del consejo opinaron que yo debía presentar mi candidatura...

—¿O sea que ha cambiado de idea y ya no me apoya ni acata la voluntad de Charles Lester? —lo interrumpió William, fingiendo un ligero tono de sorpresa.

Peter Parfitt levantó un poco la cabeza.

—La alternativa no es tan sencilla, señor Kane.

—¿Sí o no, señor Parfitt?

—Sí, me opondré a usted —afirmó Peter Parfitt de forma súbita y enérgica.

—¿A pesar de que el viernes pasado me dijo que no tenía interés en ser presidente?

—Me gustaría poder enunciar mi posición antes de que usted haga demasiadas conjeturas —replicó Parfitt—. Ésta no es todavía su sala de juntas, señor Kane.

—Claro que no, señor Parfitt.

Hasta ese momento la reunión se había desarrollado exactamente de acuerdo con los planes de William. Éste había elaborado y pronunciado con todo cuidado su discurso, y ahora Peter Parfitt luchaba contra dos desventajas: había perdido la iniciativa y, para colmo, lo habían acusado públicamente de ser un embustero.

—Caballeros —empezó, como si buscara las palabras—. Bueno —agregó.

Las miradas se habían apartado de William y ahora estaban fijas en Parfitt. Esto le dio a William la oportunidad de distenderse y estudiar los rostros de los otros directores.

—Varios miembros del consejo me abordaron en privado después de mi cena con el señor Kane, y me pareció que no hacía más que cumplir con mi deber al considerar sus deseos y presentar mi candidatura. Nunca en mi vida he querido oponerme a la voluntad del señor Charles Lester, a quien siempre he admirado y respetado. Naturalmente, le habría comunicado mi intención al señor Kane antes de la junta programada

420

para mañana, pero confieso que los acontecimientos de hoy me han tomado un poco por sorpresa.

Inhaló profundamente y reanudó el discurso.

—He prestado servicios al Lester durante veintidós años, seis de ellos como vicepresidente. Pienso, en consecuencia, que tengo derecho a aspirar al sitial. Me encantaría que el señor Kane se incorpore a nuestro banco, pero ahora no me encuentro en condiciones de secundar su designación como presidente. Espero que mis colegas directores prefieran apoyar a alguien que ha trabajado para este banco durante más de veinte años y no es un ajeno desconocido propuesto por el capricho de un hombre al que lo había perturbado la muerte de su único hijo. Gracias, caballeros.

Se sentó.

Dadas las circunstancias, William se sintió bastante impresionado por el discurso, pero Parfitt no contaba con el consejo del señor Cohen acerca de la importancia que asume la última palabra en una contienda reñida. William volvió a ponerse en pie.

—Caballeros, el señor Parfitt ha señalado que ustedes no me conocen personalmente. En consecuencia, no quiero que a ninguno le queden dudas acerca mis condiciones. Como he dicho, soy nieto e hijo de banqueros. He sido banquero durante toda mi vida y faltaría a la verdad si dijera que no me complacería convertirme en el nuevo presidente del Lester. Si, en cambio, después de lo que han escuchado hoy, resuelven apoyar la candidatura del señor Parfitt, que se haga la voluntad de la mayoría. Yo regresaré a Boston y me sentiré feliz de poder seguir sirviendo a mi banco. Más aún, anunciaré públicamente que no deseo ser presidente del Lester, y esto los pondrá a cubierto de cualquier acusación de que se han negado a cumplir las cláusulas del testamento de Charles Lester.

»Sin embargo, en ningún caso accederé a incorporarme a un consejo presidido por el señor Parfitt. Tampoco quiero faltar a la verdad respecto de este punto. Me presento ante ustedes, caballeros, con la seria desventaja de ser, para decirlo con las palabras del señor Parfitt, un ajeno desconocido. Tengo, en cambio, la ventaja de contar con el apoyo de un hombre que hoy no puede estar presente. De un hombre que todos ustedes respetaban y admiraban, de un hombre que no tenía fama de actuar movido por caprichos ni de tomar decisiones apresuradas. Por consiguiente sugiero que esta junta no pierda más tiempo valioso en el trámite de resolver a quién prefiere como nuevo presidente del Lester. Si a ustedes les queda duda acerca de mi competencia para dirigir este banco, sólo puedo sugerirles que voten al señor Parfitt. Yo no votaré en esta elección, caballeros, y supongo que el señor Parfitt tampoco lo hará.

—Usted *no puede* votar —exclamó Peter Parfitt coléricamente—. Aún no es miembro del consejo. Yo sí lo soy, y votaré.

—Adelante, señor Parfitt. Nunca nadie podrá decir que usted no tuvo la oportunidad de asegurarse todos los votos posibles.

William esperó que los presentes asimilaran sus palabras, y cuando un director que él no conocía se disponía a interrumpirlo, prosiguió:

—Le pediré al señor Rodgers que, en su condición de secretario, presida la elección, y cuando ustedes hayan terminado de votar, caballeros, tal vez será mejor que le pasen a él las papeletas.

El monóculo de Alfred Rodgers había saltado periódicamente durante toda la sesión. Con movimientos nerviosos, distribuyó las papeletas entre los directores. Cuando cada uno de éstos hubo escrito el nombre del candidato que apoyaba, las papeletas volvieron a su poder.

—Dadas las circunstancias, señor Rodgers, quizá lo más prudente será que lea los votos en voz alta. Así se evitará que por un error involuntario haya que repetir la votación.

—Claro que sí, señor Kane.

—¿Está de acuerdo, señor Parfitt?

422

Peter Parfitt hizo un ademán de asentimiento con la cabeza, sin levantar la vista.

—Gracias. ¿Quiere tener la gentileza de leer el contenido de las papeletas, señor Rodgers?

El secretario desplegó la primera papeleta.

—Parfitt.

Y después la segunda.

—Parfitt —repitió.

Ahora el resultado ya no dependía de él. Faltaba muy poco para que terminaran esos largos años durante los cuales había esperado el trofeo. El trofeo que debería ser suyo si se cumplía lo que él, William, le había dicho hacía mucho tiempo a Charles Lester.

—Kane. Parfitt. Kane.

Perdía por tres votos contra dos. ¿Correría la misma suerte que en su contienda con Tony Simmons?

—Kane. Kane. Parfitt.

Empatados a cuatro votos. Vio que Parfitt transpiraba copiosamente del otro lado de la mesa y él tampoco se sentía precisamente relajado.

—Parfitt.

William se mantuvo impasible. Parfitt se permitió una sonrisa.

Cinco votos contra cuatro.

—Kane. Kane. Kane.

La sonrisa se borró.

Sólo dos más, dos más, suplicó William, casi en voz alta.

—Parfitt. Parfitt.

El secretario perdió mucho tiempo desplegando una papeleta que alguien había doblado y vuelto a doblar varias veces.

—Kane. —Ocho votos contra siete a favor de William.

En ese momento Rodgers estaba desplegando la última papeleta. William le miró los labios. El secretario levantó la vista. Durante esa fracción de segundo fue el hombre más importante del recinto.

—Kane.

Parfitt hundió la cabeza entre las manos.

—Caballeros, el resultado final es de nueve votos a favor del señor William Kane y siete votos a favor del señor Peter Parfitt. En consecuencia proclamo al señor William Kane presidente legítimo del banco Lester.

Un manto de silencio respetuoso cayó sobre la habitación y todas las cabezas, excepto la de Peter Parfitt, se volvieron hacia William y esperaron la primera reacción del nuevo presidente.

William exhaló un largo suspiro y se levantó nuevamente, esta vez para mirar al consejo del que ya era presidente.

—Gracias, caballeros, por la confianza que acaban de depositar en mí. Charles Lester quiso que yo fuera el nuevo presidente del banco y ustedes han ratificado ese deseo con sus votos. Ahora me propongo servir al banco lo mejor que pueda, y para ello necesitaré el apoyo sincero de todos ustedes. Si el señor Parfitt quiere tener la amabilidad...

Peter Parfitt levantó la vista con expresión esperanzada.

—...de reunirse conmigo dentro de unos minutos en el despacho del presidente, le quedaré muy agradecido. Después de hablar con el señor Parfitt, me gustaría hablar con el señor Leach. Espero, caballeros, que mañana tendré la oportunidad de conocerlos individualmente. La próxima junta será la habitual de todos lo meses. Se levanta la sesión.

Los directivos empezaron a ponerse en pie y a conversar entre ellos. William salió rápidamente al corredor, eludiendo la mirada de Peter Parfitt. Ted Leach lo alcanzó y lo guió hasta el despacho del presidente.

—Corrió un riesgo enorme —comentó Ted Leach—, y se salvó por un pelo. ¿Qué habría hecho si hubiera perdido la votación?

—Habría regresado a Boston —respondió William, exteriormente impertérrito.

Ted Leach abrió la puerta del despacho del presidente pa-

424

ra que entrara William. La habitación seguía tal como él recordaba. Quizá le había parecido un poco más amplia cuando, en sus tiempos de estudiante, le había dicho a Charles Lester que algún día presidiría el banco. Miró el retrato del prohombre que colgaba detras del escritorio y le hizo un guiño al difunto presidente. Después se sentó en la gran silla de cuero rojo y apoyó los codos sobre el escritorio de caoba. Cuando acababa de extraer del bolsillo de la americana un librito encuadernado en cuero, que depositó sobre el escritorio frente a él, golpearon la puerta. Entró un anciano, que se apoyaba pesadamente sobre un bastón negro con empuñadura de plata. Ted Leach los dejó solos.

—Me llamo Rupert Cork-Smith —anunció, con un ligero acento inglés.

William se puso en pie para saludarlo. Era el decano de los miembros del consejo. Su cabello gris, sus largas patillas y su macizo reloj de oro pertenecían a otra época, pero su reputación de hombre probo era legendaria en los círculos bancarios. No hacía falta firmar contratos con Rupert Cork-Smith: su palabra bastaba para sellar un compromiso. Miró fijamente a William a los ojos.

—He votado contra usted, señor, y desde luego puede contar con mi renuncia, que estará sobre su escritorio dentro de una hora.

—¿Quiere tomar asiento, señor? —preguntó William afablemente.

—Gracias, señor.

—Creo que usted conoció a mi padre y mi abuelo.

—Tuve ese privilegio. Su abuelo y yo estuvimos juntos en Harvard, y aún recuerdo con pena la trágica muerte de su padre.

—¿Y Charles Lester?

—Era mi mejor amigo. Las cláusulas de su testamento han pesado sobre mi conciencia. No era ningún secreto que yo no habría votado a Peter Parfitt. Habría preferido que el presidente fuese Ted Leach, pero como nunca me he abstenido de nada en mi vida, resolví que debía apoyar al candidato que se oponía a usted, porque creía que no podía votar a un hombre que no conocía.

—Admiro su sinceridad, señor Cork-Smith, pero ahora debo dirigir un banco. En este momento yo lo necesito a usted mucho más que usted a mí, de modo que, por ser el más joven de los dos, le ruego que no renuncie.

El anciano alzó la cabeza y clavó la mirada en los ojos de William.

—No estoy seguro de que esto dé buenos resultados, joven. No puedo cambiar de actitud de la noche a la mañana —afirmó Cork-Smith, con ambas manos apoyadas sobre el bastón.

—Concédame seis meses, señor, y si después de ese lapso sigue pensando lo mismo, no trataré de disuadirlo.

Ambos permanecieron callados hasta que Cork-Smith retomó la palabra.

—Charles Lester tenía razón: usted es el hijo de Richard Kane.

—¿Seguirá colaborando con este banco, señor?

—Sí, joven. No hay peor tonto que un viejo tonto, como usted sabe.

Rupert Cork-Smith se puso en pie lentamente con la ayuda del bastón.

William se adelantó para ayudarlo, pero el anciano lo rechazó con un ademán.

—Buena suerte, hijo. Puede contar con mi total apoyo.

—Gracias, señor —asintió William.

Cuando abrió la puerta, William vio que Peter Parfitt esperaba en el corredor. Ninguno de los dos dijo nada mientras Rupert Cork-Smith salía.

Peter Parfitt irrumpió en el despacho.

—Bueno, hice lo que pude y fracasé. No se le puede pedir más a un ser humano —añadió, riendo—. ¿No me guarda rencor, Bill? —Le tendió la mano.

426

—No le guardo rencor, señor Parfitt. Como muy bien ha dicho, hizo lo que pudo y fracasó, y ahora renunciará al cargo que ocupa en el banco.

—¿Qué es lo que haré? —exclamó Parfitt.

—Renunciará —repitió William.

—¿No le parece que su reacción es un poco excesiva, Bill? Lo mío no fue una agresión personal. Sencillamente pensé...

—No lo quiero en el banco, señor Parfitt. Se irá antes de esta noche y no volverá jamás.

—¿Y si me niego? Soy dueño de muchas acciones del banco y todavía cuento con un fuerte apoyo de la junta, como usted sabe. Y por si esto fuera poco, podría entablar un pleito contra usted.

—Entonces le recomendaría que lea los estatutos del banco, señor Parfitt. Esta mañana dediqué un tiempo considerable a estudiarlos.

William levantó el librito encuadernado en cuero que todavía descansaba sobre el escritorio, frente a él, y volvió algunas páginas. Cuando encontró un párrafo que había marcado esa mañana, lo leyó en voz alta:

»"El presidente tiene facultades para remover de su cargo a cualquier funcionario que haya dejado de merecer su confianza." —Levantó la vista—. Usted ya no merece mi confianza, señor Parfitt, y por consiguiente renunciará y recibirá la remuneración que le correspondería por dos años de trabajo. Si, por el contrario, me obliga a destituirlo, se irá del banco sólo con sus acciones. A usted le toca elegir.

—¿No me dará una oportunidad?

—Se la di el viernes pasado por la noche, y usted mintió y me engañó. No son éstas las cualidades que deseo encontrar en mi próximo vicepresidente. ¿Renunciará o tendré que echarlo, señor Parfitt?

—Maldito sea, Kane. Renunciaré.

—Bueno. Siéntese y escriba ahora mismo la carta.

427

—No, se la entregaré por la mañana, cuando lo juzgue oportuno. —Echó a andar hacia la puerta.

—Ahora... o lo despido —espetó William.

Peter Parfitt vaciló y después volvió atrás y se dejó caer pesadamente en una silla contigua al escritorio de William. Éste le alcanzó una hoja de papel con membrete del banco y una pluma. Parfitt extrajo su propia estilográfica y empezó a escribir. Cuando terminó, William cogió la carta y la leyó atentamente.

—Adiós, señor Parfitt.

Peter Parfitt salió sin contestar. Ted Leach entró pocos minutos después.

—¿Deseaba verme, señor presidente?

—Sí —respondió William—. Quiero designarlo vicepresidente titular del banco. El señor Parfitt ha preferido renunciar.

—Me sorprende la noticia. Yo pensaba...

William le pasó la carta. Ted Leach la leyó y después miró a William.

—Me encantará ser vicepresidente titular. Le quedo reconocido por su confianza.

—Estupendo. Le agradeceré que concierte entrevistas con todos los directores durante los días próximos. Empezaré a trabajar mañana a las ocho de la mañana.

—Sí, señor Kane.

—¿Quiere tener también la gentileza de entregarle la carta de renuncia del señor Parfitt al secretario?

—Como usted disponga, señor presidente.

—Mi nombre es William. Ése fue otro error que cometió el señor Parfitt.

Ted Leach sonrió tímidamente.

—Lo veré mañana por la mañana... —vaciló—, William.

Cuando Leach se hubo ido, William volvió a sentarse en la silla de Charles Lester y la hizo girar con un insólito estallido de pura euforia hasta que se sintió mareado. Después miró por la ventana en dirección a Wall Street, entusiasmado por las multitudes trajinantes, disfrutando del espectáculo que brindaban los otros grandes bancos y agencias de Bolsa de los Estados Unidos. Ahora formaba parte de ese mundo.

—¿Se puede saber quién es usted? —preguntó una voz femenina a sus espaldas.

William dio media vuelta y vio frente a él a una mujer de mediana edad, recatadamente vestida y con expresión indignada.

—Tal vez pueda formularle la misma pregunta —respondió William.

—Soy la secretaria del presidente —proclamó la mujer fríamente.

—Y yo —dijo William—, soy el presidente.

Durante las semanas siguientes William llevó a cabo el traslado de su familia a Nueva York, donde habían encontrado una casa en East Sixty-eighth Street. Tardaron más de lo previsto en instalarse. Durante tres meses William, que trataba de desarraigarse de Boston para desempeñar sus funciones en Nueva York, lamentó que cada día no tuviera cuarenta y ocho horas, y descubrió que era difícil cortar del todo el cordón umbilical. Tony Simmons le prestó una gran ayuda, y William empezó a comprender por qué Alan Lloyd había apoyado su candidatura a la presidencia del Kane and Cabot. Por primera vez estuvo dispuesto a admitir que Alan procedió correctamente.

El tiempo de Kate no tardó en estar totalmente ocupado. Virginia ya gateaba por las habitaciones y se metía en el estudio de William antes de que Kate atinara a volver la cabeza, y Richard quería tener una cazadora nueva, como todos los otros chicos de la ciudad. En su condición de esposa del presidente de un banco de Nueva York, Kate debía organizar numerosos cócteles y cenas, cuidando discretamente que determinados directores y clientes importantes tuvieran oportunidad de hablar con él a solas, para pedirle consejo o enunciar sus opiniones personales. Kate solucionaba todos los compromisos con el mayor encanto y William le guardaba eterna gratitud al departamento de liquidaciones del Kane and Cabot, que le había suministrado su atributo más valioso. Cuando Kate le informó que esperaba otro hijo, lo único que se le ocurrió preguntar fue: «¿Cuándo tuve tiempo?» La noticia apasionó a Virginia, que no entendía muy bien por qué mamá engordaba tanto, y Richard se negó a discutirla.

Al cabo de seis meses el encontronazo con Peter Parfitt se había convertido en algo del pasado y William se había convertido en el presidente indiscutible del banco Lester y en una figura de la que no se podía prescindir en los círculos financieros de Nueva York. No transcurrieron muchos meses más antes de que empezara a preguntarse cuál debería ser su nueva meta. Había materializado la ambición de su vida al asumir la presidencia del Lester a los treinta y tres años de edad, pero pensaba que quedaban otros mundos por conquistar, y no tenía ni tiempo ni ganas de sentarse a lagrimear.

Kate dio a luz su tercer vástago, y su segunda hija, cuando William terminaba el primer año de mandato en el Lester. La llamaron Lucy. William le enseñó a Virginia, que ya caminaba, a mecer la cuna de Lucy, y Richard, que ya tenía casi cinco años y se disponía a ingresar en el jardín de infancia de la Buckley School, aprovechó la oportunidad para arrancarle a su padre un nuevo bate de béisbol.

Las utilidades del banco aumentaron un poco durante el primer año en que William ejerció la presidencia, y éste previó un incremento considerable para el segundo año.

Entonces, el primero de septiembre de 1939, Hitler invadió Polonia.

Una de las primeras reacciones de William consistió en pensar en Abel Rosnovski y en su nuevo Baron de Park Avenue, que ya empezaba a convertirse en la maravilla de Nueva York. Los informes trimestrales de Thomas Cohen demostraban que Rosnovski progresaba a pasos agigantados, aunque a la vista de las circunstancias sus últimos proyectos de expandirse por Europa sufrirían un ligero retraso. Cohen seguía sin encontrar pruebas de una vinculación directa entre Henry Osborne y Abel Rosnovski, aunque confesaba que era cada vez más difícil reunir todos los datos necesarios.

A William nunca se le ocurrió pensar que los Estados Unidos volverían a intervenir en una guerra europea, pero a pesar de ello mantuvo abierta la filial del Lester en Londres para demostrar claramente hacia cuál de los dos bandos se inclinaban sus simpatías, y ni siquiera contempló la posibilidad de vender sus tres mil hectáreas de Hampshire y Lincolnshire. Por su parte, Tony Simmons le informó desde Boston que se proponía cerrar la filial del Kane and Cabot en Londres. William utilizó como excusa los problemas que la guerra creaba en Londres para visitar su amada Boston y mantener una entrevista con Tony.

Esta vez los dos presidentes se reunieron en un clima muy distendido y cordial porque ya no tenían ningún motivo para considerarse rivales. En verdad, se habían acostumbrado a utilizarse recíprocamente como trampolín para las nuevas ideas. Tal como había previsto Tony, al ocupar William la presidencia del Lester, el Kane and Cabot había perdido algunos de sus clientes más importantes, pero William siempre alertaba a Tony cuando un viejo cliente manifestaba el deseo de transferir su cuenta, y nunca intentaba reclutar a uno solo de ellos. Cuando se sentaron a almorzar en la mesa de la esquina del Locke-Ober, Tony Simmons se apresuró a reiterar su intención de cerrar la filial de Londres del Kane and Cabot.

—La primera razón es muy sencilla —manifestó, mientras sorbía el Borgoña importado, aparentemente ajeno a la marcada probabilidad de que las botas alemanas estuvieran a punto de pisotear las uvas de la mayoría de los viñedos franceses—. Pienso que el banco perderá dinero si no hace un sacrificio y sale de Inglaterra.

—Claro que perderás un poco de dinero —respondió William—. Pero debemos apoyar a los británicos.

—¿Por qué? —preguntó Tony—. Lo nuestro es un banco, no un club de admiradores.

—Gran Bretaña tampoco es un equipo de béisbol, Tony. Es una nación a la que le debemos todas nuestras tradiciones...

—Deberías consagrarte a la política —afirmó Tony—. Empiezo a pensar que en el banco malgastas tu talento. Sin embargo, creo que hay una razón mucho más importante por la que debemos cerrar la filial. Si Hitler ocupa Gran Bretaña, como ha ocupado Polonia y Francia (y estoy seguro de que eso es precisamente lo que se propone hacer), se apoderará del banco, y perderemos hasta el último penique que tenemos en Londres.

—Antes pasará sobre mi cadáver —exclamó William—. Si Hitler pone aunque sólo sea un pie en suelo británico, los Estados Unidos le declararán la guerra ese mismo día.

—Nunca —arguyó Tony—. F.D.R. ha dicho: «Toda la ayuda pero no entrar en guerra». Y los partidarios de la neutralidad norteamericana pondrían el grito en el cielo.

—Jamás le hagas caso a un político —replicó William—. Y menos a Roosevelt. Cuando dice «nunca» eso significa que no lo hará hoy, o por lo menos que no lo hará esta mañana. Bastará que recuerdes lo que nos prometió Wilson en 1916.

Tony se rió.

—¿Cuándo presentarás tu candidatura al Senado, William?

—Ésta sí que es una pregunta a la que puedo contestar «nunca» sin riesgo a equivocarme.

—Respeto tus sentimientos, William, pero quiero cerrar esa filial.

—Eres el presidente —respondió William—. Si la junta te respalda, podrás cerrarla mañana, y yo jamás me aprovecharé de mi posición para contrariar una decisión de la mayoría.

—Hasta que hayas conseguido fusionar los dos bancos, y la decisión dependa de ti.

432

—Te dije una vez, Tony, que nunca lo intentaré mientras tú seas presidente. Es una promesa que me propongo cumplir.

—Pero es que opino que *deberíamos* fusionarnos.

—¿Cómo? —exclamó William, derramando su Borgoña sobre el mantel, sin poder dar crédito a lo que oía—. Santo cielo, Tony, te reconozco una virtud: siempre eres imprevisible.

—Como siempre, antepongo a todo los intereses del banco. Piensa por un momento en la situación actual. Nueva York es ahora, más que nunca, la capital financiera de los Estados Unidos, y cuando Hitler ocupe Inglaterra, será la capital financiera del mundo, de modo que ahí es donde debe estar el Kane and Cabot. Además, si nos fusionáramos, crearíamos una institución más completa, porque nuestras especialidades son complementarias. El Kane and Cabot siempre ha financiado primordialmente las industrias naviera y pesada, en tanto que el Lester casi no trabaja en esos ramos. A la inversa, ustedes se dedican a las emisiones de valores, que nosotros casi no tocamos. Para no mencionar el hecho de que en muchas ciudades mantenemos, innecesariamente, dos filiales paralelas.

—Tony, concuerdo con todo lo que has dicho, pero sigo pensando que es necesario permanecer en Gran Bretaña.

—Lo cual demuestra que tengo razón, William. Cerraríamos la filial del Kane and Cabot en Londres, y conservaríamos la del Lester. Entonces, si Londres pasara por un mal trance, ya no sería tan grave porque estaríamos fusionados y por consiguiente seríamos más fuertes.

—¿Pero cómo reaccionarías si te dijera que mientras las restricciones que Roosevelt les ha impuesto a los bancos mercantiles sólo nos permitan operar desde un estado, la fusión únicamente podría prosperar si lo controláramos todo desde Nueva York, y si la sede de Boston quedara reducida a una oficina subsidiaria?

—Te secundaría —contestó Tony, y añadió—: Incluso podrías contemplar la posibilidad de convertirlo en un banco mercantil y abandonar las operaciones de inversión pura y simple.

—No, Tony. F.D.R. ha coartado la posibilidad de que un hombre honesto se dedique a ambas actividades, y de todas maneras mi padre opinaba que puedes servir a un pequeño grupo de potentados o a un grupo numeroso de pobres, así que el Lester seguirá siendo un banco mercantil tradicional mientras yo sea presidente. Pero si optáramos por la fusión, ¿no prevés grandes problemas?

—Muy pocos que no se puedan solucionar con la buena voluntad de ambas partes. Sin embargo, deberás analizar cuidadosamente las implicaciones, William, porque en tu condición de accionista minoritario perderías indudablemente el control total del nuevo banco y serías vulnerable a una tentativa de anexión.

—Me arriesgaría a ello con tal de ser el presidente de una de las mayores instituciones financieras de los Estados Unidos.

William volvió esa tarde a Nueva York, alborozado por el cambio de ideas, y convocó al consejo de administración del Lester para estudiar la propuesta de Tony Simmons. Cuando comprobó que el consejo aceptaba en principio la fusión, les impartió instrucciones a los directores para que estudiaran el plan con más minuciosidad.

Los jefes de departamento tardaron tres meses en rendir cuentas al consejo y llegaron a una conclusión unánime: la fusión era lógica, porque los dos bancos se complementaban en muchos aspectos. Con diferentes oficinas en toda América y filiales en Europa, podían ofrecerse muchos beneficios recíprocos. Además, el presidente del Lester conservaba el cincuenta y uno por ciento de las acciones del Kane and Cabot, lo cual convertía la fusión en un matrimonio de conveniencia. Algunos directores del Lester no entendían por qué a William no se le había ocurrido antes la idea. Ted Leach opinó que

434

Charles Lester debía de haber estado pensando en eso cuando había elegido a William como sucesor.

Hizo falta casi un año para negociar los detalles de la fusión, y los abogados debieron trabajar hasta altas horas de la noche para completar el papeleo necesario. Al efectuarse el traspaso de acciones, William se convirtió en el principal accionista, con el ocho por ciento del capital de la nueva compañía, y lo designaron nuevo presidente del banco y de la junta de directores. Tony Simmons permaneció en Boston, como uno de los dos vicepresidentes, y Ted Leach en Nueva York, convertido en el otro. El nuevo banco mercantil fue rebautizado con el nombre de Lester, Kane and Company, pero todos siguieron conociéndolo como el Lester.

William resolvió convocar a una rueda de prensa en Nueva York para anunciar la feliz fusión de los dos bancos, y eligió el lunes 8 de diciembre de 1941 para comunicar la noticia al mundo financiero en general. Hubo que cancelar la rueda de prensa, porque la mañana anterior los japoneses habían lanzado un ataque contra Pearl Harbor.

El comunicado de prensa había sido despachado a los periódicos algunos días antes, pero el martes por la mañana las páginas financieras dedicaron muy poco espacio a la noticia de la fusión, lo cual era comprensible. Esta falta de repercusión periodística ya no era lo que más preocupaba a William.

No podía decidir cómo ni cuándo le diría a Kate que tenía el propósito de alistarse. Cuando Kate por fin se enteró, quedó horrorizada e inmediatamente trató de disuadirlo.

—¿Qué imaginas que puedes hacer mejor que otro millón de hombres como tú? —le preguntó.

—Lo ignoro —replicó William—. Sólo sé con certeza qué es lo que habrían hecho mi padre o mi abuelo en las mismas circunstancias.

—Habrían hecho lo más conveniente para el banco.

—No —respondió William inmediatamente—. Habrían hecho lo más conveniente para los Estados Unidos.

CUARTO
LIBRO

24

ABEL ESTUDIÓ EL SUELTO SOBRE EL LESTER, Kane and Company que había aparecido en la sección financiera del *Chicago Tribune.* Dado todo el espacio consagrado a las implicaciones del ataque japonés contra Pearl Harbor, la breve noticia le habría pasado inadvertida si no hubiera estado acompañada por una pequeña foto antigua de William Kane, tan antigua que éste tenía las mismas facciones que había tenido cuando Abel lo había visitado en Boston, hacía más de diez años. Ciertamente en esa foto Kane parecía demasiado joven para adecuarse a la descripción que daba de él el periódico, cuando lo presentaba como el brillante presidente del recientemente constituido Lester, Kane and Company. El suelto pronosticaba, a continuación: «El nuevo banco, que aglutina al Lester de Nueva York y al Kane and Cabot de Boston, podría convertirse muy bien en una de las instituciones financieras más importantes de los Estados Unidos, ahora que el señor Kane ha resuelto fusionar a estos dos destacados bancos familiares. Según las fuentes que consultó el *Trib,* las acciones quedarán en manos de unas veinte personas emparentadas, o estrechamente asociadas, con las dos familias».

439

Esta información específica regocijó a Abel, al reflexionar que Kane debía de haber perdido el control absoluto. Releyó la noticia. Obviamente William Kane se había remontado a mucha altura desde que ellos dos se habían enfrentado, pero lo mismo se podía decir de él, que aún tenía que saldar una vieja cuenta con el flamante presidente del Lester.

La Cadena Baron había prosperado tanto durante la última década que Abel había cancelado todos los préstamos de su benefactor y había cumplido al pie de la letra el pacto inicial, recuperando el dominio total de la empresa en el plazo estipulado de diez años.

En el último trimestre de 1939, Abel no sólo había reembolsado el préstamo sino que los beneficios de 1940 habían superado la cota del medio millón de dólares. Este momento histórico coincidió con la inauguración de dos nuevos Barons: el de Washington y el de San Francisco.

Aunque durante ese período Abel se había convertido en un marido menos cariñoso, no podría haber sido un padre más devoto. Zaphia, que anhelaba un segundo hijo, lo convenció finalmente de que debía consultar al médico. Cuando Abel se enteró de que, en razón de un bajo índice de espermatozoides —cuyas causas probablemente se remontaban a la enfermedad y la desnutrición que había sufrido en manos de los alemanes y los rusos—, Florentyna sería casi con certeza su única hija, abandonó las esperanzas de concebir un varón y le dio a ella todos los lujos.

Ahora la fama de Abel se estaba extendiendo de un extremo a otro de los Estados Unidos, e incluso la prensa había empezado a apodarlo «El Barón de Chicago». Ya no le importaban las bromas que hacían a sus espaldas. Wladek Koskiewicz había llegado a la cúspide y sobre todo, nadie lo movería de allí. Hacia 1941 los beneficios de sus trece hoteles rondaban el millón y, con este exceso de capital, resolvió que había llegado la hora de seguir expandiéndose.

Fue entonces cuando los japoneses atacaron Pearl Harbor.

Abel ya había estado enviando sumas considerables de dinero a la Cruz Roja británica para ayudar a sus compatriotas desde aquel día trágico de setiembre de 1939 en que los nazis habían invadido Polonia, para ir a encontrarse después con los rusos en Brest Litovsk y repartirse de nuevo su patria entre ambos. Había librado una feroz batalla, tanto dentro del partido Demócrata como en la prensa, para empujar a la guerra a unos Estados Unidos remisos, aunque ahora tuvieran que hacerlo como aliados de los rusos. Hasta ese momento sus esfuerzos habían sido infructuosos, pero en aquel domingo de diciembre, mientras todas las emisoras de radio del país transmitían los pormenores a una nación incrédula, Abel comprendió que esta vez los Estados Unidos no podrían rehuir el conflicto. El 11 de diciembre escuchó cómo el presidente Roosevelt informaba a toda la nación que Alemania e Italia le habían declarado oficialmente la guerra a los Estados Unidos. Abel estaba decidido a alistarse, pero antes quería formular una declaración de guerra privada, y para ello le telefoneó a Curtis Fenton, al Continental Trust Bank. Con el transcurso de los años Abel había aprendido a confiar en el juicio de Fenton, y cuando había asumido el control total de la Cadena Baron le había pedido que continuara en el consejo de administración, para mantener un vínculo estrecho entre su compañía y el Continental Trust.

Curtis Fenton apareció en la línea, formal y cortés como siempre.

—¿Cuánto dinero tengo disponible en la cuenta de reserva de la empresa? —preguntó Abel.

Curtis Fenton cogió el expediente donde se leía «Cuenta Número 6», mientras recordaba los tiempos en que había podido reunir todos los negocios del señor Rosnovski en una sola carpeta. Ojeó algunas cifras.

—Un poco menos de dos millones de dólares —respondió.

—Estupendo —asintió Abel—. Quiero que investigue a un banco recientemente formado, el Lester, Kane and Company.

Averigüe los nombres de todos los accionistas, los porcentajes que controlan y en qué condiciones están dispuestos a vender. Todo esto lo debe hacer sin que se entere el presidente del banco, el señor William Kane, y sin mencionar mi nombre en ningún momento.

Curtis Fenton contuvo el aliento y no dijo nada. Se alegró de que Abel Rosnovski no pudiera ver su expresión de sorpresa. ¿Por qué Abel Rosnovski quería invertir dinero en algo relacionado con William Kane? Fenton había leído en el *Wall Street Journal* la historia de la fusión de los dos famosos bancos familiares. A él también casi le había pasado inadvertido el suelto, en medio de las preocupaciones que le producían Pearl Harbor y la jaqueca de su esposa. La petición de Rosnovski le avivó la memoria: debía enviarle a William Kane un cable de felicitación. Mientras escuchaba las instrucciones de Abel, escribió una nota con lápiz al pie del expediente de la Cadena Baron.

—Cuando tenga un panorama completo, quiero que me dé la información personalmente. Nada por escrito.

—Sí, señor Rosnovski.

Supongo que alguien sabrá qué nexo existe entre esos dos, se dijo Curtis Fenton para sus adentros, pero que el diablo me lleve si yo lo sé.

—También me gustaría encontrar en sus informes trimestrales —prosiguió Abel—, los detalles de cualquier comunicado oficial que publique el Lester y los nombres de las empresas con las que está vinculado.

—De acuerdo, señor Rosnovski.

—Gracias, señor Fenton. Entre paréntesis, mi equipo de investigación de mercado me aconseja inaugurar un nuevo Baron en Montreal.

—¿La guerra no lo inquieta, señor Rosnovski?

—Santo cielo, no. Si los alemanes llegan a Montreal todos nosotros, incluidos el Continental Trust, podremos dar por terminadas nuestras actividades. Sea como fuere, la vez pasada derrotamos a esos hijos de puta, y también lo haremos ahora. La única diferencia consiste en que en esta ocasión yo podré participar en la campaña. Adiós, señor Fenton.

Curtis Fenton se preguntó, mientras colgaba el auricular, si algún día podría entender lo que pasaba por la cabeza de Abel Rosnovski. Sus pensamientos se centraron en la otra petición de Abel, relacionada con las acciones del Lester. Esto lo preocupaba aún más. Aunque William Kane ya no tenía ningún vínculo con Rosnovski, lo asustaba lo que podría suceder al fin si su cliente se apropiaba de una parte sustancial de las acciones del Lester. Desistió de exponerle por el momento sus opiniones a Rosnovski, presumiendo que llegaría el día en que uno de ellos explicaría qué era lo que se traían entre manos.

Abel también se preguntó si debía explicarle a Curtis Fenton por qué quería comprar acciones del Lester, pero llegó a la conclusión de que cuantas menos personas conocieran su plan mejor sería.

Borró temporalmente de su cabeza a William Kane y le pidió a su secretaria que buscara a George, que se había convertido en vicepresidente de la Cadena Baron. George había prosperado a la sombra de Abel y se había convertido en su lugarteniente de más confianza. Sentado en su despacho del piso cuarenta y dos del Baron de Chicago, Abel miraba el lago Michigan, en dirección a lo que se conocía por el nombre de Gold Coast, pero sus pensamientos volvieron a Polonia. Se preguntó si antes de morir volvería a ver su castillo, que ahora quedaba muy en el interior en territorio ruso, bajo el control de Stalin. Abel sabía que nunca se radicaría en Polonia, pero seguía deseando que le devolvieran el castillo. La idea de que los alemanes o los rusos ocupaban una vez más su magnífica residencia le hizo sentir deseos de... La llegada de George interrumpió sus cavilaciones.

—¿Deseabas verme, Abel?

George era el único miembro de la empresa que seguía llamando al «Barón de Chicago» por su nombre de pila.

—Sí, George. ¿Crees que si desapareciera por un tiempo tú podrías mantener los hoteles en funcionamiento?

—Claro que sí —exclamó George—. ¿Qué, por fin vas a tomar las vacaciones que te habías prometido?

—No —respondió Abel—. Me iré a la guerra.

—¿Cómo? —preguntó George—. ¿Cómo? —repitió.

—Mañana por la mañana iré a Nueva York para alistarme en el ejército.

—Estás loco. Podrían matarte.

—No es ese mi plan —replicó Abel—. Lo que me propongo hacer es matar a algunos alemanes. Esos hijos de puta no pudieron conmigo la primera vez y no tengo la intención de dejar que ahora se salgan con la suya.

George siguió alegando que los Estados Unidos podían ganar la guerra sin la ayuda de Abel. Zaphia también protestó: ella aborrecía la sola idea de la guerra, y la pequeña Florentyna, que acababa de cumplir ocho años, se echó a llorar. No sabía muy bien qué era la guerra, pero entendía que papaíto tendría que estar fuera por mucho tiempo.

No obstante sus protestas, Abel se embarcó al día siguiente en el primer vuelo a Nueva York. Todos los norteamericanos parecían estar dispersándose en distintas direcciones, y Abel encontró la ciudad llena de jóvenes vestidos de uniforme que se despedían de sus padres, novias y esposas. Todos se aseguraban recíprocamente que la guerra terminaría en pocas semanas, pero nadie lo creía.

Abel llegó al Baron de Nueva York a tiempo para cenar. El comedor estaba atestado de gente joven, chicas que se abrazaban desesperadamente a soldados, marineros y aviadores, mientras Frank Sinatra cantaba acompañado por la orquesta de Tommy Dorsey. Abel miró a los jóvenes que llenaban la pista de baile, y se preguntó cuántos de ellos volverían a tener la oportunidad de disfrutar de una noche como ésa. No podía dejar de recordar la explicación que le había dado Sammy acerca de la forma en que había llegado a *maître* del Plaza. Los tres hombres que lo aventajaban por su antigüedad habían vuelto del frente occidental con una sola pierna... en total. Ninguno de los chicos que bailaban allí sospechaba ni remotamente lo que era en realidad la guerra. Él no se sumó al festejo, si de eso se trataba. En cambio subió a su habitación.

Por la mañana se vistió con un sencillo traje oscuro y fue a la oficina de reclutamiento de Times Square. Había resuelto alistarse en Nueva York porque temía que en Chicago lo reconocieran, en cuyo caso a lo más que podría aspirar sería a una silla giratoria en la retaguardia. La oficina estaba aún más atestada que la pista de baile de la noche anterior, pero nadie se abrazaba a nadie. Abel pasó allí una mañana para llenar un impreso que, en su despacho, habría completado en tres minutos. No se le escapó el hecho de que todos los otros reclutas parecían en mejores condiciones físicas que él. Luego hizo cola durante más de dos horas esperando que lo entrevistara un sargento de reclutamiento, el cual le preguntó cuál era su profesión.

—Administración de hoteles —respondió Abel, y a continuación describió sus experiencias de la primera guerra mundial.

El sargento miró con expresión incrédula a ese hombre que medía un metro setenta y pesaba noventa y cinco kilos. Si Abel le hubiera dicho que era el «Barón de Chicago», el militar no habría puesto en tela de juicio sus historias de encierro y fuga, pero él había preferido reservarse esa información para que le dispensaran igual trato que a cualquiera de sus compatriotas.

—Mañana deberá someterse a un examen físico completo —fue lo único que dijo el sargento cuando Abel terminó su monólogo, y agregó, como si pensara que estaba obligado a hacer ese comentario—: gracias por ofrecerse como voluntario.

Al día siguiente Abel debió esperar varias horas más antes

de que lo sometieran al examen físico. El médico de turno diagnosticó con mucha crudeza el estado general de Abel. Durante varios años, su posición y su éxito lo habían puesto al amparo de semejantes comentarios. Fue un cruel despertar que el médico lo clasificara en la categoría 4 F.

—Está excedido de peso, no tiene muy buena vista, su corazón es débil y cojea. Sinceramente, Rosnovski, usted es totalmente inepto. No podemos enviar al frente de batalla soldados que muy probablemente sufrirán un infarto aun antes de divisar al enemigo. Esto no significa que no podamos aprovechar su talento. Si le interesa, en esta guerra hay muchos trabajos burocráticos en los que puede colaborar.

Abel sintió deseos de pegarle un puñetazo, pero sabía que eso no lo ayudaría en sus deseos de ir al frente.

—No, gracias... señor —dijo—. Lo que deseo es combatir contra los alemanes, y no enviarles cartas. .

Esa tarde volvió descorazonado al hotel, pero no se dio por vencido. Al día siguiente repitió la tentativa. Fue a otra oficina de reclutamiento, pero retornó al Baron con el mismo resultado. En verdad, el segundo médico fue un poco más amable, pero igualmente categórico respecto de su estado, y lo clasificó también como inepto. Abel comprendió que si seguía así nunca le permitirían combatir contra nadie.

A la mañana siguiente encontró un gimnasio en West Fifty-seventh Street y le pagó a un instructor particular para que lo ayudara a mejorar sus condiciones físicas. Durante tres meses se ejercitó diariamente para bajar de peso y mejorar su estado atlético. Boxeó, luchó, corrió, saltó, levantó pesas y se sometió a una dieta de hambre. Cuando descendió a los setenta y ocho kilos, el instructor le aseguró que nunca estaría más ágil ni delgado. Abel volvió a la primera oficina de reclutamiento y llenó el mismo impreso con el nombre de Wladek Koskiewicz. Esta vez otro sargento de reclutamiento se mostró mucho más optimista, y el médico militar que lo sometió a varias pruebas lo aceptó finalmente para la reserva, a la espera de que fuera en algún momento llamado a prestar servicios.

—Pero yo quiero ir a la guerra ahora —insistió Abel—. Quiero combatir contra esos hijos de puta.

—Nos comunicaremos con usted, señor Koskiewicz —dijo el sargento—. Por favor manténgase en buenas condiciones físicas y preparado. Es imposible saber con certeza en qué momento lo necesitaremos.

Abel se fue, furioso al ver cómo aceptaban en seguida para el servicio activo a norteamericanos más jóvenes y delgados, y cuando salió impetuosamente por la puerta, sin saber muy bien cuál sería su próxima treta, tropezó con un hombre alto, desgarbado, cuyo uniforme lucía estrellas sobre los hombros.

—Lo siento, señor —exclamó Abel, levantando la vista y dando un paso atrás.

—Joven —dijo el general.

Abel siguió de largo, sin pensar que el oficial se había dirigido a él, porque nadie lo llamaba joven desde... no quería pensar desde cuándo, a pesar de que sólo tenía treinta y cinco años.

El general insistió.

—Joven —exclamó, con voz un poco más potente.

Esta vez Abel se volvió.

—¿A mí, señor? —preguntó.

—Sí, a usted, señor.

Abel se acercó al general.

—¿Quiere acompañarme a mi despacho, señor Rosnovski?

Maldición, pensó Abel, este hombre sabe quién soy, y ahora me resultará imposible participar en la guerra. El despacho provisional del general resultó estar en la parte posterior del edificio, y consistía en una habitación pequeña con un escritorio, dos sillas de madera, una capa de pintura verde desconchada y una puerta abierta. Abel no habría permitido siquiera que uno de los novatos del personal de sus hoteles trabajara en un lugar semejante.

—Señor Rosnovski —manifestó el general, irradiando energía—, me llamo Mark Clark y soy el comandante del Quinto Ejército de los Estados Unidos. He venido por un día de Governors Island, en gira de inspección, de modo que ha sido una agradable sorpresa tropezar literalmente con usted. Hace mucho tiempo que soy uno de sus admiradores. Su historia levanta el ánimo de los norteamericanos. Ahora cuénteme qué hace en esta oficina de reclutamiento.

—¿Qué cree usted? —preguntó Abel, espontáneamente—. Dispense, señor —se corrigió en seguida—. No quise ser grosero. Lo que sucede es que se empeñan en no dejarme participar en esta maldita guerra.

—¿Qué desea hacer en esta maldita guerra? —inquirió el general.

—Alistarme —respondió Abel—, y combatir contra los alemanes.

—¿Como soldado de infantería? —preguntó el general, incrédulo.

—Sí —contestó Abel—. ¿Acaso no necesitan a todos los hombres disponibles?

—Naturalmente —asintió el general—. Pero yo puedo encontrar un campo de acción mucho más adecuado que la infantería para su talento específico.

—Haré cualquier cosa —afirmó Abel—. Cualquier cosa.

—¿De veras? ¿Y qué diría si le pidiera que pusiera su hotel de Nueva York a mi disposición, como cuartel general del ejército en esta ciudad? Porque francamente, señor Rosnovski, así me prestaría un servicio mucho mayor que si matara con sus propias manos a una docena de alemanes.

—El Baron es suyo —dijo Abel—. ¿Y ahora me dejará ir a la guerra?

—¿Sabe que está loco, verdad? —exclamó el general Clark.

—Soy polaco —respondió Abel. Los dos rieron—. Debe comprenderme —continuó, con talante más serio—. Nací cerca de Slonim. Vi cómo los alemanes ocupaban mi casa y cómo los rusos violaban a mi hermana. Más tarde me fugué de un campo de trabajo ruso y tuve la suerte de poder llegar a los Estados Unidos. No estoy loco. Éste es el único país del mundo al que uno puede llegar con los bolsillos vacíos y convertirse en millonario sin que nadie le pregunte por su pasado, con la única condición de que se deslome trabajando. Ahora esos mismos hijos de puta han desencadenado otra guerra. No estoy loco, general. Soy humano.

—Bueno, si está tan ansioso por alistarse, señor Rosnovski, yo puedo utilizarlo, pero no como usted se imagina. El general Denvers necesita de alguien para afrontar la responsabilidad de la intendencia del Quinto Ejército mientras otros combaten en el frente. Si cree que Napoleón tenía razón cuando dijo que el ejército marcha con el estómago, usted podría desempeñar un papel vital. El cargo implica el grado de mayor. En esa forma podría contribuir incuestionablemente al triunfo de los Estados Unidos. ¿Qué contesta?

—Acepto, general.

—Gracias, señor Rosnovski.

El general pulsó un timbre que había sobre el escritorio y un teniente muy joven entró y saludó marcialmente.

—Teniente, ¿quiere tener la gentileza de acompañar al mayor Rosnovski a la oficina de personal y de traerlo después de nuevo aquí?

—Sí, señor. —El teniente se volvió hacia Abel—. ¿Quiere venir conmigo, mayor, por favor?

Abel lo siguió, y al llegar a la puerta miró hacia atrás.

—Gracias, general —dijo.

Pasó el fin de semana en Chicago, con Zaphia y Florentyna. Zaphia le preguntó qué quería que hiciese con sus quince trajes.

—Consérvalos —respondió él, sin saber por qué se lo preguntaba—. No pienso hacerme matar en esta guerra.

—Claro que no, Abel —afirmó Zaphia—. No era eso lo que

me preocupaba. Se trata sencillamente de que ahora todos son tres tallas mayores de la que tú necesitas.

Abel rió y llevó los trajes al centro de refugiados polacos. Después regresó a Nueva York, fue al Baron, canceló las reservas, y doce días más tarde entregó el edificio al Quinto Ejército de los Estados Unidos. La prensa alabó la decisión de Abel como un «gesto altruista», digno de un hombre que había llegado al país como refugiado de la Primera Guerra Mundial.

Pasaron otros tres meses antes de que a Abel lo convocaran al servicio activo. En ese período adaptó el funcionamiento del Baron de Nueva York a las necesidades del general Clark, y después viajó a Fort Benning donde completó un programa de adiestramiento para oficiales. Cuando por fin recibió la orden de ir a reunirse con el general Denvers y el Quinto Ejército, su acantonamiento resultó estar en algún lugar de África del Norte. Empezó a preguntarse si alguna vez llegaría a Alemania.

El día antes de partir, Abel redactó su testamento. En él daba instrucciones a los albaceas para que ofrecieran la Cadena Baron a David Maxton en condiciones favorables, y dividía el resto de su patrimonio entre Zaphia y Florentyna. Era la primera vez en casi veinte años que contemplaba la posibilidad de morir, aunque no sabía con certeza cómo podrían matarlo en la cantina del regimiento.

Cuando su transporte de tropas zarpó del puerto de Nueva York, Abel volvió la vista hacia la Estatua de la Libertad. Recordaba muy bien lo que había sentido al contemplarla por primera vez hacía casi veinte años. Cuando el barco la dejó atrás no volvió a mirarla, pero dijo en voz alta:

—La próxima vez que te mire, golfa francesa, los Estados Unidos habrán ganado esta guerra.

Abel cruzó el Atlántico acompañado de dos de sus mejores *chefs* y de cinco miembros del personal de cocina. El barco atracó en Argel el 17 de febrero de 1943. Pasó casi un año en medio del calor y el polvo y la arena del desierto, procurando que todos los hombres de la división se alimentaran lo mejor posible.

—Comemos mal, pero infinitamente mejor que todos los demás —comentó el general Clark.

Abel requisó el único buen hotel de Argel y convirtió el edificio en el centro de operaciones del general Clark. Aunque Abel comprendía que desempeñaba un papel importante en la guerra, estaba ansioso por entrar en combate, pero a los mayores de intendencia casi nunca los enviaban a la línea de fuego.

Les escribía a Zaphia y a George, y veía crecer en fotografías a su amada hija Florentyna. Incluso recibía de vez en cuando una carta de Curtis Fenton, quien le informaba que la Cadena Baron ganaba más dinero que nunca, porque todos los hoteles de los Estados Unidos se hallaban atestados debido al movimiento continuo de militares y civiles. A Abel lo afligió no poder asistir a la inauguración del nuevo hotel de Montreal, donde estuvo representado por George. Era la primera vez que no estaba presente en la inauguración de un Baron, pero George le escribió una larga carta tranquilizadora sobre el éxito del flamante hotel. Abel comenzó a comprender cuánto había construido en los Estados Unidos y cuánto anhelaba volver al país que ahora sentía como propio.

Pronto se hartó de África con sus utensilios de rancho, sus habas asadas, sus mantas y sus matamoscas. Había habido una o dos escaramuzas violentas en el desierto occidental, o por lo menos eso le contaban los hombres que volvían del frente, pero él nunca había visto un auténtico combate, aunque a menudo oía las andanadas cuando llevaba los víveres a la línea de fuego, y esto lo enfurecía aún más. Un día se sintió eufórico ante la noticia de que el Quinto Ejército del general Clark había recibido la orden de invadir el sur de Europa.

El Quinto Ejército desembarcó en la costa italiana con vehículos anfibios, mientras los aviones norteamericanos le suministraban protección táctica. Se encontraron con una resistencia considerable, primero en Anzio y después en Monte Cassino, pero Abel nunca entró en acción y empezó a temer que la guerra terminase sin que él hubiera visto una sola batalla. Sin embargo, tampoco podía idear un plan que lo llevara al frente. Sus perspectivas no mejoraron cuando lo ascendieron a teniente coronel y lo enviaron a Londres, a la espera de nuevas órdenes.

El día D empezó la gran embestida hacia el corazón de Europa. Los aliados entraron en Francia y liberaron París el 25 de agosto de 1944. Mientras Abel desfilaba con los soldados norteamericanos y de Francia Libre por los Campos Elíseos, detrás del general De Gaulle, aclamados todos ellos como héroes, estudió la ciudad aún maravillosa y volvió a decidir con exactitud dónde construiría su primer hotel Baron de Francia.

Los aliados avanzaron por el norte de Francia y atravesaron la frontera en una última arremetida hacia Berlín. Abel estaba enrolado en el Primer Ejército del general Bradley. Los víveres llegaban en su casi totalidad de Inglaterra: casi no había provisiones locales, porque cada ciudad donde entraban ya había sido saqueada por el ejército alemán en fuga. Cuando Abel arribaba a una ciudad, le bastaban unas pocas horas para requisar todos los alimentos existentes antes de que los otros oficiales de intendencia norteamericanos supieran dónde buscarlos. A los oficiales británicos y norteamericanos siempre les encantaba comer con la Novena División Blindada, y al irse se preguntaban dónde habían conseguido tan excelentes vituallas. En una oportunidad, cuando el general George S. Patton fue a cenar con el general Bradley, Abel conoció al famoso general que siempre marchaba al frente de sus soldados blandiendo un revólver con cachas de marfil.

—Nunca he comido mejor desde que comenzó la maldita guerra —comentó Patton.

452

En febrero de 1945 ya hacía casi tres años que Abel vestía uniforme, y sabía que la guerra terminaría en cuestión de meses. El general Bradley no cesaba de enviarle esquelas de felicitación y condecoraciones intranscendentes para adornar su uniforme de dimensiones cada vez mayores, pero esto no lo consolaba. Abel le suplicaba al general que lo dejara combatir en una sola batalla, pero Bradley no le hacía caso.

Aunque la misión de conducir los camiones con víveres hasta las líneas del frente y de supervisar después el rancho de las tropas recaía sobre los oficiales subalternos, Abel asumía a menudo esa responsabilidad. Y, como cuando administraba sus hoteles, no permitía que ningún miembro del personal supiera cuándo o dónde haría su próxima aparición.

Lo que le hizo sentir deseos de ir al frente en ese húmedo día de San Patricio para verificar por sí mismo lo que sucedía, fue la continua afluencia al campamento de camillas cubiertas con mantas. Cuando Abel llegó a un punto en el que ya no pudo seguir soportando el desfile de cuerpos en una sola dirección, reunió a sus hombres y organizó personalmente los catorce camiones con vituallas. Llevó consigo a un teniente, un sargento, dos cabos y veintiocho reclutas.

Esa mañana el viaje al frente fue muy lento, a pesar de que la distancia era de sólo treinta kilómetros. Abel se instaló al volante del primer camión —esto lo hizo sentirse un poco como si fuera el general Patton— y lo guió en medio de la fuerte lluvia y el lodo espeso. Tuvo que salir varias veces de la carretera para que las columnas de ambulancias pudieran pasar en sentido contrario en su regreso del frente. Los cuerpos destrozados tenían preferencia sobre los estómagos vacíos. Abel deseó que la mayoría no fueran más que heridos, pero sólo un movimiento de cabeza o un ademán ocasional indicaba un atisbo de vida. A medida que avanzaban, Abel fue tomando conciencia de que algo excepcional ocurría cerca de

Remagen, y los latidos de su corazón se aceleraron. Quién sabe por qué, intuía que esta vez iba a tener una participación activa.

Cuando finalmente llegó al puesto de mando oyó el fuego enemigo a lo lejos, y empezó a golpearse la pierna, presa de la cólera, al ver las camillas que traían más y más camaradas muertos y heridos desde un lugar que él desconocía. Abel estaba harto de no poder llegar a saber lo que era la guerra en serio hasta que ésta se incorporaba a la historia. Sospechaba que cualquier lector del *New York Times* debía estar mejor informado que él.

Abel detuvo el convoy al lado de la cocina de campaña y saltó del camión, protegiéndose del diluvio, avergonzado de que a sólo pocos kilómetros de allí otros hombres se estuvieran protegiendo de las balas. Empezó a supervisar la descarga de cuatrocientos litros de sopa, una tonelada de carne envasada, doscientos pollos, media tonelada de mantequilla, tres toneladas de patatas y ciento diez latas de medio kilo de habas asadas, más las inevitables raciones de emergencia, todo ello listo para los hombres que partían hacia el frente o volvían de éste. Cuando Abel llegó a la tienda del refectorio la encontró llena de mesas largas y bancos vacíos. Les ordenó a sus dos cocineros que prepararan la comida y a los pinches que pelaran las patatas, y fue en busca del oficial de sección.

Se encaminó directamente hacia la tienda del general de brigada John Leonard para averiguar qué sucedía, cuál era la explicación de esas camillas que pasaban continuamente con su carga de soldados muertos o, peor aún, casi muertos, espectáculo que habría enfermado a cualquier hombre común pero que en Remagen parecía ser algo rutinario. Cuando Abel se disponía a entrar en la tienda, el general Leonard salió apresuradamente, acompañado por su edecán. Entabló conversación con Abel sin detenerse.

—¿Qué puedo hacer por usted, coronel?

—He empezado a preparar la comida para su batallón tal

como estaba estipulado en las órdenes que recibí anoche, señor. ¿Qué...?

—Ahora no se ocupe de la comida, coronel. A primera hora de esta mañana el teniente Burrows de la Novena descubrió un puente ferroviario intacto al norte de Remagen y he dado orden de cruzarlo inmediatamente. No ahorraremos esfuerzos para instalar una cabeza de puente en la orilla oriental del río. Hasta este momento los alemanes han conseguido volar todos los puentes del Rin mucho antes de que llegáramos a ellos, de modo que ahora no podemos quedarnos de brazos cruzados, esperando el almuerzo, mientras también hacen volar éste.

—¿La Novena consiguió cruzarlo? —resopló Abel.

—Claro que sí —respondió el general—. Pero cuando llegó al bosque del otro lado del río tropezó con una resistencia encarnizada. Los primeros pelotones cayeron en una emboscada y sólo Dios sabe cuántos hombres hemos perdido. De modo que será mejor que usted se coma las provisiones, coronel, porque a mí lo único que me interesa es rescatar con vida a la mayor cantidad posible de mis hombres.

—¿Puedo prestar alguna colaboración? —preguntó Abel.

El general combatiente cesó de correr por un momento y miró al rechoncho coronel.

—¿Cuántos hombres tiene bajo sus órdenes directas?

—Un teniente, un sargento, dos cabos y veintiocho reclutas. Treinta y tres en total, incluido yo, señor.

—Está bien. Preséntese con sus hombres en el hospital de campaña y si quieren hacer algo útil traigan aquí a todos los muertos y heridos que encuentren.

—Sí, señor —contestó Abel, y corrió sin parar hasta la cocina de campaña donde encontró a sus hombres sentados en un rincón, fumando.

Ninguno de ellos lo vio entrar.

—En pie, hatajo de holgazanes. Esta vez sí que tenemos que trabajar en serio.

Los treinta y dos hombres se cuadraron.

455

—Síganme —vociferó Abel—, a paso ligero.

Se volvió y echó a correr nuevamente, esta vez en dirección al hospital de campaña. Cuando Abel y sus hombres jadeantes, ineptos, aparecieron en la entrada de la tienda, un joven médico estaba impartiendo instrucciones a dieciséis soldados enfermeros.

—¿En qué puedo ayudarlo, señor? —inquirió el médico.

—No, soy yo quien espero poder ayudarlo a usted —contestó Abel—. Aquí tengo treinta y dos hombres que el general Leonard ha asignado a su pelotón.

Ésa era la primera noticia que sus hombres tenían al respecto.

El médico miró atónito al coronel.

—Sí, señor.

—No me llame señor —exclamó Abel—. Estamos aquí para preguntarle en qué podemos ayudarlo.

—Sí, señor —repitió el médico.

Le entregó a Abel una caja de brazaletes de la Cruz Roja que los cocineros, los pinches y los peladores de patatas se ciñeron al brazo mientras el médico continuaba impartiendo instrucciones y describiendo la batalla que se libraba en el bosque, del otro lado del puente Ludendorff.

—La Novena ha sufrido muchas bajas —prosiguió—. Los soldados con experiencia médica permanecerán en la zona de combate, y los restantes se dedicarán a trasladar el mayor número posible de heridos a este hospital de campaña.

A Abel lo entusiasmó esa oportunidad de hacer algo útil, para variar. El médico, que ahora estaba al frente de un pelotón de cuarenta y nueve hombres, distribuyó dieciocho camillas, y cada soldado recibió un botiquín completo. Después guió a su heterogéneo grupo en dirección al puente Ludendorff. Abel lo seguía a sólo un metro de distancia. Mientras avanzaban entre el lodo y la lluvia se pusieron a cantar, pero dejaron de hacerlo cuando llegaron al puente donde fueron recibidos por una sucesión de camillas sobre cada una de las cuales se veía nítidamente la silueta de un cuerpo cubierto sólo con mantas. Atravesaron el puente en silencio, en fila india, bordeando la vía del ferrocarril donde se veían los efectos de la explosión que habían provocado los alemanes y que no había llegado a destruir los cimientos. Al avanzar hacia el bosque y hacia los estampidos de las armas de fuego, Abel descubrió que lo excitaba la sensación de estar tan cerca del enemigo, y que lo horrorizaba comprobar el daño que ese enemigo era capaz de infligirles a sus compatriotas. Cualquiera fuese la dirección en que se volvía, veía, o peor aún, oía, los gritos de angustia que proferían sus camaradas. Camaradas que hasta ese día habían pensado con optimismo que el fin de la guerra estaba cerca... pero no tan cerca.

Observó cómo el joven médico se paraba constantemente para hacer cuanto estaba en sus manos por cada hombre. A veces mataba piadosa y rápidamente a un herido cuando no vislumbraba la menor esperanza de aliviar sus sufrimientos. Abel corría de un soldado a otro, organizando el transporte en camilla de aquéllos que no estaban en condiciones de bastarse a sí mismos, y guiando en dirección al puente Ludendorff a los que aún caminaban. Al llegar al linde del bosque, sólo quedaban, del grupo inicial, el médico, uno de los peladores de patatas y el mismo Abel. Todos los demás estaban transportando a los muertos y heridos rumbo al campamento.

Cuando ellos tres entraron en el bosque, oyeron las armas enemigas a escasa distancia. Abel vio la silueta de un cañón, oculto en la maleza y apuntando todavía hacia el puente, pero ya inservible. Después oyó una andanada tan potente que se dio cuenta, por primera vez, de que el enemigo se hallaba sólo pocos centenares de metros más adelante. Se agazapó rápidamente sobre una rodilla, a la expectativa, con los sentidos aguzados al máximo. De pronto se produjo otra descarga delante de él. Se incorporó de un salto y avanzó corriendo, y el médico y el pelador de patatas lo siguieron de mala gana. Corrieron otros cien metros, hasta desembocar en un hermoso prado verde dentro de una hondonada cubierta de tulipanes blancos, y sembrada de cuerpos de soldados norteamericanos. Abel y el médico pasaron de un cadáver a otro.

—Debió de ser una carnicería —gritó Abel, furioso, mientras oía el crepitar de las armas en retirada.

El médico no hizo ningún comentario: él había gritado hacía tres años.

—No se preocupe por los muertos —fue lo único que dijo—. Limítese a comprobar si queda alguien vivo.

—Aquí —exclamó Abel, mientras se arrodillaba junto a·un sargento tumbado en el lodo alemán. Le faltaban los dos ojos.

—Está muerto, coronel —sentenció el médico, sin mirar al caído por segunda vez.

Abel corrió hasta otro cuerpo, y hasta otro, pero siempre con el mismo resultado, y lo único que lo frenó en seco fue el encuentro con una cabeza cercenada que descansaba sobre el fango en posición normal. No pudo dejar de seguir mirándola por encima del hombro: parecía el busto de un dios griego que ya no podía moverse. Abel recitó como un niño las palabras que había aprendido a los pies del barón:

—«La sangre y la destrucción serán tan habituales y los objetos macabros tan comunes que las madres se limitarán a sonreír cuando vean a sus pequeños descuartizados por las manos de la guerra.» ¿Es que nada cambia? —preguntó Abel, indignado.

—Sólo el campo de batalla —replicó el médico.

Cuando Abel hubo examinado treinta —¿o acaso habían sido cuarenta?— hombres, volvió junto al médico que trataba de salvar la vida de un capitán que ya estaba envuelto en vendas empapadas en sangre, las cuales sólo dejaban al descubierto un ojo cerrado y la boca. Abel se quedó junto al médico, impotente, estudiando la charretera del capitán —la Novena Blindada— y recordó las palabras del general Leonard: «Sólo Dios sabe cuántos hombres hemos perdido hoy».

—Alemanes hijos de perra —siseó Abel.

—Sí, señor —dijo el médico.

—¿Está muerto? —preguntó Abel.

—Como si lo estuviese —respondió mecánicamente el médico—. Pierde tanta sangre que sólo es cuestión de tiempo. —Levantó la vista—. No le queda nada por hacer aquí, coronel, así que ¿por qué no trata de llevar a este único sobreviviente al hospital de campaña antes de que muera? Comuníquele al jefe de la base que seguiré adelante y que necesito a todos los hombres que tenga disponibles.

—De acuerdo —asintió Abel, mientras lo ayudaba a depositar cuidadosamente al capitán sobre una camilla.

Abel y el pelador de patatas caminaron lentamente de regreso al campamento. El médico les había advertido que cualquier movimiento brusco de la camilla podría agravar aún más la hemorragia. Abel no dejó que su acompañante descansara ni un momento en todo el trayecto de tres kilómetros que los separaba de la base. Quería darle a ese hombre la oportunidad de vivir, y después volvería a reunirse con el médico en el bosque.

Avanzaron durante más de una hora entre el fango y la lluvia, y Abel estaba seguro de que el capitán había muerto. Cuando por fin llegaron al hospital de campaña, los dos estaban exhaustos, y Abel entregó la camilla a un equipo médico.

Mientras se lo llevaban, el capitán abrió su ojo descubierto y lo enfocó sobre Abel. Trató de levantar la mano. Abel lo saludó y habría brincado de alegría al ver el ojo abierto y la mano en movimiento. Le rogó fervientemente a Dios que ese hombre sobreviviera.

Salió corriendo del hospital, ansioso por volver al bosque con su pequeño contingente de hombres, cuando lo detuvo el oficial de guardia.

—Coronel —exclamó—, lo he buscado por todas partes. Hay más de trescientos hombres que necesitan comer. Jesús, ¿dónde estaba?

—Haciendo algo útil, para variar.

Abel pensó en el joven capitán mientras se encaminaba lentamente hacia la cocina de campaña.

La guerra había terminado para los dos hombres.

25

LOS CAMILLEROS TRANSPORTARON AL HERIDO a una tienda y lo depositaron con infinito cuidado sobre la mesa de operaciones. El capitán William Kane vio que una enfermera lo miraba tristemente pero no oyó lo que decía. Tampoco supo si no la oía porque tenía la cabeza envuelta en vendas o porque se había quedado sordo. Observó el movimiento de sus labios, pero no entendió nada. Cerró el ojo y pensó. Pensó mucho en el pasado y un poco en el futuro. Pensó con rapidez por si se moría. Sabía que si se salvaba dispondría de mucho tiempo para reflexionar. Su mente volvió a Kate, que estaba en Nueva York. Kate se había negado a aceptar su decisión de alistarse. Él se dio cuenta de que Kate nunca lo entendería, y de que él nunca podría explicarle sus motivaciones, así que desistió de intentarlo. Ahora lo perseguía el recuerdo de su expresión desesperada. Nunca había contemplado realmente la posibilidad de morir —nadie la contempla— y en ese momento sólo deseaba vivir y volver a su existencia anterior.

William había dejado el Lester bajo el control de Ted Leach y de Tony Simmons, hasta su regreso... hasta su regreso. No les había dado instrucciones para el caso de que no regresara. Ambos le habían implorado que no se fuese. Otros dos hombres que no podían entender. Cuando se alistó pocos días más tarde, no se atrevió a enfrentarse con los niños. Richard, que ya tenía diez años, se las ingenió para llegar por su cuenta a la estación. Contuvo las lágrimas hasta que su padre le dijo que no podía ir con él a combatir contra los alemanes.

Lo enviaron primero a la Escuela de Aspirantes a Oficiales de Vermont. Había visto Vermont por última vez cuando había ido a esquiar con Matthew, muy despacio cuesta arriba y vertiginosamente cuesta abajo. Ahora el viaje era lento en ambas direcciones. El curso duró tres meses y le permitió alcanzar de nuevo un buen estado físico por primera vez desde que había dejado Harvard.

Inicialmente lo destinaron a un Londres lleno de yanquis, donde actuó como oficial de enlace entre los norteamericanos y los británicos. Lo alojaron en el Dorchester, que la Oficina de Guerra británica había requisado y asignado al ejército norteamericano. William había leído en alguna parte que Abel Rosnovski le había dado el mismo destino al Baron de Nueva York, y en ese momento aprobó vehementemente la medida. Los oscurecimientos, los cohetes alemanes y las sirenas de la alarma antiaérea se combinaron para hacerle creer que participaba en una guerra, pero se sentía extrañamente ajeno a lo que sucedía a pocos centenares de kilómetros de Hyde Park Corner. Durante toda su vida había tomado la iniciativa y nunca había sido un espectador. Las idas y venidas entre el cuartel general de Eisenhower situado en St. James y la sala de Operaciones de Guerra de Churchill situada en Storey's Gate no respondían a la idea que él tenía de la iniciativa. Aparentemente no iba a encontrarse cara a cara con un alemán durante todo el transcurso de la guerra, a menos que Hitler invadiese Trafalgar Square.

Cuando el Primer Ejército se desplazó a Escocia para adiestrarse junto con el famoso regimiento de infantería Black Watch, William fue enviado como observador, con orden de hacer llegar sus impresiones. El viaje largo y lento de ida y vuelta a Escocia en un tren que se detenía en todas las estaciones, le hizo comprender que se estaba convirtiendo rápidamente en un mensajero de primera, y empezó a preguntarse por qué se había alistado. Escocia, descubrió William, era distinta. Por lo menos ahí parecían estar preparándose para la guerra, y cuando regresó a Londres solicitó que lo trasladaran al Primer Ejército. Su coronel, que nunca había sido partidario de dejar detrás de un escritorio a un hombre que deseaba combatir, accedió a su petición.

Tres días más tarde William volvió a Escocia para incorporarse a su nuevo regimiento y empezó a entrenarse con las tropas norteamericanas de Inveraray para la invasión que, como todos sabían, no tardaría en producirse. El entrenamiento era de una gran dureza. Las noches que pasaba en las colinas escocesas librando simulacros de batalla con el Black Watch eran muy distintas de las que había pasado en el Dorchester redactando informes.

Tres meses más tarde se arrojaron en paracaídas en el norte de Francia para unirse al ejército de Omar N. Bradley, que estaba atravesando Europa. El olor de la victoria flotaba en el aire y William quería ser el primero de los soldados que entrarían en Berlín.

El Primer Ejército avanzaba hacia el Rin, resuelto a cruzar todos los puentes que encontrara. Aquella mañana el capitán Kane recibió la orden de atravesar el puente Ludendorff junto con su división y de entablar combate con el enemigo un kilómetro y medio al nordeste de Remagen, en un bosque situado al otro lado del río. Se apostó en lo alto de una colina y miró cómo la Novena División cruzaba el puente, esperando que éste volara por los aires en cualquier momento.

Su coronel pasó detrás de la Novena con su propia división. Él lo siguió con los ciento veinte hombres que tenía a sus órdenes, la mayoría de los cuales, como William, entrarían en acción por primera vez. Se habían acabado los ejercicios con los taimados escoceses que fingían matarlos con balas de fogueo para luego comer todos juntos. Ahora se trataba de los alemanes, con balas auténticas, la muerte... y quizá ningún luego.

Cuando William y sus hombres llegaron al linde del bosque no encontraron tropas enemigas, de modo que resolvieron seguir internándose en la espesura. La marcha era lenta y monótona, y William empezaba a pensar que la Novena debía de haber practicado una limpieza tan completa que ellos tendrían que conformarse con seguirla, cuando fueron súbitamente acribillados desde la nada por una lluvia de balas y obuses. Todo parecía derrumbarse sobre ellos. Los hombres de William se arrojaron al suelo, tratando de parapetarse detrás de los árboles, pero en pocos segundos perdió a la mitad de sus hombres. La batalla, si así se la podía llamar, había durado menos de un minuto, y él ni siquiera había visto un alemán. William permaneció unos segundos más agazapado en la maleza húmeda y entonces vio, horrorizado, que la división siguiente avanzaba por el bosque. Salió corriendo de detrás del árbol que lo protegía para dar la alarma. La primera bala lo alcanzó en la cabeza y, mientras caía de rodillas sobre el lodo alemán y continuaba agitando frenéticamente los brazos para alertar a sus camaradas que avanzaban, la segunda lo alcanzó en el cuello y la tercera en el pecho. Quedó tumbado en el fango, inmóvil, esperando la muerte, sin haber visto siquiera al enemigo. Una muerte sucia, desprovista de heroísmo.

Lo primero que sintió a continuación fue que lo transportaban en una camilla, pero no veía ni oía nada y se preguntó si era de noche o si se había quedado ciego.

Pareció un largo viaje. Cuando abrió el ojo, enfocó a un coronel bajo y gordo que salía cojeando de una tienda. Tenía un aire familiar, pero no pudo concluir por qué. Los camilleros lo llevaron a la tienda de operaciones y lo depositaron sobre la mesa. Trató de rechazar el sueño porque temía que fuese la muerte. Se durmió.

William se despertó. Tuvo conciencia de que dos personas trataban de moverlo. Le estaban dando la vuelta con la mayor delicadeza posible, y entonces le hincaron una aguja. Soñó que veía a Kate, y después a su madre, y después a Matthew que jugaba con su hijo Richard. Dormía.

Se despertó. Se dio cuenta de que lo habían trasladado a otra cama. Una vaga esperanza sustituyó a la idea de la muerte inevitable. Permaneció quieto, con un ojo clavado en el techo de lona de la tienda, sin poder mover la cabeza. Una enfermera se acercó para estudiar un gráfico y después lo miró a él. Volvió a dormirse.

Se despertó. ¿Cuánto tiempo había transcurrido? Otra enfermera. Esta vez pudo ver un poco más y —alegría, oh qué alegría— pudo mover la cabeza, aunque con gran dolor. Permaneció despierto todo el tiempo que le fue posible. Quería vivir. Se durmió.

Se despertó. Cuatro médicos lo estaban examinando. ¿De qué hablaban? No los oyó, así que no se enteró de nada.

Volvieron a transportarlo. Esta vez pudo ver cómo lo cargaban en una ambulancia militar. La puertas se cerraron tras él, se encendió el motor y la ambulancia emprendió viaje por un terreno escabroso mientras una nueva enfermera se quedaba junto a él, sosteniéndolo para que no se zarandeara. Le pareció que el viaje duró una hora, pero ya no confiaba en su sentido del tiempo. La ambulancia llegó a un terreno más liso y entonces se detuvo. Volvieron a transportarlo. Ahora caminaban por una superficie nivelada y después lo condujeron escaleras arriba hasta una habitación oscura. Esperaron nuevamente y a continuación la habitación empezó a moverse. Quizás era otro vehículo. La habitación despegó. La enfermera le hincó otra aguja y no recordó nada más hasta que sintió

464

que un avión aterrizaba y carreteaba y se detenía. Lo transportaron nuevamente. Otra ambulancia, otra enfermera, otro olor, otra ciudad. Nueva York, o por lo menos los Estados Unidos, pensó. No había otro olor como ése en el mundo. La nueva ambulancia lo llevó por otra superficie lisa, deteniéndose y arrancando continuamente, hasta que por fin llegaron a destino. Lo bajaron una vez más y lo subieron por otra escalera hasta una pequeña habitación de paredes blancas. Lo depositaron sobre una cama confortable. Sintió que su cabeza se apoyaba sobre la almohada y cuando volvió a despertarse le pareció que se hallaba completamente solo. Entonces enfocó el ojo y vio que Kate estaba en pie frente a él. Trató de alzar la mano y tocarla, y trató de hablar, pero no consiguió articular ni una palabra. Kate le sonrió, pero William supo que ella no veía la sonrisa de él, y cuando volvió a despertarse Kate aún estaba allí, pero ahora llevaba un vestido diferente. ¿O acaso se había ido y había vuelto muchas veces? Kate sonrió de nuevo. ¿Cuánto tiempo había pasado? Trató de mover un poco la cabeza y vio a su hijo Richard, tan alto, tan guapo. Quiso ver a sus hijas, pero no pudo mover más la cabeza. Ellas fueron las que entraron en su campo visual: Virginia... que no podía tener tantos años, y Lucy... no era posible. ¿Qué había ocurrido con el tiempo? Se durmió.

Se despertó. No había nadie allí, pero ahora podía mover la cabeza. Le habían quitado algunas vendas y veía mejor. Trató de decir algo pero no brotaron las palabras. Se durmió.

Se despertó. Menos vendas que antes. Kate estaba otra vez allí, con su cabello rubio más largo, que ahora le llegaba a los hombros, y sus dulces ojos marrones y su sonrisa inolvidable. Bella, tan bella. William pronunció su nombre. Kate sonrió. Él se durmió.

Se despertó. Aún menos vendas que antes. Esta vez su hijo habló.

—Hola, papá —dijo Richard.

Él lo oyó y respondió:

—Hola, Richard —pero no reconoció el sonido de su propia voz. La enfermera lo ayudó a sentarse para que pudiera recibir a su familia. Él le dio las gracias. Un médico le tocó el hombro.

—Lo peor ya ha pasado, señor Kane. Pronto estará bien, y entonces podrá volver a su casa.

Sonrió cuando Kate entró en la habitación, seguida por Virginia y Lucy. Tenía que formularles tantas preguntas. ¿Por dónde debía empezar? En su memoria había huecos que necesitaba llenar. Kate le contó que había estado a punto de morir. Él lo sabía, pero ignoraba que había transcurrido más de un año desde que su división había caído en la emboscada del bosque de Remagen.

¿A dónde habían ido a parar los meses de los que no tenía conciencia, la vida perdida que se asemejaba a la muerte? Richard tenía casi doce años y ya soñaba con ir a Harvard. Virginia tenía nueve y Lucy casi siete. Sus vestidos le parecieron un poco cortos. Tendría que aprender a conocerlos a todos de nuevo.

Curiosamente, no recordaba que Kate hubiera sido tan hermosa. Ella le contó que nunca se había resignado a la idea de que él podría haber muerto. Le contó también que Richard se desempeñaba muy bien en Buckley, y que Virginia y Lucy necesitaban un padre. Encontró fuerzas para hablarle de las cicatrices que nunca se borrarían de su cara y su pecho, y dio gracias a Dios porque los médicos opinaban que su mente estaba sana y que recuperaría la vista. Lo único que deseaba Kate era ayudarlo a recobrarse. Lentamente, para el gusto de Kate. Rápidamente, para el de William.

Cada miembro de la familia desempeñó un papel en ese

proceso. Primero el oído, después la vista, después el habla. Richard lo ayudó a caminar, hasta que pudo prescindir de las muletas. Lucy lo ayudó a comer, hasta que pudo alimentarse nuevamente solo. Y Virginia le leía a Mark Twain. Ambos disfrutaban tanto de la lectura que William no sabía muy bien si ella lo hacía por él o por sí misma. Y entonces, por fin, después de Navidad, lo autorizaron a volver a su casa.

Cuando William estuvo de nuevo en East Sixty-eighth Street, se recuperó más deprisa, y los médicos pronosticaron que en el plazo de seis meses podría volver a trabajar en el banco. Un poco marcado por las cicatrices, pero tan vivo como en sus mejores tiempos, lo autorizaron a recibir visitas.

El primer visitante fue Ted Leach, a quien el aspecto de William lo tomó un poco por sorpresa. También tendría que habituarse a esas reacciones, por el momento. Ted Leach le trajo buenas noticias. El Lester había progresado durante su ausencia y sus colegas estaban ansiosos por volver a tenerlo como presidente. Tony Simmons le comunicó noticias que lo entristecieron. Alan Lloyd y Rupert Cork-Smith habían fallecido. William echaría de menos su prudente sagacidad. Y entonces Thomas Cohen le telefoneó para hacerle saber que la noticia de su recuperación ló había regocijado mucho y para demostrarle, como si aún hiciera falta, que había pasado el tiempo, pues él prácticamente se había retirado de la profesión y había transferido muchos de sus clientes a su hijo Thaddeus, quien había abierto un despacho en Nueva York. William comentó que los dos tenían nombre de apóstoles. Thomas Cohen rió y manifestó su esperanza de que el señor Kane continuara utilizando los servicios de su firma. William le aseguró que así sería.

—Entre paréntesis, tengo una información que usted debe conocer.

William escuchó en silencio al anciano abogado y se encolerizó, se encolerizó mucho.

proceso. Primero el oído, después la vista, después el habla... Brother le ayudó a caminar hasta que pudo prescindir de las muletas. Luego lo ayudó a correr, hasta que pudo, ¡finalmente!, nuevamente solo... y jugaba a la acera", Mark Twain. Ambos discutían respecto de la lectura que Wilhelm no sabía muy bien en qué lo beneficiaría por sí o por sí misma. Y entonces, por un, después de Navidad, lo interrumpió a volver a san casa.

Cuando Wilhelm salió o descubre en C.M. sixty eighth street, se recuperó más deprisa... las rígidas proporciones que en el había de sets iniciales podía volver a trabajar en el banco. Un poco más de dos los doctores, pero en vivo con más en sus metros tiempo, lo autorizaron a seguir a visitar. El primer desafíe fue lud a seguir a quitar el zapato de William. Tellords un poco por sorpresa. También tenía que involucrarse y más resecciones, por el momento... Y también le trajo la buena noticia. El oasis había progresado durante su ausencia, vana doloroso, estaba también sólidos. Para volver a seguir a como presidente. Congriamente le comunicó una pírea que lo entristeció. Aun Ebova y Kippur O'er Smith habían salido... etc.". Tras estar a lo recién de propio principio asociado X y entonces Thirma's Gonora le celebraba para hacerle saber que las noticias de su recuperación lo había respondido mucho y para demostrarle como si nun la tierra falla, que había puesto el tiempo que o por instante le sumaba recordarle de la misión y había invertido muchos de sustancia... a su niño. Y pudieron después habían hablar en ademán tanto así... Luego WR then confirmó que dos que le dijo... nombre de un positivo. Thirmas Gonora y manifiesto su esperanza de que el así... como continúa atendiendo los servicios de su firma. William le agradeció su carta.

— Para pretender siempre una información se nos necesita aquí.

— Significa, pero... llea lo atándome ahora aquí y el encontrarse en ciertos lados...

468

QUINTO
LIBRO

26

EL 7 DE MAYO DE 1945 el general Alfred Jodl firmó la rendición incondicional en Reims, precisamente cuando Abel llegaba a una Nueva York que se preparaba para celebrar la victoria y el fin de la guerra. Las calles se veían otra vez atestadas de soldados uniformados, pero ahora sus rostros reflejaban júbilo y no miedo. A Abel lo afligió ver a tantos hombres con una sola pierna, un solo brazo, ciegos o desfigurados por las cicatrices. Para ellos la guerra no terminaría nunca, a pesar del documento firmado a seis mil kilómetros de distancia.

Cuando Abel entró en el Baron con su uniforme de coronel nadie lo reconoció. ¿Y por qué habría de ser de otro modo? Cuando lo habían visto por última vez con ropas de paisano, dos años atrás, sus facciones aún juveniles no tenían arrugas. El rostro que veían ahora era más viejo de lo que le correspondía a sus treinta y nueve años, y los surcos profundos y curtidos de su frente revelaban que la guerra había dejado su sello. Subió en el ascensor hasta su despacho del piso cuarenta y dos, y un guardia de seguridad le informó perentoriamente que se había equivocado de planta.

—¿Dónde está George Novak? —preguntó Abel.

—En Chicago, coronel —respondió el guardia.

—Bueno, llámelo por teléfono —dijo Abel.

—¿De parte de quién?

—De Abel Rosnovski.

El guardia se apresuró a hacer lo que le decían.

La voz familiar de George crepitó en la línea, dándole la bienvenida. Abel sintió en ese momento lo maravilloso que era estar de regreso. Resolvió no pasar esa noche en Nueva York, sino volar a Chicago, que estaba a mil doscientos kilómetros. Se llevó consigo los informes actualizados de George para estudiarlos durante el viaje. Leyó hasta el último detalle de los progresos que la Cadena Baron había realizado durante la guerra, y quedó claro que George había sabido pilotar con muy buena mano la empresa durante la ausencia de Abel. Éste no encontró motivos de queja en su manejo prudente: los beneficios seguían siendo altos porque muchos miembros de la plantilla habían sido enrolados para combatir en la guerra, al tiempo que los hoteles habían permanecido llenos en razón de los continuos desplazamientos de personal por los Estados Unidos. Abel resolvió que debía empezar a contratar nueva gente, antes de que los otros hoteles se hicieran con los mejores hombres que volvían del frente.

Cuando llegó al aeropuerto Midway, terminal 11-C, George lo estaba esperando junto a la puerta para darle la bienvenida. Casi no había cambiado —quizás unos kilos de más y unos cabellos de menos— y después de relatarse sus mutuas experiencias y de ponerse al día acerca de lo que había sucedido durante los últimos tres años, fue casi como si Abel nunca hubiera estado ausente. Abel siempre le agradecería al *Black Arrow* que lo hubiera puesto en contacto con su primer vicepresidente.

Sin embargo, George fue implacable con la cojera de Abel, que parecía haberse agravado desde su partida al frente.

—El pirata cojo de la industria hotelera —comentó sarcásticamente—. Ahora no tienes una pierna sobre la cual sostenerte.

—Sólo a un polaco se le podría haber ocurrido un chiste tan necio —respondió Abel.

George lo miró con expresión ligeramente dolorida, como un cachorro al que su amo acabara de reprender.

—Gracias a Dios he contado con un polaco necio que administró mis negocios mientras yo cazaba alemanes —agregó Abel, con tono tranquilizador.

Abel no pudo resistir la tentación de ir a echar un vistazo al Baron de Chicago antes de volver a casa. Las carencias propias de la guerra habían desgastado un poco el barniz de lujo. Descubrió varios elementos que sería necesario renovar, pero eso quedaría para más tarde, porque ahora lo único que deseaba era ver a su esposa y su hija. Fue entonces cuando recibió el primer sobresalto. George había cambiado poco en tres años, pero Florentyna ya tenía once años y había florecido hasta convertirse en una bella chica, en tanto que Zaphia, si bien sólo tenía treinta y ocho años, se había puesto rolliza, desaliñada y francamente madura.

Al principio, ninguno de los dos supo muy bien cómo tratar al otro, y después de sólo pocas semanas Abel empezó a darse cuenta de que su relación nunca volvería a ser la misma. Zaphia no se esforzaba mucho por excitar a Abel, ni se enorgullecía de sus logros. Abel se afligió ante su apatía y trató de comprometerla nuevamente en sus actividades, pero ella no respondió a ninguna de sus insinuaciones. Sólo parecía contenta cuando se quedaba en casa y tenía la menor relación posible con la Cadena Baron. Abel se resignó al hecho de que ella nunca cambiaría y se preguntó hasta cuándo podría seguir siéndole fiel. En tanto que Florentyna lo fascinaba, Zaphia, que había perdido su belleza y su silueta, lo dejaba frío. Cuando se acostaban juntos Abel evitaba hacer el amor con ella, y las pocas veces que lo hacía, pensaba en otras mujeres. Pronto empezó a buscar cualquier excusa para alejarse de Chicago y del rostro abatido de Zaphia, que lo acusaba en silencio.

Comenzó a hacer largos viajes a otros hoteles, y durante las vacaciones escolares llevó consigo a Florentyna. Los seis primeros meses que siguieron a su regreso a los Estados Unidos los dedicó a visitar todos los hoteles de la Cadena Baron, tal como lo había hecho al asumir el control de la empresa después de la muerte de Davis Leroy. Al cabo de un año todos habían recuperado la alta posición que él se había fijado como meta, y entonces quiso reanudar la política de expansión. En la siguiente reunión trimestral del consejo de administración informó a Curtis Fenton que su equipo de investigación de mercado le aconsejaba construir un hotel en México y otro en Brasil, y que también buscaba nuevos territorios donde erigir otros Baron.

—El Baron de la ciudad de México y el Baron de Río de Janeiro —dijo Abel. Le gustaba cómo sonaban esos nombres.

—Bueno, usted tiene fondos suficientes para sufragar los gastos de edificación —respondió Curtis Fenton—. Ciertamente el dinero se ha ido acumulando durante su ausencia. Podría construir un Baron prácticamente en cualquier lugar que se le antojara. Sólo Dios sabe dónde parará usted, señor Rosnovski.

—Un día, señor Fenton, levantaré un Baron en Varsovia, y creo que ahí es donde pararé —afirmó Abel—. Puedo haber vencido a los alemanes, pero aún tengo algo pendiente con los rusos.

Curtis Fenton se rió. Pero esa misma noche, más tarde, cuando le refirió la conversación a su esposa, comprendió que Abel Rosnovski había hablado en serio: un Baron en Varsovia.

—¿En qué situación me encuentro respecto del banco de Kane?

El repentino cambio de tono de Abel inquietó a Curtis Fenton. Lo preocupaba que Abel Rosnovski siguiera pensando que Kane había sido el responsable de la muerte prematura de Davis Leroy. Abrió el expediente especial y empezó a leer.

—Las acciones del Lester, Kane and Company están repartidas entre catorce miembros de la familia Lester y seis personas que trabajaron o trabajan en el banco. El señor Kane es el principal accionista, con el ocho por ciento del capital.

—¿Algún miembro de la familia Lester está dispuesto a vender sus acciones?

—Quizá sí, si ofrecemos la suma adecuada. La señorita Susan Lester, hija del difunto Charles Lester, nos ha dado motivos para pensar que tal vez aceptaría desprenderse de sus acciones, y el señor Peter Parfitt, ex vicepresidente del Lester, también demostró algún interés por nuestras sugerencias.

—¿Qué porcentajes tienen?

—Susan Lester el seis por ciento. Peter Parfitt sólo el dos.

—¿Cuánto piden por sus acciones?

Curtis Fenton volvió a consultar su expediente mientras Abel ojeaba el último balance anual del Lester. Su mirada se detuvo sobre el artículo siete de los estatutos.

—La señorita Susan Lester pide dos millones de dólares por su seis por ciento y el señor Parfitt un millón por su dos por ciento.

—El señor Parfitt es muy glotón —comentó Abel—. Por consiguiente esperaremos hasta que esté hambriento. Compre inmediatamente las acciones de la señorita Susan Lester sin revelar a quién representa, y comuníqueme cualquier cambio de actitud del señor Parfitt.

Curtis Fenton tosió.

—¿Hay algo que lo preocupa, señor Fenton? —preguntó Abel.

Curtis Fenton vaciló.

—No, nada —manifestó con tono poco convincente.

—A partir de ahora, designaré supervisor de la cuenta a alguien que usted conocerá o ya conoce... Henry Osborne.

—¿El diputado Osborne? —inquirió Curtis Fenton.

—Sí... ¿lo conoce?

—Sólo por su reputación —respondió Fenton, con un ligero tono de disgusto y sin mirarle.

Abel no hizo caso del comentario implícito. Conocía muy bien la reputación de Henry, pero mientras conservara su habilidad para pasar por encima de todos los intermediarios de la burocracia y para garantizar decisiones políticas rápidas, pensaba que valía la pena correr el riesgo. Para no hablar del otro vínculo que los unía: el odio compartido a Kane.

—También invitaré al señor Osborne a asumir un puesto de director en la Cadena Baron, con responsabilidad directa sobre la cuenta Kane. Esta información es, como siempre, estrictamente confidencial.

—Como quiera —murmuró Fenton con amargura, mientras se preguntaba si debería confesarle su recelo personal a Abel Rosnovski.

—Apenas haya cerrado el trato con la señorita Susan Lester, comuníquemelo.

—Sí, señor Rosnovski —contestó Curtis Fenton sin alzar la cabeza.

Abel fue a almorzar en el Baron, donde lo aguardaba Henry Osborne.

—Diputado —lo saludó Abel cuando se encontraron en el vestíbulo.

—Barón —exclamó Henry, y ambos rieron y entraron en el comedor tomados del brazo. Se sentaron en la mesa de la esquina.

Abel amonestó a un camarero porque le faltaba un botón de la chaqueta.

—¿Cómo está tu esposa, Abel?

—Estupendamente. ¿Y la tuya, Henry?

—Muy bien.

Ambos mentían.

—¿Tienes alguna novedad para mí?

—Sí. Nos hemos ocupado de la concesión que necesitabas en Atlanta —informó Henry con aire de conspirador—. Los documentos los harán pasar en los próximos días. Podrás empezar a construir el Baron de Atlanta a principios de mes.

476

—¿No hacemos nada ilegal, verdad?

—Nada que no hagan nuestros competidores... eso te lo puedo asegurar, Abel —Henry Osborne se rió.

—Me alegra saberlo, Henry. No quiero líos con la justicia.

—No, no —insistió Henry—. Sólo tú y yo conocemos todos los detalles.

—Correcto —asintió Abel—. Durante todos estos años me has prestado muchos servicios, Henry, y tengo una pequeña recompensa para ti. ¿Te gustaría ocupar un cargo de director de la Cadena Baron?

—Me sentiría halagado, Abel.

—No me vengas con esas monsergas. Sabes que esos permisos estatales y municipales son impagables. Nunca he tenido tiempo para lidiar con políticos y burócratas. Sea como fuere, Henry, ellos prefieren tratar con un hombre de Harvard aunque éste eche las puertas abajo en lugar de abrirlas.

—Tú recompensa es muy generosa, Abel.

—Te la has ganado. Ahora deseo que te ocupes de un trabajo aún más importante y que para mí es muy querido. Esta operación también deberá permanecer en el secreto más absoluto, pero no te quitará mucho tiempo y nos ayudará a vengarnos de nuestro común amigo de Boston, el señor William Kane.

El *maître d'hotel* llegó con dos grandes filetes, poco pasados. Henry escuchó atentamente mientras Abel explicaba lo que le tenía reservado a William Kane.

Poco después, el 8 de mayo de 1946, Abel viajó a Nueva York para celebrar el primer aniversario del Día de la Victoria. Había organizado un banquete para más de mil veteranos polacos, en el Baron Hotel, y había invitado al general Kazimierz Sosnkowski, comandante en jefe de las fuerzas polacas destacadas en Francia después de 1943, quien sería el huésped de honor. Hacía varias semanas que Abel esperaba con impaciencia ese acontecimiento, y llevó consigo a Florentyna, en tanto que Zaphia se quedaba en Chicago.

En la noche del festejo, el salón de banquetes del Baron de Nueva York tenía un aspecto magnífico. Cada una de las ciento veinte mesas estaba decorada con las barras y las estrellas de los Estados Unidos y con el blanco y el rojo de la bandera nacional polaca. De las paredes colgaban gigantescas fotografías de Eisenhower, Patton, Bradley, Hodges, Paderewski y Sikorski. Abel se sentó en el centro de la mesa de la cabecera, con el general a su derecha y Florentyna a su izquierda.

Cuando el general Sosnkowski se levantó para dirigirse a la concurrencia, anunció que el coronel Rosnovski había sido designado presidente de la Sociedad de Veteranos Polacos, como reconocimiento por los sacrificios personales que había hecho en favor de la causa polaco-norteamericana, y en particular por su generosa donación del Baron de Nueva York durante todo el tiempo que había durado la guerra. Alguien que había bebido de más gritó desde el fondo del salón:

—Quienes sobrevivimos a los alemanes también tuvimos que sobrevivir a las comidas de Abel.

Los mil veteranos rieron y aplaudieron, brindaron por Abel con vodka de Danzig y después guardaron silencio mientras el general hablaba sobre el infortunio de la Polonia de postguerra, subyugada por la Rusia stalinista, y exhortaba a sus camaradas expatriados a no cejar en la campaña destinada a garantizar la soberanía definitiva de su país nativo. Abel anhelaba creer que algún día Polonia volvería a ser libre y que tal vez incluso viviría para asistir a la devolución de su castillo, pero dudaba que estas esperanzas pudieran hacerse realidad después del triunfo que había obtenido Stalin en la conferencia de Yalta.

El general les recordó a continuación a los asistentes que, proporcionalmente, los polaco-norteamericanos habían sacrificado más vidas y habían donado más dinero para la guerra que cualquier otro grupo étnico de los Estados Unidos. «...Cuántos norteamericanos creerían que Polonia perdió a seis millones de sus hijos, en tanto que Checoslovaquia perdió sólo cien mil. Algunos observadores afirman que cometimos una estupidez al no capitular cuando sabíamos que estábamos derrotados. ¿Cómo podía creerse derrotada una nación capaz de llevar a cabo una carga de caballería contra el poderío de los tanques nazis? Y os aseguro, amigos, que ahora tampoco estamos derrotados.» Todos los polacos congregados en el salón dedicaron una ovación estruendosa al general.

Abel pensó afligido que la mayoría de los norteamericanos seguirían riéndose si les hablaban del esfuerzo de guerra polaco... o que su hilaridad sería mayor aún, si se hacía mención de un héroe de guerra polaco. Luego el general esperó a que reinara un silencio absoluto antes de contar a un auditorio atento cómo Abel había encabezado un contingente de hombres que habían ido a recuperar a los soldados muertos o heridos en la batalla de Remagen. Cuando el general terminó su discurso y se sentó, los veteranos se pusieron en pie y vitorearon estentóreamente a los dos hombres. Florentyna se sintió muy orgullosa de su padre.

A Abel le sorprendió que los periódicos de la mañana siguiente se hicieran eco del acontecimiento, porque las hazañas polacas rara vez se publicaban en otro medio que no fuera el *Dziennik Zwiazkiwy*. Pensó que difícilmente la prensa se habría tomado tanto trabajo en esa oportunidad si él no hubiera sido el «Barón de Chicago». Abel se regodeó en esta flamante gloria de héroe norteamericano olvidado y pasó la mayor parte del día dejándose fotografiar y concediendo entrevistas a los periodistas.

Al anochecer, Abel experimentó una sensación de anticlímax. El general había volado a Los Angeles para asistir a otro festejo, Florentyna había vuelto a la escuela en Lake Forest, George estaba en Chicago y Henry Osborne en Washington. El hotel le parecía demasiado grande y vacío, y no tenía ganas de reunirse con Zaphia en Chicago.

Resolvió cenar temprano y repasar los informes semanales de los otros hoteles de la cadena antes de volver al ático contiguo a su despacho. Rara vez comía solo en su apartamento privado porque siempre que ello era posible aprovechaba la oportunidad de hacerse servir en uno de los comedores. Ése era uno de los métodos más seguros para mantenerse en contacto con la vida del hotel. Cuantos más hoteles compraba y construía, tanto más le preocupaba la posibilidad de desconectarse del personal que trabajaba en ellos.

Bajó en el ascensor y se detuvo en la conserjería para preguntar cuántas personas se alojaban esa noche en el hotel, pero le llamó la atención una mujer deslumbrante que estaba firmando el libro de registro. Habría jurado que reconocía ese perfil, aunque era difícil verificarlo desde el costado. Promediaba los treinta, calculó. Cuando la mujer terminó de escribir, se volvió y lo miró.

—Abel —exclamó—. Qué maravilla verte.

—Santo cielo, Melanie. Casi no te reconocí.

—Nadie podría dejar de reconocerte a ti, Abel.

—No sabía que estabas en Nueva York.

—Sólo por esta noche. Vengo por asuntos de mi revista.

—¿Eres periodista? —preguntó Abel, con una pizca de incredulidad.

—No, soy la asesora económica de un grupo editorial con sede en Dallas, y me han enviado a Nueva York por un proyecto de investigación de mercado.

—Parece algo muy importante.

—Te aseguro que no lo es —manifestó Melanie—, pero me sirve para mantenerme.

—¿Por casualidad tienes libre la hora de la cena?

—Qué buena idea, Abel. Pero si no te molesta esperar, tengo que bañarme y cambiarme de ropa.

—Claro que esperaré. Nos encontraremos en el comedor principal cuando estés lista. Ven a mi mesa, digamos dentro de una hora.

Ella asintió con una sonrisa y siguió al botones rumbo al ascensor. Cuando pasó junto a él, Abel aspiró su perfume.

Abel dedicó la hora siguiente a controlar el comedor para asegurarse de que en su mesa había flores frescas, y la cocina para seleccionar los platos que le ofrecería a Melanie. Finalmente, a falta de algo mejor para hacer, se sentó. Se encontró consultando el reloj y mirando la puerta del comedor cada pocos minutos, para ver si entraba Melanie. Ésta tardó un poco más de una hora, pero el resultado fue digno de la espera. Cuando por fin apareció en la puerta, con un largo vestido ceñido al cuerpo que centelleaba y refulgía bajo las luces del comedor con un inconfundible aire de opulencia, la encontró deslumbrante. El *maître* la acompañó hasta la mesa de Abel. Éste se puso en pie para recibirla mientras un camarero descorchaba una botella de Krug añejo y les servía a ambos.

—Bienvenida, Melanie —exclamó Abel, mientras alzaba su copa—. Es bueno verte en el Baron.

—Es bueno ver al Barón —replicó ella—, sobre todo en su gran día.

—¿A qué te refieres? —preguntó Abel.

—He leído la crónica del gran banquete en el *New York Post,* esta noche. Cómo arriesgaste tu vida para salvar a los heridos de Remagen. La historia me tuvo en vilo durante todo el viaje desde la estación hasta aquí. Te presentan como una mezcla de Audrie Murphy y el Soldado Desconocido.

—Son exageraciones —protestó Abel.

—Nunca has sido modesto, Abel, así que no me queda otra alternativa que convencerme de que todo es cierto.

Él le sirvió una segunda copa de champán.

—La verdad es que siempre me has intimidado un poco, Melanie.

—¿Alguien puede intimidar al Barón? No lo creo.

—Bueno, no soy un caballero sureño, como alguna vez me dijiste sin eufemismos, cariño.

—Y tú nunca has cesado de recordármelo —Melanie sonrió provocativamente—. ¿Te has casado con tu buena chica polaca?

481

—Sí.

—¿Qué tal resultó?

—No muy bien. Ahora es gorda, tiene cuarenta años, y ya no la encuentro atractiva.

—Dentro de poco me dirás que no te comprende —comentó Melanie, y el tono de su voz reflejó el placer que le habían producido las palabras de Abel.

—¿Y tú encontraste marido?

—Oh, sí —respondió Melanie—. Me casé con un auténtico caballero sureño, que tenía todas las credenciales que yo había estipulado.

—Te felicito.

—Me divorcié de él el año pasado... con una excelente indemnización por alimentos.

—Lo siento —murmuró Abel, con tono satisfecho—. ¿Más champán?

—¿Por casualidad estás tratando de seducirme, Abel?

—No antes de que termines la sopa, Melanie. Incluso la primera generación de inmigrantes polacos tiene algunos principios, aunque confieso que ahora me toca a mí ser el seductor.

—Entonces debo advertirte, Abel, que no me he acostado con otro hombre desde que se consumó mi divorcio. No por falta de ofertas, pero ninguna me convenció. Demasiadas manos indiscretas e insuficiente afecto.

Entre el salmón ahumado, el cordero lechal, la *crème brulée* y un Mouton Rothschild de preguerra, ambos contaron detalladamente las alternativas de sus vidas desde su último encuentro.

—¿El café en el ático, Melanie?

—¿Me queda otra opción, después de esta opípara cena? —preguntó ella.

Abel rió y la escoltó a través del comedor y en dirección al ascensor. Cuando entró en éste, Melanie se balanceaba muy ligeramente sobre sus tacones altos. Abel pulsó el botón en el que figuraba el número cuarenta y dos. Melanie miró cómo titilaban los números a medida que subían.

—¿Por qué no hay un piso número doce? —preguntó ella inocentemente. Abel no supo qué contestar—. La última vez que tomé café en tu habitación... —insistió Melanie.

—No me lo recuerdes —respondió Abel, consciente de su propia vulnerabilidad. Cuando salieron del ascensor en el piso cuarenta y dos, el botones abrió la puerta del apartamento.

—Dios mío —exclamó Melanie, mientras sus ojos recorrían por primera vez el interior del ático—. Debo confesar, Abel, que has aprendido a vivir como un multimillonario. Nunca he visto nada tan suntuoso.

Una llamada a la puerta interrumpió a Abel cuando éste se disponía a abrazarla. Apareció un joven camarero con una cafetera y una botella de Rémy Martin.

—Gracias, Mike —dijo Abel—. Esto será todo por esta noche.

—¿De veras? —Melanie sonrió.

El camarero se habría sonrojado si no hubiera sido negro, y se fue rápidamente.

Abel le sirvió café y coñac. Ella bebió lentamente, sentada en el suelo con las piernas cruzadas. Abel se habría sentado en la misma posición, pero no consiguió imitarla, de modo que optó por tumbarse junto a ella. Melanie le acarició el cabello y él empezó a deslizarle la mano experimentalmente por la pierna. Cielos, qué bien recordaba aquellas piernas. Cuando se besaron por primera vez, Melanie despidió un zapato de un puntapié y derramó el café sobre la alfombra persa.

—Maldición —exclamó ella—. He estropeado tu hermosa alfombra.

—Olvídala —respondió Abel, y volvió a tomarla entre sus brazos y empezó a bajarle la cremallera del vestido. Melanie le desabrochó la camisa y Abel intentó quitársela mientras seguía besándola, pero los gemelos se lo impidieron de modo que optó por ayudarla a despojarse del vestido. Su cuerpo no había perdido un ápice de su belleza y seguía tal como él lo recordaba, con la única diferencia de que presentaba una cierta opulencia que lo hacía aún más tentador. Con sus pechos firmes y esas largas piernas bien torneadas. Abel desistió de pugnar con los gemelos con una sola mano, y soltó a Melanie para terminar de desvestirse, consciente de que existía una diferencia radical entre el cuerpo de él y el de ella, extraordinariamente bello. Deseó que todo lo que había leído acerca de las mujeres que se sentían fascinadas por los hombres robustos fuera cierto. No pareció hacer una mueca, como antaño, al verlo. Él le acarició delicadamente los pechos y empezó a separarle las piernas. La alfombra persa resultaba mejor que cualquier cama. Entonces le tocó a ella el turno de tratar de desvestirse completamente mientras se besaban. También se dio por vencida y al fin se quitó todo excepto —a petición de Abel— el liguero y las medias de nylon.

Cuando la oyó gemir, comprendió cuánto tiempo había pasado sin experimentar semejante éxtasis y, después, cuán efímera era esa sensación. Ambos permanecieron varios minutos jadeando, en silencio. Por fin Abel soltó una risita.

—¿De qué te ríes? —preguntó Melanie.

—De nada —contestó él, que recordaba la observación del doctor J nson: la posición era ridícula y el placer pasajero.

Abel rodó hacia el costado y Melanie le apoyó la cabeza sobre el hombro. A él le sorprendió descubrir que ya no deseaba estar junto a Melanie, y mientras se preguntaba cómo podría librarse de ella sin ser grosero, le oyó decir:

—Temo que no podré quedarme aquí toda la noche, Abel. Mañana tengo una cita muy temprano y necesito dormir *un poco*. No quiero que se note que he pasado la noche sobre tu alfombra persa.

—¿Entonces debes irte? —inquirió Abel, con un tono desesperado, pero no excesivamente desesperado.

—Sí, cariño. Lo siento —Melanie se puso en pie y se encaminó hacia el cuarto de baño.

Abel miró cómo se vestía y le subió la cremallera del vestido. Era mucho más fácil abrochar la prenda parsimoniosamente que desabrocharla con prisa. Le besó galantemente la mano cuando se fue.

—Espero que volvamos a vernos pronto —mintió él.

—Yo también lo espero —asintió ella, consciente de que Abel no era sincero.

Abel cerró la puerta detrás de ella y se acercó al teléfono contiguo a la cama.

—¿Qué habitación ocupa la señorita Melanie Leroy? —preguntó.

Se produjo una breve pausa. Él oyó el chasquido de las tarjetas de registro. Tamborileó con impaciencia sobre la mesa.

—No figura ninguna persona con ese nombre, señor —respondió finalmente la voz—. Hay una señorita Melanie Seaton, de Dallas, Texas, que llegó esta noche, señor, y partirá mañana por la mañana.

—Sí, ésa es —dijo Abel—. Ocúpese de que carguen su cuenta a mi nombre.

—Sí, señor.

Abel volvió a colgar el auricular y se dio una larga ducha fría antes de disponerse a ir a la cama. Se sintió relajado cuando se acercó a la chimenea para apagar la lámpara que había iluminado su primer acto adúltero. Vio la gran mancha de café que ya se había secado sobre la alfombra persa.

—Golfa estúpida —sentenció en voz alta y apagó la luz.

Después de aquella noche, otras varias manchas de café aparecieron sobre la alfombra persa en el transcurso de los meses, derramadas por camareras, o por otras visitantes nocturnas, a medida que él y Zaphia se distanciaban cada vez más. Lo que Abel no previó fue que ella contrataría un detective privado para vigilarlo y que luego le pediría el divorcio. El divorcio era casi desconocido en el círculo de amigos polacos de Abel, donde eran mucho más comunes las separaciones o deserciones. Abel incluso trató de disuadirla, convencido de que eso no serviría para aumentar su prestigio dentro de la comunidad polaca ni favorecería las ambiciones sociales o políticas que había empezado a alimentar. Pero Zaphia estaba resuelta a llevar el trámite de divorcio hasta su amarga conclusión. A Abel le sorprendió que la mujer que había sido tan modesta en la hora del triunfo fuera, para decirlo con las palabras de George, un pequeño demonio en el momento de la venganza.

Cuando Abel consultó a su abogado, descubrió por segunda vez cuántas camareras y huéspedes que no habían pagado la cuenta del hotel habían pasado por allí durante el último año. Capituló y sólo luchó por la custodia de Florentyna, que ahora tenía trece años y que era el primer amor auténtico de su vida. Zaphia accedió después de mucho discutir y se conformó con quinientos mil dólares, el título de propiedad de la casa de Chicago, y el derecho de reunirse con Florentyna el último fin de semana de cada mes.

Abel trasladó su centro de operaciones y su hogar estable a Nueva York, y George lo bautizó el Barón de Chicago en el exilio, porque peregrinaba de un extremo a otro de los Estados Unidos, construyendo nuevos hoteles, y sólo volvía a Chicago cuando tenía que entrevistarse con Curtis Fenton.

27

LA CARTA DESCANSABA ABIERTA sobre la mesa de la sala, junto a la silla de William. Éste se hallaba sentado, vestido con su bata, leyéndola por tercera vez, tratando de descifrar por ué Abel Rosnovski quería comprar tantas acciones del banco ester, y por qué había designado director de la Cadena Ba- on a Henry Osborne. William llegó a la conclusión de que ya o podía seguir arriesgándose con conjeturas y cogió el te- éfono.

El nuevo señor Cohen resultó ser la versión más joven de u padre. Cuando llegó a East Sixty-eighth Street no necesitó resentarse: su cabello empezaba a tornarse gris y a ralear recisamente en los mismos lugares y su cuerpo rollizo estaba nfundado en un traje exactamente igual al de su padre. Quizá e trataba del mismo traje. William lo miró con interés, pero o sólo por el gran parecido con su progenitor.

—No me recuerda, señor Kane —dijo el abogado.

—Dios mío —exclamó William—. El gran debate de Har- ard. En mil novecientos veinti...

—Veintiocho. Usted ganó el debate y sacrificó su afiliación l Porcellian.

William se echó a reír.

—Quizá nos desempeñaremos mejor en el mismo equipo, si u variante de socialismo le permite trabajar para un capitalis- a impenitente.

Se levantó para estrechar la mano de Thaddeus Cohen. or un momento, ambos podrían haber sido nuevamente estu- iantes a punto de graduarse.

William sonrió.

—No pudimos tomar esa bebida en el Porcellian. ¿Qué de- ea ahora?

Thaddeus Cohen rechazó el ofrecimiento.

—No bebo —manifestó, parpadeando con la misma expre- ión cautivante que tan bien recordaba William—. Y temo que hora yo también soy un capitalista impenitente.

Resultó que llevaba sobre los hombros la cabeza de su pa- re, no sólo desde el punto de vista físico sino también desde l intelectual, y había estudiado detalladamente el expediente Rosnovski-Osborne antes de acudir a la entrevista con William. Éste le explicó con toda exactitud lo que necesitaba.

—Un informe inmediato y otro actualizado cada tres meses como antes. La discreción sigue siendo de capital importancia —añadió—, pero quiero cuantos datos pueda reunir. ¿Por qué Abel Rosnovski está comprando acciones del banco? ¿Sigue pensando que yo soy el responsable de la muerte de Davis Leroy? ¿Prosigue su guerra contra el Kane and Cabot aun ahora que éste forma parte del Lester? ¿Qué papel desempeña Henry Osborne en todo esto? ¿Una entrevista mía con Rosnovski serviría para algo, si le explicara que no fui yo sino el banco el que se negó a apoyar a la Cadena Richmond?

La pluma de Thaddeus Cohen garabateaba tan furiosamente como antes lo había hecho la de su padre.

—Todas estas preguntas deben ser contestadas lo antes posible, para que yo pueda decidir si debo alertar al consejo de administración.

Thaddeus Cohen esbozó la misma sonrisa tímida de su padre cuando cerró la cartera.

—Lamento que deba pasar por estos malos trances mientras aún está convaleciente. Volveré en cuanto haya reunido la información. —Se detuvo en la puerta—. Siento una gran admiración por lo que hizo en Remagen.

Durante los meses siguientes William recuperó rápidamente su vigor y su sensación de bienestar, y las cicatrices de su rostro y su pecho se redujeron a un tamaño casi insignificante. Por la noche Kate le hacía compañía hasta que se dormía, y susurraba: «Gracias a Dios que te salvaste». Las terribles jaquecas y los períodos de amnesia quedaron relegados al pasado, y su brazo derecho recuperó la fuerza. Kate no le permitió volver a trabajar hasta después de haber realizado un largo y relajante crucero por las Indias Occidentales. William se distendió junto a Kate más que en cualquier otro momento desde aquellas dos semanas que habían pasado juntos en Londres. Ella disfrutaba de que en el barco no hubiera bancos dónde él pudiese hacer negocios, aunque temía que si se quedaban otra semana a bordo William compraría la flota para convertirla en uno de los más recientes activos del Lester, y reorganizaría la tripulación, las rutas y los horarios de «la barca», como insistía en llamar al inmenso transatlántico. Cuando atracaron de nuevo en el puerto de Nueva York él estaba bronceado e inquieto, y Kate no pudo disuadirlo de reintegrarse inmediatamente al banco.

William no tardó en sumergirse de lleno en los problemas del Lester. Una nueva raza de hombres, curtidos por la guerra, emprendedores e impetuosos, parecían gobernar los bancos modernos de los Estados Unidos bajo el ojo vigilante del presidente Truman. Político éste que había accedido por segunda vez a la Casa Blanca tras obtener una victoria sorprendente cuando había corrido por el mundo la noticia de que Dewey ganaría indefectiblemente la elección. Como si no estuviera conforme con su pronóstico, el *Chicago Tribune* procedió a anunciar que Dewey la había ganado realmente, pero fue Harry S. Truman quien se quedó en la Casa Blanca. William sabía muy poco acerca del diminuto ex senador por Missouri, excepto lo que había leído en los periódicos, y en su condición de leal republicano alimentaba la esperanza de que su partido encontrara al hombre apropiado para la campaña de 1952.

El primer informe que recibió fue el de Thaddeus Cohen: Abel Rosnovski continuaba intentando comprar acciones del banco Lester y se había puesto en contacto con todos los otros beneficiarios del testamento, pero sólo había llegado a un acuerdo con uno de ellos. Susan Lester se había negado a recibir al abogado de William cuando éste le pidió una cita, de modo que no había podido descubrir por qué había vendido su seis por ciento. Lo único que consiguió verificar fue que no había sido por necesidades económicas.

—No hay ira en el infierno como la de la mujer despechada —masculló William.

El informe resultaba admirablemente exhaustivo.

Al parecer, Henry Osborne había sido designado director

de la Cadena Baron en mayo de 1947, y tenía jurisdicción especial sobre la cuenta del Lester. Lo más importante era que Abel Rosnovski había conseguido asegurarse las acciones de Susan Lester sin que nadie pudiera rastrear la operación hasta él u Osborne. Ahora Rosnovski tenía en su poder el seis por ciento de las acciones del banco Lester y parecía dispuesto a desembolsar otros setecientos cincuenta mil dólares para comprar el dos por ciento de Peter Parfitt. William sabía muy bien qué era lo que Rosnovski podría hacer una vez que controlara el ocho por ciento del capital. Lo que lo preocupaba aún más era que la tasa de crecimiento del Lester iba en zaga a la de la Cadena Baron, que a su vez ya empezaba a alcanzar a sus mayores rivales, las cadenas Hilton y Sheraton. William se preguntó si no debería transmitir a su junta de directores la información que acababa de conseguir e incluso si no le convendría hablar personalmente con Abel Rosnovski. Después de algunas noches de insomnio, habló con Kate.

—No hagas nada —fue la reacción de Kate—, hasta que tengas la certeza absoluta de que sus intenciones son tan destructivas como crees. Es posible que todo se reduzca a una tempestad en un vaso de agua.

—Si su lugarteniente es Henry Osborne puedes estar seguro de que la tempestad desbordará mucho más allá del vaso. Nada en lo que él participe puede ser totalmente inocente. No es bueno que permanezca de brazos cruzados a la espera de que Osborne muestre su juego.

—Quizás ha cambiado, William. Deben de haber pasado veinte años desde que terminó tu contacto con él.

—Tal vez Al Capone habría cambiado si hubiera podido completar su estancia en la cárcel. Nunca estaremos seguros de ello, pero yo no apostaría al respecto.

Kate no añadió nada más, pero William se decidió a seguir su consejo y se conformó con estudiar atentamente los informes trimestrales de Thaddeus Cohen, con la esperanza de que la intuición de su esposa no hubiera fallado.

28

EN LOS AÑOS DE LA POSGUERRA, la economía norteamericana entró en un período de auge arrollador que rindió grandes beneficios a la Cadena Baron. Desde la década de 1920 no había sido tan fácil ganar tanto dinero con tanta rapidez... y a comienzos de la década de los cincuenta la gente empezó a convencerse de que esta vez la prosperidad duraría. Pero Abel no se conformaba con el éxito financiero. A medida que maduraba, comenzaba a inquietarse por el lugar que ocuparía Polonia en el mundo de posguerra y a pensar que su opulencia no le permitía convertirse en un espectador a seis mil kilómetros de distancia. ¿Qué había dicho Pawel Zaleski, el cónsul polaco en Turquía? «Tal vez mientras vivas asistirás al resurgimiento de Polonia.» Abel hizo todo lo que pudo por influir sobre el Congreso de los Estados Unidos y persuadir a sus miembros de que debían adoptar una política más enérgica respecto del control que ejercía Rusia sobre sus satélites de Europa oriental. A medida que veía aparecer un gobierno títere socialista tras otro, Abel experimentaba la sensación de que había arriesgado su vida en vano. Empezó a ejercer presión sobre los políticos de Washington, a pasar información a los periodistas y a organizar banquetes en Chicago, Nueva York y otros centros de la comunidad polaco-norteamericana, hasta que el nombre del «Barón de Chicago» se convirtió en sinónimo de la causa polaca.

El doctor Teodor Szymanowski, ex profesor de historia de la Universidad de Cracovia, escribió en el periódico *Freedom* un ferviente editorial sobre la «Batalla por el reconocimiento» que libraba Abel, y éste se puso en contacto con el catedrático para preguntarle qué otra ayuda podía prestar. Szymanowski ya era anciano, y cuando Abel entró en su estudio quedó sorprendido por la fragilidad de su aspecto, que contrastaba con el vigor de sus opiniones. El profesor lo recibió afectuosamente y le sirvió un vodka de Danzig.

—Barón Rosnovski —dijo, mientras le tendía el vaso—, hace mucho que admiro su trabajo perseverante por nuestra causa, y aunque hemos logrado muy poco, usted nunca parece perder la fe.

—¿Por qué habría de perderla? Siempre he creído que en los Estados Unidos todo es posible.

—Pero temo, barón, que los hombres a los que usted trata de convencer son los mismos que han permitido que ocurran estas cosas. Nunca harán nada concreto para conseguir la emancipación de nuestro pueblo.

—No entiendo a qué se refiere, profesor —respondió Abel—. ¿Por qué no habrían de ayudarnos?

El profesor se repantigó en su silla.

—Seguramente usted sabe, barón, que los ejércitos norteamericanos recibieron la consigna de paralizar su ofensiva hacia el Este para permitir que los rusos ocuparan la mayor parte posible del territorio de Europa central. Patton podría haber llegado a Berlín mucho antes que los rusos, pero Eisenhower le ordenó que se detuviera. Quienes dieron esas instrucciones a Eisenhower fueron nuestros líderes de Washington... los mismos a los que usted les pide que envíen nuevamente armas y tropas norteamericanas a Europa.

—Pero entonces ellos no podían prever lo que llegaría a ser la Unión Soviética. En aquella época los rusos eran nuestros aliados. Admito que fuimos demasiado débiles y conciliadores con ellos en 1945, pero no fueron los norteamericanos quienes traicionaron directamente al pueblo polaco.

Antes de hablar, Szymanowski se recostó de nuevo contra el respaldo y cerró cansadamente los ojos.

—Lamento que no haya conocido a mi hermano, barón Rosnovski. La semana pasada me informaron que murió hace seis meses en un campo soviético no muy distinto de aquel del que escapó usted.

Abel se adelantó como si quisiera ofrecerle sus condolencias, pero Szymanowski lo atajó con un ademán.

—No, no diga nada. Usted ha conocido los campos personalmente. Debería comprender mejor que nadie que las condolencias ya no importan. Debemos cambiar el mundo, barón, mientras otros duermen. —Szymanowski hizo una pausa—. Quienes enviaron a mi hermano a Rusia fueron los norteamericanos.

Abel lo miró atónito.

—¿Los norteamericanos? ¿Cómo es posible? Si a su hermano lo capturaron las tropas rusas en Polonia...

—A mi hermano no lo apresaron en Polonia. Lo liberaron de un campo alemán próximo a Francfort. Los norteamericanos lo retuvieron durante un mes en un campo de desplazados y después lo entregaron a los rusos.

—No puede ser verdad. ¿Por qué habrían de hacer eso?

—Los rusos querían que repatriaran a todos los eslavos. Que los repatriaran para poder exterminarlos o esclavizarlos. Stalin mató a los que se salvaron de las manos de Hitler. Y puedo demostrar que mi hermano pasó más de un mes en el sector norteamericano.

—Pero —preguntó Abel—, ¿él fue una excepción o hubo muchos casos similares?

—No fue una excepción: hubo muchos otros —respondió Szymanowski sin dar ninguna muestra de emoción—. Centenares de miles. Quizás hasta un millón. Creo que nunca sabremos la cifra exacta. Es muy poco probable que las autoridades norteamericanas hayan llevado una contabilidad detallada de la Operación Kee Chanl.

—¿La Operación Kee Chanl? ¿Por qué nadie habla nunca de esto? Seguramente si corriera la noticia de que nosotros, los norteamericanos, hemos enviado prisioneros liberados a Rusia, para que los exterminen, el mundo se horrorizaría.

—No hay pruebas, no hay documentación acerca de la Operación Kee Chanl. Mark Clark, bendito sea, desobedeció las órdenes, y algunos soldados de buena voluntad alertaron a algunos prisioneros que consiguieron escapar antes de que los norteamericanos los enviaran a los campos. Pero ahora están ocultos y nunca se atreverían a decir lo que saben. Uno de los infortunados fue mi hermano. De cualquier forma, ya es demasiado tarde.

—Pero hay que informar al pueblo norteamericano. Organizaré un comité, imprimiré panfletos, pronunciaré discursos. Seguramente en el Congreso nos escucharán si decimos la verdad.

—Barón Rosnovski, creo que esto es superior incluso a sus fuerzas.

Abel se levantó de su asiento.

—No, no, no lo subestimo, amigo mío. Pero usted aún no entiende la mentalidad de los líderes mundiales. Los Estados Unidos accedieron a entregar a esos pobres diablos porque Stalin lo exigió. Estoy seguro de que nunca imaginaron que después se sucederían los juicios, los campos de trabajo y las ejecuciones. Pero ahora, cuando nos aproximamos a la década de los cincuenta, nadie confesará que fue indirectamente responsable. No, jamás lo harán. Ni siquiera dentro de cien años. Y entonces todos, excepto unos pocos historiadores, habrán olvidado que Polonia perdió en la guerra más vidas que cualquier otra nación, incluida Alemania. Esperaba que usted llegase a la conclusión de que debería desempeñar un papel más activo en la política.

—Ya he contemplado la idea, pero no termino de resolver cómo debo actuar.

—Yo tengo mi propia opinión al respecto, barón, así que manténgase en contacto conmigo.

El anciano se levantó lentamente y abrazó a Abel.

—Mientras tanto, haga lo que pueda por nuestra causa, pero no se sorprenda cuando tropiece con puertas cerradas.

Apenas Abel estuvo de regreso en el Baron, cogió el teléfono y le pidió a la telefonista del hotel que lo comunicara con el despacho del senador Douglas. Paul Douglas era un senador demócrata por Illinois, un liberal elegido con la ayuda de la maquinaria de Chicago, y siempre había sido sensible a las peticiones de Abel porque sabía que en su distrito electoral se hallaba asentada la mayor comunidad polaca del país. Su asistente, Adam Tomaszewicz, siempre trataba con los electores polacos.

—Hola, Adam. Soy Abel Rosnovski. Tengo que hablar con el senador de algo que me preocupa mucho. ¿Podría concertarme una entrevista inmediata con él?

—Me temo que hoy no está en la ciudad, señor Rosnovski. Sé que tendrá mucho gusto en conversar con usted apenas regrese el jueves. Le pediré que le telefonee él mismo. ¿Puedo comunicarle de qué se trata?

—Sí. Esto le interesa a usted, como polaco. He recibido, de fuente fidedigna, la información de que las autoridades norteamericanas en Alemania colaboraron en la devolución a territorios ocupados por la Unión Soviética de ciudadanos polacos desplazados, muchos de los cuales fueron enviados a campos de trabajo rusos. Y nunca se ha vuelto a saber de ellos.

Hubo un breve silencio en el otro extremo de la línea.

—Se lo transmitiré al senador cuando vuelva, señor Rosnovski —dijo Adam Tomaszewicz—. Gracias por haber llamado.

El senador no le telefoneó a Abel el jueves. Ni el viernes, ni durante el fin de semana. El lunes por la mañana, Abel volvió a llamarlo a su despacho. Nuevamente lo atendió Adam.

—Oh, sí, señor Rosnovski. —Abel casi lo oyó ruborizarse—. El senador le ha dejado un mensaje. Ha estado muy atareado, con todos los proyectos de ley que es necesario aprobar antes de que terminen las sesiones del Congreso. Me pidió que le informe que le telefoneará apenas tenga un momento libre.

—¿Le transmitió mi mensaje?

—Sí, desde luego. Y me pidió que le asegure que él tiene la certeza de que el rumor que usted ha oído no es más que un ejemplo de propaganda antinorteamericana. Agregó que uno de los jefes del Estado Mayor conjunto le dijo personalmente que las tropas norteamericanas tenían orden de no entregar a ninguno de los desplazados que se hallaban en su jurisdicción.

Tomaszewicz hablaba como si estuviera leyendo una declaración cuidadosamente elaborada, y Abel experimentó la sensación de haber tropezado con la primera de las puertas cerradas. Antes el senador Douglas nunca lo había eludido.

Abel colgó el auricular y pidió hablar con otro senador que era noticia y que nunca evitaba juzgar a nadie.

En el despacho del senador Joseph McCarthy le preguntaron quién era el que llamaba.

—Trataré de encontrar al senador —respondió una voz joven cuando Abel dio su nombre y explicó por qué quería hablar con el mandamás. McCarthy estaba muy alto en el escalafón político, y Abel comprendió que podría considerarse afortunado si le concedía algo más de unos pocos minutos de conversación telefónica.

—Señor Rosenevski —fueron las primeras palabras de McCarthy.

Abel se preguntó si había deformado su apellido intencionadamente o si había sido un defecto de la comunicación.

—¿Cuál es este asunto tan urgente, que usted quiere discutir conmigo y con nadie más? —inquirió el senador.

Abel vaciló. En verdad el hecho de hablar directamente con el senador McCarthy lo desconcertaba un poco.

—Puede estar seguro de que no divulgaré sus secretos —le oyó agregar al senador, que había intuido su turbación.

—Si usted lo dice —asintió Abel, e hizo una breve pausa para organizar sus pensamientos—. Usted, senador, ha sido un portavoz decidido y claro de quienes desearíamos ver a las naciones de Europa oriental libres del yugo comunista.

496

—Eso es cierto. Es cierto. Y me alegra que usted sepa valorarlo, señor Rosenevski.

Esta vez Abel se convenció de que había deformado su apellido premeditadamente, pero no dijo nada al respecto.

—En cuanto a Europa oriental —prosiguió el senador—, usted deberá comprender que sólo podremos tomar medidas concretas para liberar su país cautivo después de que hayamos expulsado a los traidores que hay en el seno de nuestro propio gobierno.

—Es precisamente de eso de lo que quiero hablarle, senador. Usted ha tenido un éxito brillante al desenmascarar a los traidores infiltrados en nuestro gobierno. Pero hasta hoy uno de los mayores crímenes de los comunistas ha pasado inadvertido.

—¿A qué crimen se refiere, señor Rosenevski? He descubierto muchos desde que llegué a Washington.

—Me refiero —Abel se enderezó un poco más en su silla—, a la repatriación coactiva de miles de ciudadanos polacos desplazados, de la que fueron responsables las autoridades norteamericanas después del fin de la guerra. Enemigos inocentes del comunismo que fueron devueltos a Polonia, y enviados de allí a la Unión Soviética, donde los esclavizaron y en ciertos casos los asesinaron.

Abel esperó una respuesta, pero no recibió ninguna. Oyó un chasquido metálico y se preguntó si alguien más estaba escuchando la conversación.

—Escúcheme, Rosenevski, grandísimo paleto. ¿Se atreve a telefonearme para decir que los norteamericanos, que soldados leales a los Estados Unidos, enviaron a miles de polacos de vuelta a Rusia, y que nadie se enteró de eso? ¿Me pide que lo crea? Ni siquiera un polaco puede ser tan estúpido. Y me pregunto qué clase de sujeto acepta semejante embuste sin ninguna prueba. ¿Pretende que crea también que los soldados norteamericanos son desleales? ¿Es eso lo que pretende? Dígame, Rosenevski, dígame, ¿qué les sucede a ustedes? ¿Son tan idiotas que no reconocen la propaganda comunista ni siquiera cuando la tienen ante sus narices? ¿Tienen que hacerle perder el tiempo a un agobiado senador norteamericano por un rumor que inventó la chusma del *Pravda* para crear malestar en las comunidades inmigrantes de los Estados Unidos?

Abel estaba inmóvil, anonadado por el arrebato. Antes de que la perorata hubiera llegado a la mitad, comprendió que sería inútil discutir. Esperó que terminara la arenga y se alegró de que el senador no pudiera ver su expresión atónita.

—Senador, estoy seguro de que usted tiene razón y lamento haberle hecho perder el tiempo —dijo Abel con calma—. No se me había ocurrido ver el asunto bajo esa perspectiva.

—Bueno, esto le demuestra hasta qué punto pueden ser taimados esos bastardos comunistas —manifestó McCarthy, suavizando el tono—. Hay que vigilarlos sin tregua. De todas maneras, espero que ahora esté más alerta al peligro que se cierne permanentemente sobre el pueblo norteamericano.

—Claro que sí, senador. Le agradezco una vez más que haya tenido la gentileza de hablar personalmente conmigo. Adiós, senador.

—Adiós, Rosenevski.

Abel oyó el chasquido metálico del teléfono y le pareció que sonaba como una puerta al cerrarse.

29

WILLIAM TOMÓ CONCIENCIA de que envejecía cuando Kate bromeó porque tenía canas —canas que inicialmente había podido contar pero ya no— y cuando Richard empezó a traer a casa chicas que le parecían atractivas. William casi siempre aprobaba el gusto de Richard en materia de señoritas, como él las llamaba, quizá porque todas se parecían bastante a Kate que, a su juicio, era más bella ahora que se hallaba en la edad intermedia de lo que jamás había sido. Sus hijas, Virginia y Lucy, que ahora también se estaban convirtiendo en señoritas, le producían una gran dicha a medida que crecían a imagen y semejanza de su madre. Virginia se estaba transformando en una excelente artista, y la cocina y los dormitorios de los niños siempre estaban empapelados con sus obras geniales, como Richard las denominaba en son de burla. La hora de la venganza de Virginia sonó cuando Richard empezó a tomar lecciones de violoncelo, pues entonces incluso a las criadas se les oía formular comentarios ofensivos cada vez que el arco entraba en contacto con las cuerdas. Lucy los adoraba a los dos, y opinaba, sin ningún sentido crítico, que Virginia era la nueva Picasso y Richard el nuevo Casals. William empezó a preguntarse qué les reservaría el futuro a sus tres hijos cuando él ya no estuviera en el mundo. Desde el punto de vista de Kate, los tres progresaban satisfactoriamente. Richard, que ahora estudiaba en St. Paul's, dominaba el violoncelo hasta el punto de que lo habían elegido para que tocara en un concierto de la escuela, en tanto que Virginia pintaba tan bien que uno de sus cuadros colgaba en la sala. Pero toda la familia se dio cuenta de que Lucy sería la beldad cuando, apenas a los once años, empezó a recibir esquelas románticas de chicos que hasta ese momento sólo habían manifestado interés por el béisbol.

En 1951, Richard fue aceptado en Harvard, y aunque no ganó la primera beca de matemáticas, Kate se apresuró a recordarle a William que había jugado al béisbol y tocado el violoncelo en St. Paul's, dos proezas que William nunca había intentado siquiera realizar. William estaba secretamente orgulloso de los logros de Richard, pero delante de Kate mascullaba que no conocía a muchos banqueros que jugaran al béisbol o tocasen el violoncelo.

La actividad bancaria entró en un período de expansión

cuando los norteamericanos empezaron a creer en una paz duradera. William no tardó en encontrarse recargado de trabajo, y durante un breve lapso la amenaza de Abel Rosnovski y de los problemas asociados con él pasaron a segundo plano.

Los informes trimestrales de Thaddeus Cohen indicaban que Rosnovski había tomado un rumbo que no tenía intenciones de abandonar: a través de un intermediario les había informado a todos los accionistas, con excepción de William, que le interesaban las acciones del Lester. William se preguntaba si ese rumbo llevaría a un enfrentamiento directo entre él y el polaco. Empezó a intuir que se acercaba aceleradamente el momento en que debería comunicar a la junta del Lester los actos de Rosnovski, y en que tal vez debería ofrecer su renuncia al banco si éste se sentía asediado, lo cual implicaría una victoria total de Abel Rosnovski. Éste fue el principal motivo por el cual William no contempló seriamente semejante alternativa. Resolvió que si debía luchar para defenderse, lucharía, y si uno de los dos debía sucumbir, él haría todo lo que estuviese a su alcance para que el derrotado no fuera William Kane.

El problema de lo que convenía hacer respecto de la inversión de Abel Rosnovski escapó finalmente de las manos de William.

A comienzos de 1951, el banco fue invitado a representar a una de las nuevas compañías de aviación norteamericanas, Interstate Airways, a la cual la Agencia Federal de Aviación había asignado licencias de vuelo entre las costas oriental y occidental. La compañía recurrió al banco Lester para hacerse con la suma de treinta millones de dólares, o sea, el respaldo financiero que exigían las normas oficiales.

William consideró que la compañía de aviación y el proyecto global eran dignos de apoyo, y pasó virtualmente todo su tiempo organizando una emisión pública de acciones para reunir los treinta millones necesarios. El banco, que actuaba como patrocinador del proyecto, puso todos sus recursos al servicio de la nueva empresa. Era el proyecto de más envergadura en el que William participaba desde su retorno al Lester, y cuando salió al mercado en busca de los treinta millones comprendió que estaba en juego su reputación personal. En julio, cuando se hicieron públicas las condiciones de la emisión, las acciones fueron arrebatadas en cuestión de días. William recibió profusos elogios de todas partes por la forma en que había manejado la operación y la había llevado hasta un desenlace exitoso. Él mismo no podría haber estado más conforme con el resultado, hasta que leyó en el informe siguiente de Thaddeus Cohen que el diez por ciento de las acciones de la compañía habían sido absorbidas por una de las empresas que servían de pantalla a Abel Rosnovski.

William comprendió entonces que había llegado el momento de comunicar sus peores presentimientos a Ted Leach y Tony Simmons. Convocó a Tony a Nueva York y reunió a los dos vicepresidentes en su despacho, donde les relató la epopeya de Abel Rosnovski y Henry Osborne.

—¿Por qué no nos lo contaste antes? —fue la primera reacción de Tony Simmons.

—Cuando estaba en el Kane and Cabot hube de lidiar con cien empresas como la Cadena Richmond, Tony, y en aquella época no pude imaginar que cuando prometió vengarse hablaba en serio. Sólo terminé de convencerme de que Rosnovski estaba obsesionado cuando compró el diez por ciento de las acciones de Interstate Airways.

—Supongo que es posible que tu reacción sea exagerada —comentó Ted Leach—. Hay una sola cosa de la que estoy seguro: sería imprudente transmitir esta información al resto del consejo de administración. Lo que menos necesitamos pocos días después de haber lanzado una nueva compañía es una ola de pánico.

—Estoy de acuerdo —asintió Tony Simmons—. ¿Por qué no hablas personalmente con Rosnovski?

—Supongo que eso es precisamente lo que a él le gustaría

—replicó William—. Entonces no tendría dudas de que el banco se siente asediado.

—¿No crees que cambiaría de actitud si le explicaras cuánto te esforzaste por convencer al banco de que debía respaldar a la Cadena Richmond, a pesar de lo cual no te escucharon y...?

—No tengo motivos para pensar que no lo sabe ya —lo interrumpió William—. Parece saber todo lo demás.

—Bueno, ¿qué crees que debe hacer el banco con Rosnovski? —preguntó Ted Leach—. Desde luego no podemos impedirle que compre nuestras acciones, si él encuentra un vendedor predispuesto. Si compráramos nuestras propias acciones, en lugar de frenarlo le haríamos el juego, porque incrementaríamos el valor de su cartera y socavaríamos nuestra propia posición financiera. Creo que puedes estar seguro de que disfrutaría viéndonos en ese aprieto. Tenemos la magnitud justa para atraer las iras de Harry Truman, y lo que más complacería a los demócratas sería un escándalo bancario en vísperas de las elecciones.

—Comprendo que no me quedan muchas alternativas —comentó William—, pero debía informaros qué es lo que Rosnovski se trae entre manos, por si nos prepara otra sorpresa.

—Supongo que aún queda una remota posibilidad de que no tenga malas intenciones y de que sencillamente respete tu talento de inversor —manifestó Tony Simmons.

—¿Cómo puedes decir eso, Tony, sabiendo que está complicado mi padrastro? ¿Crees que Rosnovski contrató a Henry Osborne para promover mi carrera como banquero? Obviamente no entiendes a Rosnovski tan bien como yo. Ya hace más de veinte años que vigilo sus actividades. No está acostumbrado a perder. No se cansa de lanzar los dados hasta que gana. No lo conocería mejor si fuera miembro de mi propia familia. Lo que hará...

—Vamos, no te vuelvas paranoide, William. Espero...

—Dices que no me vuelva paranoide, Tony. Recuerda el

poder que nuestros estatutos le confieren a cualquiera que pueda hacerse con el ocho por ciento de las acciones del banco. Es un artículo que yo hice agregar inicialmente para evitar que me destituyeran de la presidencia. Ese hombre ya tiene el seis por ciento, y como si esto no fuera suficientemente peligroso para el futuro, recuerda que Rosnovski podría descalabrar a Interstate Airways del día a la noche con sólo lanzar al mercado todas sus acciones.

—Pero no ganaría nada con eso —protestó Ted Leach—. Por el contrario, perdería una fortuna.

—Créeme, no entiendes cómo funciona la mente de Abel Rosnovski —insistió William—. Es valiente como un león, y la pérdida no lo haría pestañear. Estoy llegando a la conclusión de que lo único que le interesa es vengarse de mí. Sí, claro que si liquidara esas acciones perdería dinero, pero siempre le quedarían sus hoteles. Ahora son veintiuno, sabes, y no se le escapará el hecho de que si las acciones de Interstate se derrumban en un santiamén, nosotros también nos arruinaremos. Nuestra credibilidad, como banqueros, depende de la endeble confianza del público, confianza que Abel Rosnovski puede demoler cómo y cuándo se le antoje.

—Serénate, William —aconsejó Tony Simmons—. Aún no hemos llegado a ese extremo. Ahora que sabemos qué intenciones tiene Rosnovski, podremos vigilar sus actividades más atentamente, y contrarrestarlas cómo y cuándo haga falta. De lo primero que debemos asegurarnos es de que nadie más le venda sus acciones del Lester antes de ofrecértelas a ti. El banco siempre te respaldará. Y sigo pensando que deberías hablar con Rosnovski y discutir todo el asunto con él. Por lo menos así sabrás hasta qué punto son sus decididos propósitos, y nosotros podremos prepararnos en consecuencia.

—¿Tú opinas lo mismo, Ted? —preguntó William.

—Sí. Estoy de acuerdo con Tony. Creo que deberías abordarlo directamente. Al banco le interesa descubrir sus verdaderas intenciones.

William permaneció un momento en silencio.

—Si los dos piensan lo mismo, lo intentaré —sentenció finalmente—. Debo añadir que no comparto su opinión, pero es posible que esté demasiado comprometido, personalmente, para poder emitir un juicio imparcial. Denme unos días para estudiar cuál será la mejor estrategia a seguir, y les comunicaré el resultado.

Después de que los dos vicepresidentes hubieron salido de su despacho, William se quedó solo, cavilando acerca de lo que había prometido hacer, seguro de que tendría pocas probabilidades de éxito con Abel Rosnovski si estaba implicado Henry Osborne.

Cuatro días más tarde, William estaba solo en su despacho, tras haber dado instrucciones para que no lo interrumpieran en ninguna circunstancia. Sabía que Abel Rosnovski también estaba en su despacho del Baron de Nueva York: había tenido un hombre apostado en el hotel durante toda la mañana con la única misión de alertarlo apenas asomara Rosnovski. El espía le había telefoneado. Abel Rosnovski había llegado esa mañana a las ocho y veintisiete, había subido directamente a su despacho del piso cuarenta y dos, y desde entonces no había vuelto a dejarse ver. William levantó el auricular y le pidió a la telefonista que lo comunicara con el Baron Hotel.

—Baron de Nueva York.

—Con el señor Rosnovski, por favor —dijo William, con voz nerviosa.

Lo atendió una secretaria.

—Con el señor Rosnovski, por favor —repitió. Esta vez su voz fue un poco más firme.

—¿Quién lo llama?

—William Kane.

Se produjo una larga pausa... ¿o sólo le pareció larga a William?

—No estoy segura de que se encuentre aquí, señor Kane. Voy a averiguar.

Otra larga pausa.

—¿Señor Kane?

—¿Señor Rosnovski?

—¿Qué puedo hacer por usted, señor Kane? —preguntó una voz muy sosegada, con un ligero acento extranjero.

Aunque William había preparado con todo cuidado sus primeras palabras, se dio cuenta de que éstas sonaban ansiosas.

—Estoy un poco preocupado por su participación en el capital del banco Lester, señor Rosnovski —dijo—, y por la fuerte inversión que ha hecho en una de las compañías que representamos. Pensé que tal vez ha llegado la hora de que nos reunamos y discutamos sus intenciones. También hay un asunto privado del que me gustaría hablarle.

Otro largo silencio. ¿Habrían cortado la comunicación?

—Jamás se darán las condiciones para que pueda entrevistarme con usted, Kane. Ya sé tanto acerca de usted que no deseo oír sus excusas acerca del pasado. Tenga los ojos siempre bien abiertos, y verá muy bien cuáles son mis intenciones, que difieren mucho de las que figuran en el Libro del Génesis, señor Kane. Un día usted querrá saltar del piso doce de uno de mis hoteles, porque tendrá serios apuros con el banco Lester en relación con su cartera de acciones. Sólo necesito otro dos por ciento para poder invocar el artículo siete, y ambos sabemos lo que significa eso, ¿verdad? Entonces quizás entenderá por primera vez lo que debió de sentir Davis Leroy, mientras se preguntaba durante meses qué haría el banco con su vida. Ahora usted podrá preguntarse durante años qué haré yo con la suya cuando reúna ese ocho por ciento.

Las palabras de Abel Rosnovski le produjeron un escalofrío, pero consiguió continuar hablando con serenidad al mismo tiempo que descargaba coléricamente su puño sobre la mesa.

—Entiendo sus sentimientos, señor Rosnovski, pero sigo pensando que sería prudente que nos encontremos y aclaremos este asunto. Hay uno o dos detalles de los que usted no puede tener conocimiento.

—¿Por ejemplo la forma en que le escamoteó quinientos mil dólares a Henry Osborne, señor Kane?

William quedó mudo por un momento y quiso desahogarse, pero nuevamente logró controlar su ira.

—No, señor Rosnovski, el tema del que deseaba hablar con usted no tiene nada que ver con el señor Osborne. Se trata de una cuestión personal que le atañe sólo a usted. Sin embargo, le aseguro con toda firmeza que jamás le birlé un cochino céntimo a Henry Osborne.

—Ésa no es la versión de Henry. Él dice que usted fue el responsable de la muerte de su propia madre, porque quiso asegurarse de que no tendría que saldar una deuda contraída con él. Dado el trato que le dispensó a Davis Leroy, me resulta muy fácil creerlo.

William nunca había tenido que esforzarse tanto por dominar sus emociones, y tardó varios segundos en articular una respuesta.

—¿Puedo sugerirle que aclaremos de una vez por todas este malentendido reuniéndonos en un lugar neutral, elegido por usted, donde nadie pueda reconocernos?

—Queda un solo lugar donde nadie lo reconocerá, señor Kane.

—¿Cuál es? —preguntó William.

—El cielo —respondió Abel, y volvió a depositar el auricular sobre la horquilla.

—Comuníqueme inmediatamente con Henry Osborne —le ordenó Abel a su secretaria.

Tamborileó con los dedos sobre el escritorio durante los casi quince minutos que tardó la chica en dar con el diputado

Osborne, quien, según resultó, había estado mostrando el edificio del Capitolio a algunos de sus electores.

—¿Eres tú, Abel?

—Sí, Henry. Pensé que querrías ser el primero en enterarte de que Kane lo sabe todo, de manera que ahora la batalla se libra a cara descubierta.

—¿Cómo que lo sabe todo? ¿Crees que sabe que estoy implicado? —preguntó Henry ansiosamente.

—Claro que sí, y también parece estar al tanto de las cuentas especiales de la compañía, y de mi cartera de acciones del banco Lester y de Interstate Airways.

—¿Cómo es posible que esté tan enterado? Los únicos que conocemos las cuentas especiales somos tú y yo.

—Y Curtis Fenton —lo interrumpió Abel.

—Es cierto. Pero él nunca le diría nada a Kane.

—Tiene que haberlo hecho. No queda nadie más. No olvides que Kane trató directamente con Curtis Fenton cuando le compré a su banco la Cadena Richmond. Supongo que habrán mantenido algún contacto durante todo este tiempo.

—Jesús.

—Pareces preocupado, Henry.

—Si William Kane lo sabe todo, cambian las condiciones del juego. Te advierto, Abel, que no está acostumbrado a perder.

—Yo tampoco —replicó Abel—. Y William Kane no me asusta. No mientras yo tengo todas las bazas en la mano. ¿Cuál es el estado actual de nuestra cartera de acciones del grupo Kane?

—Si la memoria no me falla, tienes el seis por ciento de las acciones del banco Lester, y el diez por ciento de las de Interstate Airways y pequeñas cantidades de las de otras compañías a las que están asociados. Te bastará el dos por ciento de las del Lester para invocar el artículo siete, y Peter Parfitt sigue mordiendo el señuelo.

—Excelente —asintió Abel—. No creo que la situación pudiera ser mejor. Continúa en contacto con Parfitt, y recuerda que no tengo prisa mientras Kane ni siquiera pueda comunicarse con él. Por ahora dejaremos que Kane se pregunte cuáles son nuestros planes. Y no se te ocurra hacer nada hasta que yo vuelva de Europa. Después de mi conversación telefónica de esta mañana con Kane, puedo asegurarte que, para decirlo de forma moderada, está sudando. Pero te confesaré un secreto, Henry. Yo no sudo. Él podrá seguir así porque no tengo la intención de dar un paso mientras no esté seguro de que piso terreno firme.

—De acuerdo —respondió Henry—. Si me entero de algo por lo que debamos preocuparnos, te lo comunicaré.

—Métete en la cabeza, Henry, que no hay nada que deba preocuparnos. Tenemos cogido a nuestro amigo, el señor Kane, por las pelotas, y me propongo estrujárselas muy lentamente.

—Me gustaría presenciar el espectáculo —contestó Henry, con tono un poco más dichoso.

—A veces pienso que detestas a Kane más que yo.

Henry soltó una risa nerviosa.

—Te deseo un buen viaje por Europa.

Abel volvió a colgar el auricular en la horquilla y se quedó mirando el aire mientras consideraba cuál debía ser su próximo paso, sin dejar de tamborilear ruidosamente con los dedos sobre el escritorio. Entró su secretaria.

—Comuníqueme con el señor Curtis Fenton del Continental Trust Bank —le dijo Abel, sin mirárla.

Sus dedos siguieron tamborileando. Sus ojos continuaron mirando. Poco después sonó el teléfono.

—¿Fenton?

—Buenos días, señor Rosnovski. ¿Cómo se encuentra?

—Quiero que cancele todas las cuentas que tengo en su banco.

Desde el otro extremo no llegó ninguna respuesta.

—¿Me ha oído, Fenton?

—Sí —contestó el atónito banquero—. ¿Puedo preguntarıe por qué, señor Rosnovski?

—Porque Judas nunca fue mi apóstol predilecto, Fenton. Por eso. A partir de este momento, usted ya no pertenece al consejo de administración de la Cadena Baron. Pronto recibirá por escrito la confirmación de estas instrucciones y el nombre del banco al que deberá transferir las cuentas.

—Pero no entiendo por qué, señor Rosnovski. ¿Qué he hecho...?

Abel colgó el auricular en el momento en que su hija entraba en el despacho.

—Eso no sonó muy bien, papá.

—No era mi intención que sonara bien, pero no se trata de nada que te incumba, querida —dijo Abel, cambiando inmediatamente de tono—. ¿Has encontrado todas las ropas que necesitas para Europa?

—Sí, gracias, papá, pero no sé muy bien qué se usa en Londres y París. Sólo me cabe desear que no me haya equivocado. No quiero llamar la atención con un atuendo ridículo.

—Llamarás la atención, querida, por ser la chica más bonita que han visto los británicos en muchos años. Con tus dotes naturales y tu sentido del color se darán cuenta de que tus ropas no salieron de una libreta de racionamiento. Todos esos jóvenes europeos se atropellarán por colocarse a tu lado, pero yo estaré allí para detenerlos. Ahora saldremos a almorzar y mientras tanto conversaremos sobre lo que vamos a hacer en Londres.

Diez días más tarde, después de que Florentyna hubo pasado un largo fin de semana con su madre —Abel nunca preguntaba por ella— los dos volaron desde el aeropuerto Idlewild de Nueva York hasta el Heathrow de Londres. El vuelo en un Boeing 377 duró casi catorce horas, y aunque tenían cabinas privadas, lo primero que ambos quisieron hacer cuando llegaron al Claridges de Brook Street fue ponerse a dormir largamente.

Abel hacía ese viaje a Europa por tres razones: la primera, para confirmar los contratos de construcción de nuevos hoteles Baron en Londres, París y posiblemente Roma; la segunda, para que Florentyna tuviera su primera visión de Europa antes de ingresar en Radcliffe donde estudiaría lenguas modernas; y la tercera, que desde su punto de vista era la más importante, para volver a visitar su castillo de Polonia y determinar si había aunque sólo fuera una posibilidad remota de probar que él era el propietario.

Londres los conformó a ambos. Los asesores de Abel habían encontrado un solar en la esquina de Hyde Park, y él les ordenó a los agentes que entablaran inmediatamente todas las negociaciones necesarias para obtener el terreno y los permisos que haría falta reunir antes de que la capital de Inglaterra pudiera enorgullecerse de contar con un Baron. Florentyna descubrió que la austeridad del Londres de posguerra era chocante cuando la comparaba con los derroches de su propio hogar, pero los londinenses parecían inmunes a las cicatrices que la guerra había dejado en su ciudad, y seguían creyéndose una potencia mundial. La invitaron a almorzar, cenar y bailar, y comprobó que su padre no se había equivocado respecto de su gusto en materia de ropas y respecto de la reacción de los jóvenes europeos. Cada noche volvía con los ojos refulgentes y las historias de las nuevas conquistas que había hecho... y que olvidaba a la mañana siguiente. No podía decidir si prefería casarse con un graduado de Eton que era miembro de la Guardia de Granaderos y que le hacía constantes saludos marciales o con un miembro de la Cámara de los Lores que estaba al servicio del rey. Ella no entendía muy bien qué significaba estar «al servicio», pero ciertamente él sabía muy bien cómo tratar a una dama.

En París no sentaron la cabeza y como ambos sabían hablar correctamente en francés se entendieron tan bien con los parisienses como antes con los ingleses. Por lo general, Abel ya estaba aburrido al terminar la segunda semana de todas las vacaciones, y empezaba a contar los días que le faltaban para volver a casa y al trabajo. Pero no mientras tenía a Florentyna por compañera. Desde que se había separado de Zaphia, su hija era el centro de su vida y la única heredera de su fortuna.

Cuando llegó la hora de dejar París, la idea les disgustó a los dos, de modo que se quedaron unos días más con el pretexto de que Abel seguía negociando la compra de un famoso hotel del Boulevard Raspail, ahora en decadencia. No le comunicó al propietario, un tal Monsieur Neuffe –que parecía, si ello era posible, aún más ruinoso que el hotel– su intención de derribar el edificio y volver a empezar desde cero. Cuando Monsieur Neuffe firmó los papeles pocos días más tarde, Abel ordenó que demolieran el edificio, mientras él y Florentyna, que ya no tenían más excusas para permanecer en París, partían de mala gana hacia Roma.

Tras la cordialidad de los británicos y la alegría de la capital de Francia, la hosca y decrépita Ciudad Eterna les ensombreció inmediatamente el ánimo, porque los romanos estaban persuadidos de que no tenían nada que festejar. La vida de Londres y París parecía haber quedado definitivamente atrás. En Londres habían paseado juntos por los magníficos parques del reino, habían admirado los edificios históricos y Florentyna había bailado hasta las primeras horas de la mañana. En París habían ido a la Ópera, habían almorzado a orillas del Sena y habían navegado por el río frente a Notre Dame para luego ir a cenar en el Barrio Latino. En Roma, Abel sólo se encontró con un sentimiento generalizado de inestabilidad económica y resolvió que debería renunciar a sus planes de construir un Baron en la capital de Italia. Florentyna intuyó la ansiedad de su padre por volver a ver su castillo de Polonia, de modo que sugirió que partieran de Italia un día antes de lo estipulado.

Abel había comprobado que la burocracia era más remisa para concederles a él y a Florentyna una visa de entrada a un país del Telón de Acero que para otorgar el permiso de construcción de un nuevo hotel de quinientas habitaciones en Londres. Un visitante menos tenaz tal vez se habría dado por vencido, pero por fin Abel y Florentyna enfilaron rumbo a Slonim en un auto alquilado, con las visas correspondientes estampadas con toda claridad en sus pasaportes. Los dos viajeros debieron esperar horas en la frontera polaca, y sólo los ayudó a pasar el hecho de que Abel hablaba perfectamente el idioma. Si los guardias de frontera hubieran sabido por qué su polaco era tan fluido, sin duda habrían adoptado una actitud muy distinta respecto de la decisión de dejarlo entrar. Abel cambió quinientos dólares en zlotys —por lo menos esto pareció regocijar a los polacos— y siguió adelante. Cuanto más se acercaban a Slonim, más claro le resultaba a Florentyna la importancia que ese viaje tenía para su padre.

—Papá, no recuerdo haberte visto nunca tan excitado.

—Aquí es donde nací —explicó Abel—. Después de pasar tanto tiempo en los Estados Unidos, donde las cosas cambian todos los días, es casi irreal estar de vuelta donde nada parece haberse alterado desde que partí.

Siguieron viaje rumbo a Slonim, y los sentidos de Abel fueron exacerbados por la expectativa, al mismo tiempo que le horrorizaba y le enfurecía la devastación de la campiña otrora bien cuidada, y de las cabañas pequeñas y pulcras. A través de un abismo de casi cuarenta años oyó cómo su vocecilla infantil le preguntaba al barón si había llegado la hora de los pueblos sumergidos de Europa y si él podría desempeñar su papel, y las lágrimas se le agolparon en los ojos cuando pensó en lo breve que había sido esa hora y en la insignificancia del papel que él había desempeñado.

Cuando contornearon el último recodo antes de aproximarse a las propiedades del barón y Abel vio las puertas de hierro que llevaban al castillo, soltó una risa emocionada y detuvo el coche.

—Está tal como lo recuerdo. No ha cambiado nada. Ven,

empecemos por visitar la cabaña donde pasé los primeros cinco años de mi vida y donde no creo que ahora viva nadie. Después iremos a ver mi castillo.

Florentyna siguió a su padre. Éste se había internado confiadamente por un pequeño sendero en el bosque de abedules y robles cubiertos de musgo, que no cambiaría en un siglo. Después de caminar unos veinte minutos, los dos llegaron a un pequeño claro, y allí, frente a ellos, se levantaba la cabaña del trampero. Abel se detuvo y miró. Había olvidado cuán pequeño había sido su primer hogar: ¿era realmente posible que nueve personas hubieran vivido allí? Ahora el techo de paja estaba semidestruido, y la casa, con sus piedras desgastadas y sus ventanas rotas, daba la impresión de estar deshabitada. El huerto antaño bien cuidado se confundía con la maleza enmarañada.

¿Habían abandonado la cabaña? Florentyna tomó a su padre por el brazo y lo guió lentamente hacia la puerta de entrada. Abel permaneció allí, inmóvil, de modo que fue Florentyna quien golpeó suavemente. Esperaron en silencio. Florentyna volvió a golpear, esta vez con un poco más de fuerza, y oyeron que alguien se movía dentro.

—Está bien, está bien —rezongó una voz en polaco, y poco después se entreabrió la puerta. Una anciana, encorvada y flaca, totalmente vestida de negro, los escudriñó. Unos mechones de cabello blanco desgreñado escapaban de debajo de su pañuelo de cabeza, y sus ojos grises miraban inexpresivos a los visitantes.

—No es posible —murmuró Abel en inglés.

—¿Qué desean? —preguntó la anciana con desconfianza.

No tenía dientes, y el perfil de su nariz, su boca y su mentón formaban un arco cóncavo perfecto.

—¿Podemos entrar a conversar con usted? —respondió Abel en polaco.

Los ojos de la anciana los miraron alternadamente, temerosos.

—La vieja Helena no ha hecho nada malo —gimió.

—Lo sé —asintió Abel afablemente—. Le traigo buenas noticias.

La anciana los dejó entrar, con renuencia, en la habitación desnuda y fría, pero no les ofreció asiento. El cuarto no había cambiado: dos sillas, una mesa y el recuerdo de que hasta que había abandonado la cabaña él no había sabido lo que era una alfombra. Florentyna tiritó.

—No puedo avivar el fuego —refunfuñó la anciana, mientras atizaba la parrilla con su bastón. El tronco ligeramente incandescente se resistió a arder, y ella hurgó en su bolsillo—. Necesito papel. —Miró a Abel, y por primera vez demostró un atisbo de interés—. ¿Tiene papel?

Abel la miró fijamente.

—¿No se acuerda de mí? —preguntó.

—No, no lo conozco.

—Sí, me conoce, Helena. Mi nombre es... Wladek.

—¿Conoció a mi pequeño Wladek?

—Yo soy Wladek.

—Oh, no —exclamó ella, con tono amargo y remotamente rotundo—. Él era demasiado bueno para mí, llevaba la marca de Dios. El barón se lo llevó para convertirlo en un ángel, sí, se llevó al pequeño de Matka...

Su voz decrépita se quebró y apagó. Se sentó pero las manos viejas, arrugadas, no se quedaban quietas sobre su regazo.

—He vuelto —insistió Abel, pero la anciana no le prestó atención, y su voz temblorosa reanudó el monólogo, como si estuviera sola en la habitación.

—Mataron a mi marido, mi Jasio, y se llevaron a los campos a todos mis adorables hijitos, menos a la pequeña Sophia. La escondí, y ellos se fueron. —Su voz sonaba monótona y resignada.

—¿Qué se hizo de la pequeña Sophia? —preguntó Abel.

—Los rusos se la llevaron en la otra guerra —respondió tristemente.

Abel se estremeció.

La anciana se desprendió de sus recuerdos.

—¿Qué desea? ¿Por qué me hace tantas preguntas?

—Quería presentarle a mi hija, Florentyna.

—Una vez tuve una hija que se llamaba Florentyna, pero ahora me he quedado sola.

—Pero yo... —empezó a explicar Abel, mientras se desabrochaba la camisa.

Florentyna lo detuvo.

—Lo sabemos —dijo, sonriéndole a la anciana.

—¿Cómo es posible que lo sepas? Todo eso ocurrió mucho antes de que nacieras.

—Nos lo contaron en la aldea —contestó Florentyna.

—¿Tienen papel? —inquirió la anciana—. Lo necesito para prender el fuego.

Abel miró a Florentyna, impotente.

—No —murmuró—. Lo siento, pero no trajimos nada.

—¿Qué desea? —repitió la anciana, ahora de nuevo con talante hostil.

—Nada —dijo Abel, ya resignado a aceptar que ella no lo recordaría—. Sólo queríamos saludarla. —Sacó la billetera, extrajo todos los zlotys flamantes que acababa de cambiar en la frontera y se los entregó.

—Gracias, gracias —exclamaba ella a medida que recibía cada billete, con sus ojos decrépitos humedecidos por la alegría.

Abel se inclinó para besar a su madre adoptiva, pero ella se apartó.

Florentyna tomó a su padre por el brazo y lo condujo fuera de la cabaña y por el sendero del bosque en dirección al coche.

La anciana miró desde su ventana hasta asegurarse de que se habían perdido de vista. Después tomó los billetes flamantes, los estrujó uno por uno y los depositó con todo cuidado sobre la parrilla. Ardieron inmediatamente. Colocó ramitas y leños menudos sobre los zlotys llameantes y se sentó lentamente frente al fuego, el más vivo de las últimas semanas, frotándose las manos y disfrutando del confortable calor.

Abel no habló durante la caminata de regreso al auto hasta que las puertas de hierro estuvieron de nuevo a la vista. Entonces le prometió a Florentyna, mientras se esforzaba por olvidar la minúscula cabaña:

—Ahora verás el castillo más hermoso del mundo.

—Deja de exagerar, papá.

—El más hermoso del mundo —repitió Abel en voz baja.

Florentyna rió.

—Ya te diré lo que me parece, comparado con Versalles.

Volvieron a montar en el coche y Abel cruzó la verja, recordando los vehículos que lo habían transportado la última vez que había pasado por allí, y avanzó por el camino de más de un kilómetro que conducía al castillo. Lo acometió un tropel de recuerdos. Los días felices de la infancia junto al barón y a Leon, los días desdichados de su vida cuando los rusos lo habían alejado de su querido castillo y él había pensado que jamás volvería a verlo. Pero ahora él, Wladek Koskiewicz, regresaba triunfante para reclamar lo que le pertenecía.

El auto se zarandeaba por el camino sinuoso y ambos se quedaron callados al tomar la última curva y encontrarse con la primera imagen de la morada del barón Rosnovski. Abel detuvo el coche y contempló el castillo. Ninguno de los dos articuló una palabra, y se limitaron a mirar, incrédulos, las ruinas desoladas de su sueño, arrasado por las bombas.

Ambos se apearon lentamente del auto. Seguían mudos. Florentyna apretó con mucha, mucha fuerza la mano de su padre, que tenía las mejillas bañadas por el llanto. Sólo una pared se mantenía precariamente en pie, como un remedo de su gloria pasada. Del resto sólo quedaba un descuidado montón de escombros y piedra roja. Abel no atinó a hablarle de los grandes salones, los pabellones, las cocinas y las alcobas. Caminó hasta los tres montículos, ahora nivelados por la espesa hierba, que correspondían a las tumbas del barón, de su hijo Leon y de la tocaya de su amada Florentyna. Se detuvo junto a cada una de ellas y pensó que Leon y Florentyna aún podrían haber estado vivos. Se arrodilló frente a las cabeceras y evocó una vívida y tétrica imagen de sus últimos momentos. Su hija estaba junto a él, con la mano apoyada sobre su hombro, en silencio. Pasó un largo rato antes de que Abel se levantara poco a poco, y después pasearon juntos sobre las ruinas. Unas lajas de piedra señalaban los lugares donde salones antaño lujosos se habían poblado de risas. Abel seguía callado. Tomados de la mano, llegaron a las mazmorras. Allí Abel se sentó sobre el piso del pequeño recinto húmedo, cerca de la reja, o de la media reja que aún quedaba. Le hizo dar vueltas a la pulsera de plata.

—Aquí es donde tu padre pasó cuatro años de su vida.

—No es posible —respondió Florentyna, que no se había sentado.

—Está mejor ahora que entonces —comentó Abel—. Por lo menos ahora hay aire fresco, pájaros, sol y una sensación de libertad. Antes no había nada: sólo tinieblas, muerte, la pestilencia de la muerte y, peor aún, el anhelo de la muerte.

—Vamos, papá. Vayámonos. Quedándote aquí sólo conseguirás sentirte peor.

Florentyna guió a su padre renuente hasta el coche y después ella misma condujo lentamente por la larga alameda. Abel no volvió la mirada hacia el castillo en ruinas cuando atravesaron por última vez la verja de hierro.

Durante el viaje de regreso a Varsovia él casi no habló, y Florentyna renunció a sus intentos de mostrarse jovial. Cuando su padre dijo: «Hay una sola cosa que me queda por hacer en esta vida», Florentyna se preguntó a qué se refería pero no le pidió una explicación. Sin embargo, consiguió inducirlo a pasar otro fin de semana en Londres, en el trayecto de vuelta, después de convencerse a sí misma de que eso le levantaría un poco el ánimo y de que tal vez incluso lo ayudaría a olvidar a su anciana madre adoptiva desequilibrada, y los escombros de su castillo de Polonia.

Al día siguiente volaron a Londres. A Abel lo reconfortó volver a un país desde donde podía comunicarse rápidamente con los Estados Unidos. Apenas se hubieron instalado en el Claridges, Florentyna fue a reunirse con sus viejos amigos y a trabar nuevas relaciones. Abel pasaba el tiempo leyendo todos los periódicos que podía conseguir, con la esperanza de enterarse de lo que había sucedido en los Estados Unidos durante su ausencia. No le gustaba la sensación de que algo *podía* ocurrir mientras él estaba lejos porque eso le recordaba que el mundo podía apañarse muy bien sin él.

Un pequeño suelto de una página interior del *Sunday Times* atrajo su atención. Sí, había habido novedades durante su ausencia. Un Vickers Viscount de Interstate Airways se había estrellado la mañana anterior poco después de despegar del aeropuerto de la ciudad de México. Habían muerto los diecisiete pasajeros y todos los tripulantes. Las autoridades mexicanas se habían apresurado a afirmar que el accidente había ocurrido porque Interstate había descuidado la atención mecánica del avión. Abel tomó el teléfono y pidió que lo comunicaran con la telefonista del servicio internacional.

El sábado probablemente está en Chicago, pensó Abel. Hojeó su pequeña agenda para buscar el número particular.

—Habrá una demora de unos treinta minutos —anunció una voz inglesa, concisa y no desprovista de atractivo.

—Gracias —respondió Abel, y se tumbó sobre la cama con el teléfono a su lado, reflexionando. La campanilla repicó veinte minutos más tarde.

—Su conferencia internacional, señor —dijo la misma voz.

—¿Eres tú, Abel? ¿Dónde estás?

—Claro que soy yo, Henry. Estoy en Londres.

—¿Han terminado? —preguntó la telefonista, que había vuelto a aparecer en la línea.

—Aún no he empezado —contestó Abel.

518

—Lo siento, señor. Lo que quise preguntar es si ya han terminado de comunicarlo con los Estados Unidos.

—Oh, sí, claro. Gracias. Jesús, Henry, aquí hablan otro
idioma.

Henry Osborne se rió.

—Ahora escucha —prosiguió Abel—. ¿Has leído en los periódicos la noticia de que un Vickers Viscount de Interstate
Airways se estrelló en el aeropuerto de la ciudad de México?

—Sí, la he leído —contestó Henry—. Pero no tienes por qué
preocuparte. El avión se hallaba suficientemente asegurado y
la compañía está bien a cubierto, de modo que no hay pérdidas y las acciones se han mantenido estables.

—El seguro es lo que menos me interesa —exclamó Abel—.
Ésta podría ser la oportunidad ideal para descubrir, mediante
un pequeño experimento, si el señor Kane tiene una sólida
constitución.

—Temo no entender nada, Abel. ¿De qué hablas?

—Escucha bien, y te explicaré qué es lo que quiero que
hagas, exactamente, cuando se abra la Bolsa el lunes por la
mañana. Yo estaré en Nueva York el martes para orquestar
personalmente el *crescendo* final.

Henry Osborne escuchó atentamente las instrucciones de
Abel Rosnovski. Veinte minutos más tarde, Abel volvió a depositar el teléfono sobre la horquilla. Había terminado.

30

La mañana en que Curtis Fenton le telefoneó para informarle que el «Barón de Chicago» había cerrado todas las cuentas que la cadena tenía en el Continental Trust y había acusa-

do al mismo Fenton de deslealtad y conducta poco ética, William comprendió que Abel Rosnovski le daría más disgustos.

—Yo creí que procedía correctamente cuando le escribí a usted que el señor Rosnovski había comprado acciones del Lester —explicó el banquero con tono afligido—, y he terminado por perder a uno de mis mejores clientes. No sé qué opinarán en el consejo de administración.

William articuló una disculpa insuficiente y lo tranquilizó un poco cuando le prometió que intercedería por él ante sus superiores. Sin embargo, lo que más lo preocupaba era la duda acerca de la próxima maniobra de Abel Rosnovski.

Esa duda se despejó aproximadamente un mes más tarde. Un lunes por la mañana estaba revisando la correspondencia del banco cuando su agente de Bolsa le telefoneó para informarle que alguien había puesto en venta acciones de Interstate Airways por valor de un millón de dólares. William decidió adquirir personalmente dichas acciones, y dio una orden de compra inmediata. A las dos de la tarde salió a la venta otro paquete de acciones por valor de un millón de dólares. Antes de que William tuviera tiempo de comprarlas, la cotización empezó a bajar. Cuando la Bolsa de Nueva York cerró a las tres de la tarde, la cotización de Interstate Airways había descendido en un treinta por ciento.

A las diez y diez de la mañana siguiente, William recibió una llamada de su ahora ofuscado agente de Bolsa. Al sonar la campanilla de apertura de operaciones, habían salido a la venta más acciones por valor de un millón de dólares. El agente agregó que esta última oferta había desencadenado una avalancha: de todas partes llegaban a la sala órdenes de venta, se había producido un colapso, y ahora las acciones se vendían por pocos céntimos. Sólo veinticuatro horas antes la cotización de Interstate había sido de cuatro y medio.

William le pidió a Alfred Rodgers, el secretario de la compañía, que convocara al consejo de administración para el lunes próximo. Necesitaba tiempo para confirmar quién era el responsable de la venta masiva. El miércoles había renunciado a frenar la caída de Interstate mediante la compra de todas las acciones que salían al mercado. Ese día, a la hora del cierre, la Comisión de Valores y Cambios anunció que investigaría todas las transacciones de Interstate. William reflexionó que ahora el Lester debería resolver si continuaría apoyando a la compañía de aviación durante el lapso de tres a seis meses que la C.V.C. emplearía en completar la investigación, o si por el contrario la dejaría sucumbir. La situación parecía muy adversa, tanto para el bolsillo de William como para la reputación del banco.

William no recibió ninguna sorpresa cuando Thaddeus Cohen le informó al día siguiente que la firma que había vendido las acciones de Interstate por valor de tres millones de dólares había sido una de las que actuaba como testaferro de Abel Rosnovski: la Guaranty Investment Corporation. Un portavoz de dicha empresa había dado a conocer un breve y plausible comunicado de prensa en el que explicaba las causas de la venta: los había preocupado el futuro de la compañía después del aserto responsable del gobierno de México acerca del deficiente servicio de atención mecánica de Interstate Airways.

—Aserto responsable —exclamó William, indignado—. El gobierno de México no ha formulado un aserto responsable desde que proclamó que Speedy González ganaría los cien metros en los Juegos Olímpicos de Helsinki.

Los medios de información explotaron al máximo el comunicado de prensa de Guaranty Investment, y el viernes la Agencia Federal de Aviación suspendió las licencias de vuelo de la compañía mientras se investigaban sus servicios de atención mecánica.

William confiaba en que Interstate no tenía nada que temer por esa inspección, pero la medida tuvo efectos desastrosos porque se anularon las reservas a corto plazo. Ninguna compañía de aviación puede darse el lujo de dejar sus aviones en tierra: estos sólo dan beneficios cuando vuelan.

Para complicar los problemas de William, otras grandes compañías representadas por el Lester empezaron a reconsiderar sus compromisos futuros. La prensa se había apresurado a señalar que el Lester era el avalista de Interstate Airways. Scrprendentemente, las acciones de Interstate empezaron a subir de nuevo a última hora del viernes, y a William no le costó mucho adivinar por qué. Thaddeus Cohen confirmó más tarde su hipótesis: el comprador era Abel Rosnovski. Éste había vendido sus acciones de Interstate al mejor precio y ahora volvía a comprarlas poco a poco cuando su cotización estaba por los suelos. William meneó la cabeza con renuente admiración. Rosnovski ganaba una pequeña fortuna mientras arruinaba la reputación y el bolsillo de William.

William calculó que si bien la Cadena Baron había arriesgado más de tres millones, era muy probable que al fin consiguiera beneficios fabulosos. Además, era obvio que a Rosnovski no lo inquietaba una pérdida momentánea, que de todos modos podría deducir de su declaración de renta. Lo único que le interesaba era la destrucción total del prestigio del Lester.

En la reunión de la junta celebrada el lunes siguiente, William contó toda la historia de su enfrentamiento con Rosnovski y ofreció su renuncia. No se la aceptaron, ni la pusieron a votación, pero hubo murmuraciones, y William comprendió que si Rosnovski volvía a la carga era probable que sus colegas no adoptaran por segunda vez la misma actitud tolerante.

A continuación se discutió si el banco debía seguir apoyando a Interstate Airways. Tony Simmons convenció a los miembros del consejo de que los resultados de la investigación de la A.F.A. sólo podrían favorecer al banco, y de que con tiempo Interstate recuperaría todo su dinero. Después de la reunión, Tony comentó con William que a la larga esa decisión beneficiaría a Rosnovski, pero al banco no le quedaba otra alternativa si quería salvaguardar su reputación.

Estuvo acertado en ambos casos. Cuando la C.V.C. publicó finalmente sus conclusiones, certificó que la actitud del Lester había sido «irreprochable», y en cambio tuvo duras críticas para la Guaranty Investment Corporation. Esa mañana, cuando la Bolsa empezó a comerciar las acciones de Interstate, William comprobó sorprendido que la cotización subía sistemáticamente. No tardó en llegar a los cuatro y medio iniciales.

Thaddeus Cohen le informó a William que el principal comprador había sido nuevamente Abel Rosnovski.

—Esto es justo lo que me hace falta ahora —comentó William—. No sólo saca un beneficio fabuloso de la transacción, sino que podrá repetir la misma maniobra cada vez que se le antoje.

—En verdad —manifestó Thaddeus Cohen—, esto es justo lo que le hace falta a usted.

—¿A qué se refiere, Thaddeus? —preguntó William—. No sabía que fuera aficionado a las charadas.

—El señor Abel Rosnovski ha cometido su primer error de cálculo, porque está infringiendo la ley y ahora le toca a usted vengarse. Probablemente ni siquiera imagina que lo que ha hecho es ilegal, porque sus motivaciones fueron otras muy distintas.

—¿A qué se refiere? —insistió William.

—Es muy sencillo —prosiguió Thaddeus Cohen—. Como usted está obsesionado con Rosnovski, y él con usted, parece que a ambos les ha pasado inadvertido lo obvio: si usted vende acciones con la única intención de hacer bajar la cotización para después comprarlas a un precio irrisorio y obtener una ganancia segura, trasgrede la norma 10b-5 de la Comisión de Valores y Cambios y comete el delito de fraude. No tengo ninguna duda de que la intención del señor Rosnovski no era la de obtener un lucro rápido, y en realidad sabemos muy bien que sólo quería perjudicarlo a usted. Pero, ¿quién le creerá a Rosnovski si alega que se desprendió de las acciones porque le pareció que la compañía no era digna de confianza, si después volvió a comprarlas cuando tocaron fondo? Respuesta: nadie... y menos aún la C.V.C. Mañana le haré llegar un informe completo por escrito, William, explicando las connotaciones legales.

—Gracias —respondió William, eufórico.

El informe de Thaddeus Cohen descansaba sobre el escritorio de William a las nueve de la mañana siguiente, y después de que éste lo hubo leído detenidamente, convocó a otra reunión de la junta. Los directores aprobaron la estrategia que propuso William. Thaddeus Cohen recibió instrucciones de elaborar un comunicado de prensa cuidadosamente redactado que saldría a la luz esa tarde. A la mañana siguiente, el *Wall Street Journal* publicó una noticia en la primera plana:

> El señor William Kane, presidente del banco Lester, tiene razones para creer que las órdenes de venta de las acciones de Interstate Airways —compañía avalada por el banco Lester— que la Guaranty Investment Corporation lanzó al mercado en noviembre de 1952, fueron libradas con el único fin de obtener un beneficio ilícito.

> Se ha comprobado que la Guaranty Investment Corporation lanzó al mercado acciones de Interstate por valor de un millón de dólares cuando se iniciaron las operaciones de Bolsa del lunes 12 de mayo de 1952. Seis horas más tarde se volcaron al mercado acciones por valor de otro millón de dólares. La Guaranty Investment Corporation dio una tercera orden de venta por valor de un millón de dólares cuando se reanudaron las operaciones el martes 13 de mayo de 1952. Esto provocó un descenso en picado de las cotizaciones. Después de que una investigación de la C.V.C. demostró que no había habido manejos ilícitos dentro del banco Lester o de Interstate Airways, las acciones se volvieron a vender, desvalorizadas. La

Guaranty Investment retornó al mercado para comprarlas al precio más bajo posible. Siguió comprando hasta recuperar las acciones por valor de tres millones de dólares que había lanzado inicialmente al mercado.

El presidente y los directores del banco Lester han enviado una copia de todos los documentos pertinentes a la Sección de Fraudes de la C.V.C. y han solicitado de este organismo una investigación a fondo.

El artículo que acompañaba a la información reproducía textualmente la norma 10b-5 de la C.V.C. y comentaba que ése era precisamente el caso clave que buscaba el presidente Truman. Al pie, una caricatura mostraba a Harry S. Truman en el acto de sorprender a un potentado con las manos en la masa.

William sonrió al leer el suelto, confiando que ya no volvería a oír hablar de Abel Rosnovski.

Abel Rosnovski frunció el ceño y no hizo ningún comentario mientras Henry Osborne le leía el artículo. Por fin levantó la vista, tamborileando irritado con los dedos sobre el escritorio.

—Los chicos de Washington están resueltos a llegar al fondo de este chanchullo —anunció Osborne.

—Pero Henry, tú sabes muy bien que no vendí las acciones de Interstate para obtener una ganancia rápida en el mercado de valores —protestó Abel—. Los beneficios no me interesan en absoluto.

—Sí, lo sé —asintió Henry—, pero intenta convencer a la Comisión de Finanzas del Senado de que el «Barón de Chicago» no perseguía el lucro, sino tan sólo saldar una cuenta personal con William Kane. Te echarán a carcajadas de la sala... o del Senado, para ser más precisos.

—Maldición —farfulló Abel—. ¿Y qué demonios haré ahora?

—Bueno, para empezar deberás permanecer en un segundo plano hasta que se aquiete el avispero. Y empieza a rogar que estalle un escándalo mayor que pueda distraer a Truman, o que los políticos estén muy absortos en las elecciones y no tengan tiempo de exigir una investigación. Si tienes suerte, incluso es posible que una nueva administración lo archive todo. De cualquier forma, Abel, no compres más acciones relacionadas con el banco Lester, o lo mejor que podrá sucederte será que tengas que pagar una multa cuantiosa. Yo, por mi parte, intentaré utilizar mis influencias entre los demócratas de Washington.

—Recuérdales a los colaboradores de Harry Truman que durante la última elección doné cincuenta mil dólares para su campaña, y que me propongo donar otro tanto para la de Adlai Stevenson.

—Ya lo he hecho —respondió Henry—. En verdad, te aconsejaría que también les dones cincuenta mil a los republicanos.

—Están armando una tormenta en un vaso de agua —masculló Abel—. Una tormenta que Kane aprovechará para ahogarnos a todos si le damos la oportunidad. —Sus dedos continuaron tamborileando sobre la mesa.

31

EL INFORME TRIMESTRAL de Thaddeus Cohen reveló que Abel Rosnovski había dejado de comprar o vender acciones de las empresas del Lester. Aparentemente ahora concentraba todas sus energías en la construcción de nuevos hoteles en Europa. A juicio de Cohen, Rosnovski trataba de pasar inadvertido hasta que la C.V.C. dictara su fallo sobre el caso Interstate.

Los representantes de la C.V.C. habían visitado varias veces a William en su banco. Él les habló con absoluta franqueza, pero los inspectores nunca le informaron cómo marchaban sus trabajos. Por fin la C.V.C. terminó de investigar y le agradeció a William su cooperación. No tuvo más noticias de ella.

A medida que se aproximaba la elección presidencial y Truman parecía concentrar sus esfuerzos en la disolución del trust industrial DuPont, William empezó a temer que Abel Rosnovski hubiera conseguido salir bien parado de la situación. No podía dejar de sospechar que tal vez Henry Osborne había tirado de algunos hilos en el Capitolio. Recordó que Cohen le había subrayado en una oportunidad una nota sobre una donación de cincuenta mil dólares que la Cadena Baron había hecho para la campaña de Harry Truman, y le sorprendió leer en el último informe de Cohen que Rosnovski había repetido la donación a favor de Adlai Stevenson, agregando otros cincuenta mil dólares para la campaña de Eisenhower. Cohen volvió a subrayar ese extremo.

William, que nunca había considerado la posibilidad de apoyar para un puesto público a alguien que no fuera republicano, deseaba que el general Eisenhower, el candidato elegido en la primera votación durante la convención republicana de Chicago, derrotara a Adlai Stevenson, aunque sabía que la administración republicana se mostraría menos inclinada que la demócrata a urgir una investigación sobre manipulaciones en la Bolsa.

El 4 de noviembre de 1952, cuando el general Dwight D. Eisenhower —aparentemente la nación quería a Ike— fue elegido trigesimocuarto presidente de los Estados Unidos, William pensó que Abel Rosnovski se había salvado de la incriminación y que a él sólo le restaba desear que esa experiencia le hubiera servido de advertencia para no seguir entrometiéndose en los negocios del Lester. La única pequeña compensación que esas elecciones le dieron a William consistió en que un candidato republicano le arrebató el escaño al diputado

Henry Osborne. Evidentemente la barca de Eisenhower arrastraba cabos, y el rival de Osborne se había prendido a uno de ellos. Thaddeus Cohen sospechaba que Henry Osborne ya no influía tanto como antes sobre Abel Rosnovski. En Chicago se rumoreaba que, desde que se había divorciado de su rica esposa, Osborne le debía cuantiosas sumas de dinero a Rosnovski y había vuelto a jugar a lo grande.

Hacía mucho tiempo que William no se sentía tan dichoso y relajado, y anhelaba disfrutar de la era de prosperidad y paz que Eisenhower había prometido en sus discursos, al asumir la presidencia.

A medida que transcurrían los primeros años de la administración del nuevo presidente, William empezó a arrumbar en un rincón de su mente las amenazas de Rosnovski como algo que pertenecía al pasado. Comentó con Thaddeus Cohen que no creía que volvieran a tener noticias de Abel Rosnovski. El abogado no hizo ningún comentario. Tampoco le pidió que lo hiciese.

William dedicó todos sus esfuerzos a desarrollar tanto la envergadura como la reputación del Lester, cada vez más consciente de que lo hacía tanto por su hijo como por sí mismo. Algunos miembros del personal del banco ya habían empezado a llamarlo «el viejo».

—Tenía que suceder —dijo Kate.

—¿Entonces por qué no te ha sucedido a ti? —respondió William.

Kate miró a William y sonrió.

—Ahora conozco el arma secreta que has empleado para concertar tantos acuerdos con hombres vanidosos.

William rió.

—Y con una mujer hermosa —agregó él.

Cuando faltaba sólo un año para que Richard cumpliera veintiuno, William revisó las cláusulas de su testamento. Apartó cinco millones de dólares para Kate y dos millones para cada una de las chicas, y le dejó el resto de la fortuna familiar a Richard, no sin calcular afligido, la tremenda magnitud que supondrían los impuestos sucesorios. También legó un millón de dólares a la universidad de Harvard.

Richard había sabido aprovechar los cuatro años pasados en Harvard. Al comenzar su último año de estudios no sólo parecía el candidato más seguro a obtener un *Summa Cum Laude*, sino que también tocaba el violoncelo en la orquesta de la Universidad y jugaba como lanzador en el equipo universitario de béisbol, circunstancia que ni siquiera William podía dejar de admirar. Como le gustaba preguntar retóricamente a Kate: ¿cuántos estudiantes pasaban la tarde del sábado jugando al béisbol en el equipo de Harvard contra el de Yale, y la tarde del domingo tocando el violoncelo en la sala de conciertos Lowell junto con el resto del cuarteto de cuerdas de la Universidad?

El último año transcurrió rápidamente, y cuando Richard dejó Harvard, equipado con un título de *Bachelor of Arts* en matemáticas, un violoncelo y un bate de béisbol, lo único que le faltaba antes de personarse en la escuela de Estudios Empresariales del otro lado del río Charles era pasar unas buenas vacaciones. Voló a Barbados con una chica llamada Mary Bigelow, cuya sola existencia los padres de Richard tenían la dicha de ignorar. Ella había estudiado música, entre otras cosas, en Vassar, y cuando regresaron dos meses más tarde casi tan morenos como los nativos, Richard la llevó a su casa para presentarla a sus padres. William aprobó a la señorita Bigelow. Al fin y al cabo era la sobrina nieta de Alan Lloyd.

Richard volvió a la Escuela de Estudios Empresariales de Harvard el 1.º de octubre de 1955, para iniciar su curso de graduado. Se instaló en la Red House, arrojó a la basura todos los muebles de caña de William y quitó el empapelado de Paisley que a Matthew Lester le había parecido tan moderno, y colocó una alfombra de pared a pared en la sala, una mesa de roble en el comedor, una lavadora en la cocina y, más esporádicamente, a la señorita Bigelow en el dormitorio.

32

ABEL VOLVIÓ DE UN VIAJE A ESTAMBUL en octubre de 1952, apenas recibió la noticia de que David Maxton había sufrido un infarto mortal. Asistió al funeral en Chicago con George y Florentyna, y más tarde le informó a la señora Maxton que durante el resto de su vida podría alojarse gratuitamente en cualquier hotel Baron del mundo siempre que lo deseara. Ella no entendió por qué Abel se comportaba con tanta generosidad.

Cuando Abel regresó al día siguiente a Nueva York, se alegró al encontrar sobre su escritorio del despacho del piso cuarenta y dos un informe de Henry Osborne en el que éste le anunciaba que había pasado el peligro. A juicio de Henry, era improbable que la nueva administración Eisenhower siguiera investigando el fiasco de Interstate Airways, sobre todo ahora que hacía casi un año que las acciones se mantenían estables. En consecuencia, no había habido más incidentes que renovaran el interés por el escándalo. El vicepresidente de Eisenhower, Richard M. Nixon, parecía más preocupado por cazar a los comunistas espectrales que se le habían escapado a Joe McCarthy.

Abel pasó los dos años siguientes consagrado a la construcción de sus hoteles en Europa. En 1953 inauguró el Baron de París, y a finales de 1954 el Baron de Londres. También había Barons en diferentes etapas de desarrollo en Bruselas, Roma, Amsterdam, Ginebra, Bonn, Edimburgo, Cannes y Estocolmo, tal como lo estipulaba un plan de expansión en diez años.

Abel estaba tan atareado que le quedaba poco tiempo para pensar en la constante prosperidad de William Kane. No había hecho más tentativas de comprar acciones del banco Lester o de sus compañías subsidiarias, pero conservaba las que tenía con la esperanza de que se le presentara otra oportunidad de asestarle a William Kane un golpe del que no pudiera recuperarse tan fácilmente. La próxima vez, se prometió Abel, tendría la precaución de no infringir involuntariamente la ley.

George administraba la Cadena Baron durante las ausencias cada vez más prolongadas de Abel en el extranjero, y a su vez Abel esperaba que Florentyna se incorporara al consejo de administración apenas se graduase en Radcliffe, en junio de 1955. Ya había resuelto que ella debería asumir la responsabilidad de todas las boutiques de los hoteles y monopolizar sus compras, porque se estaban transformando rápidamente en un imperio por sí mismas.

La perspectiva entusiasmó a Florentyna, pero insistió en que antes de incorporarse a la cadena de su padre quería adquirir experiencia fuera de ella. No creía que sus dotes naturales para el diseño, el color y la organización pudieran sustituir a la experiencia. Abel le sugirió que estudiara en la famosa *Ecole Hôtelière* de Lausana, en Suiza, bajo la dirección de Monsieur Maurice. Florentyna se opuso a tal idea, y explicó que quería trabajar dos años en una tienda de Nueva York antes de pensar en asumir el control de las boutiques de la cadena. Quería ser digna de su cargo, «y no sólo como hija de mi padre», le informó a Abel. Éste aprobó calurosamente su decisión.

—Una tienda de Nueva York, eso es fácil —dijo—. Le telefonearé a Walter Hoving de Tiffany y podrás empezar desde la cúspide.

—No —respondió Florentyna, demostrando que había heredado la obstinación de su padre—. ¿Cuál es el equivalente de un aprendiz de camarero en el Plaza?

—Una vendedora de un gran almacén —contestó Abel, riendo.

—Entonces eso es precisamente lo que seré yo.

Abel dejó de reír.

531

—¿Hablas en serio? Con un título de Radcliffe y toda la experiencia y los conocimientos que has adquirido viajando por Europa, ¿quieres ser una vendedora anónima?

—El hecho de ser un camarero anónimo en el Plaza no te perjudicó cuando llegó la hora de poner en marcha una de las cadenas de hoteles más prósperas del mundo —replicó Florentyna.

Abel sabía admitir la derrota. Le bastó mirar los ojos gris acerados de su bella hija para comprender que ésta había tomado una decisión y que sería imposible persuadirla, afablemente o de otra manera, para que cambiase de idea.

Después de graduarse en Radcliffe, Florentyna pasó un mes en Europa con su padre, observando cómo progresaban los últimos hoteles Baron. Ella misma presidió la inauguración oficial del Baron de Bruselas, donde conquistó al joven y apuesto gerente de habla francesa, al que Abel acusó de oler a ajo. Debió renunciar a su pretendiente tres días más tarde cuando la relación llegó a la etapa de los besos, pero nunca le confesó a su padre que la razón había sido el ajo.

Florentyna volvió con su padre a Nueva York e inmediatamente presentó una solicitud para ocupar la vacante de «aprendiza de asistente de ventas» (como decía el anuncio del periódico) en Bloomingdale's. Cuando llenó el impreso utilizó el nombre de Jessie Kovats, porque sabía muy bien que no la dejarían en paz si pensaban que era la hija del «Barón de Chicago».

No obstante las protestas de su padre también dejó la suite del hotel Baron y salió en busca de un alojamiento propio. Abel también capituló en ese punto y cuando Florentyna cumplió veintidós años le regaló un apartamento pequeño pero elegante en una comunidad de propietarios de Fifty-seventh Street, cerca del East River.

Florentyna ya estaba familiarizada con Nueva York y disfrutaba de una vida social activa, pero hacía mucho que había resuelto no comunicarles a sus amigos que iba a trabajar en

Bloomingdale's. Temía que quisieran ir a visitarla. En pocos días destaparían la patraña que ella había urdido con tanto ingenio y ya no podría conseguir que la trataran como a una aprendiza común y corriente.

Cuando sus amigos le formulaban preguntas, se limitaba a contestarles que colaboraba en la administración de las tiendas de los hoteles de su padre. Ninguno de ellos ponía en tela de juicio esa respuesta.

Jessie Kovats —tardó un poco en acostumbrarse a ese nombre— empezó su carrera en el departamento de cosmética. Después de seis meses estaba en condiciones de atender su propio salón de belleza. Las vendedoras de Bloomingdale's trabajaban en parejas, y Florentyna sacó provecho de este sistema cuando eligió como compañera a la chica más perezosa de la sección. El arreglo las favoreció a las dos, porque la elegida de Florentyna era una rubia deslumbrante y de pocas luces llamada Maisie, a la que sólo le interesaban dos cosas en la vida: el reloj que marcaba las seis de la tarde y los hombres. El primer placer lo disfrutaba una sola vez en la jornada y el segundo abarcaba todo el tiempo.

Las dos se convirtieron pronto en camaradas, sin llegar a ser exactamente amigas. Florentyna aprendió de su compañera a eludir el trabajo sin dejarse sorprender por el jefe de piso, y también a hacerse abordar por un hombre.

Antes de que cumplieran los seis primeros meses de trabajo en común los ingresos del mostrador de cosméticos habían aumentado notablemente, a pesar de que Maisie pasaba más tiempo probando los productos que vendiéndolos. Podía estar dos horas sin hacer nada más que repintarse las uñas. Florentyna, por el contrario, tenía un don natural para las ventas que no podría haber aprendido en la escuela nocturna. Esto, combinado con la capacidad natural para aprender, determinó que al cabo de sólo unas pocas semanas sus patronos la vieran como si hubiese pasado años allí.

La sociedad con Maisie era ideal para Florentyna, y cuando la trasladaron a la sección de Vestidos de Útima Moda, Maisie la acompañó, por acuerdo mutuo, y a partir de ese momento consagró todo el día a probarse prendas nuevas mientras Florentyna las vendía. Maisie sabía atraer a los hombres —con sus esposas o novias a remolque— con sólo mirarlos, cualquiera que fuese la mercancía. Una vez que Maisie los cautivaba, Florentyna entraba en acción y les vendía algo. Nadie habría creído posible que esa combinación diera frutos en Vestidos de Última Moda, pero Florentyna siempre les hacía comprar algo a las víctimas de Maisie, y eran pocas las que conseguían salir de allí con la billetera intacta.

Las entradas de esos seis meses volvieron a aumentar, y el supervisor del piso llegó a la obvia conclusión de que las dos chicas trabajaban bien cuando estaban juntas. Florentyna no dijo nada que pudiera desmentir esta impresión. En tanto que las otras vendedoras de la tienda siempre se quejaban de la holgazanería de sus compañeras, Florentyna elogiaba constantemente a Maisie como la colaboradora perfecta, que le había enseñado muchísimo acerca del funcionamiento de las grandes tiendas. No mencionó los consejos útiles que también le daba Maisie acerca de la forma de tratar a los donjuanes.

El mayor halago que puede recibir una vendedora de Bloomingdale's es que le encarguen la atención de uno de los mostradores que miran hacia Lexington Avenue, donde se convierte en la primera persona que ven los clientes al entrar por las puertas principales. El hecho de trabajar en uno de esos mostradores se interpretaba como un pequeño ascenso, y era raro que a una chica la invitaran a vender allí si no había pasado por lo menos cinco años en la tienda. Maisie estaba en Bloomingdale's desde que había cumplido los diecisiete, o sea cinco años íntegros, en tanto que Florentyna apenas acababa de completar sus primeros doce meses. Pero como su rendimiento había sido excepcional, el gerente decidió probar a las dos chicas en el departamento de papelería de la planta baja. Maisie no podía sacar ninguna ventaja personal de ese departamento, porque no le interesaba mucho leer y menos aún escribir. Después de haber pasado un año con ella, Florentyna ni siquiera estaba segura de que supiera leer o escribir. Sin embargo, Maisie estaba muy satisfecha con su nuevo puesto porque le encantaba ser el centro de atención. De modo que la sociedad entre las dos chicas continuó siendo perfecta.

Abel le confesó a George que una vez había entrado furtivamente en Bloomingdale's para observar cómo trabajaba Florentyna, y debió confesar que lo hacía endemoniadamente bien. Le aseguró a su vicepresidente que tenía muchas ganas de que su hija completara los dos años de aprendizaje para poder emplearla él. Ambos habían convenido que cuando Florentyna dejara Bloomingdale's sería designada vicepresidenta de la cadena, con la misión específica de administrar las boutiques de los hoteles. Tal como Bloomingdale's lo estaba comprobando, Florentyna era una astilla del viejo y formidable palo, y Abel no dudaba que a su hija no le resultaría difícil asumir las responsabilidades que él le reservaba.

Florentyna pasó sus últimos seis meses de trabajo en Bloomingdale's al frente de seis mostradores de la planta baja, con el nuevo título de jefa auxiliar. Ahora su trabajo consistía en llevar el inventario de mercancías, controlar las cajas y supervisar a dieciocho vendedoras. Bloomingdale's ya había resuelto que Jessie Kovats era la candidata ideal para convertirse en una futura encargada de compras.

Florentyna aún no les había advertido a sus empleadores que pronto los dejaría para ir a trabajar con su padre como vicepresidenta de la Cadena Baron. Cuando los seis últimos meses se aproximaban a su fin, empezó a preguntarse qué sería de la pobre Maisie después de que ella se fuese. Maisie suponía que Jessie se quedaría toda la vida en Bloomingdale's —¿acaso no era eso lo que hacían todas?— y nunca lo pensó dos veces. Florentyna se dijo que quizás incluso le ofrecería trabajo en una de las boutiques del Baron de Nueva York. Con tal de que estuviera detrás de un mostrador donde los hombres gastaban dinero, Maisie sería una buena inversión.

Una tarde, mientras atendía a una cliente —ahora trabajaba en la sección de guantes, bufandas y gorros de lana— Maisie hizo un aparte con Florentyna y le señaló a un joven que miraba distraídamente los mitones.

—¿Qué opinas de él? —preguntó, soltando una risita.

Florentyna miró el último capricho de Maisie con su habitual indiferencia, pero en esta oportunidad hubo de confesarse que era bastante atractivo y por primera vez casi envidió a su compañera.

—Sólo les interesa una cosa, Maisie.

—Ya lo sé —asintió Maisie—. Y está a su disposición.

—No dudo que le gustaría saberlo —comentó Florentyna, riendo, mientras se volvía para ocuparse de la cliente que ya empezaba a impacientarse porque Maisie no le hacía caso.

Maisie aprovechó la circunstancia y corrió hacia el joven sin guantes. Florentyna los observó de soslayo, y le hizo gracia comprobar que él no cesaba de mirarla nerviosamente, cuidando que a Maisie no la espiara su supervisora. Maisie se apartó, muy divertida, y el joven se fue con un par de guantes de cuero azul oscuro.

—Bueno, ¿ha estado a la altura de tus esperanzas? —le preguntó Florentyna, consciente de que la nueva conquista de Maisie la había puesto un poco celosa.

—No —respondió Maisie—. Pero estoy segura de que volverá —añadió, sonriendo.

Maisie no se equivocó, porque al día siguiente apareció de nuevo, hurgando entre los guantes con expresión aún más azorada.

—Supongo que será mejor que vayas a atenderlo —dijo Florentyna.

Maisie fue obediente a su encuentro. Florentyna casi se rió a carcajadas cuando, pocos minutos más tarde, el joven partió con otro par de guantes de cuero de color azul oscuro.

—Dos pares —dictaminó Florentyna—. Creo que puedo comunicarte, en nombre de Bloomingdale's, que eres digna de él.

—Pero aún no me ha invitado a salir —refunfuñó Maisie.

—¿De veras? —exclamó Florentyna, con fingida incredulidad—. Entonces debe de ser un fetichista de los guantes.

—Es muy descorazonador —protestó Maisie—, porque me gusta.

—Sí, no está mal —asintió Florentyna.

Cuando el joven entró en la tienda al día siguiente, Maisie dejó a una anciana con la palabra en la boca y corrió hacia él. Florentyna la reemplazó rápidamente, y volvió a vigilar a Maisie por el rabillo del ojo. Esta vez los dos parecieron entablar una larga conversación y finalmente el joven se fue con otro par de guantes de cuero azul oscuro.

—Debe de ser en serio —aventuró Florentyna.

—Sí, creo que sí —replicó Maisie—, pero aún no me ha propuesto una cita.

Florentyna se quedó atónita.

—Escucha —prosiguió Maisie desesperada—, si vuelve mañana, ¿puedes atenderlo tú? Creo que tiene miedo de hablarme directamente. Tal vez le resulte más fácil pedirme una cita a través de ti.

Florentyna se rió.

—Una Viola para tu Orsino.

—¿Qué dices? —inquirió Maisie.

—Nada importante —respondió Florentyna—. Me pregunto si podré venderle un par de guantes.

Si el joven tenía una virtud, ésta era la constancia, pensó Florentyna, al ver que al día siguiente entraba exactamente a la misma hora y se encaminaba sin vacilar hacia el mostrador de los guantes. Maisie le dio a su amiga un codazo en las costillas, y Florentyna resolvió que había llegado el momento de pasar un buen rato.

—Buenas tardes, señor.

—Oh, buenas tardes —dijo el joven con expresión de sorpresa... ¿o acaso de desencanto?

—¿Qué desea? —insistió Florentyna.

—Nada... quiero decir, sí, necesito un par de guantes —agregó, con tono poco convincente.

—Sí, señor. ¿Le gustarían de color azul oscuro? ¿De cuero? Estoy segura de que tenemos su medida... a menos que hayamos vendido todos los pares.

El joven la miró con desconfianza cuando ella le tendió los guantes. Se los probó. Le quedaban un poco holgados. Florentyna le ofreció otro par, pero éstos eran un poco ajustados. El joven se volvió hacia Maisie en busca de inspiración pero la vio rodeada por un mar de clientes masculinos en el que sin embargo se mantenía a flote, porque incluso encontró tiempo para echarle una mirada y sonreírle. Él le devolvió la sonrisa, nervioso. Florentyna le pasó otro par de guantes. Calzaban perfectamente.

—Creo que esto es lo que busca —dijo Florentyna.

—No, en realidad no —respondió el ofuscado cliente.

Florentyna resolvió que había llegado el momento de aliviar los sufrimientos del pobre hombre, y bajando la voz murmuró:

—Iré a rescatar a Maisie. ¿Por qué no la invita a salir? Estoy segura de que aceptará.

—Oh, no —exclamó el joven—. No me entiende. No es con ella con quien deseo salir... es con usted.

Florentyna se quedó sin habla. El joven pareció armarse de valor.

—¿Quiere cenar esta noche conmigo?

—Sí —se oyó decir Florentyna.

—¿Pasaré a buscarla por su casa?

—No —replicó Florentyna con tono demasiado categórico Lo que menos deseaba era que la recogiera en su apartamento donde cualquiera se daría cuenta de que no era una vendedo ra–. Nos encontraremos en el restaurante –añadió rápidamente.

–¿A dónde le gustaría ir?

Florentyna trató de pensar en un lugar que no fuera demasiado ostentoso.

–¿El Allen's, en Seventy-third y Third? –aventuró él.

–Sí, está bien –asintió Florentyna, mientras pensaba que Maisie habría manejado mucho mejor esa situación.

–¿Alrededor de las ocho le parece buena hora?

–Alrededor de las ocho –respondió Florentyna.

El joven se alejó sonriendo. Florentyna lo vio salir a la calle y se dio cuenta de pronto de que se había ido sin comprar los guantes.

Florentyna dedicó mucho tiempo a elegir el vestido que usaría esa noche. Quería asegurarse de que su ropa no delataría a gritos que procedía de Bergdorf Goodman. Había comprado un pequeño vestuario especial para Bloomingdale's, pero los vestidos eran estrictamente para uso diurno, y no se los había puesto de noche. Si su galán –cielos, ni siquiera sabía cómo se llamaba– creía que ella era una vendedora, no debía desilusionarlo. No pudo dejar de pensar que en realidad aguardaba esa velada con más ansiedad de lo que parecía razonable.

Salió de su apartamento de East Fifty-seventh Street poco antes de las ocho y debió esperar varios minutos hasta que pasó un taxi vacío.

– Allen's, por favor –le dijo al taxista.

–¿En Third Avenue?

–Sí.

–Muy bien, señorita –asintió el hombre.

Florentyna llegó al restaurante con unos minutos de retraso. Sus ojos buscaron al joven. Estaba junto a la barra, haciendo señas. Se había puesto unos pantalones de franela gris y una americana azul. Muy típico de las universidades de primera, pensó Florentyna, pero también muy apuesto.

—Siento haberme retrasado —se disculpó.

—No importa. Lo que sí importa es que haya venido.

—¿Pensó que faltaría a la cita? —inquirió Florentyna.

—No estaba seguro. —Sonrió—. Dispense, pero no sé cómo se llama.

—Jessie Kovats —contestó Florentyna, resuelta a no desenmascarar su falsa identidad—. ¿Y usted?

—Richard Kane —respondió el joven, tendiendo la mano. Ella la estrechó y él la retuvo más tiempo del necesario.

—¿Y a qué se dedica cuando no compra guantes en Bloomingdale's? —bromeó ella.

—Soy alumno de la Escuela de Estudios Empresariales de Harvard.

—Me sorprende que no le hayan enseñado que la mayoría de las personas sólo tienen dos manos.

Él manifestó su hilaridad y sonrió de forma tan relajada y cordial que Florentyna lamentó no poder empezar de nuevo para decirle que podrían haberse conocido en Cambridge mientras ella estudiaba en Radcliffe.

—¿Vamos a comer? —preguntó Richard, mientras la tomaba por el brazo y la conducía hacia una mesa.

Florentyna miró el menú escrito en la pizarra.

—¿Qué es el bistec Salisbury? —inquirió.

—Lo que en todas partes llaman hamburguesa.

Los dos rieron, como personas que no se conocen pero desean conocerse.

Pocas veces Florentyna había disfrutado tanto en compañía de otra persona. Richard divagó sobre Nueva York, el teatro y la música —obviamente su primer amor— con tanta gracia y encanto que ella se sintió muy cómoda. Tal vez pensaba que era una vendedora, pero la trataba como si descendiera de una de las más antiguas familias de abolengo. Esperaba que no lo sorprendiera demasiado que a ella la apasionasen las mismas cosas que a él, porque cuando la interrogó, le dijo que era polaca y que vivía en Nueva York con sus padres. A medida que progresaba la noche, el engaño se tornaba cada vez más intolerable. Igualmente, pensó Florentyna, es posible que nunca volvamos a vernos, y en tal caso, todo esto carecerá de importancia.

Cuando terminó la velada y ninguno de los dos pudo beber más café, salieron de Allen's y Richard buscó un taxi. Los únicos que vieron estaban ocupados.

—¿Dónde vives? —le preguntó él.

—En Fifty-seventh Street —respondió ella, sin pensar.

—Entonces iremos a pie —dictaminó Richard, tomándola por la mano.

Florentyna accedió de buen grado. Empezaron a caminar, deteniéndose para mirar los escaparates, riendo y sonriendo. Ninguno de los dos se fijaba en los taxis vacíos que ahora desfilaban velozmente junto a ellos. Tardaron casi una hora en recorrer dos mil metros y Florentyna estuvo a punto de confesarle la verdad. Cuando llegaron a Fifty-seventh Street se detuvieron frente a una vieja casa de apartamentos, a unos cien metros de donde vivía ella.

—Ésta es la casa de mis padres —anunció Florentyna.

Él pareció vacilar y después le soltó la mano.

—Espero que volvamos a vernos —murmuró Richard.

—Eso me gustaría —contestó Florentyna, con tono afable, de despedida.

—¿Mañana? —preguntó Richard, tímidamente.

—¿Mañana?

—Sí, ¿por qué no vamos al Blue Angel a ver a Bobby Short? —Volvió a tomarle la mano—. Es un poco más romántico que Allen's.

Florentyna quedó desconcertada por un momento. Sus planes respecto de Richard no habían previsto «mañanas».

—Si no quieres, no —añadió él, antes de que Florentyna pudiera recobrarse.

—Me encantaría —replicó en voz baja.

—Voy a comer con mi padre, así que, ¿qué te parece si paso a buscarte a las diez?

—No, no —exclamó Florentyna—. Nos encontraremos allí. Está a sólo unos doscientos metros.

—A las diez, entonces. —Él se inclinó hacia adelante y le besó suavemente la mejilla—. Buenas noches, Jessie —agregó, y se perdió en la noche.

Florentyna caminó lentamente hasta su apartamento, mientras lamentaba haberle dicho tantas mentiras acerca de su persona. De cualquier forma, su relación podía terminar dentro de pocos días. Pero deseaba que no fuese así.

Al día siguiente, Maisie, que aún no la había perdonado, le hizo un sinfín de preguntas sobre Richard. Florentyna se esforzaba constantemente, en vano, por cambiar de tema.

Florentyna salió de Bloomingdale's apenas cerró la tienda, y ésa fue la primera vez en casi dos años que le tomó la delantera a Maisie. Se dio un largo baño, se puso el vestido más bonito entre todos aquellos que no despertarían curiosidad, y caminó hasta el Blue Angel. Cuando llegó, Richard ya la estaba esperando frente al guardarropas. Le retuvo la mano mientras se encaminaban hacia el salón desde donde llegaba flotando la voz de Bobby Short.

¿Me dices la verdad o no soy más que otra mentira?

Cuando ella entró, Short la saludó con un ademán. Florentyna fingió no notarlo. El señor Short había actuado dos o tres veces en el Baron, como artista invitado, y a Florentyna jamás se le había ocurrido pensar que la recordaría. Richard pareció intrigado y después supuso que Short había saludado a alguna otra persona. Cuando ocuparon una mesa en el salón tenuemente iluminado, Florentyna se sentó de espaldas al piano para evitar que se repitiera el episodio.

Richard pidió una botella de vino sin soltarle la mano y

luego le preguntó cómo había pasado el día. Ella no quería hablar de eso; anhelaba contarle la verdad.

—Richard, hay algo que debo...

—Hola, Richard. —Un hombre alto y apuesto apareció junto a Richard.

—Hola, Steve. Te presento a Jessie Kovats... Steve Mellon. Steve y yo hemos estudiado juntos en Harvard.

Florentyna los oyó conversar sobre los New York Yankees, el handicap de Eisenhower... su golf, y por qué Yale iba de mal en peor. Finalmente, Steve se alejó diciendo:

—Mucho gusto en conocerte, Jessie.

Había pasado la oportunidad.

Richard empezó a explicarle lo que se proponía hacer cuando dejara la Escuela de Estudios Empresariales. Uno de sus proyectos era trasladarse a Nueva York para trabajar en el banco de su padre, el Lester. Ella había oído antes ese nombre, pero no recordaba en qué contexto. Por alguna razón, la preocupó. Pasaron una larga velada juntos, riendo, comiendo, conversando y quedándose sencillamente sentados, tomados de la mano, escuchando a Bobby Short. Cuando caminaron de vuelta a casa, Richard se detuvo en la esquina de Fifty-seventh y la besó por primera vez. Ella no recordaba ninguna otra circunstancia en que hubiera sido tan sensible al primer beso. Cuando Richard la devolvió a las sombras de Fifty-seventh Street, lo dejó con sus mentiras inocentes, consciente de que esta vez él no había mencionado el día de mañana. Esa relación que no terminaba de concretarse la hacía sentir un poco melancólica.

El placer que experimentó cuando Richard le telefoneó el lunes a Bloomingdale's, para preguntarle si quería salir con él el viernes por la noche, la tomó por sorpresa.

Terminaron por pasar juntos la mayor parte de ese fin de semana: un concierto, una película... ni siquiera se les escaparon los New York Nicks. Cuando llegó la noche del domingo, Florentyna se dio cuenta de que había contado tantas mentiras inofensivas sobre su pasado que su superchería había terminado por hacerse incoherente. En más de una oportunidad había desconcertado a Richard con sus contradicciones. Ahora parecía mucho más difícil contarle otra historia totalmente distinta, bien que fuera la auténtica. Cuando Richard volvió a Harvard, Florentyna se convenció a sí misma de que la patraña parecería trivial una vez que sus relaciones hubieran terminado. Pero Richard le telefoneó todos los días y pasó los fines de semana siguientes en compañía de ella. Empezó a comprender que esa relación no se cortaría tan fácilmente. Se estaba enamorando de él. Por tanto, llegó a la conclusión de que tendría que contarle la verdad el fin de semana próximo.

33

RICHARD PASÓ TODA la mañana soñando despierto en clase. Estaba tan enamorado de esa chica que ni siquiera podía concentrarse en la «Crisis del veintinueve». Le habría gustado encontrar la forma de decirle a su padre que pensaba casarse con una joven polaca que trabajaba detrás del mostrador de bufandas, guantes y gorros de lana de Bloomingdale's. Richard no entendía por qué alimentaba tan pocas ambiciones para su futuro cuando era obviamente muy lista: estaba seguro de que si hubiera podido contar con las oportunidades suficientes no habría terminado en Bloomingdale's. Y resolvió que sus padres tendrían que acostumbrarse a la mujer que él había elegido, porque ese fin de semana le pediría a Jessie que fuera su esposa.

Cada vez que Richard volvía al hogar de sus padres en Nueva York, los viernes por la tarde, salía de la casa de East Sixty-eighth e iba a comprar algo —generalmente un artículo inútil e indeseado— en Bloomingdale's, sólo para hacerle saber a Jessie que estaba de nuevo en la ciudad. Ya le había regalado un par de guantes a cada uno de sus conocidos. Era viernes, le dijo a su madre que iba a comprar unas cuchillas de afeitar.

—No te molestes, cariño —respondió ella—. Puedes usar las de tu padre.

—No, no, está bien —insistió él—. Iré a comprar las mías. No usamos la misma marca —agregó débilmente—. Volveré en cuestión de minutos.

Casi corrió los ochocientos metros que lo separaban de Bloomingdale's y logró irrumpir en la tienda cuando estaban cerrando las puertas. Sabía que vería a Jessie a las siete y media, pero nunca podía dejar pasar una oportunidad de conversar con ella. Una vez Steve le había dicho que el amor era para los memos. Esa mañana había escrito en el espejo empañado frente al que se afeitaba: «Soy un memo». Pero cuando llegó al mostrador de Jessie no la vio por ninguna parte. Maisie se estaba limando las uñas en un rincón, y él le preguntó si Jessie aún estaba en la tienda. Maisie levantó la vista como si la hubieran interrumpido en el momento de ejecutar la tarea más importante del día.

—No, ya ha partido, Richard. Hace unos segundos. No puede estar lejos. Pensé que os encontraríais más tarde.

Richard salió corriendo a Lexington Avenue sin responder. Buscó a Jessie entre la multitud que se ajetreaba de vuelta a casa, y por fin la vio en la acera de enfrente, encaminándose hacia la Quinta Avenida. Como obviamente no se dirigía a su apartamento, resolvió seguirla, con un poco de remordimiento. Cuando ella llegó a Scribner's, en Forty-eighth Street, Richard se detuvo y la vio entrar en la librería. Si quería algo para leer, seguramente también podría haberlo encontrado en Bloomingdale's. Se sintió intrigado. Espió por la luna del escaparate mientras Jessie conversaba con un vendedor que la dejó sola por unos minutos y luego volvió con dos libros. Richard apenas pudo distinguir los títulos: *The Affluent Society*, de John Kenneth Galbraith, e *Inside Russia Today*, de John Gunther. Jessie firmó una papeleta de crédito —lo cual sorprendió a Richard— y salió mientras él se ocultaba en la esquina.

¿Quién *es* Jessie? —se preguntó Richard en voz alta al verla entrar en Bendel's. El portero la saludó respetuosamente, demostrando así que la había reconocido. Richard volvió a espiar por la luna del escaparate mientras las empleadas revoloteaban alrededor de ella dando muestras de algo más que un respeto formal. Una mujer de más edad apareció con un paquete que evidentemente ella estaba esperando. Lo abrió para dejar a la vista un vestido de noche sencillo y deslumbrante. Sonrió e hizo un ademán de asentimiento mientras la empleada metía el vestido en una caja marrón y blanca. Articuló las palabras «Muchas gracias» y se volvió hacia la puerta sin firmar siquiera un comprobante.

Richard estaba hipnotizado por lo que había visto y apenas consiguió que ella no le viera cuando salió apresuradamente de la tienda y se metió en un taxi. Él cogió otro y le ordenó al chófer que la siguiera. Cuando el taxi pasó de largo frente al edificio donde se separaban normalmente, empezó a sentirse asustado. Ahora entendía por qué nunca lo había invitado a entrar. El taxi que conducía a Jessie siguió otros cien metros y se detuvo frente a un bloque de edificios flamante, al que ni siquiera le faltaba un portero uniformado que le abrió la puerta. Richard saltó fuera del taxi con una mezcla de cólera y asombro, y fue hacia la puerta por donde ella había entrado.

—Son noventa y cinco céntimos, señor —anunció una voz a sus espaldas.

—Oh, dispense —exclamó Richard, y le tendió cinco dólares, sin demostrar interés por el cambio.

—Gracias —dijo el taxista—. Hoy hay alguien que es ciertamente feliz.

Richard corrió hasta la entrada del edificio y alcanzó a Florentyna justo en el ascensor. Florentyna vio cómo se abría silenciosamente la puerta de la cabina y lo miró sin pronunciar palabra.

—¿Quién eres? —le preguntó Richard.

—Richard —balbuceó ella—. Iba a confesártelo todo esta noche. No sé por qué nunca podía encontrar el momento oportuno.

—Ibas a confesármelo un rábano —espetó Richard, siguiéndola hasta el interior del apartamento—. Me has estado contando un montón de mentiras durante casi tres meses. Ha llegado la hora de la verdad.

Florentyna nunca lo había visto furioso y sospechaba que ésa era una reacción poco común en él. La apartó bruscamente e inspeccionó el apartamento. Al fondo del pasillo de entrada encontró una amplia sala con una lujosa alfombra oriental. Frente a una mesa adosada a la pared, sobre la que descansaba un jarrón con flores frescas, se levantaba un soberbio reloj de pie. La habitación era hermosa, aun cuando uno la comparara con la casa de Richard.

—Lindo apartamento para una vendedora —comentó Richard—. Me pregunto cuál de tus amantes lo paga.

Florentyna lo abofeteó con tanta fuerza que le quedó dolorida la palma de la mano.

—¿Cómo te atreves? —exclamó—. ¡Sal de mi casa!

Al oírse pronunciar esas palabras se echó a llorar. No quería que se fuera... nunca. Richard la tomó en sus brazos.

—Oh, Dios, lo siento —murmuró—. Lo que he dicho es terrible. Por favor, perdóname. Es que te amo tanto y creía conocerte tan bien... y ahora descubro que no sé nada respecto de ti.

—Yo también te amo, Richard, y lamento haberte abofeteado. No quería engañarte... pero no hay ningún otro, te lo aseguro. —Se le quebró la voz.

—Me lo merecía —dijo él, mientras la besaba.

Se dejaron caer en el sofá, fuertemente abrazados, y permanecieron algunos minutos casi inmóviles. Él le acarició tiernamente el cabello hasta que dejó de llorar. Ayúdame a desvestirme, quería decir ella, pero se contuvo, deslizando los dedos en la abertura situada entre los dos botones superiores de la camisa de Richard. Éste parecía que no se decidía a dar el paso siguiente.

—¿Quieres dormir conmigo? —preguntó ella en voz baja.

—No —replicó él—. Quiero permaner despierto contigo toda la noche.

Sin agregar una palabra, se desvistieron y se hicieron el amor, delicada y tímidamente, con miedo de lastimarse el uno al otro, esforzándose al máximo para darse un placer recíproco. Por fin, con la cabeza de ella apoyada sobre el hombro de él, hablaron.

—Te amo —afirmó Richard—. Te amo desde que te vi por primera vez. ¿Te casarás conmigo? Porque me importa un bledo quién eres, Jessie, o lo que haces. Sólo sé que necesito pasar el resto de mi vida a tu lado.

—Yo también quiero casarme contigo, Richard, pero antes debo contarte la verdad.

Florentyna estiró la americana de Richard sobre sus cuerpos desnudos y le narró su historia, para terminar explicándole por qué había buscado trabajo en Bloomingdale's. Cuando hubo acabado, Richard se quedó callado.

—¿Ya has dejado de amarme? —preguntó Florentyna—. ¿Ahora que sabes quién soy realmente?

—Cariño —murmuró Richard con voz muy queda—, mi padre odia al tuyo.

—¿Qué significa eso?

—Lo que has oído. La única vez que oí mencionar el nombre de tu padre en mi presencia, el mío perdió los estribos totalmente y dijo que el único estímulo que el tuyo tenía en la vida parecía ser el deseo de arruinar a la familia Kane.

—¿Cómo? ¿Por qué? —exclamó Florentyna, estupefacta—.

Yo nunca oí hablar de tu padre. ¿Cómo es que se conocen?

Esta vez fue a él a quien le tocó el turno de contarle todo lo que su madre le había revelado acerca de la rivalidad con Abel Rosnovski.

—Dios mío —se lamentó ella—. Ésa debió de ser la «deslealtad» a la que se refirió mi padre cuando comenzó a trabajar con otro banco después de veintidós años. ¿Qué haremos?

—Decirles la verdad —respondió Richard—. Que nos hemos conocido por casualidad, que nos hemos enamorado y que ahora vamos a casarnos y que nada de lo que ellos hagan podrá impedirlo.

—Esperemos unas semanas —pidió Florentyna.

—¿Por qué? —inquirió Richard—. ¿Crees que tu padre te disuadirá de casarte conmigo?

—No, Richard —susurró ella, acariciándolo mimosamente mientras volvía a apoyar la cabeza sobre su hombro—. Nunca, cariño, pero comprobemos si es posible darles la noticia pacíficamente, antes de colocarlos ante un hecho consumado. De todas maneras, quizá no reaccionarán con tanta vehemencia como crees. Al fin y al cabo, has dicho que el enfrentamiento acerca de la compañía de aviación se remonta a hace casi cinco años.

—Siguen enconados, te lo aseguro. Mi padre se indignaría si nos viera juntos, y con más razón si se enterase de que pensamos casarnos.

—Entonces tenemos más motivos aún para dejar pasar un poco de tiempo antes de darles la noticia. Así podremos pensar mejor en la forma adecuada.

Richard volvió a besarla.

—Te amo, Jessie.

—Florentyna.

—También a esto tendré que acostumbrarme —asintió él—. Te amo, Florentyna.

Durante las cuatro semanas siguientes Florentyna y Richard averiguaron los máximos detalles acerca del enfrentamiento entre sus padres. Florentyna formuló a su madre y a George Novak numerosas preguntas y Richard hurgó en el archivo de su padre. La magnitud de su resentimiento mutuo los abrumó. Cada nuevo descubrimiento los convencía un poco más de que no podrían darles plácidamente la noticia de su amor. Richard era siempre atento y afable y nada le parecía demasiado difícil. Hacía grandes esfuerzos para hacerle olvidar el problema que finalmente deberían enfrentar, como muy bien sabían. Iban al teatro, a patinar, y los domingos daban largos paseos por Central Park, que siempre terminaban en la cama mucho antes de que oscureciera. Florentyna incluso lo acompañaba a ver jugar a los New York Yankees, que «no entendía», y a oír a la New York Philarmonica, que «adoraba». Se negó a creer que Richard tocaba el violoncelo hasta que él le dio un recital privado. Lo aplaudió frenéticamente cuando terminó su sonata favorita de Brahms, sin notar que él estaba mirando sus ojos grises.

—Tenemos que decírselo —sentenció Richard, depositando el arco sobre el atril y tomándola en sus brazos.

—Lo sé. Sólo que no quiero herir a mi padre.

Esta vez fue él quien dijo:

—Lo sé.

Florentyna eludió su mirada.

—Papá regresará de Washington el viernes próximo.

—Entonces ése será el día —afirmó Richard, abrazándola con tanta fuerza que ella apenas pudo respirar.

Richard volvió a Harvard el lunes por la mañana y se telefonearon todas las noches, manteniendo la decisión en todo momento, resueltos a que nada los detuviera.

El viernes, Richard llegó a Nueva York más temprano que de costumbre y pasó una hora a solas con Florentyna, que había pedido media jornada libre. Cuando llegaron a la esquina de Fifty-seventhy Park se detuvieron ante el llamativo cartel rojo que decía «Prohibido cruzar», y Richard se volvió hacia Florentyna y le pidió una vez más que se casara con él. Extrajo del bolsillo un pequeño estuche de cuero rojo, lo abrió, y le colocó en el dedo del corazón de la mano izquierda un zafiro engarzado entre diamantes, tan bello que a Florentyna se le poblaron los ojos de lágrimas. Le ajustaba perfectamente. Los peatones los miraban con curiosidad al verlos detenidos en la esquina, abrazados, ajenos al llamativo cartel verde que decía «Cruzar». Cuando por fin obedecieron la indicación, se besaron antes de separarse y se alejaron en direcciones opuestas para enfrentarse con sus padres. Habían acordado volver a reunirse en el apartamento de Florentyna apenas terminara la ordalía. Ella trató de sonreír entre las lágrimas.

Florentyna se encaminó hacia el hotel Baron, mirando de cuando en cuando su sortija. Le producía una sensación nueva y extraña en el dedo, e imaginó que los ojos de todos quienes se cruzaban con ella debían desviarse hacia el magnífico zafiro y hacia ella. Era muy bello junto a su anillo antiguo, que hasta entonces había sido su predilecto. Había quedado atónita cuando Richard se lo había calzado en el dedo. El problema de la rivalidad entre sus padres le había hecho olvidar las sortijas y todas las otras ceremonias que acompañan a un compromiso feliz. Tocó el zafiro circundado de diamantes y sintió que le infundía coraje, aunque se daba cuenta de que caminaba cada vez más despacio a medida que se acercaba al hotel.

Cuando llegó a la recepción, el conserje le informó que su padre estaba en el ático con George Novak. Lo llamó para comunicarle que Florentyna subía. El ascensor llegó al piso cuarenta y dos con más rapidez de la que habría deseado Florentyna, y ella vaciló antes de abandonar ese refugio seguro. Pisó la alfombra verde y oyó que la puerta del ascensor se cerraba a sus espaldas. Permaneció un momento en el rellano antes de golpear suavemente la puerta. Abel la abrió al instante.

—Florentyna, qué sorpresa tan agradable. Entra, cariño. No esperaba verte hoy.

George Novak estaba junto a la ventana, mirando hacia Park Avenue. Se volvió para dar la bienvenida a su ahijada. Los ojos de Florentyna le suplicaron que se fuera. Sabía que si él se quedaba, no se atrevería a hablar, Vete, vete, vete, repitió mentalmente. George intuyó enseguida su ansiedad.

—Debo volver al trabajo, Abel. Esta noche recibiremos a un condenado príncipe hindú.

—Dile que aparque sus elefantes en el Plaza —comentó Abel jovialmente—. Ahora que Florentyna está aquí quédate y toma otro trago.

George miró a Florentyna.

—No, Abel, debo irme. Ese individuo ha reservado todo el piso treinta y tres. Lo menos que espera es que el vicepresidente esté aquí para recibirlo. Buenas noches, Florentyna —añadió, besándola en la mejilla y apretándole fugazmente el brazo, casi como si supiera que necesitaba cobrar fuerzas. Los dejó solos y entonces Florentyna lamentó que se hubiera ido.

—¿Cómo marcha Bloomingdale's? —preguntó Abel, alborotando afectuosamente la cabellera de su hija—. ¿Ya les has informado que van a perder a la mejor supervisora de piso que han tenido en muchos años? Vaya sorpresa que recibirán cuando se enteren de que el próximo trabajo de Jessie Kovats será inaugurar el Baron de Cannes. —Soltó una carcajada.

—Me voy a casar —dijo Florentyna, extendiendo tímidamente la mano izquierda. No se le ocurrió qué podía añadir, de modo que se limitó a esperar la reacción de su padre.

—Esto es un poco súbito, ¿no te parece? —exclamó Abel, más que alelado.

—No tanto, papá. Hace un tiempo que lo conozco.

—¿Y yo lo conozco? ¿Lo he visto alguna vez?

—No, papá.

—¿De dónde sale? ¿Qué antecedentes tiene? ¿Es polaco? ¿Por qué has sido tan reservada, Florentyna?

—No es polaco. Es hijo de un banquero.

Abel se puso blanco y levantó su vaso, que vació de un trago. Florentyna sabía muy bien qué era lo que debía estar cruzando por su mente mientras volvía a llenar el vaso, de modo que soltó la información sin esperar más tiempo.

—Se llama Richard Kane, papá.

Abel dio media vuelta para mirarla de frente.

—¿Es el hijo de William Kane? —preguntó.

—Sí —respondió Florentyna.

—¿Piensas casarte con el hijo de William Kane? ¿Sabes lo que me hizo ese hombre? Es el responsable de la muerte de mi mejor amigo. Sí, Davis Leroy se suicidó por su culpa y, no satisfecho con eso, intentó llevarme a la bancarrota. Si David Maxton no me hubiera rescatado a tiempo, Kane se habría incautado de mis hoteles y los habría vendido sin pensarlo dos veces. ¿Y dónde estaría yo ahora si William Kane se hubiera salido con la suya? Entonces sí que habrías podido considerarte afortunada con un puesto de vendedora en Bloomingdale's. ¿Has pensado en eso, Florentyna?

—Sí, papá. Prácticamente no he pensado en otra cosa durante las últimas semanas. A Richard y a mí nos horroriza que tú y su padre os odiéis tanto. Ahora él lo está enfrentando

—Bueno, puedo adelantarte cómo reaccionará —manifestó Abel—. Se pondrá furioso. Ese hombre nunca permitirá que su precioso hijo blanco, anglosajón y protestante se case contigo, de modo que puedes quitarte esa idea de la cabeza, jovencita.

Había levantado la voz, que ahora era un grito.

—No puedo quitármela de la cabeza, papá —respondió Florentyna con serenidad—. Nos amamos y los dos necesitamos tu bendición, no tu cólera.

—Ahora escúchame, Florentyna —exclamó Abel, congestionado por la ira—. Te prohíbo que vuelvas a ver al hijo de Kane. ¿Me oyes?

—Sí, te oigo. Pero seguiré viéndolo. No me separaré de Richard sólo porque tú detestas a su padre.

Florentyna aferraba el dedo de la sortija y temblaba ligeramente.

—He dicho que no —sentenció Abel—. Nunca permitiré que se consume esa boda. Que mi propia hija me abandone por el hijo del bastardo Kane. Te digo que no te casarás con él.

—No te abandono. Si fuera así habría huido con él, pero no podía hacerlo a tus espaldas. Tengo más de veintiún años y me casaré con Richard. Me propongo pasar el resto de mi vida con él. Por favor, ayúdanos, papá. Habla con él, y entonces empezarás a comprender mis sentimientos.

—Nunca permitiré que entre en mi casa. No quiero hablar con ningún hijo de William Kane. Nunca, ¿me oyes?

—Entonces debo despedirme de ti.

—Florentyna, si me abandonas para casarte con el hijo de Kane te dejaré sin un céntimo. Sin un céntimo, ¿me oyes? —La voz de Abel se suavizó—. Usa el sentido común, criatura. Ya lo olvidarás. Aún eres joven y hay legiones de hombres que darían el brazo derecho por casarse contigo.

—Yo no quiero legiones de hombres —respondió Florentyna—. He conocido al hombre con quien me voy a casar, y él no tiene la culpa de ser el hijo de su padre. Ninguno de nosotros eligió a su padre.

—Si mi familia no es digna de ti, entonces vete —dictaminó Abel—. Y juro que no toleraré que mencionen tu nombre en mi presencia. —Dio media vuelta y se quedó mirando por la ventana—. Te lo advierto por última vez, Florentyna... no te cases con ese chico.

—Vamos a casarnos, papá. Aunque los dos somos mayores de edad y no necesitamos el consentimiento paterno, te pedimos tu aprobación.

Abel apartó la vista de la ventana y se acercó a ella.

—¿Estás embarazada? ¿Ésa es la razón? ¿Es imprescindible que te cases?

—No, papá.

—¿Te has acostado con él?

La pregunta sacudió a Florentyna, pero la contestó sin vacilar.

—Sí. Muchas veces.

Abel levantó el brazo y le cruzó la cara de una bofetada. La pulsera de plata le cortó la comisura del labio y ella casi se cayó. Un hilo de sangre empezó a correr por el mentón. Florentyna se volvió, salió corriendo de la habitación, llorando, y se apoyó contra el botón del ascensor, con la cara ensangrentada. La puerta se deslizó a un costado y salió George. Ella vislumbró fugazmente su expresión atónita y se introdujo a toda prisa en la cabina. Pulsó el botón una y otra vez. Las puertas del ascensor se cerraron lentamente, mientras George seguía mirando cómo lloraba.

Cuando Florentyna llegó a la calle, cogió un taxi y volvió de inmediato a su apartamento. En el trayecto cortó la hemorragia del labio herido con un Kleenex. Richard ya estaba allí, esperándola bajo la marquesina, con la cabeza gacha y aspecto desdichado.

Florentyna saltó del taxi y corrió hacia él. Cuando llegaron arriba abrió la puerta y después la cerró apresuradamente detrás de ellos, con una sensación de bienaventurada seguridad.

—Te amo, Richard.

—Yo también te amo —respondió Richard, mientras la rodeaba con sus brazos.

—No hace falta que te pregunte cómo reaccionó tu padre —murmuró Florentyna, aferrándose desesperadamente a él.

—Nunca lo había visto tan furioso —comentó Richard—. Dijo que tu padre es un embustero y un granuja, nada más que un inmigrante polaco arribista. Me preguntó por qué no me caso con una mujer de mi clase social.

—¿Y qué le contestaste?

—Que una amiga de la familia con los adecuados antecedentes aristocráticos no podría reemplazar a una persona tan maravillosa como tú, y entonces terminó de salirse de las casillas.

555

Florentyna no soltó a Richard mientras éste hablaba.

—Después me amenazó con dejarme sin un céntimo si me casaba contigo —prosiguió—. ¿Cuándo entenderá que el dinero nos importa un bledo? Traté de recurrir a la ayuda de mi madre, pero ni siquiera ella pudo controlarlo. Le ordenó que nos dejara solos. Nunca lo he visto tratar a mi madre de esa manera. Ella lloraba, y eso sólo sirvió para reforzar mi decisión. Lo dejé con la palabra en la boca. Dios sabe que espero que no se desahogue con Virginia y Lucy. ¿Qué sucedió cuando te fuiste?

—Mi padre me pegó —explicó Florentyna con tono muy sosegado—. Por primera vez en mi vida. Creo que si nos encuentra juntos te matará. Richard, cariño, tenemos que salir de aquí antes de que averigüe dónde estás, y no me cabe duda de que empezará por este apartamento. Tengo miedo.

—No se justifica que lo tengas, Florentyna. Partiremos esta noche y nos iremos lo más lejos posible. Al diablo con ellos dos.

—¿En cuánto tiempo podrás preparar tu equipaje? —preguntó Florentyna.

—No podré prepararlo —contestó Richard—. Ya no podré volver nunca a casa. Prepara tus cosas y nos iremos. Yo tengo aproximadamente cien dólares encima. ¿Qué impresión te produce casarte con un hombre cuyo patrimonio se reduce a cien dólares?

—Supongo que una vendedora de tienda no puede aspirar a más... y pensar que yo soñaba con ser una mantenida. Sólo falta que me pidas la dote —agregó Florentyna, mientras hurgaba en su bolso—. Bueno, yo tengo doscientos doce dólares y una tarjeta del American Express, de modo que me debes cincuenta y seis dólares, Richard Kane. Pero aceptaré que me los devuelvas a razón de uno por año.

Florentyna preparó su equipaje en treinta minutos. Después se sentó frente al escritorio, garabateó una nota y dejó el sobre encima de la mesilla de noche.

Richard detuvo un taxi. A Florentyna la regocijó descubrir que Richard era muy eficiente en momentos de crisis, y esto le hizo sentirse más relajada.

—A Idlewild —ordenó Richard, mientras depositaba las tres maletas de Florentyna en el portaequipajes.

En el aeropuerto cogieron un vuelo a San Francisco. Eligieron la ciudad de la Puerta de Oro simplemente porque les pareció el punto más lejano del mapa de los Estados Unidos.

El Super Constellation 1049 de American Airlines carreteó a las siete y media por la pista para iniciar el vuelo de siete horas.

Richard la ayudó a ceñirse el cinturón de seguridad. Ella le sonrió.

—¿Sabe cuánto lo amo, señor Kane?

—Sí, creo que sí... señora Kane —respondió él.

34

ABEL Y GEORGE llegaron al apartamento de Florentyna, en East Fifty-seventh Street, pocos minutos después de que ella y Richard hubieron partido rumbo al aeropuerto. Abel ya tenía remordimientos y lamentaba haberle pegado a su hija. No quería pensar en lo que sería la vida sin su hija única. Pensaba que si conseguía alcanzarla antes de que fuera demasiado tarde, tal vez aún podría disuadirla, amablemente, de casarse con el hijo de Kane. Estaba dispuesto a ofrecerle cualquier cosa para impedir la boda.

George pulsó el timbre mientras él y Abel permanecían frente a la puerta. No hubo respuesta. George volvió a apretar el botón, y esperaron un rato antes de que Abel se decidiera a usar la llave que Florentyna le había entregado para un posible caso de emergencia. Registraron el apartamento, aunque ninguno de los dos tenía esperanzas de encontrarla.

—Ya debe de haber partido —comentó George, cuando se reunió con Abel en el dormitorio.

—Sí, ¿pero hacia dónde? —preguntó Abel, y entonces vio sobre la mesilla de noche un sobre en el que estaba escrito su nombre. Recordó la última carta que le habían dejado junto a una cama en la que nadie había dormido. Lo abrió, desgarrando el borde superior.

Querido papá:

Por favor disculpa que me fugue pero amo a Richard y no lo dejaré solamente porque tú odias a su padre. Nos casaremos en seguida y no podrás impedirlo. Si tratas de hacerle daño de alguna manera, me lo estarás haciendo a mí. Ninguno de los dos piensa volver a Nueva York hasta que hayas puesto fin a esta insensata guerra entre nuestra familia y la de Kane. Te amo más de lo que jamás podrás imaginar y siempre te quedaré agradecida por todo lo que has hecho por mí. Ruego que éste no sea el fin de nuestra relación, pero hasta que cambies de idea «Nunca busques el viento en el campo... es inútil empeñarse en hallar lo que ya no está.»

Tu hija que te quiere,
Florentyna

Abel se dejó caer sobre la cama y le pasó la carta a George, quien leyó la nota manuscrita y preguntó con tono desvalido:

—¿Puedo hacer algo por ti?

—Sí, George. Quiero recuperar a mi hija, aunque para ello deba tratar directamente con ese bastardo de Kane. Hay una sola cosa de la que estoy seguro: Kane hará cualquier sacrificio para impedir esta boda. Comunícame con él por teléfono.

George tardó un poco en conseguir el número de William Kane que no figuraba en la guía. El sereno del banco Lester se lo dio finalmente cuando George insistió en que se trataba de una urgencia familiar. Abel permanecía sentado en la cama, mudo, con la carta de Florentyna en la mano, recordando cómo, cuando era pequeña, le había enseñado el antiguo proverbio polaco que ahora ella acababa de recordarle. Cuando George logró comunicarse con la residencia de los Kane, una voz masculina atendió el teléfono.

—¿Puedo hablar con el señor William Kane? —preguntó George.

—¿Quién debo decirle que lo llama? —inquirió la voz imperturbable.

—El señor Abel Rosnovski —respondió George.

—Veré si está en casa, señor.

—Creo que era el mayordomo de Kane. Ha ido a buscarlo —explicó George, y le pasó el auricular a Abel. Éste esperó, haciendo tamborilear los dedos sobre la mesilla de noche.

—Habla Kane.

—Soy Abel Rosnovski.

—¿De veras? —El tono de William era gélido—. ¿Y cuándo se le ocurrió la idea de aparear a su hija con mi hijo? Supongo que fue cuando fracasó de forma tan rotunda en su tentativa de provocar el derrumbe de mi banco.

—No sea un maldito... —Abel se contuvo—. Tengo tanto interés como usted en impedir esa boda. Nunca intenté quitarle a su hijo. Sólo hoy me he enterado de su existencia. Amo a mi hija aún más de lo que lo odio a usted, y no quiero perderla. ¿Podemos reunirnos y buscar alguna solución juntos?

—No —espetó William—. Yo le formulé la misma pregunta una vez, hace mucho tiempo, señor Rosnovski, y usted dejó muy claro cuándo y dónde se reuniría conmigo. Puedo esperar hasta entonces, porque confío en que descubrirá que es usted quien estará allí, y no yo.

—¿De qué sirve discutir ahora el pasado, Kane? Si sabe

dónde están, quizá podamos detenerlos. Eso es lo que usted también desea. ¿O acaso es tan condenadamente orgulloso que preferirá quedarse con los brazos cruzados mirando cómo su hijo se casa con mi hija en lugar de ayudar...?

La comunicación se cortó mientras pronunciaba la palabra «ayudar». Abel ocultó el rostro entre las manos y lloró. George lo llevó de vuelta al Baron.

Durante esa noche y el día siguiente, Abel utilizó todos los medios imaginables para encontrar a Florentyna. Incluso telefoneó a su ex esposa, quien le confesó que su hija le había contado todo respecto de Richard Kane.

—Me parece bastante buen chico —añadió Zaphia, vengativamente.

—¿Sabes dónde están ahora? —preguntó Abel con tono impaciente.

—Sí.

—¿Dónde?

—Averígualo tú. —Otro chasquido metálico al cortarse la comunicación.

Abel publicó anuncios en los periódicos e incluso recurrió a la radio. Trató de conseguir la ayuda de la policía, pero sólo pudo conseguir que ésta la invitara a comparecer mediante una circular, porque Florentyna tenía más de veintiún años. No hubo respuesta. Finalmente debió confesarse que cuando la encontrara estaría casada con el hijo de Kane, sin lugar a dudas.

Releyó varias veces su carta, y resolvió que nunca intentaría hacerle daño al chico de ninguna manera. Pero el caso del padre era muy distinto. Él, Abel Rosnovski, se había hincado de rodillas y había implorado, y ese hijo de puta ni siquiera lo había escuchado. Abel juró que cuando se le presentara la oportunidad aniquilaría a William Kane de una vez por todas. George empezó a asustarse ante el vehemente apasionamiento de su viejo amigo.

—¿Debo cancelar tu gira por Europa? —preguntó.

Abel había olvidado por completo que se había propuesto viajar a Europa con Florentyna después de que ésta concluyera sus dos años de aprendizaje en Bloomingdale's, a fin de mes. Entre sus planes figuraba el que ella inaugurara el Baron de Edimburgo y el Baron de Cannes. Ahora no le importaba saber quién inauguraba qué, ni si los hoteles eran inaugurados o no.

—No puedo cancelarla —replicó Abel—. Tendré que ir a inaugurar los hoteles personalmente, pero durante mi ausencia, George, tú averiguarás el paradero exacto de Florentyna, sin que ella se entere. No debe saber que la estoy espiando: si lo supiera no me lo perdonaría nunca. La mejor manera de rastrearla será por intermedio de Zaphia, pero ten cuidado porque seguramente ésta tratará de sacar el mayor provecho de lo que ha sucedido. Es obvio que ya le comunicó a Florentyna todo lo que sabía acerca de Kane.

—¿Quieres que Osborne haga algo con las acciones del Lester?

—Por ahora no. Éste no es el momento oportuno para pulverizar a Kane. Quiero tener la certeza de que cuando lo haga será de una vez para siempre. Déjalo en paz, por ahora. Ya tendré tiempo de volver a ocuparme de él. Limítate a concentrar todos tus esfuerzos en la búsqueda de Florentyna.

George prometió que la encontraría antes de que Abel regresara.

Abel inauguró el Baron de Edimburgo tres semanas más tarde. El hotel tenía un aspecto portentoso en lo alto del cerro que dominaba la Atenas del Norte. Siempre eran los pequeños detalles los que más fastidiaban a Abel cuando inauguraba un nuevo hotel, y era de ellos de los que se ocupaba al llegar. La ligera descarga eléctrica que provocaban las alfombras de nylon al accionar el interruptor de la luz. El servicio de habitación que tardaba cuarenta minutos en materializarse o la cama que era demasiado pequeña para las personas gordas o altas. Los periódicos se apresuraron a subrayar que originalmente, Florentyna Rosnovski, hija del «Barón de Chicago», debía haber presidido la ceremonia. Uno de los columnistas especializados en cotilleos, del *Sunday Express,* insinuó que se había producido una ruptura familiar y comentó que Abel no se había mostrado exuberante y jovial como siempre. Abel formuló una negativa poco convincente cuando alegó que ya tenía más de cincuenta años, una edad poco apropiada para la jovialidad, como su agente de relaciones públicas le había aconsejado que dijera. La prensa reaccionó con escepticismo, y al día siguiente el *Daily Mail* publicó la fotografía de una placa de bronce abandonada en una pila de basura, con la inscripción:

El Baron de Edimburgo
inaugurado por
Florentyna Rosnovski
el 17 de octubre de 1957

Abel voló a Cannes. Otro magnífico hotel, que esta vez miraba hacia el Mediterráneo, pero que no lo ayudó a quitarse de la cabeza el recuerdo de Florentyna. Otra placa desechada, esta vez en francés. Sin ella, las inauguraciones no revestían ningún interés.

A Abel empezó a asustarlo la idea de que debería pasar el resto de su vida sin volver a ver a su hija. Para matar la soledad, se acostó con algunas mujeres muy costosas y con otras bastante vulgares. Ninguna de ellas pudo ayudarlo. Ahora el hijo de William Kane era el dueño de la única persona que él amaba realmente. Francia ya no encerraba ningún atractivo para Abel, y apenas acabó con sus compromisos allí, voló a Bonn, donde completó las negociaciones para comprar el solar donde se levantaría el primer Baron de Alemania. Se mantenía constantemente en contacto con George, por teléfono, pero Florentyna no aparecía, y había algunas noticias muy inquietantes acerca de Henry Osborne.

—Ha vuelto a contraer deudas muy grandes con los corredores de apuestas —informó George.

—La última vez le advertí que nunca más lo sacaría de aprietos —respondió Abel—. Desde que perdió su escaño en el Congreso no me sirve para nada. Supongo que tendré que liquidar ese problema cuando vuelva.

—Nos amenaza —insistió George.

—No hay nada nuevo en eso. En el pasado no me dejé intimidar. Dile que deberá tener paciencia hasta mi regreso.

—¿Cuándo calculas que volverás?

—Dentro de tres semanas, cuatro, a lo sumo. Quiero ver algunos solares en Turquía y Egipto. El Hilton ya ha empezado a edificar allí, y deseo averiguar por qué. Lo cual me recuerda, George, que, según los expertos, desde el momento en que el avión aterrice en el Oriente Medio no podrás comunicarte conmigo. Estos malditos árabes no han podido perfeccionar un sistema para encontrarse los unos a los otros, y menos para encontrar a los visitantes extranjeros, así que hasta que recibas noticias mías tú estarás a cargo de todo como de costumbre.

Abel pasó más de tres semanas buscando parcelas para nuevos hoteles en todos los estados árabes. Tenía una legión de asesores, la mayoría de los cuales se atribuían el título de príncipe, en tanto que todos ellos le aseguraban a Abel que disfrutaban de mucha influencia en su condición de amigos íntimos de un ministro clave, que en verdad era un primo lejano. Sin embargo, siempre resultaba que se equivocaban de ministro o que el parentesco con el primo era remoto. Después de veintitrés días en medio del polvo, la arena y el calor con soda pero sin whisky, Abel llegó a una sola conclusión concreta, a saber, que si los pronósticos de sus asesores sobre las reservas de petróleo del Oriente Medio eran correctos, los Estados del Golfo necesitarían muchos hoteles a largo plazo, y que la Cadena Baron debía empezar a planificar cuidadosamente si no quería quedarse a la zaga.

Valiéndose de sus diversos príncipes Abel encontró varios solares, pero no tuvo tiempo suficiente para descubrir cuáles de aquellos gozaban de verdadero poder para manipular a los funcionarios. Él repudiaba el soborno sólo cuando el dinero no iba a parar al lugar apropiado. Por lo menos en los Estados Unidos, Henry Osborne siempre había sabido cuáles eran los funcionarios vulnerables. Abel montó una pequeña oficina en Bahrain, y puso perfectamente en claro a su representante local que la Cadena Baron buscaba solares en todo el mundo árabe, pero no príncipes ni primos de ministros.

Siguió vuelo a Estambul, donde encontró casi inmediatamente la parcela ideal para levantar un hotel, frente al Bósforo, a sólo cien metros de la antigua embajada británica. Se puso a cavilar sobre el terreno yermo de su más reciente adquisición, recordando la última vez que había estado allí. Cerró el puño y apretó la muñeca de su mano derecha. Volvió a oír la algarabía de la turba... que seguía asustándolo y provocándole náuseas, a pesar de que habían pasado más de treinta años.

Extenuado por sus viajes, Abel se embarcó en el avión de regreso a Nueva York. Durante el vuelo interminable casi no pensó en otra cosa que en Florentyna, preguntándose si ya la habría encontrado. George lo esperaba, como siempre, junto a la salida de la aduana. Su expresión era impenetrable.

—¿Qué noticias hay? —preguntó Abel, mientras montaba en el asiento posterior del Cadillac, en tanto que el chófer metía las maletas en el portaequipajes.

—Algunas buenas, algunas malas —respondió George, pulsando un botón próximo a la ventanilla lateral. Una lámina de cristal se deslizó hacia arriba y separó las partes anterior y posterior del auto—. Florentyna se ha puesto en contacto con su madre. Vive en un pequeño apartamento de San Francisco.

—¿Casada?

—Sí.

Ninguno de los dos habló durante varios minutos.

—¿Y el hijo de Kane?

—Trabaja en un banco. Parece que muchos lo rechazaron porque corrió la voz de que no había terminado sus cursos en la Escuela de Estudios Empresariales de Harvard, y su padre se negó a darle referencias. Son pocos los que se atreverían a darle trabajo si ello pudiera hacerles tener fricciones con el banco de su padre. Finalmente el Bank of America lo empleó como cajero. Muy por debajo de lo que le corresponde por sus aptitudes.

—¿Y Florentyna?

—Trabaja como asistenta de dirección en una casa de modas llamada Wayout Columbus, cerca del Golden Gate Park. También ha tratado de conseguir crédito en varios bancos.

—¿Por qué? —preguntó Abel ansiosamente—. ¿Está en apuros?

—No. Busca capital para abrir su propia boutique.

—¿Cuánto necesita?

—Sólo treinta y cuatro mil dólares, para arrendar un pequeño edificio en Nob Hill.

Abel se quedó pensando en lo que le había dicho George, tamborileando con sus dedos cortos sobre la ventanilla del auto.

—Ocúpate de que consiga el dinero, George. Haz que todo parezca una transacción bancaria común y corriente y asegúrate de que no pueda averiguar que estoy detrás de todo esto. —Siguió tamborileando—. Esto deberá quedar siempre entre tú y yo, George.

—Como digas, Abel.

—Y tenme informado de todos sus movimientos, por triviales que sean.

—¿Y él?

—Él no me interesa —contestó Abel—. ¿Ahora, cuáles son las malas noticias?

—De nuevo tenemos problemas con Henry Osborne. Parece que debe dinero en todas partes. También estoy casi seguro de que su única fuente de ingresos eres tú. Ha empezado a formular amenazas veladas acerca de los sobornos que toleraste en los primeros tiempos, cuando estábamos organizando la compañía. Dice que ha guardado todos los documentos, a partir del día en que te conoció, cuando, según afirma, fraguó una indemnización adicional después del incendio del viejo Richmond de Chicago, y ahora tiene un expediente de ocho centímetros de grosor.

—Me ocuparé de Henry por la mañana.

George pasó el resto del viaje hasta Manhattan poniéndolo al día sobre las otras transacciones de la cadena, todas satisfactorias con excepción de la requisa del Baron de Lagos después de un nuevo golpe de Estado. Estas cosas nunca preocupaban a Abel.

A la mañana siguiente Abel recibió a Henry Osborne. Éste parecía viejo y cansado, y su rostro antaño terso y seductor estaba surcado por incontables arrugas. No mencionó el expediente de ocho centímetros de grosor.

—Necesito un poco de dinero para salir de un trance difícil —dijo Henry—. Últimamente no he tenido demasiada suerte.

—¿De nuevo, Henry? A tu edad deberías haberte espabilado. Eres un perdedor nato, con los caballos y las mujeres. ¿Cuánto necesitas ahora?

—Con diez mil me apañaré —respondió Henry.

—Diez mil —repitió Abel, escupiendo las palabras—. ¿Qué crees que soy, una mina de oro? La vez pasada te conformaste con cinco mil.

—La inflación —murmuró Henry, tratando de reír.

—Ésta es la última vez, ¿me entiendes? —exclamó Abel, mientras sacaba el talonario de cheques—. Si vienes a mendigar de nuevo, Henry, te destituiré de tu puesto de consejero de administración y te dejaré en la calle.

—Eres un auténtico amigo, Abel. Te juro que no volveré nunca. Te lo prometo. Nunca. —Henry extrajo un puro de la cigarrera que descansaba sobre el escritorio, frente a Abel, y lo encendió—. Gracias Abel. Nunca lamentarás tu decisión.

Henry salió, dando chupadas al puro, en el momento en que George entraba. Éste esperó que se cerrara la puerta.

—¿Qué sucedió con Henry?

—He cedido por última vez —contestó Abel—. No sé por qué... Me costó diez mil dólares.

—Jesús, me siento como si fuera el hermano del hijo pródigo —dijo George—. Porque volverá. Estoy dispuesto a apostar dinero a que volverá.

—Será mejor que no lo haga —replicó Abel—, porque estoy harto de él. Sea lo que fuere lo que hizo por mí en el pasado, ya se lo he pagado con creces. ¿Cuáles son las últimas noticias de Florentyna?

—Está bien, pero no te equivocaste respecto de Zaphia: viaja todos los meses a la costa, para visitarlos.

—Condenada mujer —masculló Abel.

—La señora Kane también ha ido un par de veces —añadió George.

—¿Y Kane?

—No hay señales de que vaya a ceder.

—Eso es algo que tenemos en común —sentenció Abel.

—Le he allanado el terreno en el Crocker National Bank de San Francisco —prosiguió George—. Florentyna se puso en contacto con el jefe de créditos de la institución, hace menos de una semana. Ella pensará que la resolución favorable entra en la categoría de las operaciones habituales de préstamo que realiza el banco, sin ningún favor especial. En verdad, le cobrarán un medio por ciento más de lo acostumbrado, así que no tendrá motivos para recelar. Lo que no sabrá nunca es que el crédito lo avalas tú personalmente.

—Gracias, George. Ha sido un arreglo perfecto. Te apuesto diez dólares a que cancelará el crédito en dos años y nunca tendrá que solicitar otro.

—Ésta es una apuesta que sólo aceptaría a razón de cinco por uno —exclamó George—. ¿Por qué no pruebas con Henry? Él sí que es un buen candidato.

Abel rió.

—Tenme informado, George, acerca de todo lo que ella hace. Todo.

35

CUANDO WILLIAM TERMINÓ DE LEER el informe trimestral de Thaddeus Cohen llegó a la conclusión de que estaba informado de todo. Ahora sólo le preocupaba una cosa: ¿Por qué Abel Rosnovski no utilizaba aún el importante paquete de acciones que tenía en el Lester? William no olvidaba que todavía era dueño del seis por ciento de las acciones, y que con otro dos por ciento podría invocar el artículo siete de los estatutos. Era difícil creer que a Rosnovski siguieran intimidándolo las normas de la C.V.C., sobre todo ahora que la administración Eisenhower se había asentado por segunda vez en la Casa Blanca, sin haber demostrado nunca interés por profundizar la investigación inicial.

Willian se sintió fascinado al leer que Henry Osborne estaba nuevamente en aprietos económicos y que Rosnovski seguía sacándolo de ellos. William se preguntó hasta cuándo podría durar eso, y con qué armas contaba Henry para amenazar a Rosnovski. ¿Sería posible que Rosnovski tuviera suficientes problemas propios sin necesidad de agregarles la guerra contra Willian Kane? El informe de Cohen se refería a la marcha de los ocho hoteles nuevos que Rosnovski estaba construyendo en todo el mundo. El Baron de Londres perdía dinero y el Baron de Lagos estaba cerrado. Por lo demás seguía aumentando su poderío. William releyó el recorte adjunto del *Sunday Express*, con la noticia de que Florentyna Rosnovski no había inaugurado el Baron de Edimburgo, y pensó en su hijo. Después cerró la carpeta y la guardó en su caja de caudales, convencido de que en ella no había nada importante que pudiera preocuparlo. Su chófer lo llevó de vuelta a casa.

William lamentaba haber perdido los estribos con Richard. Aunque no quería a la hija de Rosnovski en su vida, habría preferido no volverle la espalda tan irrevocablemente a su único hijo varón. Kate había intercedido por Richard, y ella y William habían tenido una larga y agria discusión —muy rara en su vida matrimonial— que no habían podido resolver en un acuerdo. Kate ensayó todas las tácticas, desde la dulce persuasión hasta las lágrimas, pero nada parecía conmover a William. Virginia y Lucy también echaban de menos a su hermano.

—No hay nadie ahora que critique mis cuadros —comentó Virginia.

—¿No querrás decir que se ensañe groseramente con ellos? —preguntó Kate.

Virginia trató de sonreír.

Lucy tenía el hábito de encerrarse en el cuarto de baño, abrir los grifos y escribirle cartas secretas a Richard, quien nunca entendía por qué éstas siempre parecían estar húmedas. Nadie se atrevía a pronunciar el nombre de Richard en la casa delante de William, pero su ausencia estaba provocando una penosa división en la familia.

William había tratado de pasar más tiempo en el banco, e incluso de trabajar las veinticuatro horas del día con la esperanza de que eso fuera beneficioso. Infructuosamente. El banco volvía a exigirle un gran desgaste de energías en el preciso momento en que más necesidad sentía de descansar. Durante los dos años anteriores había designado seis nuevos vicepresidentes, pensando que tal vez éstos aligerarían un poco el peso de sus responsabilidades. El resultado fue el opuesto. Los nuevos vicepresidentes generaron más trabajo y la necesidad de que él tomara más decisiones, y el más espabilado de ellos, Jake Thomas, ya parecía ser el candidato ideal para ocupar el puesto de William si Richard no se separaba de la hija de Rosnovski. Aunque los beneficios del banco continuaban aumentando de año en año, William descubrió que ya no le interesaba ganar dinero por el dinero mismo. Quizá tropezaba con el mismo problema con que había tropezado Charles Lester: ahora que había excluido a Richard de su vida, rehecho su testamento y desmantelado su fideicomiso, ya no tenía un hijo a quien legarle su fortuna y la presidencia.

En el año de sus bodas de plata, William resolvió pasar unas largas vacaciones en Europa con Kate y las chicas, con la esperanza de que eso los ayudara a olvidar a Richard. Volaron a Londres en un Boeing 707 y se alojaron en el Ritz. El hotel le trajo a William muchos recuerdos felices de su primer viaje a Europa con Kate. Realizaron una excursión sentimental a Oxford, les mostraron a Virginia y Lucy la ciudad universitaria, y después fueron a Stratford-on-Avon para ver una obra de Shakespeare, *Richard the Third*, interpretada por Laurence Olivier. Habrían preferido un rey con otro nombre.

Al volver de Stratford se detuvieron en la iglesia de Henley-on-Thames donde William y Kate se habían casado. Habrían querido alojarse nuevamente en la Bell Inn, pero allí seguían teniendo una sola habitación libre. Durante el viaje de regreso a Londres surgió una discusión en el coche, entre William y Kate, acerca de si el reverendo que los había casado se llamaba Tukesbury o Dukesbury. No se pusieron de acuerdo antes de llegar al Ritz. En lo único que estuvieron de acuerdo fue en que el nuevo techo de la iglesia parroquial había resistido bien el discurrir del tiempo.

William besó tiernamente a Kate cuando se metieron esa noche en la cama.

—Fueron las quinientas libras que mejor invertí en mi vida —sentenció.

Una semana más tarde volaron a Italia, después de haber visto todos los paisajes de Inglaterra que debe ver un turista norteamericano que se respete, y muchos que éstos generalmente pasan por alto. En Roma, las chicas bebieron demasiado vino italiano de mala calidad, y se descompusieron precisamente en la noche del cumpleaños de Virginia, en tanto que William comió demasiada *pasta sciutta* de excelente calidad y engordó cuatro kilos. Todos ellos habrían sido mucho más felices si hubieran podido abordar el tema prohibido de Richard. Esa noche Virginia lloró y Kate trató de consolarla.

—¿Por qué nadie le dice a papá que hay cosas más importantes que el orgullo? —preguntaba una y otra vez Virginia.

Kate no supo qué contestar.

Cuando regresaron a Nueva York, William se sentía descansado y ávido por zambullirse nuevamente en el trajín del banco. Rebajó los cuatro kilos en una semana.

A medida que transcurrían los meses, tuvo la impresión de que todo volvía al orden de costumbre. Pero la rutina se borró de su mente cuando Virginia anunció que iba a casarse con un estudiante de la Escuela de Derecho de la universidad de Virginia. La noticia afectó a William.

—Es demasiado joven —dictaminó.

—Virginia tiene veintidós años —respondió Kate—. Ya no es una niña, William. ¿Qué te parece la idea de convertirte en abuelo? —agregó, y apenas se dio cuenta de lo que parecía insinuar esta secuencia de palabras, se arrepintió de haberlas pronunciado.

—¿Qué quieres decir? —exclamó William, horrorizado—. ¿Virginia no estará embarazada, verdad?

—Santo cielo, no —replicó Kate, y después habló con más dulzura, como si se hubiera traicionado—. Richard y Florentyna han tenido un bebé.

—¿Cómo lo sabes?

—Richard me escribió para darme la buena nueva —contestó Kate—. ¿No ha llegado la hora de perdonarlo, William?

—Jamás —espetó William, y salió de la habitación encolerizado.

Kate suspiró cansadamente. Ni siquiera le había preguntado el sexo de su nieto.

La boda de Virginia se celebró en la iglesia Trinity, de Boston, en una hermosa tarde de primavera de fines de marzo del año siguiente. William quedó conforme con David Telford, el joven abogado con quien Virginia había resuelto pasar el resto de su vida.

Virginia habría querido que Richard formara parte del cortejo y Kate le había suplicado a William que lo invitara a la boda, pero él se había negado inexorablemente. Habría querido acceder, pero sabía que Richard nunca habría aceptado concurrir sin su mujer. El día de la boda Richard envió un regalo y un telegrama a su hermana. William no permitió que se leyera el telegrama en la recepción que se celebró después de la ceremonia.

SEXTO
LIBRO

36

ABEL ESTABA SENTADO, solo, en su despacho del piso cuarenta y dos del Baron de Nueva York, esperando a un recaudador de fondos de la campaña de Kennedy. El hombre ya se había retrasado veinte minutos. Abel no cesaba de tamborilear con impaciencia con los dedos sobre el escritorio cuando entró su secretaria.

—Ha llegado el señor Vincent Hogan, señor.

Abel se levantó precipitadamente de su silla.

—Adelante, señor Hogan —exclamó, palmeándole la espalda al apuesto joven—. ¿Cómo está usted?

—Yo, muy bien, señor Rosnovski. Dispense que me haya retrasado un poco —dijo, con inconfundible acento bostoniano.

—No me di cuenta —respondió Abel—. ¿Desea beber algo, señor Hogan?

—No, gracias, señor Rosnovski. No bebo cuando debo ver a tantas personas en un solo día.

—Hace muy bien. Espero que no le moleste que yo lo haga —manifestó Abel—. Hoy no veré a mucha gente.

Hogan se rió como si supiera que lo aguardaba una jornada de chistes en su trato con los demás. Abel se sirvió un whisky.

—¿Qué puedo hacer por usted, señor Hogan?

—Bueno, señor Rosnovski, pensamos que el partido podría contar nuevamente con su apoyo.

—Como usted sabe, señor Hogan, siempre he sido demócrata. He apoyado a Franklin D. Roosevelt, a Harry Truman y a Adlai Stevenson, aunque la mitad de las veces no entendía de qué hablaba este último.

Ambos hombres soltaron una risa forzada.

—También ayudé a mi viejo amigo, Dick Daley, en Chicago, y apoyo al joven Ed Muskie, hijo de un inmigrante polaco, como usted sabe, desde que presentó su candidatura a gobernador de Maine allá en el 54.

—Nadie puede negar que en el pasado usted fue un leal adicto al partido, señor Rosnovski —asintió Vincent Hogan, y su tono indicó que había concluido el plazo estipulado para hablar de trivialidades—. También sabemos que los demócratas, y en particular el ex diputado Osborne, le han hecho alguno que otro favor a cambio. No creo necesario entrar en detalles sobre aquel desagradable incidente.

—Hace mucho que eso está sepultado en el olvido —replicó Abel.

—Estoy de acuerdo —dictaminó el señor Hogan—, y aunque a la mayoría de los multimillonarios que han hecho su propia fortuna no les convendría que se investiguen sus negocios demasiado a fondo, usted será el primero en entender que nosotros debemos proceder con especial cautela. Como comprenderá, el candidato no puede darse el lujo de correr riesgos personales cuando falta tan poco para la elección. Nixon se sentiría muy satisfecho si estallara un escándalo a esta altura de la carrera.

—Nos entendemos perfectamente, señor Hogan. Ahora que hemos aclarado este punto, ¿cuánto pretenden que aporte para la campaña electoral?

—Necesito hasta el último céntimo al que pueda echarle la mano. —Ahora el tono de Hogan era seco y parsimonioso—. Nixon está reclutando mucho apoyo en todo el país, y nuestro hombre entrará por un pelo en la Casa Blanca.

—Bueno —respondió Abel—, yo apoyaré a Kennedy si él me apoya a mí. Es así de sencillo.

—A él le encantará apoyarlo, señor Rosnovski. Todos sabemos que ahora usted es un pilar de la comunidad polaca, y el senador Kennedy está bien al tanto de la actitud valerosa que usted ha adoptado en defensa de aquellos compatriotas suyos que aún están en los campos de trabajo detrás del Telón de Acero, para no hablar de los servicios que prestó en la guerra. Me han autorizado a informarle que el candidato ya ha accedido a inaugurar su nuevo hotel de Los Ángeles durante la gira electoral.

—Ésa es una buena noticia.

—El candidato también sabe muy bien que usted desea que Polonia disfrute del status de nación más favorecida en sus relaciones comerciales con los Estados Unidos.

—Nos lo hemos ganado con los servicios que prestamos durante la guerra —afirmó Abel, y después hizo una breve pausa—. ¿Y qué me cuenta del otro asunto? —inquirió.

—El senador Kennedy está sondeando actualmente la opinión polaco-norteamericana, y no hemos tropezado con ninguna objeción. Naturalmente, no podrá tomar una decisión definitiva hasta después de que lo hayan elegido.

—Naturalmente. ¿Doscientos cincuenta mil dólares lo ayudarían a tomar esa decisión? —preguntó Abel.

Vincent Hogan se quedó callado.

—Pues entonces serán doscientos cincuenta mil —prosiguió Abel—. El dinero estará en su centro de recaudación a fin de semana, señor Hogan. Le doy mi palabra.

El trato estaba cerrado. Se habían puesto de acuerdo. Abel se levantó.

—Por favor, hágale llegar al senador Kennedy mis mejores

deseos, y añada, por supuesto, que espero que sea el próximo presidente de los Estados Unidos. Siempre he aborrecido a Richard Nixon por el trato infame que le dispensó a Helen Gahagan Douglas, y de todas maneras tengo razones personales para desear que Henry Cabot Lodge no sea vicepresidente.

—Me sentiré muy honrado al transmitir su mensaje —asintió el señor Hogan—, y le agradezco su asiduo apoyo al partido Demócrata y, en particular, a su candidato. —El bostoniano tendió la mano. Abel se la estrechó.

—No pierda el contacto conmigo, señor Hogan. Cuando desembolso una suma tan grande espero obtener un beneficio de mi inversión.

—Lo entiendo muy bien —contestó Vincent Hogan.

Abel acompañó a su huésped hasta el ascensor y volvió sonriendo a su despacho. Sus dedos empezaron a tamborilear nuevamente sobre el escritorio. Reapareció su secretaria.

—Dígale al señor Novak que venga —indicó Abel.

George llegó pocos minutos después desde su despacho.

—Creo que lo he logrado, George.

—Te felicito, Abel. Estoy muy contento. Si Kennedy accede a la Casa Blanca, se materializará uno de tus sueños más ambiciosos. Florentyna estará muy orgullosa de ti.

Abel sonrió cuando oyó el nombre.

—¿Sabes lo que se trae entre manos esa golfa? —preguntó, riendo—. ¿Has leído el *Los Angeles Times* la semana pasada, George?

George meneó la cabeza y Abel le pasó un ejemplar del periódico. Uno de los sueltos estaba rodeado por un círculo de tinta roja. George lo leyó en voz alta:

—«Florentyna Kane inaugura su tercera boutique en Los Angeles. Ya tiene dos en San Francisco y piensa inaugurar otra más en San Diego antes de fin de año. Las Florentyna's, como las llaman todos, empiezan a ser rápidamente, para California, lo que Balenciaga es para París».

George rió mientras depositaba el periódico sobre el escritorio.

—Debe de haberlo escrito ella misma —comentó Abel—. No veo la hora de que inaugure un Florentyna's en Nueva York. Estoy seguro de que lo conseguirá dentro de cinco años, diez cuanto más. ¿Quieres apostar, George?

—¿Acaso no recuerdas que no acepté la primera apuesta, Abel? Si la hubiese aceptado, hoy tendría diez dólares menos.

Abel levantó la vista y su tono se apaciguó.

—¿Crees que vendrá cuando el senador Kennedy inaugure el nuevo Baron de Los Angeles, George? ¿Lo crees?

—No, si no invitas también al hijo de Kane.

—Jamás —exclamó Abel—. Ese chico no vale nada. He leído todos los pormenores en tu último informe, George. Se fue del Bank of America para trabajar con Florentyna. Ni siquiera pudo conservar un buen empleo y tuvo que abrazarse al triunfo de ella.

—Te estás convirtiendo en un lector con prejuicios, Abel. Sabes muy bien que no ha sido así. Yo expliqué con toda claridad las circunstancias. El hijo de Kane se ocupa de las finanzas en tanto que Florentyna controla las tiendas, y ésta ha resultado ser una sociedad ideal. No olvides nunca que uno de los mayores bancos le ofreció a Kane la oportunidad de dirigir su departamento de operaciones en el extranjero, y que fue Florentyna quien le suplicó que trabajara con ella cuando ya no se sintió capaz de manejar personalmente las finanzas. Abel, debes convencerte de que ese matrimonio es un éxito. Sé que te resulta difícil tragarte esa píldora, pero, ¿por qué no te bajas del pedestal y tratas de conocer al chico?

—Eres mi mejor amigo, George. Nadie en el mundo se atrevería a hablarme así. De modo que ninguno sabe mejor que tú por qué no puedo bajarme, por lo menos hasta que ese cerdo de Kane se muestre dispuesto a transigir en la misma medida en que lo hago yo. Pero hasta entonces, no volveré a arrastrarme mientras él viva para verlo.

—¿Y qué sucederá si tú mueres antes que él, Abel? Los dos tenéis exactamente la misma edad.

—Entonces saldré perdiendo y Florentyna lo heredará todo.

—Tú me dijiste que no le dejarías un céntimo. Ibas a modificar el testamento a favor de tu nieto.

—No pude hacerlo, George. Cuando llegó la hora de firmar los documentos, sencillamente no pude hacerlo. Qué diablos, al final ese condenado nieto será dueño de las dos fortunas.

Abel extrajo una billetera del bolsillo interior de la americana, hurgó entre varias viejas fotos de Florentyna y separó una nueva de su nieto, que le tendió a George.

—Es un crío guapo —comentó George.

—Claro —exclamó Abel—. El vivo retrato de su madre.

George rió.

—¿Nunca te das por vencido, verdad, Abel?

—¿Cómo crees que lo llaman?

—¿Qué pregunta es ésa? —inquirió George—. Sabes muy bien cuál es su nombre.

—Me refiero a cómo lo llaman habitualmente.

—¿Cómo quieres que lo sepa?

—Averígualo —insistió Abel—. A mí me interesa.

—¿Y qué pretendes que haga? —preguntó George—. ¿Qué le ordene a alguien que los siga mientras empujan el cochecito por el Golden Gate Park? Dejaste instrucciones expresas para que Florentyna nunca se entere de que continúas interesándote por ella. Sea como fuere, hay un cincuenta por ciento de probabilidades de que lo llamen de una manera y un cincuenta por ciento de que lo llamen de la otra. Tal vez ella lo llama Abel y él William. De lo único que estamos seguros es de que en la partida de nacimiento figura con el nombre de William Abel Kane.

Abel rió.

—Esto me recuerda que aún tengo que ajustar una pequeña cuenta con William Kane.

—¿Qué piensas hacer con las acciones del Lester? —preguntó George—. Porque últimamente Peter Parfitt ha manifestado más interés por vender su dos por ciento, y no confío en Henry como negociador. Si él participa en la operación, todos sabrán lo que ocurre menos tú.

—No haré nada. A pesar de lo mucho que lo aborrezco, no quiero tener problemas con él mientras no estemos seguros de que Kennedy ha ganado la elección. De modo que por el momento dejaré las cosas en hibernación. Si Kennedy pierde, compraré el dos por ciento de Parfitt y seguiré adelante con el plan que ya hemos discutido. Y no te preocupes por Henry. Ya le he quitado de las manos la operación Kane. A partir de ahora me ocupo personalmente de ella.

—No puedo dejar de preocuparme, Abel. Sé que vuelve a estar endeudado con la mitad de los corredores de apuestas de Chicago, y no me sorprenderá que llegue en cualquier momento a Nueva York para darte un sablazo.

—Henry no vendrá aquí. La última vez que lo vi le expliqué claramente que no le daré un céntimo más. Si viene a mendigar, perderá su puesto en el consejo de administración y, con él, su única fuente de ingresos.

—Eso me preocupa aún más —dijo George—. ¿Y si recurriera directamente a Kane para darle el sablazo?

—No es posible, George. Henry es el único hombre del mundo que odia a Kane aún más que yo, y no sin motivo.

—¿Cómo puedes estar tan seguro de eso?

—La madre de William Kane fue la segunda esposa de Henry —respondió Abel—, y el joven William, que entonces tenía sólo dieciséis años, lo expulsó de su propia casa.

—Dios mío, ¿de dónde sacaste esa información?

—No hay nada que no sepa acerca de William Kane —afirmó Abel—. Y también acerca de Henry. Absolutamente nada... a partir de la circunstancia de que nacimos el mismo día. Y estoy dispuesto a apostar mi pierna sana a que no hay nada que él ignore acerca de mi persona, de modo que por ahora debemos actuar con prudencia. Pero no temas que Henry se convierta en soplón. Preferiría morir antes que tener que confesar que su verdadero nombre es Vittorio Togna y que una vez pasó una temporada en la cárcel.

—Santo cielo... ¿Henry está al tanto de que sabes todo esto?

—No. Me lo he reservado durante años, George, siempre con la convicción de que si piensas que un hombre podrá amenazarte un día, te conviene guardar en la manga algo más que el brazo. Nunca he confiado en Henry desde el día en que me propuso desfalcar a la Great Western Casualty cuando todavía trabajaba para esa empresa, aunque soy el primero en admitir que me resultó muy útil en el pasado. Ahora espero que no me cause disgustos en el futuro, porque sin su sueldo de director se quedará en la calle del día a la noche. De modo que olvidémonos de Henry y seamos un poco más realistas. ¿Cuál es la última fecha fijada para que esté totalmente acabado el Baron de Los Angeles?

—Mediados de setiembre.

—Estupendo. Seis semanas antes de la elección. Cuando Kennedy inaugure ese hotel, la noticia aparecerá en todas las primeras planas de los periódicos de Estados Unidos.

37

CUANDO WILLIAM REGRESÓ A NUEVA YORK, después de una conferencia de banqueros celebrada en Washington, lo esperaba un mensaje de Thaddeus Cohen en el que éste le pedía que lo llamara inmediatamente. Hacía bastante tiempo que no hablaba con Cohen, porque Abel Rosnovski no le había causado contratiempos materiales desde la frustrada conversación telefónica en vísperas de la boda de Richard y Florentyna, hacía tres años. Los sucesivos informes trimestrales no habían hecho más que confirmar que Rosnovski no trataba de comprar o vender acciones del banco. Sin embargo, William telefoneó a Thaddeus Cohen sin perder tiempo y con un poco de aprensión. El abogado le explicó que había tropezado con una información que no deseaba divulgar por teléfono. William le pidió que concurriera al banco lo antes posible.

Thaddeus Cohen llegó cuarenta minutos más tarde. William lo escuchó silenciosa y atentamente.

Cuando Cohen completó su revelación, William dijo:

—Su padre nunca habría aprobado semejantes subterfugios.

—El suyo tampoco —replicó Thaddeus Cohen—, pero ellos no debían lidiar con sujetos como Abel Rosnovski.

—¿Qué le hace pensar que su plan dará resultado?

—Recuerde el caso de Bernard Goldfine y Sherman Adams. Sólo se trataba de mil seiscientos cuarenta y dos dólares en cuentas de hotel y un abrigo de vicuña, pero el presidente quedó en una situación muy embarazosa cuando acusaron a Adams de recibir un trato preferencial por el hecho de ser asistente de la presidencia. Sabemos que el señor Rosnovski apunta mucho más alto. En consecuencia, será más fácil hacerlo caer.

—De acuerdo. ¿Y cuánto me costará?

—Alrededor de veinticinco mil dólares, pero es posible que consiga organizar toda la operación por una suma menor.

—¿Cómo puede tener la certeza de que Rosnovski no se dará cuenta de que estoy implicado personalmente?

—El intermediario será una tercera persona que ni siquiera conocerá su nombre.

—¿Y qué me recomienda que haga, si tiene éxito?

—Que envíe todos los datos a la oficina del senador John Kennedy. Le garantizo que eso desbaratará de una vez para siempre los planes ambiciosos de Abel Rosnovski, porque apenas haya quedado por los suelos su credibilidad estará al cabo de sus fuerzas y no podrá invocar el artículo séptimo de los estatutos del banco... aunque tenga el ocho por ciento de las acciones.

—Quizá... si eligen presidente a Kennedy —asintió William—. ¿Pero qué sucederá si triunfa Nixon? Éste lleva ventaja en las encuestas de opinión y yo ciertamente le concedo más probabilidades que a Kennedy. ¿Puede imaginar que los Estados Unidos sentarán alguna vez a un católico en la Casa Blanca? Yo no puedo, pero por otra parte reconozco que una inversión de veinticinco mil dólares es insignificante si existe algo más que una remota posibilidad de que con esta maniobra nos libremos de una vez por todas de Abel Rosnovski y yo pueda sentirme seguro en el banco.

—Si a Kennedy lo eligen presidente...

William abrió el cajón de su escritorio y extrajo un grueso talonario de cheques con la inscripción «cuenta particular». Escribió los dígitos: dos, cinco, cero, cero, cero.

38

LA PREDICCIÓN DE ABEL según la cual la ceremonia de inauguración del Baron, presidida por Kennedy, aparecería en la primera plana de todos los periódicos, no se cumplió al pie de la letra. Aunque el candidato inauguró el hotel, ese día tuvo que participar en docenas de otros actos, en Los Angeles, y la noche siguiente habría de enfrentar a Nixon en un debate televisado. No obstante, la prensa nacional dedicó bastante espacio a la inauguración del más nuevo de los Baron, y Vicent

Hogan le aseguró a Abel en privado que Kennedy no se había olvidado del otro asuntito. La tienda de Florentyna estaba a sólo unos centenares de metros del hotel, pero padre e hija no se encontraron.

Después de conocerse los cómputos de Illinois, cuando pareció seguro que John F. Kennedy sería el trigesimoquinto presidente de los Estados Unidos, Abel brindó a la salud del alcalde Daley y participó en los festejos en la sede central del partido Demócrata, en Times Square. No se fue a dormir hasta casi las cinco de la mañana siguiente.

—Caray, tengo mucho que celebrar— le dijo a George—. Seré el próximo... —Se durmió antes de terminar la frase. George sonrió y lo metió en la cama.

William siguió el desarrollo de la elección en la paz de su estudio de East Sixty-eighth Street. Cuando se conocieron los cómputos de Illinois, que no fueron confirmados hasta las diez de la mañana siguiente (William nunca se había fiado del alcalde Daley), Walter Cronkite afirmó que todo había terminado excepto la algarabía, y William cogió el teléfono y marcó el número de la casa de Thaddeus Cohen.

Lo único que dijo fue:

—Los veinticinco mil dólares han resultado ser una buena inversión, Thaddeus. Ahora ocupémonos de que el señor Rosnovski no disfrute de su luna de miel. Pero no haga nada hasta que emprenda el viaje a Turquía.

William volvió a depositar el auricular sobre la horquilla y se fue a la cama. Lo defraudaba que Richard Nixon no hubiera podido derrotar a Kennedy y que su primo lejano Henry Cabot Lodge no hubiera ganado la vicepresidencia, pero se pudo consolar con el proverbio de que no hay mal que por bien no venga...

Cuando Abel recibió la invitación para asistir a uno de los bailes con que el presidente Kennedy iba a celebrar en Washington, D. C., su investidura, pensó que había una sola persona con la que le habría gustado compartir ese honor. Discutió la idea con George y debió admitir que Florentyna nunca aceptaría acompañarlo si no la convencía antes de que su litigio con el padre de Richard quedaría definitivamente resuelto. Así que debería ir solo.

Para poder estar en Washington a la hora de los festejos, Abel decidió postergar su último viaje a Europa y el Oriente Medio durante unos pocos días. No podía darse el lujo de faltar a la ceremonia de toma de posesión, y en cambio sí podía posponer la inauguración del Baron de Estambul.

Abel se hizo confeccionar para esta ocasión un nuevo traje azul oscuro, bastante formal, y se alojó en la suite presidencial del Baron de Washington. Contempló satisfecho cómo el joven y vital nuevo presidente pronunciaba su discurso de investidura lleno de esperanzas y promesas para el futuro.

«Una nueva generación de norteamericanos, nacidos en este siglo» —Abel apenas entraba en la categoría— «templados por la guerra» —Abel ciertamente formaba parte de ese grupo— «disciplinados por una paz dura y amarga» —Abel quedaba también incluido. «No pregunten qué puede hacer su país por ustedes. Pregunten mejor qué pueden hacer ustedes por su país.»

La multitud se levantó al unísono y nadie se preocupó por la nieve que no había conseguido atemperamentar el impacto de la brillante oratoria de John F. Kennedy.

Abel volvió eufórico al Baron de Washington. Se duchó antes de vestirse, para cenar, con una corbata blanca y un smoking que también había sido confeccionado especialmente para esa ocasión. Cuando estudió su robusta figura en el espejo, debió admitir que no era la última palabra en materia de elegancia. Su sastre había hecho todo lo que había podido, dadas las circunstancias, y no se había quejado de que en los tres últimos años había tenido que confeccionarle tres nuevos smokings cada vez más holgados. Florentyna lo habría regañado por esos centímetros innecesarios, como acostumbraba a llamarlos, y para complacerla él habría tratado de enmendarse. ¿Por qué sus pensamientos volvían siempre a Florentyna? Examinó sus medallas. Primero la de los Veteranos Polacos, después las condecoraciones por los servicios prestados en el desierto y en Europa, y a continuación sus medallas gastronómicas, como las denominaba Abel, por servicios distinguidos con cuchillos y tenedores.

En total, esa noche se celebraron siete bailes de investidura, y la invitación de Abel lo habilitaba para asistir al del Arsenal del distrito de Columbia. Lo sentaron en una mesa con los demócratas polacos de Nueva York y Chicago. Éstos tenían mucho que celebrar. Edmund Muskie había sido electo senador y otros diez demócratas polacos habían conquistado escaños en el Congreso. Nadie mencionó a los republicanos polacos recién elegidos. Abel pasó una velada placentera con dos amigos, que eran cofundadores, junto a él, del Congreso Polaco-Norteamericano. Ambos le preguntaron por Florentyna.

La entrada de John F. Kennedy y de su bella esposa Jacqueline, interrumpió el banquete. Se quedaron alrededor de quince minutos, conversaron con unas pocas personas cuidadosamente escogidas y después continuaron la gira. Aunque Abel no habló con el presidente, a pesar de que había abandonado su mesa y se había apostado estratégicamente a su paso, sí consiguió abordar a Vincent Hogan en el momento en que éste se retiraba junto con el séquito de Kennedy.

—Qué casual encuentro, señor Rosnovski.

Abel habría querido explicarle a ese chico que él no hacía nada por casualidad, pero ése no era el lugar ni el momento para ello. Hogan tomó a Abel por el brazo y se lo llevó detrás de una gran columna de mármol.

—Ahora no puedo explayarme, señor Rosnovski, porque debo acompañar al presidente, pero creo que en el futuro próximo recibirá una llamada nuestra. Naturalmente, en este momento el presidente tiene muchas entrevistas programadas.

—Naturalmente —asintió Abel.

—Pero espero —continuó Vincent Hogan—, que en su caso todo se confirme a fines de marzo o comienzos de abril. ¿Me permite que sea el primero en felicitarlo, señor Rosnovski? Confío en que podrá prestar buenos servicios al presidente.

Abel miró cómo Vincent Hogan corría literalmente para alcanzar a la comitiva de Kennedy, que ya montaba en una flota de limusinas con las portezuelas abiertas.

—Pareces contento —comentó uno de sus amigos polacos cuando Abel volvió a la mesa y se sentó para atacar un biftec duro que jamás habría podido transponer las puertas de un Baron—. ¿Kennedy te ha propuesto que te conviertas en su nuevo secretario de Estado?

Todos rieron.

—Aún no —respondió Abel—. Pero me dijo que las comodidades de la Casa Blanca no estaban a la altura de las del Baron.

Abel regresó a Nueva York a la mañana siguiente después de haber visitado la capilla polaca de nuestra señora de Chestojowa en el Santuario Nacional. La capilla le hizo pensar en las dos Florentynas. El aeropuerto nacional de Washington era un caos y Abel llegó al Baron de Nueva York tres horas después de lo previsto. George almorzó con él, y cuando Abel pidió una botella magnum de Dom Perignon se dio cuenta de que todo había salido bien.

—Esta noche festejaremos —dijo Abel—. Vi a Hogan en el baile y en las próximas semanas confirmarán mi designación. El comunicado oficial aparecerá poco después de que yo regrese de Oriente Próximo.

—Te felicito, Abel. No conozco a nadie que sea más digno que tú de ese honor.

—Gracias, George. Te aseguro que la recompensa no la recibirás en el cielo, porque cuando se conozca la confirmación oficial te designaré presidente en ejercicio de la Cadena Baron durante mi ausencia.

George bebió otra copa de champán. Ya habían vaciado la mitad de la botella.

—¿Cuánto tiempo crees que permanecerás fuera esta vez, Abel?

—Sólo tres semanas. Quiero estar seguro de que esos árabes no me están robando hasta los pantalones y después viajaré a Turquía para inaugurar el Baron de Estambul. Creo que en el trayecto pasaré por Londres y París.

George sirvió un poco más de champán.

Abel había pasado tres días más de los previstos en Londres, tratando de identificar los problemas del hotel con un gerente que achacaba todas las culpas a los sindicatos británicos. El Baron de Londres se había convertido en uno de los pocos fiascos de Abel, aunque nunca podía determinar la razón por la cual el hotel perdía dinero continuamente. Habría considerado la posibilidad de cerrarlo, pero la Cadena Baron debía estar presente en la capital de Inglaterra, de modo que volvió a despedir al gerente y nombró a otra persona para el puesto.

En París, el contraste era notable. El hotel era uno de los más lucrativos que él tenía en Europa, y una vez le había confesado a Florentyna, con la misma renuencia con que un padre admite tener un hijo favorito, que el Baron de París era su predilecto. En el Boulevard Raspail, Abel lo encontró todo bien organizado y pasó sólo dos días en París antes de volar al Oriente Medio.

Ahora Abel tenía parcelas en cinco de los estados del Golfo Pérsico, pero sólo la construcción del Baron de Riyad había comenzado. Si hubiera sido más joven, Abel se habría quedado un par de años en el Oriente Medio, y habría seleccionado personalmente a sus colaboradores árabes. Pero no soportaba la arena, ni el calor, ni el hecho de no saber nunca con exactitud cuándo podía pedir un whisky. Pensó que debía estar envejeciendo, porque tampoco podía soportar a los nativos. Dejó a estos últimos en las manos de uno de sus jóvenes vicepresidentes adjuntos, al que le había dicho que sólo lo autorizaría a volver y dirigir a los infieles de los Estados Unidos cuando hubiera demostrado su capacidad con los santos y bienaventurados del Oriente Medio.

Arrumbó al pobre vicepresidente adjunto en el infierno privado más opulento del mundo y voló a Turquía.

Durante los últimos años Abel había visitado Turquía varias veces para vigilar la construcción del Baron de Estambul. La ciudad, que Abel recordaba con el nombre de Constantinopla, siempre tendría un atractivo especial para él. Estaba ansioso por inaugurar el Baron en el país del que había partido para iniciar una nueva vida en América.

Mientras vaciaba su maleta en otra suite presidencial, Abel encontró quince invitaciones que aguardaban su respuesta. Siempre llegaban varias cuando se inauguraba un hotel. Una constelación de gorrones, que querían colarse de rondón en todas las veladas de inauguración, aparecían en escena como por arte de magia. Sin embargo, en esa oportunidad, dos de las invitaciones a cenar encerraban una agradable sorpresa para Abel. A sus remitentes no se les podía clasificar, ciertamente, como aprovechados: a saber, los embajadores de Estados Unidos y Gran Bretaña. La invitación a la vieja embajada británica era particularmente irresistible porque hacía casi cuarenta años que él no entraba en el edificio.

Esa noche, Abel fue huésped de Sir Bernard Burrows, embajador de su Majestad Británica en Turquía. Descubrió, con gran sorpresa, que lo habían sentado a la derecha de la esposa del embajador, privilegio que jamás le habían concedido hasta entonces en ninguna otra representación diplomática. Cuando terminó la cena, observó la extraña tradición inglesa en virtud de la cual las damas abandonaban el salón en tanto que los caballeros se quedaban solos para fumar sus cigarros y beber oporto o brandy. A Abel lo invitaron a tomar un oporto en el estudio de Sir Bernard, en compañía de Fletcher Warren, el embajador norteamericano. Sir Bernard sermoneaba al embajador norteamericano por haber permitido que él invitara antes al «Barón de Chicago» a cenar a su casa.

—Los británicos siempre han sido un pueblo presumido —comentó el embajador norteamericano, mientras encendía un gran habano.

—A los norteamericanos les reconozco una virtud —replicó Sir Bernard—. No saben confesar sus derrotas.

Abel escuchó la plática de los diplomáticos, preguntándose por qué lo habían incorporado a esa reunión privada. Sir Bernard le ofreció a Abel oporto añejo; el embajador norteamericano alzó su copa.

—Brindo por Abel Rosnovski —exclamó.

Sir Bernard también alzó la suya.

—Entiendo que es la hora de las felicitaciones —manifestó.

Abel se sonrojó y miró apresuradamente a Fletcher Warren, con la esperanza de que éste le sacara del aprieto.

—Oh, ¿he cometido una indiscreción, Fletcher? —preguntó Sir Bernard, volviéndose hacia su colega norteamericano—. Usted me dijo que la designación era pública y notoria, amigo.

—Relativamente pública y notoria —corrigió Fletcher Warren—. Claro que los británicos nunca han sabido guardar un secreto durante mucho tiempo.

—¿Fue por eso que ustedes tardaron tanto en enterarse de que estábamos en guerra con los alemanes? —contraatacó Sir Bernard.

—¿Y entonces intervenimos para quedarnos con la victoria?

—Y la gloria —sentenció Sir Bernard.

El embajador norteamericano rió.

—Me han dicho que en los próximos días se conocerá el comunicado oficial.

Los dos hombres miraron a Abel, que permaneció callado.

—Bueno, entonces tal vez seré el primero en felicitarlo, excelencia —dijo Sir Bernard—. Le deseo mucho éxito en su nuevo cargo.

Abel se ruborizó al oír pronunciar en voz alta el título que había susurrado tan a menudo frente al espejo del baño durante los últimos meses.

—Tendrá que acostumbrarse a que lo llamen «excelencia», ¿sabe? —continuó el embajador británico—, y a cosas mucho peores, particularmente a todas estas malditas veladas a las que se verá obligado a asistir constantemente. Si ahora tiene un problema de peso, no será nada cuando lo compare con el que tendrá al abandonar el cargo. Quizá termine por quedarle agradecido a la guerra fría. Ésta es la única que tal vez pondrá límites a su vida social.

El embajador norteamericano sonrió.

—Lo felicito, Abel, y aprovecho la oportunidad para sumar mis mejores deseos de éxito permanente. ¿Cuándo estuvo por última vez en Polonia? —preguntó.

—Sólo regresé a mi país hace unos pocos años, para una breve visita —respondió Abel—. Desde entonces he soñado con volver.

—Pues será un retorno triunfal —afirmó Fletcher Warren—. ¿Está familiarizado con nuestra embajada en Varsovia?

—No —confesó Abel.

—El edificio no está mal —comentó Sir Bernard—. Sobre todo si se piensa que ustedes los habitantes de las colonias no pudieron poner el pie en Europa hasta después de la Segunda Guerra Mundial. Pero la comida es espantosa. Espero que usted haga algo al respecto, señor Rosnovski. Me temo que la única solución será que levante un hotel Baron en Varsovia. Es lo menos que esperarán de un viejo polaco, en su condición de embajador.

Abel estaba eufórico, y no cesaba de reír y de disfrutar de los malos chistes de Sir Bernard. Notó que bebía un poco más de oporto que de costumbre y se sentía a gusto consigo mismo y con el mundo. No veía el momento de regresar a los Estados Unidos y de comunicarle la novedad a Florentyna, ahora que su designación parecía tener carácter oficial. Se sentiría muy orgullosa de él. Resolvió allí y entonces que apenas llegara a Nueva York volaría a San Francisco y haría las paces con ella. Siempre lo había deseado y ahora tenía una excusa. Se esforzaría por cobrarle estima al hijo de Kane. Debería dejar de designarlo así: «el hijo de Kane». ¿Cómo se llamaba? ¿Richard? Sí, Richard. Abel experimentó un súbito alivio al tomar esa decisión.

Después de que los tres hombres hubieron vuelto al salón de recepciones, para reunirse con las damas, Abel levantó la mano y le tocó el hombro al embajador británico.

—Debo retirarme, excelencia.

—De regreso al Baron —asintió Sir Bernard—. Permita que lo acompañe hasta su coche, amigo mío.

La esposa del embajador se despidió de él en la puerta.

—Buenas noches, Lady Burrows, y le agradezco la memorable velada.

La mujer sonrió.

—Sé que yo no debería darme por enterada, señor Rosnovski, pero lo felicito por su designación. Debe de ser un gran orgullo volver al terruño como embajador de su país.

—Lo es —respondió Abel sencillamente.

Sir Bernard lo siguió por la escalinata de mármol de la embajada británica hasta el coche que lo aguardaba. El chófer le abrió la portezuela.

—Buenas noches, Rosnovski —dijo Sir Bernard—, y le deseo

buena suerte en Varsovia. Entre paréntesis, espero que le haya gustado su primera cena en la embajada británica.

—En realidad es la segunda, Sir Bernard.

—¿Ha estado antes aquí, amigo mío? Cuando revisamos el libro de invitados no encontramos su nombre.

—No —contestó Abel—. La última vez que cené en la embajada británica, lo hice en la cocina. No creo que allí abajo tengan un libro de invitados, pero la comida fue la mejor que había tomado en muchos años.

Abel sonrió mientras montaba en el asiento trasero del auto. Advirtió que Sir Bernard no sabía muy bien si creerle o no. Durante el viaje de regreso al Baron, Abel tamborileó con los dedos sobre las ventanillas laterales y tarareó para sus adentros. Le habría gustado volar a los Estados Unidos a la mañana siguiente, pero no podía faltar a la cena en la embajada norteamericana, a la que lo había invitado Fletcher Warren. Un futuro embajador no se comporta así, amigo mío, lo habría amonestado Sir Bernard.

La cena con el embajador norteamericano también fue muy placentera. Los invitados le pidieron a Abel que explicase cómo era que había comido en la cocina de la embajada británica. Cuando contó la historia, lo miraron perplejos y admirados. Ignoraba cuántos habían creído la versión de que había estado a punto de perder la mano, pero todos quedaron embelesados por la pulsera de plata y esa noche todos lo llamaron «excelencia».

Al día siguiente, Abel se levantó temprano, listo para viajar a los Estados Unidos. El DC-8 voló hasta Belgrado, donde perdió dieciséis horas esperando una revisión mecánica. El mecanismo de aterrizaje tenía una avería, le explicaron. Abel permaneció en la sala del aeropuerto, sorbiendo un imbebible café yugoslavo. Abel no pasó por alto la diferencia entre la embajada británica y el snack bar de un país controlado por los comunistas. Por fin el avión despegó, sólo para sufrir un nuevo retraso en Amsterdam. Esta vez hubieron de cambiar de avión.

Cuando Abel llegó por fin a Idlewild, hacía casi treinta horas que estaba viajando. Se sentía tan cansado que apenas podía caminar. Al salir de la aduana se encontró súbitamente rodeado de periodistas, y las cámaras empezaron a centellear y despedir chasquidos metálicos. Inmediatamente sonrió. Pensó que ya debían de haber comunicado la novedad. El nombramiento es oficial, se dijo. Se mantuvo tan empinado como pudo y caminó lentamente y con dignidad, disimulando la cojera. No vio señales de George en tanto que los fotógrafos forcejeaban para asegurarse sus placas.

Por fin descubrió a George fuera de la aglomeración, pálido como un cadáver. El corazón le dio un vuelco cuando cruzó la barrera y un periodista, lejos de preguntarle qué sensación le producía ser el primer polaco-norteamericano designado embajador en Varsovia, le espetó:

—¿Qué contesta a las inculpaciones?

Las cámaras siguieron lanzando fogonazos y también se sucedieron las preguntas:

—¿Las acusaciones son ciertas, señor Rosnovski?

—¿Cuánto le pagaba realmente al diputado Osborne?

—¿Niega las incriminaciones?

—¿Ha regresado a los Estados Unidos para someterse a juicio?

Garabateaban las respuestas de Abel a pesar de que éste no abría la boca.

—Sácame de aquí —gritó Abel por encima del gentío.

George se abrió paso y consiguió llegar hasta Abel y después lo arrastró entre la multitud y lo hizo subir al Cadillac que los esperaba. Abel se agachó y ocultó la cabeza entre las manos, mientras los flashes de las cámaras seguían relampagueando. George le ordenó al chófer que se pusiera en marcha.

—¿Al Baron, señor? —preguntó.

—No, al apartamento de la señorita Rosnovski, en Fifty-seventh Street.

—¿Por qué? —inquirió Abel.

—Porque el Baron está infestado de periodistas.

—No entiendo —murmuró Abel—. En Estambul me trataron como si fuera el nuevo embajador, y al volver a mi país descubro que soy un delincuente. ¿Qué demonios pasa, George?

—¿Quieres que te lo cuente yo, o prefieres hablar antes con tu abogado? —preguntó George.

—¿A quién has contratado?

—A H. Trafford Jilks, el mejor abogado defensor de los Estados Unidos.

—Y el más costoso.

—No pensé que te preocuparía el dinero en un trance como éste, Abel.

—Tienes razón, George. Lo siento. ¿Dónde está ahora?

—Lo dejé en los tribunales, pero prometió que vendría al apartamento apenas se desocupara.

—No puedo esperar tanto, George. Por el amor de Dios, ponme al tanto. Cuéntame lo peor.

George inhaló profundamente.

—Hay una orden de arresto contra ti —anunció.

—¿De qué diablos me acusan?

—De sobornar a funcionarios públicos.

—Nunca en mi vida he tratado personalmente con un funcionario público —protestó Abel.

—Lo sé, pero resulta que Henry Osborne sí ha tratado constantemente con ellos, y al parecer siempre actuó en tu nombre o en tu representación.

—Dios mío —exclamó Abel—. Nunca debería haber empleado a ese hombre. Me dejé encandilar por el hecho de que ambos odiábamos a Kane. Pero aún me resulta difícil creer que Henry se haya ido de la lengua, porque al final lo único que lograría sería inculparse a sí mismo.

596

—Ocurre que Henry ha desaparecido —respondió George—, y que alguien ha pagado misteriosamente todas sus deudas.

—William Kane —siseó Abel.

—No hemos encontrado nada que haga pensar en él. No tenemos pruebas de que esté comprometido.

—¿Quién necesita pruebas? Explícame cómo descubrieron las autoridades todos los pormenores.

—Por lo menos eso lo sabemos —afirmó George—. Parece que alguien envió directamente al Departamento de Justicia un paquete postal anónimo que contenía un expediente.

—Con matasellos de Nueva York, sin duda —comentó Abel.

—No, de Chicago.

Abel permaneció un momento en silencio.

—No es posible que Henry les haya mandado las pruebas —manifestó finalmente—. Es ilógico.

—¿Cómo puedes estar tan seguro? —preguntó George.

—Porque has dicho que pagaron todas sus deudas, y el Departamento de Justicia no desembolsaría tanto dinero si no creyera que a cambio de ello capturaría por lo menos a Al Capone. Henry debió de vender la información a alguien. ¿Pero a quién? De lo único que podemos estar seguros es de que nunca habría negociado directamente con Kane.

—¿Directamente? —murmuró George.

—Directamente —repitió Abel—. Quizá no la vendió directamente. Kane pudo haber actuado a través de un intermediario si ya sabía que Henry estaba muy endeudado y que los corredores de apuestas lo amenazaban.

—Tal vez tengas razón, Abel, y ciertamente no hacía falta un detective de primera para descubrir la magnitud de los apremios económicos de Henry. Todos los parroquianos de los bares de Chicago los conocían, pero no saques conclusiones apresuradas. Veamos qué nos dice tu abogado.

El Cadillac se detuvo frente al antiguo apartamento de Florentyna, que Abel había retenido y conservado en condiciones impecables con la esperanza de que su hija volviera un día. George abrió la puerta, y entraron para reunirse con H. Trafford Jilks. Una vez que se hubieron puesto cómodos, George le sirvió a Abel una generosa ración de whisky. Abel la bebió de un solo trago y le devolvió el vaso vacío a George, quien lo llenó nuevamente.

—Quiero saber lo peor, señor Jilks. Terminemos con esto de una vez.

—Lo siento, señor Rosnovski —empezó el abogado—. El señor Novak me contó lo de Varsovia.

—Eso ya pertenece al pasado, así que podemos olvidarnos de «su excelencia». Puede estar seguro de que si consultaran a Vincent Hogan, ni siquiera recordaría mi nombre. Adelante, señor Jilks. ¿Qué me espera?

—Pesa sobre usted la acusación de haber intervenido en diecisiete casos de soborno y corrupción de funcionarios en catorce estados distintos. He llegado a un acuerdo provisional con el Departamento de Justicia para que lo arresten mañana aquí, y para que acepten dejarlo en libertad bajo fianza.

—Estupendo —asintió Abel—. ¿Y qué ocurrirá si consiguen probar que cometí esos delitos?

—Oh, en algunos casos lograrán probarlo —respondió H. Trafford Jilks con tono circunspecto—, pero mientras Henry Osborne permanezca oculto, les resultará muy difícil demostrar su culpabilidad en la mayoría de ellos. Sin embargo, señor Rosnovski, deberá convencerse de que el daño ha sido hecho, lo condenen o no.

—Lo entiendo muy bien —masculló Abel, mirando su foto en la primera plana del *Daily News*—. Así que averigüe quién demonios le compró ese expediente a Henry Osborne, señor Jilks. Ponga a trabajar en la investigación a tanta gente como necesite. No repare en gastos. Pero averígüelo, y pronto, porque si quien lo hizo fue William Kane, le asestaré el golpe de gracia.

—Ya tiene suficientes problemas sin necesidad de buscar

otros nuevos —aconsejó H. Trafford Jilks—. Tal como están las cosas le costará mucho salir bien parado.

—No se preocupe —replicó Abel—. Cuando me libre de Kane, lo haré legalmente y con métodos irreprochables.

—Escúcheme bien, señor Rosnovski. Por ahora olvídese de William Kane y empiece a pensar en su juicio inminente, porque éste será el acontecimiento capital de su vida, a menos que no le importe pasar los próximos diez años en la cárcel. Claro que no es mucho lo que podremos hacer esta noche, de modo que métase en cama y descanse un poco. Entretanto, yo redactaré un breve comunicado para la prensa en el que negaré las acusaciones y diré que tenemos una buena explicación que lo dejará totalmente libre de culpa y cargo.

—¿La tenemos? —inquirió George, esperanzado.

—No —respondió Jilks—, pero así ganaremos un poco de tiempo para reflexionar, tiempo que nos es imprescindible. Cuando el señor Rosnovski tenga la oportunidad de verificar esa lista de nombres, no me sorprenderá descubrir que nunca trató directamente con ninguno de los implicados. Es posible que Henry Osborne siempre haya actuado como intermediario sin dar explicaciones claras al señor Rosnovski. Entonces tendré la responsabilidad de probar que Osborne se excedió en sus facultades como director del grupo. Eso sí, señor Rosnovski, si usted conoció a alguna de las personas mencionadas en ese expediente, por el amor de Dios hágamelo saber, porque puede estar seguro de que el Departamento de Justicia las obligará a atestiguar contra usted. Pero hasta mañana no nos preocuparemos por eso. Váyase a la cama y duerma un poco. Debe de estar exhausto después de su viaje. Mañana lo veré a primera hora.

Abel fue arrestado discretamente en el apartamento de su hija a las ocho y treinta de la mañana, y un alguacil de los Estados Unidos lo transportó al Tribunal Federal del Distrito Sur de

Nueva York. Los decorados multicolores del Día de San Valentín que colgaban en los escaparates aumentaron su sensación de soledad. Jilks había alimentado la esperanza de que la prensa no se enteraría de nada porque todas sus gestiones habían sido muy reservadas, pero cuando Abel llegó al edificio del tribunal volvió a encontrarse rodeado de fotógrafos y reporteros. Debió sortearlos para entrar en la sala de audiencias, precedido por George y el señor Jilks. Se sentaron en silencio en la antesala y esperaron que empezara el estudio de su caso.

Cuando los hicieron comparecer, la audiencia de inculpación duró sólo unos pocos minutos, y fue un extraño anticlímax. El oficial de secretaría leyó los cargos, y H. Trafford Jilks contestó «Inocente» a continuación de cada uno y pidió la libertad bajo fianza. El gobierno no presentó ninguna objeción, tal como estaba acordado. Jilks le pidió al juez Prescott por lo menos tres meses para preparar la defensa. El magistrado fijó la vista de la causa para el 17 de mayo y, con aparente indiferencia, pasó al caso siguiente.

Abel estaba nuevamente en libertad, en libertad para enfrentarse con los periodistas y con una nueva sucesión de fogonazos de flashes. Siguiendo las instrucciones de George, el auto lo esperaba al pie de la escalinata, con las portezuelas abiertas. El motor ya estaba en marcha y el chófer de Abel debió maniobrar con mucha pericia para eludir a los reporteros empecinados que seguían corriendo en pos de su historia. No enderezó de nuevo hacia el apartamento de East Fifty-seventh Street hasta que estuvo seguro de que los había despistado. Abel no pronunció una palabra durante todo ese tiempo. Cuando llegaron a destino, se volvió hacia George y le colocó el brazo sobre el hombro.

—Ahora escucha, George. Tú tendrás que administrar la cadena durante un mínimo de tres meses, mientras preparo mi defensa junto con el señor Jilks. Espero que no debas administrarla solo después del juicio —agregó Abel, tratando de mostrarse jocoso.

—Claro que no, Abel. El señor Jilks te sacará del aprieto, ya verás. —George cogió su maletín y le tocó el brazo a Abel—. Sigue sonriendo —dijo, y se fue.

—No sé qué haría sin George —le comentó Abel a su abogado cuando se sentaron en la sala—. Vinimos en el mismo barco hace casi cuarenta años, y desde entonces hemos afrontado juntos muchos contratiempos. Ahora parece que nos aguardan muchos otros, así que vayamos al grano, señor Jilks. ¿Ha habido el menor indicio de Henry Osborne?

—No, pero tengo seis hombres trabajando en el caso, y entiendo que el Departamento de Justicia tiene a otros seis, por lo menos, o sea que podemos estar casi seguros de que aparecerá. Aunque, por supuesto, no nos conviene que ellos lo descubran antes que nosotros.

—¿Qué me dice del hombre al que Osborne le vendió la información? —preguntó Abel.

—Tengo gente de confianza en Chicago que se ocupa de ese aspecto de la investigación.

—Excelente —asintió Abel—. Ahora ha llegado el momento de revisar la lista de nombres que me dejó anoche.

Trafford Jilks empezó por leer la inculpación y después estudió detalladamente cada uno de los cargos, junto con Abel.

Después de casi tres semanas de entrevistas constantes, Jilks se convenció por fin de que su cliente no podía agregar nada más, y lo dejó descansar. En las tres semanas ni los hombres de Trafford Jilks ni los del Departamento de Justicia habían hallado ninguna pista del paradero de Henry Osborne. Los investigadores de Jilks tampoco habían progresado en la búsqueda de la persona a la que Henry le había vendido su información, y empezaban a preguntarse si la hipótesis de Abel era correcta.

A medida que se aproximaba la fecha del juicio, Abel empezó a contemplar la posibilidad de que por fin fuera a dar en la cárcel. Ahora tenía cincuenta y cinco años y lo asustaba y avergonzaba la perspectiva de pasar la última etapa de su vida en las mismas condiciones en que había pasado la primera. Tal como señaló H. Trafford Jilks, si el gobierno lograba probar sus inculpaciones, el expediente de Henry Osborne contenía elementos suficientes para hacerle pasar una larga temporada en prisión. A Abel lo enfurecía el hecho de estar en un apuro que, desde su punto de vista, era injusto. Las fechorías que Henry Osborne había cometido en representación de él habían sido graves pero no excepcionales. Abel dudaba que alguien hubiera podido desarrollar una nueva empresa o ganar una nueva fortuna sin recurrir a cohechos y sobornos como los que el expediente de Henry Osborne documentaba con sobrecogedora precisión. Recordó amargamente el rostro terso, impasible, del joven William Kane, que hacía tantos años había estado sentado en su despacho de Boston sobre una montaña de dinero heredado, dinero cuyos orígenes probablemente deshonestos estaban sepultados, a salvo, bajo generaciones de respetabilidad. Entonces Florentyna le escribió una carta conmovedora acompañada por algunas fotos de su hijo, en la que le decía que aún lo amaba y respetaba, y que creía en su inocencia.

Tres días antes de que comenzaran las sesiones del tribunal, el Departamento de Justicia encontró a Henry Osborne en New Orleans. Indudablemente habría pasado inadvertido si no hubiera terminado en un hospital local con dos piernas fracturadas. Un policía diligente descubrió que se las habían roto porque no había pagado sus deudas de juego. Esto no se toleraba en New Orleans. El policía sumó dos más dos y esa misma noche, más tarde, después de que en el hospital escayolaron las dos piernas de Osborne, el Departamento de Justicia lo transportó a Nueva York en un vuelo de Eastern Airlines.

Al día siguiente Henry Osborne fue inculpado de asociación ilícita con fines de defraudación, sin posibilidades de salir en libertad bajo fianza. H. Trafford Jilks solicitó la autorización del tribunal para interrogarlo. El tribunal se la concedió, pero Jilks no sacó casi nada en limpio de la entrevista. Era obvio que Osborne había concertado un acuerdo con las autoridades, y que había prometido declarar contra Abel a cambio que a él lo sentenciaran a una pena más leve.

—Sin duda el señor Osborne descubrirá que los delitos de los que lo acusan son sorprendentemente triviales —comentó el abogado con tono seco.

—Así que éste es su juego —murmuró Abel—. Yo cargo con la culpa mientras él sale indemne. Ahora nunca sabremos a quién le vendió ese condenado expediente.

—Se equivoca, señor Rosnovski. De eso sí estuvo dispuesto a hablar —respondió Jilks—. Afirmó que el comprador no fue William Kane. Jamás se lo habría vendido a él, en ninguna circunstancia. Un hombre de Chicago llamado Harry Smith le pagó en efectivo por las pruebas, y créalo o no Harry Smith no es su verdadero nombre, porque en Chicago hay docenas de hombres que se llaman así y ninguno de ellos concuerda con la descripción que dio Osborne.

—Encuéntrelo —ordenó Abel—. Y encuéntrelo antes de que empiece el juicio.

—Ya nos estamos ocupando de eso —contestó Jilks—. Si el hombre aún está en Chicago lo atraparemos en el curso de la semana. Según Osborne, ese supuesto Smith le aseguró que sólo quería la información por razones personales, y le prometió que no divulgaría su contenido ante las autoridades.

—¿Entonces para qué quería «Smith» esa información?

—Dio a entender que para efectuar un chantaje. Ése fue el motivo por el que desapareció Osborne: para eludirlo a usted. Pensándolo bien, señor Rosnovski, es posible que diga la verdad. Al fin y al cabo, las revelaciones lo perjudican mucho a él, y debió de sentirse tan afligido como usted cuando se enteró de que el expediente estaba en poder del Departamento de Justicia. No es raro que optara por permanecer oculto y que cuando finalmente lo capturaron aceptase declarar como testigo de la acusación.

—En verdad —confesó Abel—, sólo empleé a ese hombre porque odiaba a William Kane tanto como yo, y ahora Kane nos ha hundido a los dos.

—No hay absolutamente ninguna prueba de que el señor Kane haya estado implicado —insistió Jilks.

—No necesito pruebas.

El juicio fue aplazado a petición del gobierno. El Departamento de Justicia argumentó que necesitaba más tiempo para interrogar a Henry Osborne antes de presentar su acusación, porque ahora aquél se había convertido en su principal testigo. Trafford Jilks protestó enérgicamente e informó al tribunal que la salud de su cliente, que ya no era un hombre joven, se estaba resintiendo bajo el peso de las falsas acusaciones. El juez Prescott no se dejó conmover por este razonamiento y accedió a los deseos del gobierno, difiriendo por otras cuatro semanas la vista de la causa.

El mes transcurrió muy lentamente para Abel, y dos días antes de que el tribunal iniciara sus sesiones se resignó a que lo encontrasen culpable y lo sentenciaran a pasar una larga temporada en la cárcel. Entonces el investigador que trabajaba para H. Trafford Jilks en Chicago encontró al hombre que se hacía llamar Harry Smith, el cual resultó ser un detective privado de esa ciudad. «Smith» había usado un alias porque así lo estipulaban las estrictas instrucciones de su empleador, una firma de abogados de Nueva York. Jilks hubo de desembolsar mil dólares y perder otras veinticuatro horas antes de que el detective se decidiera a confesar que la firma en cuestión había sido Cohen, Cohen y Yablons.

—El abogado de Kane —exclamó Abel apenas oyó la noticia.

—¿Está seguro? —preguntó Jilks—. Por lo que sabemos acerca de William Kane, habría pensado que sería el último en contratar los servicios de una empresa judía.

—Hace mucho tiempo, cuando compré los hoteles al banco de Kane, un hombre llamado Thomas Cohen confeccionó algunos de los documentos. Quién sabe por qué, el banco utilizó a dos abogados para la transacción.

—¿Qué deseas que haga? —le preguntó George a Abel.

—Nada —intervino Trafford Jilks—. No quiero más complicaciones antes del juicio. ¿Me entiende, señor Rosnovski?

—Sí, señor —contestó Abel—. Me ocuparé de Kane cuando termine el proceso. Ahora, señor Jilks, escúcheme, y escúcheme bien. Entrevístese inmediatamente con Osborne y dígale que Harry Smith le vendió el expediente a William Kane, y que éste utilizó el contenido para vengarse de nosotros dos. Ponga énfasis en el «nosotros dos». Le aseguro que cuando Osborne se entere de esto no abrirá la boca en el banquillo, cualesquiera que sean las promesas que hubiera formulado al Departamento de Justicia. Henry Osborne es el único hombre del mundo que puede odiar a Kane más que yo.

—Haré lo que pide —asintió Jilks, que evidentemente no estaba convencido—, pero tengo la obligación de advertirle, señor Rosnovski, que Osborne sigue acusándolo en forma implacable y que hasta hoy no nos ha prestado ninguna ayuda.

—Créame, señor Jilks. Cambiará de actitud apenas se entere de la intervención de Kane.

H. Trafford Jilks obtuvo autorización para pasar esa noche diez minutos con Henry Osborne, en la celda de éste, antes de volver a su casa. Osborne lo escuchó pero no dijo nada. Jilks quedó convencido de que su revelación no había impresionado al testigo principal de la acusación, y resolvió esperar hasta la mañana siguiente para comunicárselo a Abel Rosnovski. Prefería que su cliente durmiera bien esa noche, antes de que comenzara el juicio.

Cuatro horas antes de que empezara la audiencia, el guardia que le llevaba el desayuno a Henry Osborne lo encontró ahorcado en su celda. Para colgarse había utilizado una corbata con los colores de Harvard.

El juicio se inició sin la presencia del testigo capital de la acusación, y el gobierno pidió una nueva prórroga. Después de escuchar otro vehemente alegato de H. Trafford Jilks sobre el estado de salud de su cliente, el juez Prescott denegó la prórroga. El público siguió en la televisión y en los periódicos todas las alternativas del «Juicio al Barón de Chicago», y Abel vio con horror que Zaphia estaba sentada en el espacio reservado al público, desde donde parecía disfrutar de cada uno de sus momentos de desazón. Después de nueve días de audiencias, la acusación comprendió que sus argumentos no se tenían en pie y le ofreció una transacción a H. Trafford Jilks. Durante un alto en las sesiones, Jilks le reseñó la propuesta a Abel.

—Desistirán de todos los cargos más graves de soborno si usted se confiesa culpable de haber incurrido en falta en dos casos menores de tentativa de presión ilícita sobre funcionarios públicos.

—¿Qué probabilidades cree que tendría de salir absuelto si rechazara la oferta?

—Yo diría que un cincuenta por ciento de probabilidades.

—¿Y si no me absolvieran?

—El juez Prescott es muy riguroso. La sentencia no estaría un día por debajo de los seis años.

—¿Y qué ocurrirá si accedo y me confieso culpable en los dos casos menores?

—Le impondrán una fuerte multa. Me sorprendería que la pena fuera mayor —respondió Jilks.

Abel estudió las alternativas durante unos pocos minutos.

—Me confesaré culpable. Terminemos con esto de una vez.

Los abogados del gobierno le informaron al juez que retiraban quince de los cargos contra Abel Rosnovski. H. Trafford Jilks se levantó de su asiento y le comunicó al tribunal que su cliente deseaba cambiar su alegato y que se confesaba culpable de los dos cargos restantes de falta. El jurado fue disuelto y el juez Prescott amonestó severamente a Abel durante su intervención. Le recordó que el derecho al libre comercio no incluía el de sobornar a los funcionarios públicos. El cohecho era un delito, doblemente grave cuando lo toleraba un hombre inteligente y competente, que no debería tener la necesidad de rebajarse hasta ese punto. Abel se sintió de nuevo como un inmigrante recién llegado cuando el juez añadió, intencionadamente, que tal vez en otros países el soborno era un sistema consagrado para salir adelante en la vida diaria, pero no así en los Estados Unidos de América. El juez Prescott lo condenó a seis meses de prisión condicional y a pagar una multa de veinticinco mil dólares más los gastos.

George lo llevó de vuelta al Baron y pasaron más de una hora sentados en el ático, bebiendo whisky, antes de que Abel se decidiera a hablar.

—George, quiero que te pongas en contacto con Peter Parfitt y que le pagues el millón de dólares que pidió por su dos por ciento de acciones, porque apenas tenga en mis manos el ocho por ciento del capital de ese banco invocaré el artículo siete de los estatutos y descalabraré a William Kane en su propia sala de juntas.

George asintió tristemente con un movimiento de cabeza.

Pocos días más tarde el Departamento de Estado anunció que se le había conferido a Polonia el status de nación más favorecida para el intercambio comercial con los Estados Unidos, y que el próximo embajador norteamericano en Varsovia sería John Moors Cabot.

39

EN UNA DESAPACIBLE NOCHE de febrero, William se repantigó en su asiento y releyó el parte de Thaddeus Cohen. Henry Osborne había soltado toda la información que William necesitaba para aniquilar a Abel Rosnovski, y había desaparecido con los veinticinco mil dólares. Muy propio de él, pensó William mientras volvía a guardar la manoseada copia del legajo de Rosnovski en su caja de caudales. Pocos días antes Thaddeus Cohen había enviado el original al Departamento de Justicia, en Washigton D. C.

Cuando Rosnovski regresó de Turquía y fue arrestado, William se quedó esperando la venganza, calculando que aquel lanzaría inmediatamente al mercado todas sus acciones de Interstate. Esta vez no lo tomaría por sorpresa. Ya le había advertido a su agente de Bolsa que podrían salir al mercado grandes cantidades de acciones de Interstate, sin anuncio previo. Sus instrucciones habían sido claras. Debía comprarlas instantáneamente, para que no bajara la cotización. Estaba dispuesto a invertir dinero de su propio fideicomiso como medida de emergencia, para no crearle contratiempos al banco. También había hecho circular un memorándum entre todos los accionistas del Lester en el que les pedía que no vendieran acciones de Interstate sin consultarlo antes a él.

A medida que pasaban las semanas sin que Abel Rosnovski reaccionara, William empezó a pensar que Thaddeus Cohen no se había equivocado al presumir que era imposible identificarlo a él como instigador de la operación. Rosnovski debía haber pensado que toda la responsabilidad recaía sobre Henry Osborne.

Thaddeus Cohen estaba seguro de que, con el testimonio

de Osborne, Abel Rosnovski iría a la cárcel por mucho tiempo, lo que le impediría invocar alguna vez en su vida el artículo siete y convertirse en una amenaza para el banco o para William Kane. William esperaba que el veredicto también le devolviese la cordura a Richard y lo impulsara a volver a casa. No podía dudar de que las últimas revelaciones acerca de esa familia sólo servirían para hacerle odiar a la hija de Rosnovski y para hacerle comprender que su padre siempre había tenido razón.

William lo habría recibido con los brazos abiertos. Ahora el retiro de Tony Simmons y la muerte de Ted Leach habían abierto un hueco en el consejo de administración del Lester. Richard tendría que volver a Nueva York antes de diez años, cuando William cumpliría sesenta y cinco, o ésa sería la primera vez en más de un siglo que no habría un Kane sentado en la sala de juntas de un banco. Cohen le había informado que Richard había hecho varias brillantes ofertas de compra por tiendas que Floyentyna necesitaba, pero ciertamente la oportunidad de convertirse en el próximo presidente del banco Lester le daría más satisfacciones a Richard que el hecho de convivir con la hija de Rosnovski.

Otro factor que preocupaba a William era su pura estima por la nueva generación de directores que ahora trabajaban en el banco. Jake Thomas, el nuevo vicepresidente, era el firme candidato a sucederlo en la presidencia. Tal vez había estudiado en Princeton y se había graduado como Phi Beta Kappa, pero era petulante —demasiado petulante— pensaba William, y exageradamente ambicioso. De ninguna manera el hombre ideal para el próximo presidente del Lester. Él tendría que resistir hasta los sesenta y cinco años y debería tratar de inducir a Richard a incorporarse al Lester antes de esa fecha. William sabía muy bien que Kate habría recibido a Richard de vuelta en cualquier condición, pero a medida que transcurrían los años a él le resultaba cada vez más difícil ceder al sentido común. Gracias a Dios el matrimonio de Virginia marchaba bien, y ahora su hija estaba embarazada. Si Richard se negaba a volver al hogar y a separarse de la hija de Rosnovski, aún podría legarle todo a Virginia... siempre que engendrara un varón.

William estaba frente al escritorio de su banco cuando sufrió el primer infarto. No fue grave. Los médicos le dijeron que descansara un poco y que aún viviría veinte años más. Él le contestó a su médico, otro joven brillante —cuánto extrañaba a Andrew MacKenzie— que sólo deseaba sobrevivir diez años, para completar su mandato como presidente del banco.

Durante las pocas semanas de convalecencia que debió pasar en su casa, William delegó de mala gana en Jake Thomas toda la responsabilidad del gobierno del banco, pero apenas volvió a su puesto se apresuró a retomar las prerrogativas de presidente, porque temía que Thomas hubiera asumido demasiada autoridad durante su ausencia. De vez en cuando Kate reunía coraje para suplicarle que la dejara tomar contacto directo con Richard, pero William se mantenía en sus trece, y contestaba: «El chico sabe que puede volver a casa cuando quiera. Sólo tiene que poner fin a su relación con esa taimada».

El día en que Henry Osborne se suicidó, William sufrió otro ataque cardíaco. Kate pasó toda la noche a la vera de su lecho, temiendo que muriese, pero el juicio contra Abel Rosnovski lo mantuvo vivo. Cuando por fin Rosnovski recuperó la libertad, sin más castigo que una condena condicional de seis meses y una multa de veinticinco mil dólares, a William no lo sorprendió la lenidad de la sentencia. No era difícil concluir que el gobierno había llegado a una transacción con el brillante abogado de Rosnovski.

Sin embargo, lo que sí lo sorprendió fue el hecho de sentirse ligeramente culpable y un poco aliviado de que a Abel Rosnovski no lo hubieran mandado a la cárcel.

Una vez concluido el juicio, a William ya no le importó que Rosnovski liquidara o no las acciones de Interstate Airways.

Seguía preparado para la contingencia. Pero no sucedió nada, y a medida que pasaban las semanas William empezó a despreocuparse del «Barón de Chicago». Sólo atinaba a pensar en Richard, pues ahora experimentaba una necesidad desesperada de verlo. Una vez había leído que «la vejez y el miedo a la muerte estimulan repentinos cambios de actitud». Una mañana de septiembre le comunicó su deseo a Kate. Ella no le preguntó por qué había cambiado de idea. Le bastó que William quisiera ver a su único hijo.

—Le telefonearé inmediatamente a San Francisco y los invitaré a los dos —anunció, y la sorprendió agradablemente que las palabras «los dos» no parecieran sublevar a su marido.

—Está bien —asintió William con serenidad—. Por favor, dile a Richard que deseo volver a verlo antes de morir.

—No seas tonto, cariño. El médico asegura que si no haces excesos vivirás otros veinte años.

—Sólo quiero completar mi mandato como presidente del banco y ver cómo Richard me sustituye. Con eso me bastará. ¿Por qué no vuelas de nuevo a la costa y le transmites mi petición a Richard, Kate?

—¿Por qué dices «de nuevo»? —inquirió Kate, nerviosa.

William sonrió.

—Sé que ya has ido varias veces a San Francisco, cariño. Desde hace algunos años, siempre que emprendía un viaje de negocios aprovechabas la excusa para visitar a tu madre, pero cuando ella falleció el año pasado tus pretextos han sido cada vez más endebles. Hace veintiocho años que estamos casados y creo que ya conozco todos tus hábitos. Sigues siendo tan bella como cuando te conocí, amor mío, pero me parece improbable que a los cincuenta y cuatro años tengas un amante. De modo que no me resultó tan difícil concluir que visitabas a Richard.

—Sí, lo he estado viendo —respondió Kate—. ¿Por qué no dijiste antes que lo sabías?

—Interiormente me alegraba —explicó William—. Aborrecía la idea de que Richard perdiera contacto con nosotros dos. ¿Cómo está?

—Los dos están bien, y ahora tienes una nieta además de un nieto.

—Una nieta además de un nieto —repitió William.

—Sí, se llama Annabel.

—¿Y mi nieto? —preguntó William por primera vez.

—Se llama como tú, William.

—¿William Kane?

—Sí —contestó Kane. Sólo era un embuste a medias.

—Estupendo. Bueno, vuela a San Francisco y haz lo que puedas. Dile que lo quiero. —Se lo había oído decir a otro anciano que iba a perder a su hijo.

Hacía años que Kate no se sentía tan feliz como esa noche. Le telefoneó a Richard para anunciarle que iría a visitarlos la semana próxima, y que llevaría consigo buenas nuevas.

Cuando Kate regresó tres semanas más tarde, William recibió complacido la noticia de que Richard y Florentyna podrían viajar a Nueva York a fines de noviembre. Ésa era su primera oportunidad para alejarse juntos de San Francisco. Kate trajo consigo un cúmulo de historias sobre el éxito de ambos, sobre la semejanza entre el pequeño William y su abuelo, y sobre lo ansiosos que estaban todos por volver a Nueva York a visitarlos.

William escuchó atentamente y descubrió que él también se sentía feliz y en paz consigo mismo. Había empezado a temer que si Richard no volvía a casa pronto no volvería nunca, en cuyo caso la presidencia del banco le llovería del cielo a Jake Thomas. Esa idea no le gustaba nada a William.

William volvió a trabajar al lunes siguiente, muy animado después de su prolongada ausencia. Se había recuperado bien del segundo infarto y ahora pensaba que tenía una justificación para vivir.

—Debe medir sus actos con un poco más de cuidado —le había advertido su joven y espabilado médico, pero él estaba resuelto a ratificar su condición de presidente del banco y del consejo de administración para así abrirle camino a su hijo único. Cuando llegó al banco lo recibió el portero, quien le informó que Jack Thomas lo buscaba y que había tratado de comunicarse con él llamándolo a su casa más temprano. William le dio las gracias al decano del personal del banco, el único que había trabajado en el Lester más años que el mismo presidente.

—No hay nada que no pueda esperar —comentó.

—No, señor.

William se encaminó lentamente hacia el despacho del presidente. Cuando abrió la puerta, vio que tres de sus directores ya estaban conferenciando, y que Jack Thomas se hallaba firmemente instalado en la silla de William.

—¿He faltado tanto tiempo? —preguntó William, riendo—. ¿Acaso ya no soy el presidente?

—Claro que lo es. Bienvenido de vuelta, William —respondió Jake Thomas, desocupando rápidamente el sitial de la presidencia.

William no podía acostumbrarse a que Jake Thomas lo llamara por su nombre de pila. La nueva generación se tomaba demasiadas libertades. Hacía pocos años que se conocían, y Thomas no podía tener ni un día más de cuarenta años.

—¿Cuál es el problema? —preguntó.

—Abel Rosnovski —contestó Jake Thomas impasible.

William experimentó un malestar en la boca del estómago y se sentó en la silla de cuero más próxima.

—¿Qué quiere ahora? —murmuró cansadamente—. ¿Es que no dejará que termine mis días en paz?

Jake Thomas se acercó a William.

—Se propone invocar el artículo siete y convocar una asamblea de apoderados de accionistas con el solo fin de desalojarlo a usted de la presidencia.

—No puede hacerlo. No tiene el necesario ocho por ciento de las acciones y los estatutos del banco estipulan claramente que si una persona ajena entra en posesión de ese ocho por ciento debe comunicárselo en seguida al presidente.

—Rosnovski afirma que mañana por la mañana tendrá el ocho por ciento.

—No, no —protestó William—. Yo he controlado cuidadosamente todas las acciones. Nadie le vendería a Rosnovski. Nadie.

—Peter Parfitt —manifestó Jake Thomas.

—No —exclamó William, con una sonrisa triunfal—. Hace un año compré sus acciones a través de un intermediario.

Jake Thomas permaneció atónito y nadie habló durante un rato. William comprendió por primera vez hasta qué punto Thomas ambicionaba ser el próximo presidente del Lester.

—Bueno —dijo Jake Thomas—. Debemos enfrentar el hecho de que Rosnovski aduce que mañana tendrá el ocho por ciento, lo que lo facultará para elegir tres miembros de la junta de directores y bloquear cualquier decisión importante durante tres meses. Ésas son las cláusulas que usted introdujo en los estatutos para salvaguardar su mandato a largo plazo. También se propone comunicar su intención mediante anuncios publicados en todo el país. Como reaseguro, amenaza con presentar una oferta pública de compra del Lester, utilizando como instrumento la Cadena Baron, si sus planes encuentran oposición. Ha dejado en claro que sólo desistirá de su proyecto si se cumple una condición.

—¿Cuál es? —inquirió William.

—Que usted renuncie a la presidencia del banco —respondió Jake Thomas.

—Es un chantaje —exclamó William, casi a gritos.

—Tal vez, pero si usted no renuncia antes del mediodía del lunes próximo, él anunciará su propósito a todos los accionistas. Ya ha reservado espacio en cuarenta diarios y revistas.

—Ese hombre se ha vuelto loco —afirmó William. Extrajo el

pañuelo del bolsillo delantero de su americana y se enjugó la frente.

—Eso no fue todo lo que dijo —prosiguió Jake Thomas—. También exigió que ningún Kane lo reemplace como presidente durante los próximos diez años y que usted no justifique su súbita dimisión aduciendo enfermedad... ni ninguna otra causa.

Tendió un extenso documento que ostentaba el membrete de «La Cadena Baron».

—Loco —repitió William, y después ojeó la carta rápidamente.

—Sin embargo —continuó Jake Thomas—, he convocado a una reunión de junta para mañana. A las diez. Creo que entonces deberemos discutir detalladamente sus exigencias, William.

Los tres directores lo dejaron a solas en su despacho y nadie lo visitó durante el día. Permaneció frente a su escritorio tratando de comunicarse con algunos de los otros directores, pero sólo consiguió cambiar pocas palabras con uno o dos de ellos y no quedó convencido de que lo apoyaran. Comprendió que en la junta las fuerzas estarían parejas, pero mientras nadie tuviera el ocho por ciento él estaría a salvo, y empezó a preparar la estrategia de la que se valdría para conservar el control. Revisó la lista de accionistas: hasta donde sabía, ninguno de ellos proyectaba desprenderse de su cartera. Se rió para sus adentros. El golpe de Abel Rosnovski había fracasado. Esa noche se fue temprano a casa, y sólo le dijo a Kate que cancelara la visita que había programado Richard. Después se encerró en su estudio a estudiar las tácticas que emplearía para derrotar por última vez a Abel Rosnovski. No se acostó hasta las tres de la mañana, y a esa hora ya había resuelto lo que debería hacer. Tendría que remover del directorio a Jake Thomas para reemplazarlo por Richard.

A la mañana siguiente William llegó al banco antes de que empezara la junta y se sentó a esperar en su despacho. Revisó sus anotaciones confiando en la victoria. Creía que su plan tomaba en cuenta todas las posibilidades. Su secretaria lo llamó a las diez menos cinco.

—Un señor Rosnovski desea hablar con usted por teléfono —anunció.

—¿Cómo? —exclamó William.

—Un señor Rosnovski.

—Un señor Rosnovski. —William repitió el nombre, incrédulo—. Comuníquelo —ordenó, con voz trémula.

—Sí, señor.

—¿Señor Kane?

El ligero acento que William nunca podría olvidar.

—Sí. ¿Qué desea esta vez?

—Ciñéndome a lo que estipulan los estatutos del banco debo informarle que ahora soy dueño del ocho por ciento de las acciones del Lester y que me propongo invocar el artículo siete si no satisface mis exigencias previas antes del mediodía del lunes.

—¿Cómo consiguió el dos por ciento restante? —balbuceó William.

La comunicación se cortó en seco. William estudió rápidamente la lista de accionistas, tratando de deducir quién lo había traicionado. Todavía temblaba cuando volvió a llamar el teléfono.

—Va a empezar la junta, señor.

William entró en la sala de juntas cuando el reloj daba la décima campanada. Al mirar en torno comprendió que sólo conocía bien a unos pocos de los directores más jóvenes. La última vez que había librado una batalla en esa misma sala no conocía a ninguno de los directores y sin embargo había triunfado. Sonrió para sí, con una razonable confianza en el hecho de que aún podía derrotar a Abel Rosnovski, y se puso en pie para dirigir la palabra a la junta.

—Caballeros, hemos convocado esta reunión porque el banco ha recibido un ultimátum del señor Abel Rosnovski, de

616

la Cadena Baron. Un delincuente convicto que ha tenido la desfachatez de amenazarme personalmente, advirtiendo que utilizará su ocho por ciento de acciones de mi banco para colocarnos en una situación embarazosa, y que si su táctica falla presentará una oferta pública de compra, a menos que yo renuncie a la presidencia del banco y de esta junta sin dar ninguna explicación.

»Todos ustedes saben que sólo me quedan nueve años para servir a este banco, hasta el día de mi retiro, y si me fuera antes de entonces el mundo de las finanzas daría una interpretación totalmente errada a mi renuncia.

William consultó sus notas, decidido a abrir el juego con su baza.

—Estoy dispuesto, caballeros, a dejar en prenda todas mis acciones y diez millones de dólares adicionales de mi fideicomiso personal, que quedarán a disposición del banco para que ustedes puedan contrarrestar cualquier maniobra del señor Rosnovski, asegurando al mismo tiempo al Lester contra cualquier posible quebranto económico. Supongo, caballeros, que en estas condiciones todos ustedes me secundarán en la lucha contra Abel Rosnovski. Estoy seguro de que no se dejarán intimidar por un vulgar chantaje.

El recinto quedó sumido en el silencio. William se sintió seguro de que había triunfado, pero entonces Jake Thomas preguntó si la junta podía interrogarlo acerca de la naturaleza de sus relaciones con Abel Rosnovski. Su petición le sorprendió, pero accedió sin vacilar. Jake Thomas no lo asustaba.

—Esta vendetta entre usted y Abel Rosnovski —manifestó Jake Thomas—, se prolonga desde hace más de treinta años. ¿Cree que si aplicáramos su plan ahí terminaría todo?

—¿Qué más puede hacer ese hombre? ¿Qué más puede hacer? —tartajeó William, mirando en torno para buscar apoyo.

—No podremos saberlo con certeza hasta que lo haga, pero con el ocho por ciento de las acciones del banco tiene tantos poderes como usted —intervino el nuevo secretario... que no había sido escogido con la aprobación de William, pues éste lo consideraba demasiado locuaz—. Lo único que sí sabemos es que ninguno de ustedes dos parece capaz de renunciar a esta contienda personal. Aunque usted ha ofrecido diez millones de dólares para reforzar nuestra posición financiera, si Rosnovski se empecinara en bloquear continuamente nuestras decisiones tácticas, en convocar asambleas de apoderados de accionistas, en hacer propuestas de compra sin tomar en cuenta el buen nombre del banco, sin duda generaría una atmósfera de pánico. En el mejor de los casos, el banco y sus compañías subsidiarias, para con las cuales tenemos deberes en nuestra condición de directores, quedarían en una situación muy incómoda, y en el peor de los casos podrían sucumbir.

—No, no —protestó William—. Con mi apoyo personal podríamos combatirlo frontalmente.

—Lo que debemos decidir hoy aquí —continuó el secretario—, es si este directorio quiere combatir frontalmente al señor Rosnovski en alguna circunstancia. Quizás estamos condenados a salir perdiendo, a la larga.

—No si yo los avalo con mi fideicomiso particular —insistió William.

—Sí, eso es algo que usted podría hacer —asintió Jake Thomas—. Pero no se trata sólo del dinero. Al banco se le plantean problemas mucho más graves. Ahora que Rosnovski puede invocar el artículo siete, también puede jugar con nosotros como se le antoje. Podría suceder que el banco quedara paralizado y que tuviera que dedicar todo su tiempo a prever la próxima maniobra de Abel Rosnovski.

Jake Thomas hizo una pausa para que los asistentes asimilaran el efecto de sus palabras. William permaneció callado. Después Thomas miró a William y prosiguió:

—Ahora debo formularle una pregunta personal muy seria, señor presidente, que preocupa a todos los congregados alrededor de esta mesa. Y espero que la conteste con absoluta franqueza, aunque ello le resulte muy desagradable.

William levantó la vista, ansioso por saber cuál sería la pregunta. ¿Qué habían estado discutiendo a sus espaldas? ¿Quién demonios creía ser Jake Thomas? William sintió que perdía la iniciativa.

—Contestaré todo lo que la junta me pregunte —afirmó William—. No le temo a nada ni a nadie —añadió, mirando intencionadamente a Jake Thomas.

—Gracias —respondió Thomas—. Señor presidente, ¿usted estuvo implicado en el envío al Departamento de Justicia de Washington de un expediente en virtud del cual Abel Rosnovski fue arrestado y acusado de cohecho, aunque sabía que se trataba de uno de los principales accionistas del banco?

—¿Él se lo ha dicho? —inquirió William.

—Sí. Y afirma que fue la única razón por la cual lo detuvieron.

William se quedó un momento callado, sopesando la respuesta, mientras estudiaba sus notas. Esto no lo ayudó. No pensó que afloraría ese problema, pero en más de veintitrés años nunca le había mentido a la junta. No empezaría ahora.

—Sí, es cierto —proclamó, rompiendo su silencio—. La información llegó a mis manos y consideré que tenía el deber de pasársela al Departamento de Justicia.

—¿Cómo fue que la información llegó a sus manos?

William no contestó.

—Creo que todos conocemos la respuesta a esa pregunta, señor presidente —continuó Jake Thomas—. Además, presentó la denuncia a las autoridades sin convocar al directorio para ponerlo al tanto de lo que se proponía hacer, y de esa manera nos colocó a todos en la picota. Nuestras reputaciones, nuestras carreras, todo lo que representa este banco, en aras de una vendetta personal.

—Pero Rosnovski intentaba arruinarme —replicó William, consciente de que ahora hablaba a gritos.

—De modo que para arruinarlo a él usted puso en peligro la estabilidad y reputación del banco.

—Es mi banco —espetó William.

—No lo es —contestó Jake Thomas—. Usted tiene el ocho por ciento de las acciones, como el señor Rosnovski, y actualmente es el presidente del Lester y del directorio, pero el banco no es suyo y usted no puede utilizarlo según sus caprichos personales sin consultar a los otros directores.

—Entonces deberé presentar a la junta una moción de confianza —manifestó William—. Les pediré que me apoyen en mi contienda contra Abel Rosnovski.

—Ése no sería el sentido de la moción de confianza —corrigió el secretario de la compañía—. Lo que debemos votar es si usted es el hombre apropiado para gobernar este banco en las circunstancias actuales. ¿No se da cuenta de ello, señor presidente?

—Que así sea —dijo William, desviando la vista—. Esta junta debe decidir si quiere poner fin a mi carrera ahora, vergonzosamente, después de un cuarto de siglo de servicios, cediendo a las amenazas de un delincuente convicto.

Jake Thomas le hizo una seña con la cabeza al secretario de la compañía y éste distribuyó las papeletas entre los presentes. William tuvo la impresión de que todo había sido resuelto antes de la asamblea. Paseó la vista sobre los veintinueve hombres sentados alrededor de la mesa. A muchos los había escogido él mismo, pero a otros no los conocía bien. Una vez le habían contado que un pequeño grupo de jóvenes directores apoyaba abiertamente al partido Demócrata y a John Kennedy. Algunos lo miraban, otros no. Seguramente le prestarían su apoyo. No permitirían que Rosnovski lo derrotara. No ahora. Por favor, déjenme terminar mi mandato como presidente, se dijo para sus adentros, y después me iré mansamente y sin escándalo... pero no así.

Observó cómo los miembros del directorio le devolvían las papeletas al secretario. Éste las abría lentamente. Reinaba el silencio y todos los ojos se fijaron en el secretario cuando empezó a desplegar los últimos votos, anotando escrupulosamente cada «sí», y cada «no» sobre una hoja de papel con dos columnas que tenía frente a él. William se percató de que una columna era considerablemente más larga que la otra, pero su vista debilitada no le permitió descifrar cuál correspondía a cada tendencia. No se resignaba a aceptar que podía haber llegado el día en que en su propia sala de directorio optaban entre él y Abel Rosnovski.

El secretario dijo algo. William no pudo dar crédito a lo que había oído. Había perdido la confianza de la junta por diecisiete votos contra doce. Consiguió ponerse en pie. Abel Rosnovski lo había derrotado en la batalla final. Nadie pronunció una palabra cuando salió del recinto. Volvió al despacho del presidente, recogió su abrigo, y sólo se detuvo para contemplar por última vez el retrato de Charles Lester. Después avanzó despacio por el largo corredor y salió por la puerta del frente.

—Es un placer tenerlo de nuevo entre nosotros, señor presidente —le dijo el portero—. Hasta mañana, señor.

William se dio cuenta de que nunca más lo vería. Dio media vuelta y le estrechó la mano al hombre que veintitrés años atrás le había señalado el camino a la sala de juntas.

—Buenas noches, señor —murmuró el portero, bastante sorprendido, mientras lo veía montar por última vez en la parte trasera de su auto.

El chófer lo llevó a su casa, y cuando William llegó a East Sixty-eighth Street, se desplomó sobre el umbral. El chófer y Kate lo ayudaron a entrar. Kate vio que lloraba y lo rodeó con los brazos.

—¿Qué pasa, William? ¿Qué ha sucedido?

—Me han expulsado de mi propio banco —sollozó—. Mi directorio ya no confía en mí. En el trance decisivo, optó por Abel Rosnovski.

Kate consiguió meterlo en la cama y le hizo compañía durante toda la noche. William no durmió. Tampoco habló.

El suelto publicado en el *Wall Street Journal* el miércoles siguiente por la mañana decía sencillamente: «William Kane, presidente del banco Lester y de su directorio, renunció después de la junta de ayer».

El periódico no hacía ninguna referencia a una enfermedad ni explicaba la repentina dimisión, y tampoco insinuaba que su hijo fuera a reemplazarlo en junta. William sabía que Wall Street se convertiría en un hervidero de rumores y que la gente imaginaría lo peor. Se quedó sentado en la cama, solo, sin preocuparse ya por este mundo.

Ese mismo día Abel leyó en el *Wall Street Journal* la noticia de la renuncia de William Kane. Cogió el teléfono, marcó el número del banco Lester y pidió que lo comunicaran con el nuevo presidente. Pocos segundos después Jake Thomas apareció en la línea.

—Buenos días, señor Rosnovski.

—Buenos días, señor Thomas. Sólo lo llamo para confirmarle que esta mañana le venderé al banco todas mis acciones de Interstate Airways a la cotización del mercado, y que le transferiré personalmente a usted, por dos millones de dólares, el ocho por ciento de acciones del Lester que obran en mi poder.

—Gracias, señor Rosnovski. Es usted muy generoso.

—No tiene por qué agradecérmelo, señor presidente. No es más que lo que acordamos cuando usted me vendió su dos por ciento de acciones del Lester —respondió Abel Rosnovski.

622

SÉPTIMO
LIBRO

40

A ABEL LE SORPRENDIÓ DESCUBRIR cuán poca satisfacción le había producido su triunfo final.

George trató de persuadirlo de que debía ir a Varsovia en busca de un solar para el nuevo Baron, pero Abel no quiso viajar. A medida que envejecía lo asustaba cada vez más la posibilidad de morir en el exterior y de no volver a ver a Florentyna, y durante meses no demostró interés por las actividades de la cadena. Cuando el 22 de noviembre de 1963 asesinaron a Kennedy, Abel quedó aún más deprimido y temió por los Estados Unidos. Finalmente George lo convenció de que una gira por el exterior no le haría daño, y que quizá la vida le parecería más fácil cuando volviera.

Abel voló a Varsovia donde concertó un acuerdo confidencial para construir el primer Baron del mundo comunista. Su dominio del idioma impresionó a sus interlocutores de Varsovia, y se enorgulleció de haber sorteado el Telón de Acero antes que el Holiday Inns y el Intercontinental. No podía dejar de pensar... y no ayudó que John Gronowski se convirtiera en el primer embajador polaco-norteamericano en Varsovia, por decisión de Lyndon Johnson. Pero ahora nada parecía conformarlo. Había derrotado a Kane y había perdido a su propia hija, y se preguntaba si su rival sentía lo mismo respecto de su hijo. Cuando completó sus gestiones en Varsovia siguió vagabundeando por el resto del mundo, alojándose en sus hoteles, vigilando la construcción de otros nuevos. Inauguró el primer Baron de Ciudad del Cabo, en Sudáfrica, y volvió a Alemania para inaugurar el de Düsseldorf.

A continuación Abel pasó seis meses en su Baron predilecto, el de París. Durante el día deambulaba por las calles y por la noche iba a la ópera, con la esperanza de resucitar así los felices recuerdos de Florentyna.

Finalmente dejó París y volvió a los Estados Unidos, después de su largo exilio. Cuando descendió por la escalerilla metálica de un 707 de Air France, en el aeropuerto internacional Kennedy, con la espalda encorvada y la cabeza calva cubierta por un sombrero negro, nadie lo reconoció. George, el leal y honesto George, que parecía bastante avejentado, estaba allí para recibirlo. En el trayecto hacia el Baron de Nueva York, George le recitó, como de costumbre, las últimas noticias de la compañía. Aparentemente las utilidades seguían aumentando a medida que sus espabilados y jóvenes ejecutivos tomaban la iniciativa en todos los grandes países del mundo. Setenta y dos hoteles donde trabajaban veintidós mil personas. Abel no parecía oírlo. Sólo quería recibir nuevas de Florentyna.

—Está bien —le informó George—, y vendrá a Nueva York a comienzos del año próximo.

—¿Por qué? —preguntó Abel, súbitamente excitado.

—Inaugurará una de sus boutiques en la Quinta Avenida.

—¿En la Quinta Avenida?

—La undécima Florentyna —asintió George.

—¿La has visto?

—Sí —confesó George.

—¿Está bien? ¿Es feliz?

—Los dos están muy bien y son felices, y tienen mucho éxito. Deberías estar muy orgulloso de ellos, Abel. Tu nieto es un chico estupendo y tu nieta es muy guapa. La fiel imagen de Florentyna cuando tenía esa edad.

—¿Se reunirá conmigo? —preguntó Abel.

—¿Tú te reunirás con su marido?

—No, George. Nunca podré reunirme con ese chico, mientras su padre esté vivo.

—¿Y si tú murieras antes?

—No debes creer todo lo que lees en la Biblia.*

Abel y George viajaron en silencio hasta el hotel, y esa noche Abel cenó solo en su habitación.

Durante los seis meses siguientes no volvió a salir del ático.

41

CUANDO FLORENTYNA KANE inauguró su nueva boutique de la Quinta Avenida en marzo de 1967, todo Nueva York pareció estar allí, excepto William Kane y Abel Rosnovski.

Kate y Lucy dejaron a William mascullando para sus adentros, en la cama, cuando se fueron a la inauguración de Florentyna's.

George dejó a Abel solo en su suite para asistir a los festejos. Había tratado de arrastrarlo consigo, pero Abel gruñó que su hija había inaugurado diez tiendas sin su presencia,

* Juego de palabras que es la clave del original en inglés. En dicho idioma, la pronunciación de «Kane» es muy semejante a la de «Caín», y el título de la versión original —Kane and Abel— así como toda la relación entre los dos protagonistas de la novela trae obvias reminiscencias de la historia de Caín y Abel. (N. del T.)

y que una más no cambiaría nada. George le dijo que era un viejo testarudo y necio y se encaminó solo hacia la Quinta Avenida. Cuando llegó al local —una magnífica boutique moderna, con alfombras mullidas y los más novedosos muebles suecos, que le recordaron la forma en que Abel hacía antes las cosas— se encontró con Florentyna. Ésta lucía un largo vestido azul con la ya famosa «F» en el cuello alto. Florentyna le entregó una copa de champán y le presentó a Kate y Lucy Kane, que estaban conversando con Zaphia. Kate y Lucy irradiaban felicidad y George se sorprendió cuando le preguntaron por Abel Rosnovski.

—Le dije que era un viejo testarudo y necio al perderse una reunión tan agradable. ¿El señor Kane ha venido? —agregó.

A George le encantó la divertida respuesta de Kate Kane.

William seguía farfullando coléricamente algo acerca de la escasa agresividad de Johnson en Vietnam, frente al *New York Times*, cuando dobló el diario y se bajó de la cama. Empezó a vestirse lentamente, y cuando terminó de acicalarse se miró en el espejo. Parecía un banquero. Hizo una mueca de fastidio. ¿Qué otra cosa podía parecer? Se enfundó en su pesado abrigo negro. se puso su viejo. bombín, cogió el bastón negro con empuñadura de plata —el que le había legado Rupert Cork-Smith— y se las apañó para llegar a la calle. Era la primera vez que salía solo en casi tres años, desde su último infarto grave, pensó. La criada se sorprendió al ver que salía a la calle sin compañía.

Era otra tarde de primavera inusitadamente cálida, pero William sintió frío despues de haber pasado tanto tiempo en la casa. Tardó un lapso considerable en llegar a la Quinta Avenida y Fifty-sixth Street, y cuando por fin estuvo allí, vio tanta gente congregada frente al Florentyna's que le pareció que no tenía fuerzas suficientes para abrirse paso. Se detuvo en el bordillo de la acera, mirando cómo los demás se divertían.

Personas jóvenes, dichosas y excitadas, que irrumpían en la hermosa tienda de Florentyna. Algunas de las chicas usaban las nuevas minifaldas procedentes de Londres. ¿Qué inventarían a continuación?, pensó William, y entonces vio a su hijo que conversaba con Kate. Se había convertido en un joven apuesto: alto, confiado y distendido, con un aire de autoridad que le recordó a William el de su propio padre. Pero en medio del ajetreo no pudo identificar a Florentyna. Pasó casi una hora allí, disfrutando de las idas y venidas, lamentando los años de obstinación que había derrochado.

El viento empezaba a soplar con fuerza por la Quinta Avenida. Había olvidado que marzo podía ser tan frío. Se levantó el cuello del abrigo. Debía volver a casa, porque esa noche todos irían a cenar juntos y él vería por primera vez a Florentyna y a sus nietos, a William y la pequeña Annabel y el padre de ambos, su amado hijo. Le había dicho a Kate que había sido un idiota y le había implorado perdón. Lo único que recordaba era que ella había contestado: «Te amaré siempre». Florentyna le había escrito. Una carta muy generosa. Había sido muy comprensiva y amable respecto al pasado. La había completado con un «Estoy ansiosa por conocerlo».

Debía volver a casa. Kate se enfadaría con él si alguna vez se enteraba de que había salido solo con ese viento frío. Pero había sentido la necesidad de asistir a la inauguración de la tienda y de todos modos esa noche estaría con ellos. Ahora debía irse y dejarlos disfrutar de su fiesta. Durante la cena podrían contarle todos los detalles de la inauguración. Él no confesaría que había estado allí. Ése sería siempre su secreto.

Dio media vuelta para emprender el regreso y vio a un anciano detenido a pocos metros de él, con un abrigo negro, un sombrero encasquetado en la cabeza, y una bufanda alrededor del cuello. Él también tenía frío. No era una noche para ancianos, pensó William, mientras caminaba en dirección a él. Y entonces vio la pulsera de plata que le ceñía la muñeca, justo por debajo de la manga. Todo se le apareció en un abrir y cerrar de ojos y las piezas se ensamblaron por primera vez. Primero en el Plaza, después en Boston, más tarde en Alemania y ahora en la Quinta Avenida. El hombre se volvió y echó a andar hacia él. Debía de hacer mucho tiempo que estaba allí, porque tenía la cara enrojecida por el viento. Miró a William desde el fondo de esos inconfundibles ojos azules. Ahora sólo los separaban unos pocos metros. Cuando se cruzaron, William se quitó el sombrero para saludar al anciano. Éste devolvió el cumplido y se alejaron en direcciones opuestas sin cambiar una palabra.

Debo llegar a casa antes que ellos, pensó William. El júbilo de ver a Richard y a sus dos nietos haría que la vida fuera nuevamente digna de ser vivida. Debería hacerse amigo de Florentyna, pedirle perdón y confiar en que ella entendería lo que él mismo ya apenas entendía. Todos le decían que era una excelente chica.

Cuando llegó a East Sixty-eighth Street extrajo la llave y abrió la puerta de entrada. Le ordenó a la criada que encendiera las luces y que avivara el fuego para que todos se sintieran bienvenidos. Estaba muy contento y muy cansado.

—Corra las cortinas —añadió—, y encienda las velas en la mesa del comedor. Hay mucho que celebrar.

William no veía la hora de que llegasen todos. Se sentó en el viejo sillón de cuero marrón, frente al fuego crepitante, y pensó con placer en la velada que le aguardaba. Rodeado por los nietos, recuperando los años perdidos. ¿Cuándo habría dicho por primera vez «tres» el pequeño William? Una oportunidad para sepultar el pasado y hacerse acreedor al perdón en el futuro. La habitación era tan confortable y cálida después de ese viento frío, pero la caminata había valido la pena.

Pocos minutos más tarde se oyó una bulla febril en la planta baja y la criada entró para anunciarle a William que su hijo había llegado. Estaba en la sala con su madre, y con su esposa y las dos criaturas más hermosas que la criada había visto en su vida. Y después salió corriendo para asegurarse de que la cena del señor Kane estaría lista a tiempo. Él quería que esa noche todo fuera perfecto para los suyos.

Cuando Richard entró en la habitación, Florentyna estaba a su lado. Tenía un aspecto radiante.

—Padre —dijo Richard—, quiero presentarte a mi esposa.

William Lowell Kane se habría vuelto para darles la bienvenida, pero no podía hacerlo. Estaba muerto.

42

ABEL DEPOSITÓ EL SOBRE ENCIMA DE LA MESILLA DE NOCHE. Aún no se había vestido. Últimamente casi nunca se levantaba antes del mediodía. Trató de quitar la bandeja del desayuno que descansaba sobre sus rodillas para depositarla en el suelo. Una inclinación que exigía demasiada flexibilidad, más de la que su cuerpo entumecido estaba en condiciones de desarrollar. Inevitablemente terminaba por dejar caer la bandeja estrepitosamente. Ese día no fue distinto a los otros. Ya no le importaba. Recogió nuevamente el sobre y leyó por segunda vez la nota que cubría su superficie.

> «El difunto señor Curtis Fenton, en otra época gerente del Continental Trust Bank, La Salle Street, Chicago, nos dejó instrucciones para que le enviáramos la carta aquí incluida cuando se cumplieran determinadas condiciones. Le agradecemos que acuse recibo de esta carta firmando la copia adjunta y remitiéndola en el sobre franqueado y dirigido a nuestro nombre que acompaña a la presente.»

—Malditos leguleyos —refunfuñó Abel, y abrió la carta y leyó.

Estimado señor Rosnovski:

Esta carta ha permanecido bajo la custodia de mis abogados hasta hoy por razones que usted entenderá a medida que la lea.

En 1951, cuando usted cerró sus cuentas en el Continental Trust después de operar con el banco durante más de veinte años, yo me sentí lógicamente muy afligido y preocupado. Lo que me preocupó no fue perder a uno de los más apreciados clientes del banco, a pesar de que ello era penoso, sino saber que usted me atribuía una conducta deshonesta. Lo que usted ignoraba en ese momento era que su benefactor me había dado instrucciones específicas para que le ocultara ciertos detalles.

Cuando usted me visitó por primera vez en el banco, en 1929, solicitó ayuda financiera para cancelar la deuda contraída por el señor Davis Leroy, y poder tomar así posesión de los hoteles que entonces formaban la Cadena Richmond. No pude encontrar un socio capitalista, a pesar de que yo mismo abordé a varios capitalistas de gran envergadura. Me interesé personalmente en su caso porque pensaba que usted tenía dotes excepcionales para la carrera que había elegido. He experimentado una gran satisfacción al comprobar, en mi vejez, que mi confianza no estuvo mal encaminada. Además, me sentía un poco responsable, porque le había aconsejado que le comprara el veinticinco por ciento de las acciones de la Cadena Richmond a mi cliente, la señorita Amy Leroy, cuando yo desconocía los aprietos financieros por los que pasaba el señor Leroy en aquel momento. Pero basta de digresiones.

No había conseguido encontrarle un socio capitalista, y cuando usted vino a visitarme aquel lunes por la mañana ya había perdido toda esperanza. Me pregunto si recuerda aquel día. Sólo treinta minutos antes de la hora fijada para la entrevista, recibí una llamada de un capitalista que estaba dispuesto a aportar el dinero necesario y que, lo mismo que yo, depositaba una gran confianza personal en usted. Su única salvedad, tal como se lo expliqué a usted en aquel momento, fue que quería conservar el anonimato, en razón de un conflicto potencial entre sus intereses profesionales y particulares. En esas circunstancias consideré que las condiciones que le ofrecía, y que posteriormente habrían de permitirle recuperar el control de la Cadena Richmond, eran generosas, y usted tuvo el tino de aprovecharlas cabalmente. En verdad, su benefactor quedó muy complacido cuando usted pudo devolverle, merced a su propia diligencia, la inversión inicial.

Después de 1951 perdí contacto con ustedes dos, pero cuando ya me había retirado del banco leí en los periódicos una historia penosa acerca de su ex socio capitalista, la cual me indujo a escribir esta carta por si yo moría antes que uno de ustedes.

No la escribo para demostrar que actué de buena fe en toda esta operación, sino para evitar que usted siga viviendo con la ilusión de que su socio capitalista y benefactor fue el señor David Maxton, del hotel Stevens. El señor Maxton lo admiraba mucho, pero nunca se puso en contacto con el banco. El caballero que con su clarividencia y generosidad personal hizo posible la creación de la Cadena Baron fue William Lowell Kane, presidente del banco Lester de Nueva York.

Le rogué al señor Kane que le comunicara su in-

633

tervención personal, pero él se negó a infringir la cláusula de su fideicomiso en virtud de la cual ningún beneficiario debía estar enterado de las inversiones del fideicomiso familiar. Cuando usted canceló el préstamo, y cuando él se enteró de que Henry Osborne estaba personalmente implicado en la Cadena Baron, su decisión de que usted nunca supiera la verdad se tornó aún más imperiosa.

He dejado instrucciones para que destruyan esta carta en el caso de que usted muera antes que el señor Kane. Si así fuese, él recibiría otra carta con la ratificación de que usted nunca estuvo al tanto de su generosidad personal.

Sea quien fuere el que reciba mi carta, ha sido un honor servirlos a ambos.

Lo saluda atentamente,
Curtis Fenton.

Abel cogió el teléfono que descansaba junto a su cama.
—Haga llamar a George —dijo—. Necesito que me vistan.

43

Al funeral de William Lowell Kane asistió mucha gente. Richard y Florentyna se colocaron a un lado de Kate; Virginia y Lucy al otro. La abuela Kane habría aprobado a la concurrencia. Allí estaban tres senadores, cinco diputados, dos obispos, los presidentes de la mayoría de los principales bancos y el editor del *Wall Street Journal*. También se hallaban presentes Jake Thomas y todos los directores de la junta del

Lester, con la cabeza gacha en actitud de plegaria a un Dios en el que William nunca había creído realmente.

Nadie prestó atención a dos ancianos que estaban detrás del grupo, con la cabeza también gacha, como si no estuvieran asociados al grueso de la concurrencia. Habían llegado con unos minutos de retraso y se fueron apenas concluyó la ceremonia. Florentyna creyó reconocer la cojera cuando el más bajo de los dos ancianos se alejó deprisa. Se lo dijo a Richard. No le comunicaron sus sospechas a Kate Kane.

Pocos días después el más alto de los dos ancianos fue a visitar a Florentyna en su boutique de la Quinta Avenida. Se había enterado que planeaba volver a San Francisco y necesitaba pedirle ayuda antes de que se fuera. Florentyna escuchó atentamente lo que él le dijo y accedió complacida a su ruego.

Richard y Florentyna Kane llegaron al hotel Baron a la tarde siguiente. George Novak los estaba esperando para acompañarlos hasta el piso cuarenta y dos. Después de diez años, Florentyna apenas reconoció a su padre, que ahora estaba sentado en la cama, con las gafas de media luneta descansando sobre la punta de la nariz, siempre sin almohada, pero ostentando una sonrisa desafiante. Hablaron de días más felices y ambos se rieron un poco y lloraron mucho.

—Debes disculparnos, Richard —dijo Abel—. Los polacos somos sentimentales.

—Lo sé, mis hijos son mitad polacos —respondió Richard.

Esa noche, más tarde, cenaron juntos. Una magnífica ternera asada, ideal para el regreso de la hija pródiga, comentó Abel.

Abel habló del futuro y de lo que pensaba sobre el progreso de su compañía.

—Deberíamos tener una Florentyna en cada hotel —afirmó.

Ella rió y dio su asentimiento.

Abel le confesó a Richard la pena que sentía por su padre.

Le reveló en detalle los errores que había cometido durante tantos años y admitió que no se le había cruzado por la mente ni un segundo que él podía haber sido su benefactor. Agregó que le habría encantado tener una oportunidad para agradecérselo personalmente.

—Él lo habría entendido —manifestó Richard.

—Nos vimos, sabes, el día de su muerte —manifestó Abel.

Florentyna y Richard lo miraron, sorprendidos.

—Oh, sí —prosiguió Abel—. Nos cruzamos en la Quinta Avenida. Él había ido a presenciar la inauguración de tu boutique. Se quitó el sombrero para saludarme. Fue suficiente, más que suficiente.

Abel sólo quería formularle una petición a Florentyna. Que ella y Richard lo acompañaran nueve meses más tarde a Varsovia, para asistir a la inauguración del último Baron.

—¿Se imaginan? —exclamó, nuevamente excitado, tamborileando con los dedos sobre la mesilla de noche—. El Baron de Varsovia. He aquí un hotel que sólo podría inaugurar el presidente de la Cadena Baron.

Durante los meses siguientes los Kane visitaron a Abel con regularidad, y Florentyna volvió a intimar con su padre. Abel terminó por admirar a Richard y su sentido común, con el que atemperaba las ambiciones de su hija. Adoraba a su nieto. Y la pequeña Annabel era —¿cómo decía esa horrible expresión moderna?—, era otra cosa. Pocas veces en su vida Abel había sido tan feliz, y empezó a urdir planes complicados para su retorno a Polonia, donde inauguraría el Baron de Varsovia.

La presidenta de la Cadena Baron inauguró el Baron de Varsovia seis meses después de lo inicialmente previsto. Los contratos de construcción se atrasan en Varsovia como en todo el mundo

En su primer discurso como presidenta de la compañía, les dijo a sus oyentes que el orgullo que le producía ese maravilloso hotel se mezclaba con un sentimiento de tristeza por el hecho de que su difunto padre no hubiera podido asistir personalmente a la inauguración del Baron de Varsovia.

En su testamento, Abel le dejó todo a Florentyna, con excepción de un pequeño legado. El testamento describía el objeto como una pulsera de plata labrada, maciza, poco común, pero de valor desconocido, que ostentaba la leyenda «Barón Abel Rosnovski».

El beneficiario era su nieto, William Abel Kane.

Este libro se terminó de imprimir
el 20 de agosto de 1982
en la Imprenta de los Buenos Ayres S.A.,
Rondeau 3274, Buenos Aires, Argentina.

Esta edición se terminó de imprimir
el 26 de agosto de 1974
en la Impresora de los Buenos Ayres S.A.
Rondeau 3274, Buenos Aires, Argentina